विश्वनाथ प्रसाद तिवारी के नाम साहित्यकारों के पत्र

(खण्ड-2)

विश्वनाथ प्रसाद तिवारी के नाम
साहित्यकारों के पत्र
(खण्ड-2)

सम्पादक
अनन्तकीर्ति तिवारी

वाणी प्रकाशन

वाणी प्रकाशन
4695, 21-ए, दरियागंज, नयी दिल्ली 110 002

शाखा

अशोक राजपथ, पटना 800 004

फ़ोनः +91 11 23273167 फ़ैक्सः +91 11 23275710

www.vaniprakashan.in
vaniprakashan@gmail.com
sales@vaniprakashan.in

VISHWANATH PRASAD TIWARI KE NAAM
SAHITYAKARON KE PATRA-2
edited by Anantkeerti Tiwari

ISBN : 978-93-5229-542-5
Letter

प्रथम संस्करण

मूल्य : ₹ 1500 (प्रत्येक खण्ड)

हर्ष प्रिंटर्स, दिल्ली-110 093 में मुद्रित

वाणी प्रकाशन का लोगो मक़बूल फ़िदा हुसेन की कूची से

अनुक्रम

मनोहर श्याम जोशी

(1)

ए-53, डी.डी.ए. फ्लैट साकेत,
नयी दिल्ली—110017

26-2-99

प्रिय विश्वनाथ जी,

नमस्कार।

सुनियोजित अराजकता के अन्यतम आचार्य अरुणेश नीरन की अनुकम्पा से मैं आपके हिन्दी विभाग को बोर करने से और आपका हिन्दी विभाग मुझसे बोर होने से बाल-बाल बच गया था। इसके बावजूद आप और आपके साथी मुझे स्टेशन में रेल में रवाना होने से पहले कुछ देर झेलने के लिए प्रस्तुत हुए यह मेरे लिए अत्यन्त सुखद आश्चर्य का विषय रहा। मैं एक साथ गद्गद् और शर्म से पानी-पानी हो उठा। आपके और आपके विभाग के प्रति मैंने जो अपराध किया वो अक्षम्य था। आपने और आपके साथियों ने उसे क्षमा किया सो अद्भुत था। नतमस्तक हूँ। सस्नेह

Happy Holi!! उर्फ सन्त भांगेन्टाइन डे

आपका
मनोहर श्याम जोशी

(2)

18-3-2000

प्रिय विश्वनाथ जी,

भाँजे की शादी में हिस्सा लेने के बाद दिल्ली लौटने पर पता चला कि इस बीच आपका फोन आया था कि विश्वविद्यालय में मेरा कोई कार्यक्रम रखना चाहते हैं। जैसा कि आपको पता ही होगा मैं अच्छा सार्वजनिक भाषण दे नहीं पाता हूँ और भागदौड़ से बहुत घबराता हूँ। अगर आपके विभाग को मेरी बेकार सी ऊल-जलूल बातें सुनने की जिद्द ही हो तो मेरा सुझाव यह है कि आप अपने शिष्य और सभी के गुरूघण्टाल अरुणेश से समन्वय करके अपना और बरहज वालों का कार्यक्रम आसपास ही रखवा लें ताकि मेरा काम एक ही यात्रा में निपट जाये। अगर उनके कार्यक्रम के बारे में अनिश्चय की स्थिति हो और आपका कार्यक्रम 31 मार्च को ही होना तय हो तो भी मुझे फोन पर शीघ्र सूचित कर दें।

आशा है आप स्वस्थ और सानन्द होंगे।

सस्नेह,आपका
मनोहर श्याम जोशी

मणि मधुकर

(1)

7/2 राजेन्द्र नगर
न्यू दिल्ली–110060

29-5-79

प्रिय भाई,

आपका कृपा-पत्र मिला और 'दस्तावेज' का अंक भी। मैं पिछले दिनों बाहर रहा और कुछ ऐसी अस्त-व्यस्त सी जिन्दगी रही कि चाहकर भी आपको न लिख पाया। बहरहाल!

कवितायें मैं आपको जल्दी ही भेजूँगा और कविता-संग्रह आपको मिलें, इसके लिए प्रकाशकों को लिख रहा हूँ।

'आलोचना' में सर्वेश्वर पर आपका लेख बहुत अच्छा है। 'साथ चलते हुए' की कवितायें मुझे बेहद पसन्द आयी थीं—एक ताकत मिली थी उनसे। अपने को थोड़ा 'व्यवस्थित' कर, चाहता हूँ कि उन पर कुछ लिखूँ।

कभी दिल्ली आने का कार्यक्रम बने तो मिलेंगे। 'दस्तावेज' पढ़कर अगले पत्र में लिखूँगा। खूब प्रसन्न होंगे।

भाई,
मणि मधुकर

(2)

27-6-79

प्रिय भाई,

आपका पत्र मिला, बहुत आभारी हूँ।

पाँच कवितायें भेज रहा हूँ। आशा है, आपको ठीक-ठाक लगेंगी।

आ. हजारी प्रसाद जी पर मैं लिखूँगा। उनके कुछ पत्र हैं, जिनके साथ जुड़े हुए प्रसंगों को मैं स्पष्ट करना चाहता हूँ। 'नवभारत टाइम्स' वाला लेख तो बहुत जल्दी में लिखा था, वात्स्यायन जी के आग्रह पर।

आगे के किसी अंक के लिए, कुछ समय बाद, अपनी एक छोटी नाट्य-रचना भी मैं आपको भेजूँगा। हिन्दी, बंगला और मराठी में उसका मंचन हो चुका है। लेकिन, मैं उसे फिर लिख रहा हूँ।

मेरे योग्य सेवा लिखें। आप खूब अच्छी तरह होंगे।

विनम्र
मणि मधुकर

ममता कालिया

(1)

सी-77, लाजपत नगर, पार्ट-1,
नई दिल्ली—110024

8-7-13

प्रिय डॉ. तिवारी जी,

दस्तावेज का प्रस्तुत अंक सुनील गंगोपाध्याय पर बहुत भावभीनी स्मृतियाँ लेकर आया है। मैंने कलकत्ता प्रवास में सुनीलदा की लोकप्रियता देखी और जानी। आपने स्वयं उन्हें बड़े आत्मीय ढंग से याद किया है। कवि को कवि की गीतांजलि देना विलक्षण अनुभव है।

आपके नेतृत्व में साहित्य अकादमी में नवजीवन आया है। एक ऐसी संस्था, जिसके द्वार प्रायः उढ़के रहते थे, अब नित नये आयोजनों से गुँजान हो गयी है।

इसी प्रसंग में आपका ध्यान एक बात की ओर उन्मुख करना है।

सा. अकादमी ने वर्ष 2006 या 07 में मुझसे एक पुस्तक का सम्पादन करवाया था। बीसवीं शताब्दी का महिला-लेखन (गद्य खण्ड) मैंने यथा समय पाण्डुलिपि दे दी जो मूल्यांकित व स्वीकृत हुयी। सुनने में आया किताब प्रेस में भी चली गयी। अकादमी में मैं जब भी पूछती हूँ यही सुनने में आता है कि पुस्तक अभी प्रेस में है। इसमें सम्मिलित रचनाकारों का धैय चुकता जा रहा है। मुझे भी लगता है कि प्रकाशन व मुद्रण की गति-प्रगति को आप थोड़ा और सक्रिय करें तो बेहतर होगा। उम्मीद है इस मोर्चे को भी आप सँभालेंगे।

रवीन्द्र ठीक हैं। आपको याद करते हैं।

सद्भाव सहित,

ममता कालिया

(2)

26-9-2013

प्रिय विश्वनाथ प्रसाद जी,

इस पत्र के साथ मैं अपनी दो पुस्तकें आपको भेज रही हूँ। एक छोटी सी उम्मीद है कि आप इन्हें उलट-पलट कर देख लेंगे। मेरी हार्दिक इच्छा है कि ये मेरी पुस्तकें आपकी बुक-शेल्फ में नजर आयें। इनमें दुक्खम-सुक्खम उपन्यास के सन् 2009 में प्रकाशित होकर अब तक 4 संस्करण हो चुके हैं तथा इस पर गम्भीर विमर्श लगातार होता रहा है। 'कितने शहरों में कितनी बार' एक अलग किस्म

की संस्मरण पुस्तक है। सन् 2010 में छपकर यह भी चर्चा में बनी रही है।

हाँ इन्हें आपको देने की अचानक हुड़क उठी इसलिए कि यह बता दूँ कि स्त्री लेखन में देह और दैहिकता के कोष्ठक के अलावा भी लेखन हो रहा है। वैसे दस्तावेज में आपने कमलाकान्त त्रिपाठी का लेख, 'हिन्दी की स्त्री उपन्यासकारों में मुक्त यौनवाद' प्रकाशित कर स्त्री लेखन का भला ही किया है। आखिर कब तक स्त्री लेखन आइटम डाँस की तरह सनसनी पैदा करता रहेगा। विलास को विमर्श की संज्ञा नहीं दी जा सकती । कमलाकान्त जी का लेख विचार के लिए बहुत से मुद्दे रखता है।

चैन्नै में आपके सान्निध्य में बिताया समय अच्छा लगा।

सदभाव तथा आदर सहित

ममता कालिया

मधुरेश

(1)

ब्रह्मनन्द पाण्डेय का नया मकान
भाँजी टोला बदायूँ

13-3-76

प्रिय भाई,

आशा है आप ठीक-ठाक हैं।

कई दिन से आपको लिखने की सोचता था। आज वह हो ही गया है।

आपकी पुस्तक 'नये साहित्य का तर्कशास्त्र' गोपाल राय जी ने मैक मिलन से भिजवायी है—समीक्षा में समीक्षार्थ। आज आपका नया कविता संग्रह 'साथ चलते हुए' भी देखने को मिला है। स्पष्ट ही इन सबसे एक नये परिचय में रूचि बढ़ी है। सो आशा है कि आप इस अनौपचारिक पहल का अन्यथा नहीं लेंगे।

आपके कविता संग्रह से कुछ और रचनाओं की सूचना भी मिली है—जिनमें से दो-एक में मेरी दिलचस्पी सामान्य से कुछ ज्यादा ही है। आपका शोध-प्रबन्ध कब और कहाँ से छपा है?

'समीक्षा' के सितम्बर 75 के अंक में तीन-चार अच्छे शोध-प्रबन्धों की मेरी की गयी समीक्षा शायद आपने देखी हों। जहाँ शोध के नाम पर एक खास किस्म की एलर्जी है वहीं अच्छे शोाध-प्रबन्धों को ढूँढ़-2 पढ़ना-देखना भी अच्छा लगता है। आपका जो कुछ अब तक देखा पढ़ा है उससे ऐसा ही विश्वास पैदा हुआ है। मेरी दिलचस्पी की दूसरी किताब 'अज्ञेय और उनका साहित्य' है। यह सम्भवतः सम्पादित पुस्तक है। यह क्या निकल चुकी है या कि निकट भविष्य में निकलने को है? कहाँ से?
और सब ठीक ही है।

सस्नेह
मधुरेश

(2)

17-10-78

प्रिय भाई,

आपका पत्र मिला था। अभी थोड़ी देर पहले 'दस्तावेज' का अंक भी मिल गया है। देखकर आश्चर्य हुआ कि अकेले ही आपने इतना ढेर सा काम इतने सुन्दर और स्तरीय ढंग से कैसे कर लिया। आपकी

यह घोषणा सचमुच ही मुझे साहसिक लगी—'मेरी पत्रिका में वह सब भी छपेगा जो मेरे विचारों के विरूद्ध है।.....' आशा स्तर की इस शुरूआत को बनाये ही नहीं रखेंगे, उसका विकास करेंगे। अगले अंक से मुद्रण की ओर अलबत्ता थोड़ा सचेत रहने की आवश्यकता है.....

अब अपने सहयोग की बात। प्रवेशांक के लिए भिजवाया गया मेरा लेख खो जाने से आपको नहीं मिला इसका मुझे दुःख है। काशीनाथ सिंह के संग्रह की समीक्षा मुझे अशोक वाजपेयी को देनी है—अब तक दे देनी थी। वह इसी अंक में छपेगी, उनके कई पत्र आ चुके है। कहें तो वही 'लेख' प्रेमचन्द की परम्परा ओर यशपाल' आपको फिर भिजवाऊँ। एक नया लेख एक संकलन के लिए रांगेय राघव की कहानियों के पुनमूल्याकंन की शकल में लिखा है। संकलन देर से आयेगा। कहें तो वह भिजवा दूँ। समीक्षा किसी अगले अंक में लिखूँगा।

ठीक होंगे। एक बार फिर बधाई लें।

आपका
मधुरेश

(3)

2-3-79

प्रिय भाई,

आपका पत्र अभी मिला। धन्यवाद। आपने मेरे लिखे को बड़े सहज रूप में लिया, इसके लिए आभारी हूँ। मुझे आपत्ति यह नहीं है कि काशीनाथ सिंह की किताब के साथ अज्ञेय कीं किताब की आलोचना क्यों छापी जाती है। आपत्ति यदि कोई है तो यह कि एक झूठे सन्तुलन के नाम पर सम्पादकीय निष्पक्षता के बहाने यह किया जाता हैं। पार्टी लाइन और पार्टी मेम्बरों की रचनाओं को राजनीतिक कारणों से अकारण महत्व देने के यक्ष में मैं भी नहीं हूँ। यह भी मेरी मन्शा नहीं है कि आवेश में आकर खांटी रचनाशीलता को ही उपेक्षित और तिरस्कृत किया जाये। रंचनाशीलता वह जहाँ भी हो, को रेखांकित और प्रतिष्ठित किया ही जाना चाहिए। मेरा कहना यही हे कि पत्रिका के चरित्र को पूरी तरह प्रगतिशील बनाये रखकर भी बल्कि ही—ऐसा किया जा सकता है। आपकी बात एकदम ठीक है कि अपनी पत्रिका में अपना और अपनी रचना का नाम नहीं आना चाहिए। इसके लिए यदि कुछ कठोर कदम, भी उठाने पड़े तो निःसंकोच उठाये जाने चाहिए। 'दस्तावेज' के प्रवेशांक से मैं बहुत आश्वस्त हुआ था—वैसे विद्यानिवास मिश्र का लेख उसमें भी था और वह कुल मिलाकर साम्यवाद के विरोध में ही था। लेकिन विचारों की स्वतन्त्रता और खुले मंच के नाम पर उसके होने से कोई फर्क नहीं पड़ता है। लेकिन इस दूसरे अंक को देखकर थोड़ी निराशा ही हुई है। एक अकेले आदमी के काम और नयी पत्रिका की अपनी सीमायें हो सकती हैं, उन्हें मैं बखूबी समझता हूँ, लेकिन सन्तुलन और निष्पक्षता के नाम पर एक बदरंग और खिचड़ी किस्म की पत्रिका शायद आप स्वयं भी पसन्द नहीं करेंगे। कट्टरता और हठकर्मी कहीं भी ज्यादा भला नहीं करती है।

जहाँ तक मुझे याद है तब आपने यही लिखा था कि व्यक्तिगत रचनाकारों पर लेख आप कम से कम एक वर्ष तक तो नहीं ही देंगे। आज अब ऐसे लेख देने की सोच रहे हैं, यह अच्छा ही है। इस समय मेरे पास बहुत सा पिछला काम इकट्ठा हो गया है। अब धीरे-धीरे उसे निबटाने की कोशिश में हूँ। जिन कहानीकारों का उल्लेख आपने किया है। उनमें से अधिकांश संग्रह मेरे पास भी आये हैं। चूँकि वह लेख इतनी जल्दी लिखपाना मुमकिन नहीं होगा अतः उसे अभी रहने दें। अगले किसी अंक के लिए या तो मैं किसी एक किताब पर आपको लम्बी समीक्षा दूँगा या किसी लेखक पर कोई लेख। मैं योजना

बनाकर काम करना चाहता हूँ। नयी कहानी का पुनर्मूल्याकंन नाम से एक लेख माला 'पूर्वग्रह' में आने को है। वहाँ उसमें से 7 या 8 लेख आयेंगे। राकेश, कमलेश्वर और परसाई आदि पर भी लिखना है। यदि उनमें से कोई लेख आपकी रूचि का हो तो लिखें। उसे कहीं और न भिजवाकर। इसको ही भिजवा दिया जायेगा। समीक्षा के लिए यदि मन्नू भंडारी का उपन्यास 'महाभोज' आया हो तो मुझे भिजवा सकते हैं। उनके त्रिशंकु (संग्रह) पर 'सारिका' के लिए लिख रहा हूँ।

आपकी किताब 'मुक्तिबोध' क्या निकल गयी है? हरीश इस बीच बहुत व्यस्त हैं और ढंग से कोई पत्र नहीं लिख सके हैं। मेरी किताब 'सिलसिला' क्या आपको समीक्षार्थ मिल गयी है? मैने हरीश को लिखा था। और जो समाचार हो लिखें।

ठीक होंगे।

आपका

मधुरेश

(4)

29-12-80

प्रिय भाई तिवारी जी, नमस्कार।

आपके दोनों पत्र मिल गये थे। धन्यवाद।

इस सारे प्रसंग में सबसे सन्तोष की बात यही है कि जिस बीमारी की आशंका थी, यह वह नहीं है। मनोवैज्ञानिक प्रभाव धीरे-धीरे दूर हो जायेगा। खाने पीने में अलबत्ता थोड़ा एहितियात बरतें।

लेख हाजिर है। एक बार फिर आपसे प्रार्थना करूँगा कि इन लेखों के Off print मिलने से मुझे बहुत सुविधा होगी। नहीं तो फिर कम से कम तीन प्रतियाँ अंक की आप भिजवाने की कृपा करेंगे। इन लेखों पर अलग से आपकी प्रतिक्रिया मिल सके तो पुस्तक रूप में संकलित करते समय आपके सुझावों से, या अगले लेखों में, लाभ उठाया जा सकेगा। यह भी बतायें कि अंक कब तक आयेगा। अगला लेख शायद शैलेश मटियानी पर होगा।

बैंगलौर से परमानन्द गुप्त का कोई समाचार नहीं है। मैंने एक पत्र उन्हें वाराणसी से लौटकर दिया था। उनका नाराज होना स्वाभाविक है। हम लोगों के लेख मिलने और उस प्रस्तावित संकलन को लेकर उनकी कोई सूचना आये तो मुझे भी देने की कृपा करें।

नरेश मेहता के उपन्यास 'उत्तर कथा' को भिजवाने का आश्वासन आपने दिया है। उसे अवश्य भिजवायें— आ गया हो तो तत्काल ही। उसके साथ अंक-9 की दो प्रतियाँ भी भिजवाने की कृपा करेंगे।. ...इस उपन्यास के पहले खण्ड को पढ़कर मैं जरूरी नोट्स लेता चलूँगा। जल्दी ही उसका दूसरा खण्ड मिलने पर पूरे उपन्यास पर एक लेख आपको दिया जा सकेगा। तब तक इस लेख माला के दो अन्य लेख लिखे जा चुकेंगे। ठीक?

पत्र दें। लेख की पहुँच भी। परिवार में सबको यथायोग्य।

नये वर्ष की शुभकामनाओं सहित,

आपका

मधुरेश

(5)

2-8-81

प्रिय तिवारी जी,

बहुत सारी बाधाओं के बावजूद कमलेश्वर सम्बन्धी लेख हो ही गया है। आखिरी झटका आँखों के उस रोग ने दिया जो आजकल बहुत चल रहा है। लेख शुरु कर देने के बाद प्रायः एक सप्ताह यह बीच में छूटा पड़ा रहा। अब जो भी, असुविधा के लिए क्षमा करेंगे।

शैलेश मटियानी की सुदीर्घ प्रतिक्रिया के लिए पर्याप्त धैर्य और समय चाहिए। धैर्य जैसे-तैसे जुटा भी लूँ लेकिन समय वाकई नहीं है—खासतौर से तब जब पहले से ही सामग्री भिजवाने में इतना विलम्ब हो चुका है। अतः एक छोटी सी टिप्पणी प्रेषित है जो पत्र रूप में उन्हीं को सम्बोधित है। हो सकता है मेरा उत्तर आपको टाइप करवाना पड़े। यदि ऐसा जरूरी हो तो कृपया उसकी एक प्रति शैलेश मटियानी को और एक मुझे भी भिजवादें। वैसे भी शैलेश मटियानी पर मैंने जो कुछ भी लिखा है, सोच-समझ कर लिखा है। अपनी तरफ से उसकी सफाई में कुछ कहने में मेरी जरा भी दिलचस्पी नहीं है। अगर उसमें बहस तलब कुछ मुद्दे हैं तो उसे व्यापक बहस के दायरे में लाना चाहिए। लेकिन आपके लिए यह कदाचित मुश्किल होगा क्योंकि अगले चार अंको की योजना आप विशेषांक के रूप में निकालने को घोषित कर चुके हैं। उचित समझने पर इस पर आप अपनी सम्पादकीय टिप्पणी भी दे सकते हैं।

विशेषांकों के लिए जो परिपत्र आपने भिजवाया था उसे भी भिजवा रहा हूँ। जितना सम्भव था, उतना उसे भर दिया है।...साहित्य अकादेमी से मेरी पुस्तिका देवकी नन्दन खत्री अभी पिछले दिनों आयी है। उसकी प्रति आपके लिए भिजवा रहा हूँ। देखकर प्रतिक्रिया लिखें। किसी कारण, कदाचित् भूल से, आप हजारी प्रसाद द्विवेदी अंक की प्रति रखना भूल गये थे। उसे अब इस अंक की प्रतियों के साथ रखवा देने की कृपा करें।

उधर आपकी ओर तो बहुत बाढ़ और तबाही की स्थिति है। सब ठीक-ठाक तो है न? समाचार दें। अंक कब तक निकल सकने की आशा है?

सस्नेह,आपका

मधुरेश

(6)

372 छोटी बमनपुरी

बरेली-243003

8-3-04

प्रिय भाई तिवारी जी,

आपके 27/2 के आत्मीय पत्र के लिए धन्यवाद। अंक 100 की प्रति—गांधी अंक—भी मिल गयी है। लेकिन पैकेट में अंक 101 नहीं है। जिसके होने का आभास आपके पत्र से लगता है। क्योंकि उसमें आपने दोनों के सम्पादकीयों को विशेष रूप से पढ़ने को लिखा है। कृपया उसे भिजवायें।

'दस्तावेज' के प्रति मेरा मोह स्वाभाविक है। मैं शुरु से ही उससे रचनात्मक रूप में जुड़ा रहा हूँ और मैंने अपना बहुत सा महत्वपूर्ण लेखन उसमें किया है। लम्बे अन्तराल के बाद यह व्यवधान न अब हटेगा। अश्क जी के पत्रों की फोटो प्रतिलिपि जल्दी ही भिजवाऊँगा। सम्भवतः इसी माह के अंत तक यह हो जायेगा। उसके बाद भी यह क्रम बना रहे, यह कोशिश रहेगी। नवम्बर में वाराणसी जाना हुआ था।

तब विश्वविद्यालय प्रकाशन, चौक पर भी गया था। वाचस्पति के साथ। यह याद आना स्वाभाविक था कि पिछली बार आपसे वहीं भेंट हुई थी जब हम लोगों का बैंगलौर जाने का कार्यक्रम था जो नहीं हुआ था। इस बीच कई किताबें आई हैं। सबसे नई 'कहानीकार जैनेन्द्र कुमारः पुनर्विचार' जिसे पूर्वोदय प्रकाशन ने ही छापा है। चाहें तो उसकी प्रतियाँ मँगाकर समीक्षा करा लें। ठीक होंगे।

आपका
मधुरेश

(7)

8-4-04

बन्धुवर तिवारी जी,

इस पत्र के साथ 'अश्क के पत्र' की पाण्डुलिपि भिजवा रहा हूँ। आप इनके उद्धार कर्त्ता का श्रेय लें। मेरे पास ऐसे साधन नहीं हैं कि इन्हें नष्ट होने से बचाया जा सके। इन पत्रों को पढ़कर आप देखेंगे, इनमें कहीं-कहीं कुछ ऐसी गाँठें हैं जिनके कारण अश्क जी से सम्बन्ध बहुत नार्मल नहीं रह सके। वही परम्परा अब नीलाभ सहित उनके परिवार के और लोग बनाये रखे हैं। इनके प्रकाशन में, इस स्थिति में होने पर भी, उन्होंने कोई रूचि नहीं ली।

कोशिश यही करें कि ये सब एक अंक में आ जायें—भले ही दस-पाँच पृष्ठ अधिक की सामग्री हो। इनमें कुछ पत्र ऐसे हैं जो मानो अश्क जी के होने पर भी मुझे नहीं हैं जैसे गोपाल राय को सम्बोधित उनका पत्र या फिर मुझे सम्बोधित हैं लेकिन अश्क जी के नहीं है। क्रम और सन्दर्भों की दृष्टि से, मेरे विचार से, उनका जाना जरूरी है। इसलिए भी कि अश्क जी की कुछ विशेषतायें भी उनसे उजागर होती हैं।

कृपया इनके प्रकाशन की सुनिश्चित सूचना दें। उससे भी पहले इनकी पहुँच देने की कृपा करें।

इस बीच भले ही हमारा पहले जैसा सम्पर्क न बना रहा हो, लेकिन पुस्तकों और 'दस्तावेज' के रूप में हम निरन्तर सम्पर्क में हैं। इधर साहित्य में जो और जिस तरह का माफिया सक्रिय है, बल्कि साहित्य पर हावी हुआ है, उसे गम्भीर रूप से काम करने वाला कोई पसन्द नहीं करता। इससे दूसरों की उपेक्षा भी होती है। और एक खास किस्म का परिवारवाद भी फैलता है। हिन्दी आलोचना का विकास में इसे मैंने अनुभव भी किया है और व्यक्त भी।

अब सम्पर्क बनायें रखें। 'भारतीय लेखक' का मेरे सम्पादन में आया यशपाल विशेषांक देखा? अपनी प्रतिक्रिया दें।
ठीक होंगे।

आपका
मधुरेश

मस्तराम कपूर

(1)

79-बी, पाकेट-3,
मयूर बिहार फेस-1, दिल्ली-91

6-9-2006

प्रिय श्री तिवारी जी,

'दस्तावेज' के कुछ अंक मुझे मिलते रहे लेकिन मैं आपको पत्र भी नहीं लिख पाया। वजह कुछ प्रमाद, कुछ अस्वस्थता और कुछ साहित्य की मुख्यधारा से मेरा अलगाव जिसके लिए मैं ही जिम्मेदार हूँ। पिछले अंक में श्री नारायण चतुर्वेदी और विद्यानिवास जी के पत्र व्यवहार ने गुदगुदी पैदा की और इस अंक में आपके सम्पादकीय ने बेचैनी पैदा की। आपने अपने आलेख में जिन लेखकों के उद्धरण दिए जैसे कर्णसिंह चौहान, पी.सी. जोशी, मनोहर श्याम जोशी, मैनेजर पांडे आदि, ये सब मार्क्सवादी ही रहे। किशन पटनायक और लोहिया को छोड़कर। इनका मार्क्सवाद से मोह भंग आश्चर्यजनक भी है और संदिग्ध भी। यह इसलिए कि जिन विकृतियों को उन्होंने आज देखा वे साठ सत्तर साल पहले भी मौजूद थीं। अगर इन्हें किसी ने देखा तो वे लोहिया ही थे जिन्हें अब भी मार्क्सवादी पढ़ने से बचते हैं। मजेदार किस्सा कुछ दिन पहले पी.सी. जोशी ने सुनाया। फोन पर बात हुई। मैंने जब उन्हें बताया कि मैं आजकल लोहिया की समग्र रचनाओं का अनुवाद, संकलन सम्पादन कर रहा हूँ जो लगभग 17 खंडों (हिन्दी अंग्रेजी प्रत्येक में) होगा, तो उन्होंने बहुत पुराना संस्मरण सुनाया। जब वे लखनऊ विश्वविद्यालय में पढ़ते थे तो उन्होंने लोहिया का भाषण सुना और उससे प्रभावित हुए। कुछ साल बाद वे दिल्ली जाये और लोहिया से मिलने की इच्छा कम्यूनिस्ट पार्टी के नेता पूरनचन्द जोशी के आगे प्रकट की। उन्होंने कहा, मेरा आदमी तुम्हें उनके निवास पर पहुँचा देगा। लेकिन मेरी सलाह है कि उनसे मत मिलो, वह पूरी तरह सिनिक हो गया है। शायद यह उन दिनों की बात रही होगी जब मार्क्सवादी मार्क्स के बाद जवाहरलाल नेहरू को ही अपना प्रेरणा-स्रोत मान रहे थे। लोहिया के प्रति यह धारणा मार्क्सवादियों में अब भी बनी हुई है। मैंने हाल ही में गिरीश मिश्र और ब्रजकुमार पाण्डे की पुस्तक पढ़ी जिसमें लोहिया की बुराई ही बुराई है।

दुनिया को नई दिशा देने की कोशिश इतिहास में जिस भी व्यक्ति ने की है, उसे सिनिक ही कहा गया है। गाँधी भी कम सिनिक नहीं था। लोहिया ने 1938 में स्तालिन के मुकद्दमों पर तीखा लिखा था। तब सोशलिस्ट और कम्यूनिस्ट एक ही पार्टी में थे, C.S.P. में। उसके प्रतिवाद में उस समय में अनेक कम्यूनिस्ट नेताओं ने 'काँग्रेस सोशलिस्ट' में लोहिया पर हमला बोला था। यह हमला आज भी जारी है। हालाँकि वे उनके ही 60 साल पुराने विचारों को दुहरा रहे हैं। वही क्यों? जिन विदेशी लेखकों-चिन्तकों को हमारा अंग्रेजीदां मध्यवर्ग और उनका पिछलग्गू हिन्दी जीवी वर्ग सिर कंधों पर उठाये घूम रहा है उनकी बातें भी, गांधी-लोहिया को पढ़ने वालों के लिए बासी ही लगती हैं। लोहिया को तो अभी पढ़ा

ही नहीं गया। उनका अधिकांश चिन्तन प्रधान साहित्य हिन्दी में अनुवाद नहीं हुआ। कुछ हुआ भी तो बहुत खराब जैसे 'इकनामिक्स आफ मार्क्स' का अनुवाद। सभ्यता सम्बन्धी विमर्श जो लोहिया की रचनाओं में है उसकी कुछ गूँज नोमचोमस्की जैसे दो-चार लेखकों में अब सुनाई देने लगी है लेकिन वह गूँज मात्र ही है। स्पष्ट कल्पना नई मानव सभ्यता की किसी के पास नहीं है। लोहिया का सारा चिन्तन नई मानव-सभ्यता की खोज का ही था।

अंग्रेजी की दासता ने इस देश का बहुत अहित किया है। न जाने हमारी वैचारिक गुलामी कब खत्म होगी। लोहिया का नेहरु से झगड़ा अंग्रेजी और अंग्रेजियत को लेकर ही था।

आपने यह लेख लिखकर नींद में पड़े बुद्धिजीवियों को जगाने का प्रयत्न किया है। उनकी झल्लाहट आप पर बरसेगी ही किन्तु इसकी चिन्ता न करें। यह होना ही है। सादर,

आपका

मस्तराम कपूर

कृपया चैक स्वीकार करें। इस पर पत्रिका के खाते का नाम लिख लें।

महीप सिंह

(1)

एच-108 शिवाजी पार्क,
दिल्ली-26

6-4-1976

प्रिय भाई,

आपका पत्र कुछ दिन पूर्व मिला था। संचेतना को आपने जो सहयोग दिया है और दे रहे हैं, उसके लिए मैं कृतज्ञ हूँ।

आपकी पुस्तक 'नये साहित्य का तर्कशास्त्र' मैकमिलन से हमारे पास नहीं आयी। वैसे उनकी अन्य पुस्तकें समीक्षार्थ आयी हैं। आपका कविता संग्रह भी नहीं आया, परन्तु संचेतना के नये अंक में उसकी समीक्षा जा रही है।

मैकमिलन से डॉ.विश्वम्भर नाथ उपाध्याय और मंजुल उपाध्याय द्वारा सम्पादित पुस्तक 'समकालीन कविता की भूमिका' समीक्षांर्थ आयी है। क्या आप संचेतना के लिए इसकी समीक्षा करना पसन्द करेंगे?

दिल्ली कब आ रहे हैं?

आपका
महीप सिंह

(2)

16-1-1978

प्रिय भाई,

आप जानते ही हैं कि स्टार पब्लिकेशन्स, नयी दिल्ली के लिए मैं गत कुछ समय से वर्ष की श्रेष्ठ हिन्दी कहानियों का संकलन-सम्पादन कर रहा हूँ। इस क्रम में 1975 और 1976 की श्रेष्ठ हिन्दी कहानियों का प्रकाशन हो चुका है। शीघ्र ही 1977 की कहानियों की पांडुलिपि प्रेस को भेजी जा रही है।

'1977 की श्रेष्ठ हिन्दी कहानियाँ, संकलन के लिए मैंने सारिका में प्रकाशित आपकी कहानी 'डायरी' का चयन किया है। संकलन प्रकाशित होने पर सजिल्द और पेपरबैक की एक-एक प्रति तथा पचास रुपये आपकी सेवा में प्रेषित किये जायेंगे।

कृपया लौटती डाक अपनी अनुमति और संक्षिप्त परिचय भेजकर अनुग्रहीत करें।

सहयोग के लिए धन्यवाद सहित।

आपका
महीप सिंह

महेश दर्पण

(1)

10 दरियागंज,
नयी दिल्ली—110002

6-8-86

आदरणीय विश्वनाथ जी,

सादर मधुर स्मृति।

'दस्तावेज' का नागर जी पर अंक देखा। सुनियोजित सम्पादन के लिए बहुत-बहुत बधाई। आपका साक्षात्कार भी अनूठा रहा है। क्या यह सम्भव है कि 'दस्तावेज' का अंक मुझे मिलता रहे! एक और अनुमति आपसे चाहिए कि क्या नागर जी से आपकी बातचीत में से कोई छोटा-सा अंश 'सारिका' में उद्धृत किया जा सकता है? पत्रिका और उस अंक का सन्दर्भ उसके साथ ही प्रकाशित होगा। कृपया अपनी सहमति का पत्र शीघ्र भेजकर अनुग्रहीत करें।

आशा है, स्वस्थ व सानन्द होंगे!

आपका
महेश दर्पण

(2)

21-10-87

आदरणीय विश्वनाथ जी,

सादर मधुर स्मृति व दीपावली की शुभकामनायें। आपके सौजन्य से दिल्ली-यात्रा सुगम हो सकी। स्टेशन पहुँचने तक तो ऐसा थ्रिल रहा कि बस पूछिये मत। पहली मुलाकात में ही आपकी आत्मीयता और गोरखपुर के सहृदय जनों के व्यवहार ने जिस तरह प्रभावित किया है वह किसी भी महानगरीय नरक में रहने वाले के लिए एक अविस्मरणीय अनुभव है, निगम साहब को, मिलने पर मेरा साधुवाद अवश्य कहियेगा।

घर पर भाभी जी को प्रणाम और अन्य सभी को यथायोग्य—

आपका ही
महेश दर्पण

मदन कश्यप

(1)

भारत वैगन एण्ड इंजी.कं.लि.
मौर्यलोक, खण्ड'ग'
पटना—800001

27-5-1992

आदरणीय डॉक्टर साहब,

पिछले दिनों 'दूरदर्शन' पर आपका साक्षात्कार देखा। आपकी कई बातें अच्छी लगीं। लेकिन, गद्य कविता पर आपके विचार सुनकर मैं संकोच में पड़ गया। अब इतने दिनों बाद कवितायें भेजने की हिम्मत जुटा पा रहा हूँ। दरअसल, मेरी गद्य कविताओं का उस आन्दोलन से कुछ लेना-देना नहीं है। जिसे अ. वाजपेयी चला रहे हैं। मैं तो 1980 के आस-पास से ही ऐसी कवितायें लिखता रहा हूँ और ये छपती भी रही हैं। मेरा अपना ढंग है।

वैसे तो इसके साथ एक और कविता (किराये के घर में) भी संलग्न हैं। लेकिन, मैं चाहता हूँ कि आप मेरी तीन गद्य कवितायें ही छापें। यह सिर्फ वायदा पूरा करना नहीं है। 'आलोचना' के बन्द होने के बाद अब दस्तावेज ही उसकी जगह ले रही है। मुझे इसमें छपकर प्रसन्नता होगी। बल्कि, मैं गौरवान्वित होऊँगा।

मैं अपनी उपेक्षा से बहुत आहत तो नहीं हूँ। लेकिन, अब पहले की तरह इसके प्रति बहुत असावधान भी नहीं हूँ। मुझे आपके और आप जैसे कुछ और वरिष्ठों के मार्ग निदेशन की जरूरत है।
सादर अभिवादन सहित

स्नेहाकांक्षी

मदन कश्यप

(2)

5-12-1993

आदरणीय तिवारी जी,

प्रणाम!

बहुत दिनों के बाद आपको पत्र लिख रहा हूँ। फिर भी, मेरे पिछले पत्र की कुछ स्मृति हो तो इसे आप उसी क्रम में देखेंगे।

इस बीच, मेरा संग्रह आपको मिला होगा। हालाँकि उसकी कोई प्राप्ति-सूचना मुझे नहीं मिली है।

मैंने पिछली बार जो कवितायें भेजीं थी। वह निश्चित रूप से (शायद अपने शिल्प के कारण) दस्तावेज के योग्य नहीं थीं। इसका एहसास मुझे बाद में हुआ। दरअसल, अपनी हर नयी रचना मुझे शुरु-शुरु में अच्छी ही लगती है, यह तो कुछ दिनों के बाद ही पता चलता है कि उनमें से कुछ अच्छी नहीं भी हैं।

दो कवितायें भेज रहा हूँ। फिलहाल ये मुझे अच्छी लग रही हैं। आपकी राय मिलने पर ही यह तय कर सकूँगा कि कवितायें सचमुच अच्छी हैं, अथवा लग रही हैं। अगर, ये कवितायें दस्तावेज के लायक नहीं हो, तो आप मुझे बेहिचक पत्र लिख देंगे। क्योंकि, जैसा कि मैं अपने पिछले पत्र में लिख चुका हूँ, मुझे तो आपका स्नेह चाहिए।

इधर, भाई रेवती रमण से समीक्षा के बारे में कुछ बातें हुयी थीं। लेकिन, मैं समझता हूँ कि आपका उत्तर मिलने के बाद ही मुझे इस बारें में कोई बात करनी चाहिए।

उम्मीद है, आप स्वस्थ-सानन्द होंगे। सादर अभिवादन सहित

आपका
मदन कश्यप

(3)

1-2-1994

आदरणीय डॉक्टर साहब,

मैंने पिछले दिनों दो-तीन पत्र आपको लिखे और अपना संग्रह भी भेजा। संकलन तो रजि. डाक से भेजा था, मिला ही होगा। लेकिन, मेरी कवितायें लगता है नहीं मिलीं।

अब दो और कवितायें भेज रहा हूँ। इनमें से एक-माँ के गीत-शायद अब तक की मेरी सर्वश्रेष्ठ कविता है। दूसरी कविता-'तुम्हारी यादें' जरूर कुछ पुरानी है लेकिन, मैंने उसे फिर से लिखा है। मुझे उम्मीद है, आपको संलग्न कवितायें (इस बार जरूर) अच्छी लगेंगी और आप 'दस्तावेज' में इन्हें स्थान देने की कृपा करेंगे। इसके पहले प्रेषित कवितायें अगर मिल भी गयी हों, तो उन्हें रद्द कर देंगे। पिछले दिनों (दिसम्बर 92) में जब आप मुजफ्फरपुर आये थे, उसी दिन कार्यालय कार्य से मुझे धनबाद जाना पड़ा। अन्यथा, मैं वहाँ आप से मिलने जरूर आता। मैंने अपने मित्रों को कह भी रखा था कि आपके आने की सूचना मुझे दे। मुझे सूचना मिली भी थी। लेकिन, मेरा दुर्भाग्य...खैर, उम्मीद है, इस न मिल पाने के मेरे दुःख के बावजूद आपका स्नेह मुझे मिलता रहेगा।

आदर एवं अभिवादन के साथ

आपका
मदन कश्यप

(4)

25-2-1994

आदरणीय तिवारी जी,

प्रणाम!

पिछले दिनों मैंने कई पत्र लिखे और दो बार कवितायें भी भेजी। पता नहीं आपको कवितायें मिली अथवा नहीं। मेरा संग्रह तो मिला ही होगा। वह तो रजि. डाक से भेजा था। वैसे इस बीच, विकल जी से जरूर यह सूचना मिली कि मेरे संग्रह पर उनकी समीक्षा 'दस्तावेज' में आ रही है। आभारी हूँ।

इधर, मैं आपसे मिलना भी चाहता था और मुजफ्फर पुर के मित्रों को कह रखा था कि आपके आने की सूचना दें। परन्तु, मेरे दुर्भाग्य से दिसम्बर में जब आप आये तो उन्हीं दिनों मुझे धनबाद जाना पड़ा, एक कार्यालीय कार्य से। मेरे संग्रह पर आपकी प्रतिक्रिया अभी भी प्रतीक्षित है।

मैंने जो कवितायें भेजी हैं उनमें से एक माँ के गीत—आपको जरूर अच्छी लगेगी। मुझे उम्मीद है, आप दस्तावेज के किसी अंक में उसे जरूर स्थान देंगे। शेष कविताओं का उपयोग मैं अन्यत्र कर लूँगा। परन्तु, इस कविता को लेकर भी कोई कठिनाई हो तो आप मुझे सूचित कर दें। अगर, इसकी कमियों की ओर कुछ संकेत भी आप कर सकें तो मुझे प्रसन्नता होगी। और सब ठीक है। किसी प्रकार की नाराजगी हो मेरे प्रति तो उसे मन से निकाल देंगे। ऐसा इसलिए लिखना पड़ रहा है क्योंकि, पटना में एक गन्दा आदमी है जो यहाँ के रचनाकारों के विरुद्ध बाहर के रचनाकारों को पत्र लिखता रहता है। हालाँकि, बिहार में सब लोग उसे पहचान चुके हैं। लेकिन, बाहर के लोगों को अभी भी वह भ्रम में डाल सकता है।

उम्मीद है, आप स्वस्थ-सानन्द होंगे। सादर अभिवादन सहित।

आपका

मदन

(5)

9-3-1994

आदरणीय तिवारी जी,

सादर प्रणाम!

आपका पत्र मिला। आपको मेरी कवितायें 'दस्तावेज' के लिए पसन्द आयीं—यह जानकर प्रसन्नता हुयी। मैंने पहले वाली कवितायें दो कारणों से स्थगित करायीं—

1. पहला यह कि मुझे लगा, आपको कवितायें पसन्द नहीं आयीं।

2. दूसरा यह कि उसकी पहली कविता— पिछले दिनों की कविता—की अन्तिम चार पँक्तियाँ मैंने हटा दी है और उसका शीर्षक 'भेड़िया' कर दिया है। दरअसल, दिसम्बर 92 तथा जनवरी-फरवरी 93 की घटनाओं पर आधारित मेरी कविताओं में यह अन्तिम कविता है और मैं चाहता हूँ कि यह शीघ्र छप जाय (शेष कवितायें छप चुकी हैं अथवा छप रही हैं) ताकि, मैं इससे मुक्त हो जाऊँ।

अब आप इस पर निर्णय ले सकते हैं। अगर, मई-जून तक आने वाले अंक में मेरी कवितायें आ

सकती हों तो आप उक्त परिवर्तन करके इन्हें शामिल कर सकते हैं। अन्यथा, केवल एक भेड़िया कविता (जिसका शीर्षक पहले 'पिछले दिनों की कविता' दिया है) को मुझे तत्काल कहीं छपाने की अनुमति दीजिये। वैसे मुझे तो यही अच्छा लगेगा कि चारों कवितायें एक साथ 'दस्तावेज' (के अगले अंक) में छपें। मैं पहली बार 'दस्तावेज' में छपूँगा। चाहता हूँ कि इस प्रकाशन से मेरी एक नयी पहचान बने। कुछ उतावलापन भी है जो मेरी उम्र और स्थिति को देखकर स्वभाविक ही है।

डॉ. रेवती रमण ने मेरे संग्रह की दो समीक्षायें लिखी हैं जो क्रमशः 'पुरुष' तथा 'शिखर' में छपी हैं। अतः अब उन से समीक्षा के लिए कहना मेरी समझ से ठीक नहीं होगा। वैसे डॉ. जगदीश विकल ने मुझे लिखा था कि उन्होंने आपको मेरे संग्रह की समीक्षा भेजी है। आप कृपया, देख लेंगे। अगर, उनकी समीक्षा (मैंने नहीं देखी है) पसन्द नहीं हो तो डॉ. शम्भुनाथ (कलकत्ता) एवं अथवा डॉ. रविभूषण (राँची) को लिखा जा सकता है। परन्तु, ये लोग देर लगायेंगे। वैसे मुजफ्फरपुर की एक युवा कवयित्री की लिखी समीक्षा मेरे पास है। ठीक ही है लेकिन, बहुत ही संक्षिप्त। एक समीक्षा तो कात्यायनी भी लिख रही है, क्या आप दस्तावेज में उसकी समीक्षा प्रकाशित करना पसन्द करेंगे? खैर......इस पर आपका जो भी निर्णय होगा....।

उम्मीद है, स्वस्थ सानन्द होंगे। पत्रोत्तर देंगे।

साभिवादन

आपका

मदन

पुनश्चः आपका 4-3-94 का पोस्ट कार्ड भी आज मिला।

(6)

आदरणीय तिवारी जी,

आपका 2 जून का पत्र मिला। मैं आभारी हूँ कि आपने मेरे अनुरोध के अनुरूप मेरी कविताओं में परिवर्तन कर दिया। फिर भी, आपकी सुविधा के लिए उन कविताओं को दुबारा टंकित कराकर भेज रहा हूँ। चूँकि, अभी सामग्रियाँ प्रेस में नहीं गयी है। अतः उम्मीद है, आपको असुविधा नहीं होगी। एक कविता—तुम्हारी यादें—मैंने हटा दी है। क्योंकि, यह कुछ पुरानी थी और इन कविताओं के साथ ठीक नहीं लग रही थी। उसके बदले में एक और कविता संलग्न कर दी है—लड़की का घर आप चांहें तो इसे शामिल कर ले सकते हैं। अंक विलम्ब से आयेगा। (जैसा कि आपने लिखा है) उसकी चिन्ता नहीं है। मैं सिर्फ इतना चाहता हूँ कि 'दस्तावेज' जैसी महत्वपूर्ण पत्रिका में जब पहली बार मेरी कविता आ रही है, तो वह कुछ इस तरह आये कि लोगों का ध्यान खींच सके। इसीलिए, आपको कष्ट पहुँचा रहा हूँ। आप क्षमा करेंगे।

कवितायें तो मेरी जैसे-तैसे और जहाँ-तहाँ छपती ही रहती हैं। परन्तु, आपके सम्पादन में 'दस्तावेज' में छपने का अपना महत्व है। मैं समीक्षा के लिए भी आभारी हूँ। वैसे तो समीक्षायें कई साहित्यिक पत्रिकाओं में आ रही हैं। आयी है। लेकिन, दिल्ली वालों ने जो उपेक्षा की है, उससे दुःख ही नहीं आश्चर्य भी होता है। सम्भव है, मेरे रचनात्मक विकास के लिए यह उपेक्षा जरूरी हो। खैर, मुझे आपका स्नेह चाहिए।

आदर एवं अभिवादन के साथ,

आपका

मदन

(7)

23-10-1994

आदरणीय तिवारी जी,

दिल्ली से वापस आने के बाद लगातार आपको विस्तार से लिखने के बारे में सोचता रहा लेकिन, लिख नहीं सका। (एक छोटा सा सूचनात्मक पत्र जरूर लिखा था) इसी बीच, दस्तावेज की प्रतीक्षा भी रही। मित्रों से पता चला कि अंक आ गया है और उसमें मेरी कवितायें भी हैं। आभारी हूँ! एक प्रति मुझे भी भिजवाइये। दस्तावेज की 5 प्रतियाँ निम्नलिखित पते पर भिजवाने की व्यवस्था कीजिए।

प्रबन्धक
जिज्ञासा प्रकाशन
रहमान हाउस, बन्दर बगीचा
पटना—800001

आज दिन भर खाली रहा। सोचा कुछ कवितायें पढ़ूँ। आपका संग्रह-बेहतर दुनिया के लिए—एक बार फिर पढ़ा। पहले भी जब पढ़ा था तो कवितायें अच्छी लगी थीं। 'आरामशीन' और बेहतर दुनिया के लिए जैसी कवितायें काफी अच्छी लगी थीं। परन्तु, आज....इन से मुझे फिर से शक्ति मिली है। 'तुम न चाहों तो भी यह दुनिया बदलेगी।'

हालाँकि, 'न चाहने वालों' की कतार ही लम्बी हो रही है फिर भी बदलाव तो होना ही है। प्यार और कविता पर अभी सबसे ज्यादा संकट है। ऐसे में आपकी ये पंक्तियाँ मुझे सहारा दे रही है

जो लिखते हैं कवितायें
और करते हैं प्यार
वो धरती को........
और यह कि
'अब भी खेतो में थोड़ी नमी बची है।' आज यह पहले से कहीं ज्यादा, कहने की जरूरत है—

'तानाशाह मैं तुम्हारी परवाह नहीं करता।'

खैर, मैं...मैं अपनी बातें अर्थात् जो मैं कहना अथंवा कहिये लिखना चाह रहा हूँ वह ठीक से लिख नहीं पा रहा हूँ।

उम्मीद है, आप स्वस्थ सक्रिय होंगे और उत्तर जरूर देंगे।

अँग्रेजी में कहते हैं (लिखते हैं)

'A line in reply will be appreciated.' मैं आज तक हिन्दी में उसका ठीक (सटीक) अनुवाद नहीं कर पाया।

आदर एवं अभिवादन के साथ,

आपका स्नेहाकांक्षी
मदन

(8)

29-5-97

आदरणीय तिवारी जी,

'दस्तावेज' का नया अंक मिला। आपका सम्पादकीय बहुत ही महत्वपूर्ण है। कुछ लोगों को उछालने की प्रवृत्ति नयी नहीं है लेकिन, इन दिनों इसमें खतरनाक वृद्धि हुयी है। पुरस्कारों को लेकर, एक गम्भीर बहस शुरु करने की जरूरत हैं।

शक्ति चट्टोपाध्याय पर एक साथ इतनी सामग्रियाँ। इस अंक की उपलब्धि हैः आलोचकों की आलोचनायें—मेरा मतलब है उन पर लिखी गयी टिप्पणियाँ भी अच्छी लगीः जो अक्सर दूसरों की खबर लेते रहते हैं, उनकी खबर भी ली जानी चाहिए। हालाँकि, इसमें कुछ और लोगों को शामिल किया जाना चाहिए था और कुछ विस्तार से विचार विमर्श किया जाना चाहिए था। उम्मीद है, आप इस क्रम को जारी रखेंगे।

'दस्तावेज' एक जरूरी पत्रिका है और चमक-दमक के अभाव के बावजूद, प्रकाशित सामग्रियों की गम्भीरता के कारण इसने अपनी महत्वपूर्ण जगह बनायी है। उम्मीद है आप स्वस्थ सक्रिय होंगे।

आदर एवं अभिवादन के साथ,

स्नेहाकांक्षी
मदन

(9)

2-10-2000

आदरणीय तिवारी जी,

आपका पत्र काफी पहले मिला था। लेकिन, मुजफ्फर पुर के मित्रों से सम्पर्क नहीं हो पाने के चलते उत्तर देने में विलम्ब हुआ। इस बीच, डॉ. रेवती रमण की समीक्षा आपको मिल गयी होगी। इस बीच, दस्तावेज का नया अंक मिला। अपने यात्रा संस्मरण भँवखा धीरे चलऽ के लिए बधाई और अभिवादन स्वीकार कीजिये। मारिशस का यह सिर्फ यात्रा विवरण नहीं हैं बल्कि, इसमें बहुत सारी महत्वपूर्ण जानकारियाँ भी है। तब भी इसकी पठनीयता जबरदस्त है। मेरे कार्यालय के कई ऐसे लोगों ने इसे पढ़ा जो सामान्यता साहित्य व साहित्यिक पत्रिकाएँ नहीं पढ़ते।

उम्मीद है, स्वस्थ सक्रिय होंगे। साभिवादन

आपका
मदन

मदन सोनी

(1)

मध्यप्रदेश कला परिषद् टैगोर मार्ग,
भोपाल—462003

27-11-84

प्रिय तिवारी जी,

आपका पत्र मिला। 'पूर्वग्रह' में आपकी कवितायें छापकर हमें हार्दिक प्रसन्नता होती, किन्तु जैसा कि आपने संदेह व्यक्त किया था—अभी लगभग अप्रैल तक इसका एक भी ऐसा अंक प्रकाशित होने की सम्भावना नहीं है, जिसमें हम पूर्व नियोजित सामग्री के अलावा कुछ और छापेंगे। फरवरी में इसका एक अंक प्रकाशित होना है जो जनतन्त्र और समालोचना विषय पर केन्द्रित होगा और इसमें इस विषय पर कुछ अन्य लेखकों के अलावा वह सारी बहस प्रकाशित होगी जो 'पूर्वग्रह' के दस वर्ष पूरे होने के अवसर पर पिछले सितम्बर में भोपाल में लेखकों के बीच हुयी थी। इसके तुरन्त बाद अप्रैल में युवा आलोचकों पर केन्द्रित एक अंक प्रकाशधीन है। जाहिर है तब तक आपकी कवितायें पुस्तकाकार रूप में आ चुकेंगी।

मुझे प्रसन्नता होगी यदि आप अपनी दोनों किताबें प्रकाशन के तुरन्त बाद हमें भेज सकेंगे।

आपके द्वारा भेजी गयी 'दस्तावेज' की प्रतियाँ मैंने यथास्थान पहुँचा दी थी। हमेशा की तरह सिर्फ एक व्यक्ति (भगवत रावत) को हम नहीं पहुँचा सकें, क्योंकि उसकी एक प्रति हमारे अन्य सम्पादकीय सहकर्मी श्री ध्रुवशुक्ल द्वारा अपहृत कर ली गयी। हमें आपको सूचित जरूर करना चाहिए था किन्तु पिछले कुछ महीनों में निरन्तर 'पूर्वग्रह' के तीन अंक छपाने में हम इतने अधिक व्यस्त रहे कि पत्राचार न कर सके। आशा है आप क्षमा करेंगे। श्री अशोक वाजपेयी की दो नयी किताबें (एक आलोचना पुस्तक हैः 'कुछ पूर्वग्रह' और एक कविता संग्रहः 'एक पतंग अनन्त में') आपने देखी होगी। मैं इन दोनों किताबों पर एक समीक्षा लिखने को उत्सुक हूँ। यह समीक्षा दोनों किताबों पर, संयुक्त रूप से केन्द्रित होगी। यदि आप अनुमति दें और यदि आपने किसी अन्य व्यक्ति से इन पर लिखने का अनुबन्ध न किया हो तो मैं अपनी यह समीक्षा 'दस्तावेज' में प्रकाशित कराने को उत्सुक हूँ। कृपया शीघ्र ही लिखें। आशा है आप स्वस्थ-प्रसन्न होंगे।

शुभकामनाओं के साथ

आपका
मदन सोनी

(2)

भारत भवन, शामला हिल्स,
भोपाल–462003

30-12-86

प्रिय तिवारी जी,

समवाय में आपकी प्रतीक्षा है। इस सिलसिले में हमारे द्वारा भेजी गयी औपचारिक सूचना आपको मिली होगी। इस पत्र के साथ कार्यक्रम की रूपरेखा संलग्न है। निश्चय ही यह ढाँचा कार्यक्रम को एक व्यवस्थित रूप देने के उद्‌देश्य से है लेकिन किसी भी विषय पर आपकी स्वतः स्फूर्त प्रतिक्रिया की गुँजाइश हर वक्त रहेगी। जो आलेख इस बीच हमें प्राप्त हो चुके हैं, हम जल्दी ही उनकी प्रतियाँ आपको भेजने की कोशिश करेंगे।

यदि आपने अपने आने की तिथि-समय और वापसी रिजर्वेशन सम्बन्धी सूचना अभी तक न भेजी हो तो पुनः अनुरोध है कि कृपया तुरन्त भेजें। इससे, हमें स्टेशन पर आपको रिसीब करने और आपकी वापसी की सुविधाजनक व्यवस्था करने में मदद मिलेगी। बहुत जल्दी हम आपको सूचना भेजेगें कि आपको भोपाल में कहाँ ठहरना होगा। यदि किसी कारणवश यह सूचना आप तक न भी पहुँच सके, तब भी आप निश्चिन्त होकर आयें।

आपकी प्रतीक्षा में
नये साल की शुभकामनाओं के साथ

आपका
मदन सोनी

(3)

आदरणीय विश्वनाथ प्रसाद जी,

जैसाकि आपको विदित ही है, 11 से 17 जनवरी 1989 को भारत भवन विश्व कविता समारोह वागर्थ का आयोजन कर रहा है। इस सिलसिले में कुछ माह पहले हमने एक पत्र में आपसे आग्रह किया था कि आप इस समारोह में शामिल हो रहे कवियों की कविताओं के एक चयन पर केन्द्रित अपनी पत्रिका का एक अंक प्रकाशित करें। आपने हमारे आग्रह को कृपापूर्वक स्वीकार किया था। इस पत्र के साथ हम आपकी पत्रिका में प्रकाशनार्थ, आमन्त्रित कवियों की कविताओं का एक चयन भेज रहे हैं। आशा है आप समारोह के दौरान ही अपनी पत्रिका का यह अंक प्रकाशित क़र सकेंगे, जिससे कि आप स्वयं या हम इस अवसर पर उसे जारी कर सकें और अपने अतिथि कवियों को उसकी प्रतियाँ भेंट कर सकें।

कविताओं के साथ, आयोजन में शामिल हो रहे कवियों की एक सूची, उनके संक्षिप्त जीवन-परिचय, विश्व कविता समारोह का एक प्रतीक चिन्ह आदि सामग्री भी हम आपको भेज रहे हैं ताकि आप इसका यथा आवश्यक उपयोग कर सकें। विश्व कविता समारोह का एक विज्ञापन भी इसी के साथ हम आपको भेज रहे हैं। यह विज्ञापन आपको इसी अंक में प्रकाशित करना होगा। बेहतर होगा यदि आप इस विज्ञापन डिज़ाइन का यथावत उपयोग कर लें। विज्ञापन के लिए हम आपको 1000/- रुपये की

सहयोग राशि प्रदान करेंगे।

इस सिलसिले में अगर आपको किन्हीं अन्य जानकारियों आदि की ज़रूरत हो तो आप हमें अवश्य लिखें। हमें आशा है कि आपकी पत्रिका का यह अंक इस आयोजन की गरिमा को बढ़ायेगा और हमारे मेहमान कवियों के लिए हम भारतीय लेखकों-सम्पादकों के आतिथ्य को समृद्धिकारी और सुरूचिपूर्ण बनायेगा। अतिथि कवियों को भेंट करने हम आपकी पत्रिका के इस अंक की 100 प्रतियाँ भी (समुचित कमीशन पर) क्रय करना चाहेंगे। इसकी कुछ ऐसी व्यवस्था भी आपको करनी होगी कि ये प्रतियाँ 10 जनवरी तक हमारे पास पहुँच सकें।

आपके पत्र की प्रतीक्षा में,

आभार सहित,आपका
मदन सोनी

(4)

प्रिय तिवारी जी,

आपको यह जानकर प्रसन्नता होगी कि लगभग छह वर्ष के अन्तराल के बाद हम एक बार फिर 'पूर्वग्रह' का प्रकाशन प्रारम्भ कर रहे हैं। सम्भवतः आपको स्मरण होगा कि 1974 में आरम्भ हुयी इस पत्रिका के दिसम्बर 1990 तक 101 अंक प्रकाशित हुये थे। अब यह पत्रिका द्वैमासिक की बजाय त्रैमासिक होगी। यूँ तो पत्रिका का मूल स्वरूप पहले जैसा ही होगा और यह मुख्यतः साहित्य और कलाओं की आलोचना पर केन्द्रित होगी, किन्तु हमारी कोशिश होगी कि अपने नये कलेवर में, इस पत्रिका में हम कुछ नयी और मूलभूत जिज्ञासायें, प्रश्न, सरोकार, विवाद और सर्जकों-बुद्धिजीवियों को समाविष्ट कर सकें। आलोचना और चिन्तनात्मक निबन्धों के साथ-साथ इसमें हिन्दी और अन्य भारतीय भाषाओं के लेखकों की कवितायें, कहानियाँ, उपन्यासअंश आदि भी शामिल होंगे। फिलहाल पुनर्प्रकाश्य 'पूर्वग्रह' का पहला अंक जो रघुवीर सहाय पर केन्द्रित है, प्रेस में है और हम आशा करते हैं कि अगस्त के अन्तिम सप्ताह तक यह छपकर आ जायेगा।

आपकी शुभाकांक्षायें और सहयोग 'पूर्वग्रह' को हमेशा उपलब्ध रहा है। अपने नये स्वरूप और महत्वाकांक्षाओं के इस प्रस्थान पर 'पूर्वग्रह' आपको पुनः याद करता है और आशा करता है कि आपका सृजनात्मक सहयोग इसे निरन्तर मिलता रहेगा।

शुभकामनाओं के साथ, सादर

आपका
मदन सोनी

माहेश्वर

(1)

The Macmillan Company of India Limited
G 2è16. Ansari Road, Daryaganj, New Delhi-110002

4-3-77

प्रिय भाई,

आपका 2 मार्च का पत्र। धन्यवाद। कबीर का काव्य पर आपका नाम स्वयं विद्यानिवास मिश्र जी ने सुझाया था और उन्होंने सम्भवतः आपसे परामर्श करके ही मुझे लिखा था। दूसरे कबीर तो उतने ही आधुनिक हैं जितने हम-आप। कबीर पर नई दृष्टि से नया आदमी ही बात कर सकता है। मुझे आपकी कलम पर पूरी आस्था है। क्या विद्यार्थी कबीर पर प्रश्न करे या उन पर आपकी राय पूछे तो आप मना कर सकेंगे।

विद्यानिवास जी के साथ अपना अनुरोध भी जोड़ रहा हूँ। मुझे विश्वास है आप अच्छा लिखेंगे।

कृपया अपनी स्वीकृति दें और संलग्न (पिछले पत्र) प्रपत्र भर कर भेजें।

आपकी पुस्तक उत्तर प्रदेश सरकार के पुरस्कार लिए भेजी जा चुकी है। आशा है स्वस्थ प्रसन्न हैं।

आपका
माहेश्वर

(2)

18-5-77

प्रिय भाई,

आपके 2 मार्च के पत्र के उत्तर में मैंने 4 मार्च को एक हस्तलिखित पत्र आपको भेजा था। उसका उत्तर न पाने पर फिर दूसरा पत्र 28 अप्रैल को उसी सन्दर्भ में लिखा था। लगता है वे पत्र आपको नहीं मिले। जो भी हो आपने सही निर्णय लिया, मुझे इस बात की खुशी है और पांडुलिपि आप जून 78 के पहले ही अर्थात् दिसम्बर, 77 तक प्रस्तुत कर दें तो एक साथ इस सिरीज की सारी पुस्तकें जुलाई में रिलीज की जा सकेंगी। पुस्तक मार्च तक तैयार हो जायेगी, तभी विश्वविद्यालयों के पाठ्यक्रम में अनुमोदन के लिए इसके विभिन्न विश्वविद्यालयों के पाठ्यमितियों को भेज पाना सम्भव होगा। इस प्रकार जुलाई, 78 के शेशन में इस सिरीज की पुस्तकें एकाध स्थानों पर पाठ्यक्रम में शामिल की जा सकेंगी।

'नये साहित्य का तर्कशास्त्र का रायल्टी एकाउण्ट बन रहा है। नियमतः जनवरी से दिसम्बर तक पूरे वर्ष का रायल्टी एकाउप्ट मद्रास कार्यालय आगामी मार्च में वित्तीय वर्ष समाप्त होने पर हाथ में लेता

है और जून के अन्त तक चैक द्वारा प्रत्येक लेखक को रायल्टी का भुगतान कर दिया जाता है। यह प्रतिवर्ष का नियम है।

मैं ठीक हूँ। एक कहानी संग्रह 'स्पर्श' शीर्षक से और एक उपन्यास 'प्रेमिका' शीर्षक से प्रेस में हैं। आशा करता हूँ जुलाई तक दोनों निकल आयेगी। छिट-पुट लेखों के अलावा नाटककार डॉ. लक्ष्मीनारायण लाल पर एक 125-150 पृष्ठों की छोटी पुस्तक तैयार कर रहा हूँ। फिलहाल डॉ. देवराज के कथा साहित्य पर एक लम्बा लेख लिख रहा हूँ जो उनके अभिनन्दन ग्रन्थ में जायेगा। विडम्बना यह है कि लिखना चाहता हूँ कहानियाँ और लिखना पड़ रहा है समीक्षा। दो बच्चों की छोटी-छोटी पुस्तकें भी लिखी हैं, जो प्रकाशनार्थ प्रकाशक के पास पड़ी हैं। कई साल के गतिरोध के बाद नये सिरे से लिखने में जुट रहा हूँ। इरादा है अगले दस वर्षों तक लगातार लिखूँ। आप लोगों का स्नेह और समर्थन मिला तो इसमें बाधा नहीं पड़ेगी।

'कबीर के काव्य' से सम्बन्धित विषय सूची का एक अँग्रेजी प्रारूप दिया था, जिसकी प्रति 21 फरवरी के अपने पत्र के साथ मैं आपको भेज चुका हूँ। उसे देख लें और उसी के अनुरूप पुस्तक बनाने की कृपा करें। समय-समय पर पुस्तक की प्रगति से तथा अपने कुशलक्षेम से अवगत कराते रहें।

आशा है स्वस्थ प्रसन्न हैं।

भवदीय
माहेश्वर

(3)

21-8-78

प्रियवर,

आपका 22 जुलाई का पत्र, धन्यवाद। एक महीने के अवकाश पर था, इसलिए शीघ्र उत्तर न दे सका।

दस्तावेज निकाल रहे हैं इसमें हमारा हर तरफ से सहयोग होगा। मैं शीघ्र ही कोई रचना आपको भेजूँगा।

खैर यह तो हुई दोस्ती की बात। अब आगे मैं आपसे निवेदन करना चाहूँगा कि आप यदि इस तरह नया-नया काम अपने सिर बढ़ाते गये और "कबीर का काव्य" की पाण्डुलिपि पूरी करने की तिथि को टालते गये तो मैं अच्छी खासी मुसीबत में पड़ जाऊँगा। जितने भी महत्वपूर्ण लेखक हैं सभी लेखन से इतर कामों में इतने व्यस्त हैं कि किसी को हमारी ओर से अनुबन्धित पुस्तक लिखने और समय से हमें देने का होश नहीं। अब तो तीन ही रास्तें हैं सबसे आसान यह है कि मैं यह नौकरी छोड़ दूँ और झंझट से मुक्ति पाऊँ दूसरा रास्ता यह है कि जो लोग किसी भी विषय पर किसी भी समय कुछ भी लिखने को तैयार बैठे रहते हैं और जिन की हर जेब में एक जंग लगी हुयी पाण्डुलिपि हमेशा विराजमान रहती है उनसे ही मैकमिलन की पुस्तकें लिखवायें।

तीसरा रास्ता यह है कि मैकमिलन कम्पनी से निवेदन करें कि वह हिन्दी विभाग को ताला लगा दे। अब आप ही कहें कि इसमें से कोई एक उपाय करें या आप लोग समय पर पाण्डुलिपि हमें भिजवायेंगे।

आशा है, स्वस्थ सानन्द होंगे।

आपका
माहेश्वर

पुनश्चः यह दफ्तरी कामकाज के बारे में हमारा व्यक्तिगत पत्र है।

मिथिलेश्वर

(1)

महाराजा हाता, कतिरा,
आरा (बिहार)

17-7-1991

आदरणीय तिवारी जी,

'दस्तावेज' का नया अंक-संयुक्तांक 49/50 मिला। साथ ही लोकार्पण समारोह का निमन्त्रण भी। लेकिन लोकार्पण की निर्धारित तिथि 6 जुलाई 1991 के बाद मुझे निमन्त्रण पत्र मिला, इसीलिए उक्त समारोह में सम्मिलित नहीं हो सका। कृपया अन्यथा न लीजियेगा। विश्वास है, लोकार्पण-समारोह अच्छी तरह सम्पन्न हो गया होगा। कृपया इसके लिए मेरी समस्त हार्दिक बधाईयाँ और तमाम मंगलकामनायें स्वीकारें।

'दस्तावेज' के इस अंक में अपनी पुस्तक 'एक में अनेक' की समीक्षा का प्रकाशन देखकर मुझे हार्दिक खुशी हुई है। 'दस्तावेज' के इस अंक की एक और प्रति भेजियेगा, ताकि समीक्षक डॉ. अंजनी कुमार राय को मैं उनकी प्रति दे सकूँ। इसके लिए मैं आपका आभारी रहूँगा।

'दस्तावेज' के इस अंक में प्रकाशित 'माँ के लिए' आपकी कविताओं ने मुझे रूला दिया। इतनी मर्मस्पर्शी और हृदयग्राही कवितायें इधर लम्बे समय से पढ़ने को नहीं मिली थीं। एक दिन मैंने अपने परिवार के बीच इनका पाठ किया, एक दिन मित्रों के बीच और एक दिन डॉ. लक्ष्मीकान्त सिन्हा, अध्यक्ष, स्नातकोत्तर हिन्दी विभाग, मगध विश्वविद्यालय केन्द्र, आरा की उपस्थिति में। जिसने भी इन कविताओं को सुना वह रूआँसा हुए बिना नहीं रह पाया। इन कविताओं के रूप में माँ के प्रति उमड़ी आपकी श्रद्धा हिन्दी कविता-जगत की स्मरणीय उपलब्धि साबित होगी। इन कविताओं के लिए मेरी समस्त बधाईयाँ स्वीकारें।

इस पत्र के माध्यम से पुनः आपसे मेरा एक निवेदन है। 'एक में अनेक' के बाद राजकमल प्रकाशन से 'प्रतिनिधि कहानियाँ' नामक मेरी चुनी हुयी कहानियों का संग्रह प्रकाशित हुआ है। यह मेरा अब तक का सबसे नया प्रकाशन है। मैं चाहता हूँ कि मेरे इस नये प्रकाशन की बेबाक समीक्षा 'दस्तावेज' में हो। अतः कृपया अपनी पूर्व अनुमति भेजियेगा, ताकि 'प्रतिनिधि कहानियाँ' संकलन की दो प्रतियाँ आपके यहाँ समीक्षार्थ भेज सकूँ। इस सन्दर्भ में सूचनार्थ निवेदन है कि डॉ. लक्ष्मीकान्त सिन्हा, प्रोफेसर एवं अध्यक्ष, स्नातकोत्तर हिन्दी विभाग उक्त संकलन की समीक्षा तैयार करना चाहते हैं। वैसे इस सन्दर्भ में आप जैसा उचित समझें। आपकी अनुमति की प्रतीक्षा है।

शेष शुभ है। आशा है, स्वस्थ-सानन्द होंगे।

स्नेहाधीन
मिथिलेश्वर

(2)

13-7-1995

आदरणीय तिवारी जी,

सादर स्मरण।

'प्रेम न बाड़ी उपजै' पर आपकी बहुमूल्य प्रतिक्रिया समय से मिल गयी थी। घर में भतीजी की शादी के चलते तत्काल आपको पत्र नहीं लिख सका। क्षमा प्रार्थी हूँ।

आप जैसे विद्वान व्यक्ति को मेरा उपन्यास पसन्द आया है, यह जानकर मेरा रचनाकार बहुत उत्साहित हुआ है। मैं आपको बौद्धिक ऊँचाई का प्रतिमान मानता हूँ। आपका एक-एक शब्द मेरे मन-प्राणों में उतरता चला गया है। सचमुच आपकी प्रतिक्रिया ने मुझे अन्दर तक प्रभावित किया है। मेरा हार्दिक साधुवाद स्वीकारें।

'प्रेम न बाड़ी उपजै' पर पाठकों की भी अच्छी प्रतिक्रियाएँ आ रही है। हाँ, दिल्ली वाले इस बात पर खफा अवश्य हैं कि आरा जैसी छोटी जगह में बैठकर यह कौन उत्पात मचा रहा है। दिल्ली वालों के लिए हमारी पत्रिका 'दस्तावेज' एक मुकम्मिल जवाब है।

'दस्तावेज' में उसकी समीक्षा की प्रतीक्षा है। आप जिसे उचित समझेंगे, लिखवायेंगे।

आशा है, स्वस्थ-सानन्द होंगे। पत्रोत्तर एवं आपके स्नेह की प्रतीक्षा में—

स्नेहाधीन

मिथिलेश्वर

(3)

25-7-1995

मान्यवर,

'दस्तावेज' का नया अंक-66 मिला। भोजपुरी साहित्य पर केन्द्रित इस अंक को देखकर मुझे आन्तरिक प्रसन्नता हुयी। मेरी जानकारी के तहत हिन्दी की किसी समर्थ साहित्यिक पत्रिका ने पहली बार भोजपुरी साहित्य पर ऐसा विशेषांक प्रकाशित किया है। इसके लिए भोजपुरी भाषी और भोजपुर प्रदेश के लोग सदैव आपको याद रखेंगे। कहने की आवश्यकता नहीं कि आपके इस कार्य ने हम भोजपुरी भाषियों के मन में कहीं ऊँची जगह आपका स्थान निर्मित कर दिया है। इस अंक की रचनायें पढ़ रहा हूँ।

'आलोचना के हाशिये पर' शीर्षक सम्पादकीय की पाँचवीं किस्त ने मुझे बेहद प्रभावित किया है। आपके इन सम्पादकीय लेखों को मैं अलग सहेज कर रख रहा हूँ। ऐसा प्रखर, दृष्टि सम्पन्न और असरदार सम्पादकीय बहुत कम लिखे गये हैं।

आशा है, स्वस्थ-सानन्द होंगे।

आपका

मिथिलेश्वर

(4)

22-1-1996

श्रद्धेय तिवारी जी,

सादर स्मरण।

पिछले महीने 'समीक्षा' पत्रिका के नये अंक में 'भोर होने से पहले' नामक मेरे कहानी-संग्रह की समीक्षा आपने देखी होगी। अभी इसी महीने 'समकालीन भारतीय साहित्य' के नये अंक में भी उसकी समीक्षा प्रकाशित हुयी है। कृपया देखियेगा। 'दस्तावेज' का नया अंक मुझे अभी तक प्राप्त नहीं हुआ है, जिसमें 'भोर होने से पहले' को समीक्षा प्रकाशित हो रही है। उक्त अंक की प्रतीक्षा में हूँ।

इस पत्र के साथ सामयिक प्रकाशन, नई दिल्ली से प्रकाशित 'चर्चित कहानियाँ' नामक अपना कहानी-संग्रह तथा 'दस्तावेज' में प्रकाशनार्थ उसकी समीक्षा भिजवा रहा हूँ। समीक्षा तैयार की है श्री राकेश कुमार सिंह ने। श्री राकेश कुमार सिंह हिन्दी के युवा कथाकार एवं आलोचक हैं। उम्मीद है, दिसम्बर 1995 के 'हंस' में उनकी कहानी आपने पढ़ी होगी। साथ ही 'छपते-छपते' के दीपावली विशेषांक 1995 में भी। इधर उनकी अनेक रचनायें चर्चित हुयी हैं। विश्वास है, उनकी संलग्न समीक्षा भी आपको अच्छी लगेगी।

यहाँ 'वागर्थ' में प्रकाशित आपकी चारों कविताओं की चर्चा है। 'वागर्थ' के नये अंक के पाठकीय स्तम्भ में उनकी सराहना देख मुझे और खुशी हुयी है। अपनी रचनाओं और 'दस्तावेज' के सम्पादन के माध्यम से आप जिन स्वस्थ साहित्यिक मूल्यों की स्थापना कर रहे थे उसे विस्तृत होते देख मैं आन्तरिक अहलाद का अनुभव कर रहा हूँ।

शेष शुभ है। आशा है, स्वस्थ-सानन्द होंगे। पत्रोत्तर की प्रतीक्षा में सादर

स्नेहाधीन,

मिथिलेश्वर

(5)

8-3-1996

आदरणीय तिवारी जी,

'दस्तावेज-68' का अंक मिला। बहुत खुशी हुयी। इस अंक में 'आलोचना के हाशिये पर' शीर्षक आपके सम्पादकीय लेख ने मुझे काफी प्रभावित किया। इधर गाँधी जी पर अनेक पत्रिकाओं के विशेषांक आये हैं। अनेक पुस्तकें प्रकाशित हुयी हैं। लेकिन वैचारिक साम्य की वजह से आपका आलेख मुझे ज्यादा प्रासंगिक, ज्यादा सार्थक जान पड़ा है। गाँधी जी पर और गाँधी जी के बारे में आपकी बेबाक और बेलाग राय का स्वागत होगा। इस लेख की फोटोकॉपी कराकर 'आलोचना के हाशिये' पर शीर्षक आपके अन्य लेखों के साथ ही जोड़ दिया है। मैं इस प्रयास में हूँ कि इस पर कारगर और सार्थक बातचीत हो। लेकिन तथाकथित बड़ी पत्रिकाओं के आसनों पर विराजमान वादग्रस्त सम्पादकों की ओर से सन्तोषजनक जवाब नहीं मिल रहा है।

डॉ. कपिलदेव तिवारी जी को उनकी समीक्षा प्रकाशित होने की सूचना दे दी है। अगर सम्भव हो

सके तो एक अंक और भिजवा दें, ताकि अंक की प्रति भी उन्हें दे सकूँ।

श्री के.के. सिन्हा को सूचित कर चुका हूँ कि 'दस्तावेज-69' में 'प्रेम न बाड़ी उपजै' पर उनकी समीक्षा प्रकाशित हो रही है।

इस बीच 'चर्चित कहानियाँ' नामक मेरा एक और संकलन आपको मिला होगा तथा उस पर श्री राकेश कुमार सिंह की समीक्षा भी। इस सम्बन्ध में आपका स्नेह पत्र मुझे अभी तक प्राप्त नहीं हुआ है।

शेष शुभ है। आशा है, स्वस्थ-सानन्द होंगे। पत्रोत्तर की प्रतीक्षा में सादर

स्नेहाधीन
मिथिलेश्वर

(6)

13-9-1996

मान्यवर,

24-8-1996 का आपका स्नेह भरा पत्र मिला। साथ ही 'आखर अनन्त' की प्रति भी। बहुत अच्छा लगा। हार्दिक खुशी हुयी।

श्री राकेश कुमार सिंह को मैंने सूचित कर दिया कि 'चर्चित कहानियाँ' पर उनकी समीक्षा अंक-72 में प्रकाशित हो रही है।

'आखर अनन्त' की कवितायें पढ़ रहा हूँ। माँ के ऊपर आपकी लिखी कविताओं को इस संकलन में पाकर मुझे और खुशी हुयी है। 'दस्तावेज' में जब वे छपी थीं तो अपनी प्रतिक्रिया मैंने भेजी थी। मैं आपको क्या बताऊँ, उन कविताओं ने मेरे मन को इस तरह छू लिया है कि अपने यहाँ आने वाले साहित्यिक रूचि के मित्रों और पाठकों को उन्हें सुनाये बगैर नहीं रह सकता। कई कवितायें पढ़ते-पढ़ते तो मुझे याद हो गयी हैं। मेरी जानकारी के तहत माँ को केन्द्र में रखकर लिखी गयी इतनी मर्मस्पर्शी और असरदार कवितायें हिन्दी में अन्यत्र नहीं। मैं तो समीक्षक नहीं हूँ, लेकिन आपकी कविताओं पर अपनी बेबाक प्रतिक्रिया अवश्य व्यक्त करुँगा। अगर सम्भव हो सके तो 'बेहतर दुनिया के लिए' की प्रति भेजियेगा। वैसे मैं उसे उपलब्ध करने के फिराक में हूँ।

आपके प्रकाशित साहित्य की जानकारी से बहुत खुशी हुई। अब इतमीनान से योग्य छात्रों को शोध का विषय दूँगा। इस सम्बन्ध में आवश्यकतानुसार लिखूँगा।

आशा है, स्वस्थ-सानन्द होंगे। विश्वास है, आपका स्नेह-सहयोग पूर्ववत् मिलता रहेगा। पत्रोत्तर की प्रतीक्षा में–

सादर, स्नेहाधीन
मिथिलेश्वर

(7)

22-4-1998

मान्यवर,

'वागर्थ' में प्रकाशित आपकी कवितायें बहुत अच्छी लगीं। आपका वक्तव्य भी अपने ढंग का अनूठा

वक्तव्य लगा। अभी पिछले दिनों 11 एवं 12 अप्रैल को यहाँ आरा में सृजन संस्था ने बड़े स्तर पर निराला जयन्ती का आयोजन किया था। कवि श्री केदारनाथ सिंह एवं आलोचक डॉ. नन्दकिशोर नवल के अतिरिक्त श्री मदन कश्यप, डॉ. रेवती रमण, डॉ. रविभूषण, डॉ. गोपेश्वर, श्री प्रेम कुमार मणि आदि अनेक रचनाकार एवं कवि उपस्थित थे। प्रथम सत्र की अध्यक्षता के दौरान मैंने 'वागर्थ' में प्रकाशित आपके कृतित्व की प्रासंगिकता के सन्दर्भ में डॉ. रेवती रमण की टिप्पणी की विशेष चर्चा की। बाद में समारोह में उपस्थित कई गैर साहित्यिक, किन्तु प्रबुद्ध लोगों ने मुझसे माँगकर 'वागर्थ' का वह अंक पढ़ा और सबने आपकी नयी कविताओं की सराहना की। सचमुच 'वागर्थ' में आपकी यह प्रस्तुति मुझे बहुत सुखकर लगी बहुत अच्छी।

आपका फिलहाल पत्र समय से मिल गया था। यह जानकर खुशी हुयी है कि 'प्रतिनिधि कहानियाँ' नामक मेरे संग्रह की समीक्षा 'दस्तावेज'-78 में छपेगी।

इस बीच यहाँ की कवयित्री डॉ. विजय लक्ष्मी शर्मा की सात कवितायें 'दस्तावेज' के लिए भिजवा चुका हूँ।

वे अच्छा लिख रही हैं। कृपया उन कविताओं के प्रकाशन से सम्बन्धित सूचना भेजियेगा।

पिछले दिनों युवा आलोचक श्री कृष्ण कुमार सिन्हा ने 'मिथिलेश्वर का कथा साहित्य' नामक अपना एक शोध-आलेख 'दस्तावेज' के लिए दिया है। इस तरह के शोध-आलेख 'दस्तावेज' में छपते रहे हैं। श्री कृष्ण कुमार सिन्हा ने अब तक प्रकाशित मेरे कथा-साहित्य पर हिन्दी जगत में की गयी टिप्पणियों के प्रामाणिक विवरण के साथ उक्त लेख तैयार किया है। मेरे साहित्य पर शोध करने वाले छात्रों के लिए वह आधार लेख बनेगा। कृपया उसे प्रकाशित कीजियेगा।

फिलहाल मैं अपने नये उपन्यास को पूरा करने में लगा हूँ। इस बीच उच्च रक्तचाप की व्याधि से भी आ घिरा हूँ। दवायें चल रही हैं। फिलहाल ठीक हूँ।

आशा है, स्वस्थ-सानन्द एवं सृजनरत होंगे। पत्रोत्तर की प्रतीक्षा में—सादर

स्नेहाधीन
मिथिलेश्वर

(8)

27-5-2000

मान्यवर,

आपको यह जानकर खुशी होगी कि इस समय मेरी दो नयी पुस्तकें प्रकाशित हुयी हैं—किताबघर से 'यह अन्त नहीं' नामक मेरा चौथा उपन्यास तथा भारतीय ज्ञानपीठ से 'चल-खुसरो घर आपने' नामक मेरा ग्यारहवाँ कहानी-संग्रह। इन दोनों पुस्तकों की प्रतियों के साथ इन पर लिखी गयी क्रमशः श्री रवीन्द्र नाथ राय एवं श्री राकेश कुमार सिंह की समीक्षायें भिजवा रहा हूँ। इन दोनों समीक्षकों की समीक्षायें पहले भी 'दस्तावेज' में प्रकाशित हो चुकी हैं। विश्वास है, इनकी नयी समीक्षायें आपको और जँचेंगी। कृपया यथासम्भव इन्हें शीघ्र प्रकाशित कीजियेगा। वैचारिक स्तर पर 'दस्तावेज' को बिल्कुल अपनी पत्रिका समझकर ही शीघ्र प्रकाशन के लिए लिख रहा हूँ।

'यह अन्त नहीं' नामक अपने संलग्न उपन्यास की रचना में पिछले काफी समय से मैं लगा था। पता नहीं, दिल्ली की साहित्यिक अदालत में इस पर कैसा फैसला होगा। मुझे उस फैसले से अधिक आप जैसे आदरणीय बड़े भाई एवं प्रखर चिन्तक की प्रतिक्रिया की प्रतीक्षा है। इससे पूर्व के मेरे उपन्यास

'प्रेम न बाड़ी ऊपजै' पर आपकी प्रतिक्रिया ने मेरे अन्तर को छुआ था, मुझे कहीं गहरे में उद्वेलित किया था। अपने इस नये उपन्यास पर भी आपकी प्रतिक्रिया की मुझे बेसब्री से प्रतीक्षा है। कृपया अपनी राय अवश्य भेजियेगा। हृदय से आभारी रहूँगा। बहुत-बहुत प्रतीक्षा में हूँ।

इधर आपके तीन आलेखों ने मुझे बेहद प्रभावित किया है—'लन्दन से लौटकर' शीर्षक वैचारिक लेख। इंग्लैण्ड की यात्रा पर कई यात्रा-संस्मरण मैं पढ़ चुका हूँ। लेकिन इंग्लैण्ड की जिस जमीनी सच्चाई की मुझे प्रतीक्षा थी। वह आपके संस्मरण में ही पा सका हूँ। 'संवेदना और विचारधारा का अन्तर' शीर्षक आपके लेख ने हमें बहुत बल प्रदान किया है। इधर आपके वैचारिक गद्य लेखों ने स्वस्थ विमर्श का मार्ग प्रशस्त किया है। आपको यह जानकर खुशी होगी कि यहाँ आरा में 'आलोचना के हाशिये' के रूप में प्रकाशित आपके वैचारिक लेखों पर हम जमकर बहस करते हैं। मेरे लेखों का संग्रह अभी तक प्रकाशित नहीं हुआ। प्रकाशित होते ही उसकी पहली प्रति आपके पास भेजूँगा।

आशा है, स्वस्थ-सानन्द एवं सृजनरत होंगे। पत्रोत्तर की प्रतीक्षा में—सादर

स्नेहाधीन
मिथिलेश्वर

(9)

4-4-01

मान्यवर,

'दलित साहित्य' पर आपका लेख बेजोड़ है। दलित-विमर्श को आपने निर्णायक स्वरूप प्रदान किया है। बेहद सुचिंतित एवं सन्तुलित लेख। मेरी हार्दिक बधाई स्वीकारें। 'दस्तावेज' के इसी अंक में मेरे उपन्यास की समीक्षा भी हैं। देख कर खुशी हुयी। इसी अंक में मेरे कहानी-संग्रह 'चल खुसरो घर आपने' पर श्री राकेश कुमार सिंह की समीक्षा भी आने वाली थी। सूचित कीजियेगा, उसका प्रकाशन अब किस अंक में हो रहा है?

'दस्तावेज' का यह अंक-89 आलोचक डॉ. रवीन्द्रनाथ राय को नहीं मिला है। 'दस्तावेज' के इसी अंक में उनका पता प्रकाशित है। कृपया उनके पास अंक की एक प्रति भेजियेगा।

आशा है, स्वस्थ-सानन्द होंगे। पत्रोत्तर की प्रतीक्षा में—सादर

आपका
मिथिलेश्वर

(10)

7-8-01

मान्यवर,

'दस्तावेज' 90 में कुछ प्रसिद्ध लेखकों के पत्रों को प्रकाशित कर आपने बेहद उल्लेखनीय और ऐतिहासिक महत्व का काम किया है। अज्ञेय, शिवप्रसाद सिंह और मोहनलाल महतो वियोगी के पत्र उनकी रचनाओं से कम महत्वपूर्ण नहीं हैं। इन पत्रों में उनके जीवन एवं सृजन की गतिविधियों की वास्तविक जानकारी मिलती है। उनकी आन्तरिक समबद्धता का पता चलता है। इस शृंखला में आपके नाम शिवप्रसाद जी के पत्र भी खासे महत्व के हैं। वास्तव में आपने यह संग्रहणीय अंक हिन्दी जगत को प्रदान किया है। इसके लिए मेरा हार्दिक साधुवाद स्वीकारें

आपको यह जानकर खुशी होगी कि भारतीय ज्ञानपीठ से प्रकाशित 'चल खुसरों घर आपने' नामक मेरे नये कहानी-संग्रह (प्रकाशन वर्ष 2000) का दूसरा संस्करण और पेपर बैक संस्करण अभी इस वर्ष (सन् 2001) में प्रकाशित हुआ है। यानी एक वर्ष के अन्तर्गत तीन संस्करण। मेरे इस नये कहानी-संग्रह की समीक्षा 'दस्तावेज' के लिए युवा कथाकार एवं आलोचक श्री राकेश कुमार सिंह ने की है। राकेश कुमार सिंह की उक्त समीक्षा पिछले काफी समय से आपके यहाँ है। कृपया उसे प्रकाशित कीजियेगा 'प्रतीक्षा में हूँ। खुशी होगी। आभारी रहूँगा।

आशा है, स्वस्थ-सानन्द होंगे। पत्रोत्तर की प्रतीक्षा में

सादर, स्नेहाधीन

मिथिलेश्वर

(11)

24-6-08

मान्यवर,

सादर स्मरण।

'आलोचना के हाशिये पर' पुस्तक की दो प्रतियाँ मिलीं। खुशी हुयी। आभारी हूँ। इस पुस्तक की प्रतीक्षा मुझे काफी समय से थी। मेरे जानते यह ऐसी आलोचना पुस्तक है, जो साहित्य के हर पाठक और लेखक के पास होनी चाहिए। आर्थिक कारणों से 'मित्र' के अंक विलम्ब से आते हैं। लेकिन अगला अंक जब भी आयेगा, इस पुस्तक पर गम्भीर विमर्श की मेरी योजना है। वाकई ऐसी तथ्यपरक, बेबाक और बेजोड़ आलोचना कृति लम्बे समय बाद हिन्दी जगत को प्राप्त हुयी है। इसके लिए मेरी हार्दिक बधाई और कोटिशः साधुवाद स्वीकारें!

इस समय मैं अपनी आत्मकथा की रचना में लगा हूँ। हिन्दी के अधिकांश लेखक यह सोच कर ही रह जाते हैं कि आगे लिखेंगे, लेकिन लिख नहीं पाते। शायद इसीलिए हिन्दी साहित्य में आत्मकथाओं का अभाव है। इस पत्र के साथ अपनी आत्मकथा का एक ताज़ा और महत्वपूर्ण अंश 'डॉ. नागेश्वर लाल का संग-साथ और वे अविस्मरणीय यादें' 'दस्तावेज' के लिए भेज रहा हूँ। अगर सम्भव हो तो इसका प्रकाशन शीघ्र कीजियेगा। खुशी होगी। आभारी रहूँगा।

आशा है, स्वस्थ-सानन्द होंगे। पत्रोत्तर की प्रतीक्षा में—सादर

आपका

मिथिलेश्वर

मृदुला गर्ग

(1)

ASHAMRIG
E-118, Masjid Moth, Greater Kailash-3
New Delhi-110048

26-5-98

प्रिय तिवारी जी,

सानन्द होंगे।

कुशीनगर से लौटकर आपको पत्र लिखने की सोच ही रही थी कि दस्तावेज का अंक भी मिल गया। धन्यवाद केवल दस्तावेज के लिए नहीं। मेरे लिए गोरखपुर और कुशीनगर प्रवास बहुत सुखद थे। दिल्ली से बाहर जाने पर जो सहज स्नेह और दोस्ती मिलती है, उससे बड़ा सुकून महसूस होता है। साहित्य को लेकर भी निष्ठा अधिक और मारामारी कम महसूस होती है। अच्छा लगता है। कम से कम मुझे बहुत अच्छा लगा। आपका स्नेह और आतिथ्य, विशेषकर बुद्ध की प्रतिमा से साक्षात्कार। शायद मैंने उसे एक सैलानी से ज्यादा होकर देखा और महसूसा रास्ते में कबीर का मजार भी देखा, जो एक संयोग ही था।

शायद फिर कभी दुबारा गोरखपुर आना हो।

मेरी शुभकामनायें/नीरन जी को भी मेरा स्नेह दें।

सस्नेह
मृदुला गर्ग

पुनश्चः दस्तावेज की बात तो रह ही गयी। अभी पूरा नहीं देखा/कवितायें और रामदरश मिश्र पर सामग्री देखी है। प्रकाश मनु का लेख दिलचस्प है।

कवितायें सभी विचार में से निकली हैं। पर मुझे तो आपकी 'पुस्तकें' कविता बार-बाद याद आती हैं। कठ गुलाब की समीक्षा की प्रतीक्षा है।

(2)

5-11-99

प्रिय तिवारी जी,

आपका पत्र मिला, धन्यवाद। दरअसल मैं भी आपको पत्र लिखने की सोच रहीं थी पर यूँ ही

टलता जा रहा था। दस्तावेज-82 तो मिल गया था पर 83 अंक अभी नहीं मिला है। शायद मिलने वाला हो। प्रकाश मनु का कहानी पर लम्बा लेख देखा था। उनसे बात हो रही थी तो उन्होंने इच्छा व्यक्त की थी कि वे 'कठगुलाब' पर अलग से समीक्षा लिखना चाहते हैं। पर कुछ संकोचवश आपको नहीं लिख पायी। खैर, अच्छा ही हुआ क्योंकि तब तक आप पुस्तक किसी और को दे ही चुके होंगे।

और आप कैसे हैं। सानन्द होंगे, यही कामना है।

गोरखपुर आने का मौका आपने दिया था तो बहुत अच्छा लगा था। बाद में भी कई पाठकों के पत्र आते रहे। असल में हमारे पाठक तो सब वहीं हैं। दिल्ली तो एक अजनबी शहर है। लगता है यहाँ से बाहर जाते हैं तो हिन्दुस्तान जाते हैं। यहाँ तक कि आप शायद विश्वास न करें, बंगलौर मैसूर में जहाँ हिन्दी बोलने वाले कम हैं, ज्यादा अपनापन लगता है, कम-से-कम वे हिन्दी को हिकारत की नज़र से तो नहीं देखते। बल्कि खुद बोलने की कोशिश करते हैं। जो पढ़ते हैं सम्मान भी देते हैं और अच्छी बातचीत भी हो जाती है।

अब फिर 13-14 नवम्बर को लखनऊ जाना हो रहा है तो पिछले साल का गोरखपुर प्रवास याद आ रहा है।

वहाँ सभी को मेरा प्रणाम कहियेगा। गिरीश रस्तोगी जी कैसी हैं? उनसे कहियेगा मैं उन्हें बहुत याद करती हूँ।

दस्तावेज के आपके पिछले अंक बहुत उपयोगी हैं संग्रहणीय, विशेषकर उन पाठकों के लिए जो नयी चीज़ें पढ़ना चाहते हैं।

सस्नेह

मृदुला गर्ग

(3)

16-6-04

मान्य विश्वनाथ प्रसाद तिवारी जी,

मेरा पहला पत्र मिला होगा। आशा है सब कुशल है।

इस समय एक ज़रूरी बात के लिए पत्र लिख रही हूँ। आपके पास तो अपनी पत्रिका दस्तावेज़ के सभी पुराने अंक होंगे। यह जानना है कि मंजुल भगत के उपन्यास 'अनारो' की आपकी पत्रिका में कोई समीक्षा छपी थी। अनारों का प्रकाशन वर्ष 1978 है, जब पत्रिका प्रारम्भ ही हुयी होगी। आप जानते हैं मंजुल तो अब इस संसार में नहीं है। उपन्यासों पर केन्द्रित एक ग्रन्थ के सिलसिले में 'अनारो' की कोई महत्वपूर्ण समीक्षा मुझसे माँगी गयी है। उनके कागज़ात मेरे नहीं उनके पति व बेटी के पास ही रहे हैं। उन्हें अनारों की कोई समीक्षा मिल नहीं पायी हैं। यह एक नैतिक जिम्मेवारी आन पड़ी है कि किसी तरह समीक्षा उपलब्ध करवायी जाये। अगर आपके पास किसी अंक में हो, तो कृपया मुझे उसकी प्रतिक्रिया भेजने का कष्ट करें। न हो तो भी मुझे अवगत करवा दें। मैं फोन पर भी आपसे सम्पर्क करुँगी। कोई और रास्ता समझ में आये तो सुझायें।

आपका

मृदुला गर्ग

मोहन कृष्ण बोहरा

(1)

कृष्णपुरी सिरोही (राज.) 307001

17-8-85

प्रिय श्री तिवारी साहब,

यह पत्र मैं अज्ञेय जी के बहुत समय पहले दिये गये एक निर्देश पर लिख रहा हूँ।

मैं पिछले कुछ वर्षों से एलियट के साहित्य-चिन्तन के अनुशीलन में रत हूँ। इसी क्रम में मैंने हिन्दी के कुछ कवि-आलोचकों पर एलियट के प्रभाव का विचार भी किया है। इनमें अज्ञेय का नाम भी है। एलियट-अज्ञेय पर मेरा काम कोई पाँच सात वर्ष पहले पूरा हो गया था। उसके बाद अन्य व्यक्तियों पर काम चलता रहा। इसी बीच फरवरी या मार्च 1982 में राजस्थान में आबू-पर्वत पर वत्सल-निधि ने शिविर लगाया। उस समय मेरी अज्ञेय जी से भेंट हुयी और मैंने अपने आलेख पर उनसे विचार विमर्श किया—आलेख पूरा उन्हें सुनाया भी। उनकी कुछ टिप्पणियाँ नोट कर ली गयी। उसके बाद फिर मैं दूसरे काम में प्रवृत्त हो गया।

अभी फिर जून 1985 में आबू-पर्वत पर हुये एक सम्मेलन में पुनः अज्ञेय जी से भेंट हुयी। इस अंतराल में उस आलेख में जो जोड़-तोड़ होती रही, उस पर फिर उनसे बातचीत हुयी।

उनका सुझाव था या कि कहिये मेरा विचार था और मैंने उनकी सम्मति माँगी थी कि क्या इसे प्रकाशित कराया जा सकता है? उनका सुझाव था कि 'दस्तावेज' इसके लिए उपयुक्त रहेगा। यह पत्र उसी सन्दर्भ में है.....

मैं अपने आलेख की प्रति आपको भेजने से पूर्व आपसे जानना चाहूँगा कि क्या आप एक लम्बा आलेख प्रकाशित करना स्वीकार करेंगे? अनुमानतः 35 पृष्ठों का विस्तार है। सन्दर्भ सूची अलग, उसे प्रकाशित किया ही जाय, ऐसा आग्रह नहीं है। आग्रह तो आलेख-प्रकाशन के लिए भी कैसे हो सकता है! मेरा अभिप्राय मात्र यह है कि यदि 35 टंकित पृष्ठ आप छापने को तैयार हों तो मैं आलेख आपके अवलोकनार्थ भेज सकता हूँ।

मैं यह बात मानकर चलता हूँ कि आलेख छपेगा तो अपनी 'मैरिट' पर ही छपेगा; आप उसे छापने-योग्य समझें तभी छापें, अन्यथा लौटा दें, लेकिन उसे भेजने से पूर्व इस बात के प्रति अश्वस्त होना चाहता हूँ कि 35 पृष्ठों का विस्तार उसमें बाधक नहीं होगा। यदि इतना विस्तार ही आपको स्वीकार्य न हो तो भेजने का ही कोई औचित्य नहीं है।

मेरा अनुमान है कि प्रकाशित रूप में पृष्ठ संख्या निश्चय ही कम हो जायेगी।

केवल आपकी जानकारी के लिए लिख रहा हूँ, आप मेरे लेखन की बानगी कुछ देख सकते हैं, पिछले पूर्वग्रह-67 (जून अंक) में मेरा एक आलेख प्रकाशित हुआ है। यह एलियट-मुक्तिबोध विषयक

मेरे अध्ययन का एक बाई-प्राडक्ट है। एलिएट-मुक्तिबोध आलेख को पृथक से प्रकाश्य रखने की दृष्टि से मैंने उस आलेख को यथा समभव एलियट के सन्दर्भ से परे रखा है। अन्यथा, वह मुक्तिबोध पर एलिएट के साहित्य-चिन्तन का प्रभाव दिखाने के क्रम में ही लिखा गया था। अस्तु।

मुझे आपके उत्तर की प्रतीक्षा रहेगी,

सस्नेह

मोहन कृष्ण बोहरा

(2)

13-10-85

प्रिय डॉ. तिवारी साहब,

सादर अभिवादन।

आपका पत्र मिला। मैं उस समय एक अन्य आलेख को पूरा करने में लगा था। लेकिन बीच में नन्दकिशोर आचार्य यहाँ आये और उससे उस क्रम में व्यवधान आ गया, तब मैंने हाथ का काम एक ओर पटक कर "अज्ञेय के साहित्य-चिन्तन पर एलियट का प्रभाव" आलेख को पुनः देख डाला और उसे अब आपको प्रेषित कर रहा हूँ।

कुल 35 पृष्ठों का आलेख है। (पृष्ठ सं. बाई ओर पिन के पीछे लगी हुयी है) मैं इसमें 4 पृष्ठ कम कर रहा हूँ। प्रथम पृष्ठ का पहला पैराग्राफ तो यथावत् रहेगा, उसके बाद व्यक्तित्व, साहित्यिक क्षेत्र में, अज्ञेय एलियट-लॉरेंस और ब्राउनिंग इन तीनों उपशीर्षकों के अन्तर्गत जो विवेचन है, उसे हटा सकते हैं। इस प्रकार, पाँचवे पृष्ठ के प्रथम दो पैरेग्राफ तक की सामग्री आप हटा सकते है।

स्थिति इस प्रकार रहेगी कि प्रथम पृष्ठ के प्रथम पैरेग्राफ के ठीक बाद में शीर्षक- स्फुट विचार साम्य के निदर्शन प्रारम्भ हो जायेगा। और वही क्रम चलेगा। अन्त तक।

आलेख के अन्त में 10 पृष्ठों की सन्दर्भ सूची है। आप उसे ठीक से कम्पोज करायें तो तीन पृष्ठों की सामग्री है। आपको पूरी छूट है—आप सन्दर्भ सूची पूर्णतः हटा सकते है; आप टिप्पणियाँ हटाकर सन्दर्भ रहने दे सकते हैं, जैसा भी ठीक समझें। आप सन्दर्भ भी हटा सकते हैं।

पूरा आलेख दो अंकों में छापना उचित लगे तो मैं सोचता हूँ कि 1 से 24 पृष्ठ तक सामग्री एक साथ रहने से अधूरापन कम अखरेगा। इसमें भी अवश्यक लगे तो वे चार पृष्ठ हटाये जा सकते हैं। दो किश्तों वाली बात न जमे तो काट छाँट ऊपर चर्चित है उस हिसाब से देख लें।

मैं कृष्णपुरी, सिरोही के पते पर 30 अक्टूबर तक हूँ। आप आलेख की पहुँच इसी पते पर दें। बाद में बाहर रहूँगा उसकी सूचना देता रहूँगा। कृपया पहुँच यथाशीघ्र सूचित करें ताकि निश्चिन्तता रहे।

आपने जैसा कि अपने पत्र में संकेत दिया था, मुझे नहीं लगता है अब इस सामग्री का उपयोग इस अंक में हो सकेगा। मेरी वजह से ही देरी हो गयी है। अब अगले अंक में देखिये। जैसा भी हो. आपके पत्र की व प्रतिक्रिया की मुझे प्रतीक्षा रहेगी।

आपका

मोहन कृष्ण बोहरा

(3)

प्रिय डॉ. तिवारी साहब,

आपका पत्र मिला।

वैसे मैंने आपको काफी समय पहले यह लिख दिया था कि आप स्वयं ही संक्षेपण कर लें। उन दिनों में बेहद व्यस्त था। अब आपका पत्र पुनः मिलने पर मैंने स्वयं एक बार आलेख फिर से पढ़ा। कुछ स्थलों पर एक बात या विचार के समानधर्मा उद्धरण कई पुस्तकों से दिये जाने वाला आपका आक्षेप सही है, पर वह भी अकारण नहीं किया गया है। जब लेखक अपना स्टेण्ड बदलता है, तब यह निर्णय करना जटिल हो जाता है कि वास्तविक मान्य बात कौन सी है। यों, उत्तर-वक्तव्य ही ज्यादातर मान्य होता है, पर विचारधारा की समग्रता के साथ उसके मेल को देखना पड़ता है और उसकी आवृत्ति को भी उसके प्रमाणभूत रखा जा सकता है। कुछ इसी हेतु से विवेचन में वह दोष रहने दिया गया है, जिसकी ओर आपका संकेत है। लेकिन उसे हटाकर भी आलेख संक्षिप्त नहीं होता।

'व्यक्तित्व' शीर्षक से जो अंश है, वह हटाया जा सकता है, लेकिन 'साहित्यिक क्षेत्र में' शीर्षक से जो अंश है, वह रहेगा। फिर, 'अज्ञेय-ब्राउनिंग, लारेंस और एलियट' अंश भी हटेगा। इसके बाद कड़ी 'स्फुट विचार-साम्य' से जुड़ेगी। (इन कड़ियों को जोड़ने का काम सफाई से करना होगा, वह मैं कर दूँगा) लेकिन बाल मूँड़ने से मुर्दा हल्का नहीं होगा। ऐसी स्थिति में जहाँ-तहाँ आलेख का अंग-भंग करने के बजाय मुझे उचित यह लगता है कि आप निर्ममता पूर्वक-एक पूरा खण्ड हटा दें—

'अर्थ और प्रेषणीयता विषयक चिन्तन का तुलनात्मक अनुशीलन'

इसी प्रकार, एक और खण्ड हटा दें—

सन्दर्भ सूची

उधर ब्राउनिंग लारेंस एलिट वाले 25 पृष्ठ हट जायेंगे। जो रह जायेगा, छोटा तो वह भी नहीं होगा, पर उतना विस्तार बात को करने के लिए आवश्यक है और उसमें बात सुरक्षित भी रह जायेगी।

(व्यक्तित्व वाला अंश हटेगा, यह ऊपर लिख आया हूँ।)

यों 'स्फुट साम्य का निदर्शन' भी हट सकता है लेकिन 'सावधानी की आवश्यकता' के साथ मिलाकर देखने से जो प्रभाव अंकित होता है, उसे देखते हुए मैं उसके बने रहने के पक्ष में हूँ। वह रहना चाहिए।

एक अन्य पत्रिका के लिए एक अन्य आलेख के भी संक्षेपण की बात पर विचार चल रहा था, वहाँ भी हल यही तय रहा कि एक पहलू या दो पहलू बीच में से हटा लिए जायें।

अज्ञेय के अन्तर्विरोध, समाहार आदि-आदि शीर्षकों में अर्थ और प्रेषणीयता की चर्चा आयी है। लेकिन वह इस प्रकार की नहीं है कि उसकी समझ के लिए इस खण्ड का रहना अनिवार्य होता हो। मैंने इस दृष्टि से आलेख को पढ़कर देख लिया है।

अब आप मेरे सुझाव से सहमत हों तो लिखें, मैं हटाये जाने वाले अंशों के बाद शेष के प्रवाह को संगति देते हुए क्रमित कर दूँ। आलेख आपके पास है ही मैं क्रम भेज दूँगा।

आपके उत्तर की मुझे प्रतीक्षा रहेगी।

आपका

मोहन कृष्ण बोहरा

रघुवीर सहाय

(1)

दिनमान
7, बहादुरशाह ज़फ़र मार्ग
नयी दिल्ली-1

17-3-1971

प्रिय तिवारी जी,

अज्ञेय जी के व्यक्तित्व या कृतित्व के सम्बन्ध में आपने संस्मरण व लेख माँगकर मुझे गौरव प्रदान किया है, इधर अत्यन्त कार्यव्यस्त रहने के कारण मैं इस ओर ध्यान नहीं दे सका था। लिखिये कि यदि अब भी आप को उसकी दरकार हो तो भेजूँ। मैं इस मास के अन्त तक ही कुछ भेजने की स्थिति में होऊँगा।

आपका
रघुवीर सहाय

(2)

391/4 रामकृष्णपुरम्,
नयी दिल्ली

10-4-77

प्रिय डॉ. साहब,

आपने बहुत दिन बाद पत्र लिखा इससे क्या, कम से कम कुशल समाचार तो मिला।

यह सही है कि इस चुनाव में पार्टियों ने कुछ नहीं किया है, जनता ने काँग्रेस को हटाया है। यही नहीं जनता पार्टी और लोक काँग्रेस के नेता एक भी ऐसी नयी बात नहीं कह पाये जो जनता ने स्वयं न कही हो, पर अब वह अपनी सरकार में अच्छा काम कर रहे हैं इसमें कोई शक नहीं—मँहगायी का मसला अभी बाकी है और शिक्षा रोजगार नीति में आमूल परिवर्तन तो शायद बहुत संघर्ष से ही होगा। दिनमान में प्रकाशनार्थ जो पत्र आपने भेजा है मेरी नज़र से नहीं गुजरा। मैं आज 25 दिन से टायफाइड में पड़ा हूँ।

मेरी कविताओं पर आपका लेख मिला था, पढ़कर आपकी निष्पक्षता पर सन्देह और अपने कृतित्व पर मिथ्याभिमान होने लगा था—पर कृतज्ञतावश पढ़कर उसे रख लिया। आजकल में उसे खोज निकालना दुष्कर होगा।

अच्छा होने पर खोज दूँगा, यह वायदा करता हूँ।

सस्नेह आपका
रघुवीर सहाय

रघुवंश

(1)

श्री ज्योति मित्र 340,
नीलगिरि अपार्टमेण्ट अलखनन्दा
नयी दिल्ली 110019

6-7-95

प्रिय विश्वनाथ,

मेरा पत्र आपको मिला होगा। आपका पत्र पाने के बाद से संकल्प किया था कि 'दस्तावेज' के लिए लेख तैयार करना है। अब जब लिख पाने योग्य हुआ हूँ और लिख रहा हूँ, तो आपका मुझ पर अधिकार है।

सूचित किया था कि 'साहित्यशास्त्र और रचनाकर्म की व्याख्या' पर लिखना चाहता हूँ। दिल्ली पहुँचकर पहले तो एक कहानी 'बुधराम की उलझन' पर लग गया था। यात्रा करने के पहले से मन में घूम-घुमड़ रही थी। अब कहानियाँ लिखना भी फिर शुरु किया है, चार पूरी कर चुका हूँ। फिर दस दिन से लेख मैं लगा रहा हूँ। आज पूरी कर के उठा हूँ। यहाँ टाइपिस्ट पाना आसान नहीं। नयी जगह मेरे लिए है, समय लग जायेगा। अतः हस्तलिखित ही भेज रहा हूँ। पढ़ने में कठिनायी नहीं होगी। एक नज़र देख लेना, कहीं कुछ सुधारना हो तो प्रेस लायक ठीक कर लेना।

रजिस्ट्री से भेज रहा हूँ। पहुँच की सूचना तुरन्त देना।

और सब ठीक है। आशा है, आप स्वस्थ और प्रसन्न होंगे। सबसे यथा योग्य।

आपका
रघुवंश

(2)

25-11-95

प्रिय भाई विश्वनाथ,

मैं 10 नवम्बर को यहाँ आया, फिर कुछ दिनों के लिए जोधपुर जाना था। चलते समय 'दस्तावेज' 67 मिला था। अंकों के मिलने में बहुत गड़बड़ी रहती है। किसी पत्रिका की भी पूरी प्रतियाँ नहीं मिल पातीं।

यह गीत और गज़ल पर केन्द्रित है और महत्व का है। मुझे बहुत अचरज लगता है कि आप हमारे

इस त्रैमासिक को किस पुरुषार्थ से निरन्तर निकाल रहे हैं। संस्थानों के पत्रिकाओं की बात और है।

मेरी विवशताएँ हैं, इस कारण अपने पास आने वाली पत्र-पत्रिकाओं को देख-परख भर पाता हूँ। अपनी यात्रा की आखिरी मंजिल में, जो कुछ मैं अपने देश-समाज के लिए कर सकता हूँ उसके लिए काफी समय पढ़ने-लिखने और पूरी परिस्थिति को समझने में लगाना पड़ रहा है। साहित्य अपने मन को विश्राम देने के लिए पढ़ता-लिखता हूँ। यह ज़रूर है जीवन भर जो सोचा-समझा है उसके आधार पर मूल सिद्धान्तों के बारे में लिख रहा हूँ।

आपका सम्पादकीय सामने है। प्रश्न कविता के अन्तिम मानदण्ड का, भाई, हो ही नहीं सकता। मनुष्य को क्या कभी अंतिम रूप से व्याख्यायित किया जा सका है? वैसे तो वैज्ञानिक भी उसके शरीर या मस्तिष्क (मन) का अभी अन्तिम रूप से अता-पता दे नहीं पाये हैं। साहित्य तो उसकी संवेदनाओं का रचनात्मक आयाम है। मनुष्य उसकी संवेदनायें और रचनाकर्म। फिर युग बदलते हैं, परिवेश बदलते हैं और उसके मूल्यों की बाहूय संरचना में बदलाव आता है। फिर आज तो लग रहा है, मनुष्य मौलिक मूल्यों के विभ्रम में है। संवेदनाओं में इस प्रकार अन्तर आना सम्भव है। और इस सबके बीच रचनाकर्मी निरन्तर संवेदनाओं में मौलिक मूल्यों की अभिव्यक्ति की खोज में लगा हुआ है। अब हम समझ सकते हैं कि साहित्य को परिभाषित करने तथा उसके मानदण्ड को निर्धारित करने की क्या कठिनाई हैं। हाँ, चिन्तक, रचनात्मक स्तर पर ही इस कर्म को ग्रहण करने की दृष्टि रखता है और उसकी परिभाषा-व्याख्या करने में वह अन्तर्निहित देखी जा सकती है।

मैं अभी 22 दिसम्बर तक यहाँ हूँ। उत्तर यहाँ मिल सकता है। मेरा लेख किस अंक में दे रहे हैं। आजकल हमारे साहित्यकार और समीक्षक बन्धु 'अस्मिता' और 'परिवेश' की बहस चला रहे हैं। इनके सम्बन्ध में मेरी अपनी समझ है।

आपका

रघुवंश

मेरा नया उपन्यास 'यह जो अनिवार्य' प्रकाशित हो रहा है। उसकी प्रति भिजवाऊँगा। एक बार रघुवंश आप स्वयं पढ़ कर देखें, समय निकाल कर—

(3)

3/2, बैंक रोड,

इलाहाबाद-211002

28-3-96

प्रिय विश्वनाथ भाई,

इस भाग-दौड़ में भेंट हो जाना भी अपने पुराने सम्बन्ध को फिर से अनुभव करना जैसा हो जाता है। अंक में लेख आ गयीं है। मैं आजकल साहित्य में अपने लेखन के साथ साहित्य के बारे में अपने सोच को चला पा रहा है। इसी प्रकार के तीन भाषण दिल्ली मैं मैंने दिये हैं और लिखित आलेख के साथ वे ही मेरे पास हैं। वहाँ के लिए व्याख्यान मात्र अपेक्षित थे, आलेख तो मैंने परिश्रम को संग्रह रखने के लिए ही तैयार किया है।

1. समकालीनता की अवधारणा
2. काव्यानुभूति का बदलता स्वरूप और प्रतिमान
3. काव्यभाषाः अवधारणा

आप जिस आलेख को चाहें और जिस क्रम से माँ, लिखें। तुरन्त भेज दूँगा। यह अवश्य है मैं अपने सोच के अनुसार लिख रहा हूँ किसी परम्परा, निश्चित के अनुसार-आधार पर नहीं। जैसा आप चाहें।

आपका
रघुवंश

(4)

16-4-96

प्रिय विश्वनाथ भाई,

आलेखों के बारे में पत्र लिखा था, मिला होगा। उत्तर की प्रतीक्षा है। वैसे मैं आपके कहने के अनुसार तीनों भेज देता। पर सोचा हस्तलिखित प्रतियाँ ही भेजनी हैं और फोटोस्टेट से पढ़ा तो जा सकता पर कम्पोजिंग के लिए ठीक नहीं आता। प्रकाशित होने पर तो फिर कठिनायी नहीं होती, वैसे कार्यालय में बहुत लम्बे अरसे तक रहने से इधर-उधर हो जाने का भय हो सकता है। अंकों में क्रमशः तो सम्भवतः प्रकाशित करना ठीक न रहे, ऐसी स्थिति में, एक के बाद दूसरा भेजने की बात मन में रहीं है। वैसे आपकी इच्छा और सुविधा के अनुसार करुँगा।

मैं अरसे से अपने नये उपन्यास के प्रकाशन की बात लिखता रहा हूँ। अभी दो-तीन दिन पहले एक प्रति मुझे मिली है और मलिक जी ने प्रतियाँ भेजने के बारे में पूछा है। अतः प्रकाशित किसी-किसी तरह हो गया है। पर मेरे इस उपन्यास के प्रकाशित होने को लेकर पूरी कथा है। और अब जब प्रकाशित हो। आया भी तो मन खिन्न हुआ—प्रकाशक महोदय, जो श्री के.एल. मलिक, में प्रका., जैसे पुराने हैं, ने सब कुछ लगाया है, दाम भी खासा रखा है, पर न छपायी पर ध्यान दिया गया और प्रूफ आदि पर। बहुत बारीक टाइप है और किसी-किसी फर्मे की छपायी हल्की कि मात्राएँ साफ नहीं आयीं। पृष्ठों की छपायी में कुछ-ऊपर नीचे हो गया है। और सबसे अधिक रोना है प्रूफ का बहुत गलतियाँ, कुछ तो भ्रामक भी। अब बताइयें प्रसन्न होने के बजाय मन खिन्न होगा ही।

आपके पास प्रति जायेगी। भिजवा रहा हूँ प्रकाशक से पर समझें मेरी ओर से इस प्रकार मेरी एक प्रति बच सकेगी। अतः 'दस्तावेज' के लिए नहीं आपकी व्यक्तिगत। इस उपन्यास को जब कभी पढ़ सकें तभी पढ़ें समय मिलने पर। आपकी निजी राय जानना चाहूँगा, समीक्षा-आलोचना की बात नहीं है। मेरे उपन्यास भिन्न शैली में हैं। 'वह अलग व्यक्ति' और 'यह जो अनिवार्य' वास्तव में दोनों एक दूसरे के Counterpart जैसे हैं। सन् 77-80 के बीच मैंने इन दोनों उपन्यासों को एक खास मनःस्थिति में लिखा था। अवकाश पाने के बाद आर्थिक कारणों से भारत के विभिन्न विश्वविद्यालयों में व्याख्यान देने के लिए घूमना पड़ा और पत्र-पत्रिकाओं में लिखने का काम भी बहुत रहा। फुर्सत ही नहीं रही पढ़ने-लिखने की। यह तो शिमला में कुछ सुविधा से रहा और वहीं दोनों उपन्यासों की फाइनल कॉपी तैयार की। 90 के बाद से तो मेरे मस्तिष्क की बीमारी बढ़ती गयी। तभी पहला 91 में प्रकाशित अब हो गया था, पर यह प्रकाशित/ जाकर हो सका है। खैर यह तो अपनी कथा है। सोचता हूँ तो सबकी अपनी ऐसी ही कथा होती है।

आपका सस्नेह
रघुवंश

रमेशचन्द्र शाह

(1)

वसुन्धरा, गंगोला मुहल्ला
अल्मोड़ा

15-5-79

प्रिय भाई

'दस्तावेज' मिल गया। आभारी हूँ। अरुणेश नीरन कौन हैं? उन्हें मेरा धन्यवाद कहें। अंक मुझे अच्छा लगा। वशिष्ठ की एक कविता 'लैंपपोस्ट', श्रीराम की आखिरी कविता मुझे अच्छी लगी। परमानन्द जी को समीक्षा, रणजीत की टिप्पणी और शिवकुमार मिश्र का लेख भी पढ़े। देशान्तर वाली आपकी टिप्पणी और समकालीन बांग्ला कविता पर लेख भी अच्छे लगे। नेरूदा को जिस कविता का अनुवाद आपने किया है इसे मैंने भी किया था। आपका अनुवाद मुझे अच्छा लगा है।

अल्मोड़ा क्या आप किसी गोष्ठी वोष्ठी के सिलसिलें में आ रहे हैं? मुझे मई के आखिरी हफ्ते में एक काम से दिल्ली जाना है पर आशा है आप आयेंगे तो अवश्य मुलाकात होगी। लेख की टंकित प्रति लेते आएँ।

बस तो आशा है आप स्वस्थ सानन्द होंगे।

आपका
रमेशचन्द्र शाह

(2)

भोपाल

5-2-79

प्रिय भाई,

अभी-अभी दस्तावेज का दूसरा अंक मिला है। मुझे दुख है कि आपके पहले पत्रों का उत्तर नहीं दे सका। मैं बहुत घिराव में रहा। उपचार निभाकर भी क्या होता। आपका अनुमान भी ठीक है पर मैं डी.लिट् नहीं, पी.एच.डी. की ही थीसिस में लगा हूँ। लाचारी थी पर ऐसी जानमारी होगी कल्पना नहीं थी। 'दस्तावेज' के लिए मैं यथा शीघ्र कुछ भिजवाऊँगा।

पहले अंक ने मुझे कुछ खास प्रभावित नहीं किया, पर यह दूसरा अंक निश्चय ही जानदार है। इसका प्रमाण यही कि सरसरी निगाह से उलटने पुलटने को उठाकर मैं कई चीजें पढ़ गया और लगातार

पढ़ता रहा। अगर विकास का यही क्रम जारी रहा तो आपको अपने प्रयत्न की सार्थकता स्वयं ही अनुभव होगी। 'भारतीय साहित्य' की फिक्र अलग है और उसको प्रतिकृत होने करने की गुंजाइश भी आप धीरे-धीरे बना रहे हैं। यह एक सुखद बात है।

शुभकामनाओं सहित

आपका

रमेशचन्द्र शाह

(3)

3/2 प्रोफेसर कालोनी भोपाल

10-8-86

प्रिय भाई,

दस्तावेज के दो अंक एक के बाद एक मिले। पढ़ने लायक, मन रमा सकने लायक, इतनी सामग्री आ जाना, कि पढ़ते रह जाए—ऐसा आजकल कम ही होता है। ये दोनों अंक मुझे बहुत अच्छे लगे। नागर जी के दोनों इण्टव्यू पढ़ा गया। खूब मजा आया और कई जरूरी जानकारियाँ हासिल हुई उनसे। रामदेव शुक्ल का लेख भी अच्छा लगा।

अज्ञेय वाले अंक के लिए भी आपने अच्छी सामग्री जुटाई है। इस अंक में आपका सम्पादकीय भी सार्थक है। कहानी पर जो बातचीत है, बहुत काम की नहीं है, पर बातचीत तो है। उसका एक भावात्मक मूल्य या सबक देखा जा सकता है कि किस तरह एक विचारक क्षमता वाले लेखक को विचारवान लेखकों की ही जरूरत होती है। काम की ठोस बात निकलवाने के लिए। नहीं तो बहस कभी भी धुरी पर नहीं आ सकती। इस दृष्टि से यह बातचीत खासी मनोरंजक शिक्षाप्रद लगी मुझे।

अज्ञेय के साथ न.कि. आचार्य की बातचीत इसके ठीक ऊलट काफी गम्भीर और उद्घाटक है। राजी सेठ का लेख भी बासीपन से उबरकर कुछ नए ढंग से अज्ञेय जी की कविता को पकड़ने की कोशिश लगती है। हाँ, मोहनकृष्ण बोहरा का लेख भी मुझे अच्छा लगा। बड़ा स्पष्ट, तर्कसंगत और सही प्रसंगाकूल यथातथ्य विद्वता का उपयोग करता हुआ, ये कहाँ हैं? इनका पहले कभी कोई लेख देखने में नहीं आया। कुछ पता-ठिकाना बताएिगे? जिम्मेदार किस्म के अध्येता लोग इतना कम दिखते हैं कि जब दीखते हैं तो आश्चर्य सा होता है। जहाँ समान्य प्रत्याशाए भी पूरी न होती हों। उस माहौल में यह स्वाभाविक है।

रामकमल राय का लेख भी बहुत सही लगा मुझे। याद नहीं पड़ता किसी ने अज्ञेय के समीक्षक रूप को इतनी गम्भीरता के साथ लिया हो और सही बात ढूँढ़ी और प्रस्तुत की हो इस तरह। उन्हें भी साधुवाद देना चाहता हूँ। और हाँ, वांदिवडेकर का लेख भी परिश्रमपूर्वक लिखा गया है। मैंने इन तीनों ही पुस्तकों को काफी ध्यान से पढ़ा है। इसलिए मुझे यह लेख पढ़ते वास्तव में सन्तोष हुआ। अभी और भी काफी कुछ पढ़ने से छूटा हुआ है। श्रीराम का भी पढ़ना है।

बस तो इतनी अच्छी सामग्री पढ़वाई आपने आनन्द आ गया और मन हुआ तुरन्त आपको बधाई तो दे डालूँ।। वरना चिट्ठी लिखना दिनोदिन दूभर होता जाता है।

आशा है आप स्वस्थ व सानन्द होंगे।

आपका

रमेशचन्द्र शाह

(4)

10-9-87

प्रियवर,

आपका पत्र मिला था। आपको जो कविताएँ भेजी गई हैं, वे कहीं अन्यत्र नहीं भेजी गई हैं, आश्वस्त रहें।

15 जून को निकलने वाला अंक अब 15 सितम्बर तक टल गया है—15 सितम्बर भी आ ही पहुँचा है—अंक सचमुच छपा हाथ में आ जाए तभी विश्वास होगा। पता नहीं, आपको इस बारे में कैसा लगता है—मगर मेरा ऐसा अनुभव है कि किसी पत्रिका के चार-चार अंक एक साथ निकलते हैं तो पाठक उन्हें उस तरह नहीं पढ़ सकता, जिस तरह वह उन्हें अलग-अलग अन्तरालों से पाने पर पढ़ता। कुल मिलाकर यह स्थिति लेखक और सम्पादक दोनों के परिश्रम पर पानी फेर देने वाली ही है। निश्चय ही, आपकी कोई अपरिहार्य विवशता रही होगी, जिसके चलते आपको इतनी ढील देनी पड़ी। मगर चित्र जो इसमें बनता है, निराशात्मक ही बनता है।

इधर हाल में साक्षात्कार में आपकी कुल्लू मनाली यात्रा का वृत्तान्त पढ़ने में आया था। बहुत रोचक लगा था मुझे वह। 'नान्दी' के बारे में भी आपने आशा बधाई थी कि नियमित निकलेगा। उसका भी वही हाल है। प्रवेशांक निकला, उसके बाद अंक नदारद।

बस तो—आशा है आप स्वस्थ-सानन्द होंगे। अंक छप गया हो तो भिजवाने की कृपा करें।

आपका

रमेशचन्द्र शाह

(5)

30-11-90

प्रिय भाई तिवारी जी,

आपका पत्र पाकर प्रसन्नता हुई। हाँ, दस्तावेज का मिश्र जी पर केन्द्रित अंक मुझे मिल गया था। आपने बहुत अच्छा किया मिश्र जी पर पूरा अंक केन्द्रित करके। निबन्ध बड़ी उपेक्षित विधा है और फिर मिश्र जी तो निबन्धकार के अलावा एक बहुत विरल और दायित्वपूर्ण प्रेरणामयी विद्वत्कर्म के भी उतने ही बड़े प्रतिनिधि हैं। वह समाज समाज नहीं, जहाँ ऐसे दिमागों की कद्र न हो। मुझे आपका यह उपक्रम सर्वथा सराहनीय लगा।

आपने श्री बोहरा के लेख के बारे में पूछा है। मुझे याद है यह लेख 'पूर्वग्रह' के लिए भी भेजा गया था। शायद क्योंकि कमलेश जी ने जिक्र किया था एक बार मुझसे। उन्हें पसन्द नहीं आया था और वही 'बात का बतंगड' लगा था। शायद अशोक जी और उनके सहयोगियों को भी वह समीक्षा नहीं रुची थी। मैंने खुद नहीं देखा है वह लेख। किन्तु जो शीर्षक आप बता रहे हैं वह जताता है कि पूरी पुस्तक के सिर्फ एक या दो लेखों को एक बात को लेकर ही कन्ट्रोवर्सी खड़ी करने की कोशिश इसमें है जो कि मेरे पुस्तक का मुख्य तो क्या, गौण प्रतिपाद्य तक नहीं है। यह पुस्तक आपके पास है ही, आप खुद देख सकते हैं। मुझे फुर्सत नहीं, इन व्यर्थ की चीजों में उलझने की मेरी तो डॉक्टरेट ही

एलियट पर है। बोहरा जी को पता नहीं, होगा। एक बात को लेकर ले उड़े।

मेरी समझ से, यदि लेख समीक्षा के तौर पर इस तरह एकांगी है तो उसे छापना व्यर्थ ही होगा। फिर अपने यह पुस्तक शायद किसी अन्य को समीक्षार्थ दी है—आपने ही बताया था—श्री राम वर्मा को तो इसे रहने दें। कोई और लेख भेजने को कह दें। दस्तावेज वैसे भी इतने लम्बे अन्तरालों से निकल पाता है।

अगला अंक कब आ रहा है? मेरे कविता संग्रह और उपन्यासों की किसी की समीक्षा होगी क्या? आपने पूर्वापर पढ़ा? मैं आपकी व्यक्तिगत राय भी तो जानना चाहता था।

आशा है आप स्वस्थ-सानन्द होंगे।

शुभकामनाएँ।

आपका

रमेशचन्द्र शाह

(6)

19-3-93

प्रिय विश्वनाथ प्रसाद जी,

पत्र मिला। आभारी हूँ। दस्तावेज का नया अंक भी। इसमें आपने राहुल जी पर अच्छी सामग्री सुलभ कराई—इसके लिए भी साधुवाद के साथ आभार। भाई, राजस्थान यात्रा पर लिखने का मन था तो जरूर मगर व्यवधान आ गया, तब नहीं लिख सका, तो आज सब कुछ दूर-दूर सा हो गया है। उस सबका स्मृत्याह्वन करना, गहरी समाधि की माँग करता है, जो फिलहाल सम्भव नहीं है। और कुछ सामग्री भेजने की कोशिश करुँगा। आश्वस्त रहें।

एक शिकायत आप से है और मेरे मुँह खोलने से पहले ही आप भी भाँप गए होंगे होने—यह भी मैं जानता हूँ। पर आखिर क्या बात हुई कि आपके रहते जबकि पुस्तक समीक्षा थे आपके यहाँ लगातार जाती हैं, एक मेरी ही पुस्तकों की अवमानना क्यों होती है। यह मेरी समझ से बहर है। मेरी एक भी ऐसी पुस्तक नहीं, जो प्रकाशकों ने आपको न भेजी हो। मान मगर वर्षों हो गया, एक की भी रिव्यू आप नहीं छाप सके जानता हूँ—रिव्यू लिखने वालों का प्रसाद भी इसमें बाधक है। मगर यह मा सिर्फ रमेशचन्द्र शाह नामक लेखक के प्रति ही हर जगह का है—यह भी तो विचारणीय होना चाहिए। कैसे परिवेश में हमने अपने आँख-कान खोले थे और कैसे परिवेश में हाल हम जी रहे हैं—मुझे यह हिन्दी की साहित्यिक पत्रकारिता के लिए चिन्ता का विषय नहीं है? इसी कलकत्ता से समारोह के निमित्त से कन्नड, बंगला, उड़िया, असमिया के लेखकों से अंतरंग बातचीत का अवसर मिला तो अपने हिन्दी के लेखकीय के परिवेश को लेकर जो कुण्ठा मन में रही है वह और गहरी हुई। यहाँ तो लेखक ही लेखक सबसे बड़ा दुश्मन बना हुआ है। भाई, आप जैसे लोगों को कुछ तो करना होगा। इस कुत्सित माहौल को बदलने के लिए। आशा है, आप मेरी बातों का अन्यथा नहीं लेंगे। सम्पक ग्रहण करेंगे। भाई अरुणेश नीरन यहाँ आने वाले थे उपन्यास गोष्ठी में, नहीं आए, बड़ी निराशा हुई। उनकी तबियत तो ठीक है? आशा है, आप सपरिवार स्वस्थ सानन्द होंगे। By the way मेरा चौथा उपन्यास आखिरी दिन आपको मिला था? गोरखपुर का पिन कोड नं. तो लिखिए।

आपका

रमेशचन्द्र शाह

(7)

अलमोड़ा-263601

16-6-93

प्रिय तिवारी जी,

श्री महेश्वरप्रसाद सिंह का लेख छापकर आपने हिन्दी साहित्य का जो उपकार किया है, उसके लिए आप साधुवाद के पात्र हैं।

श्री महेश्वर प्रसाद सिंह को मेरी ओर से बधाई दीजिए कि उन्होंने इतने साफ और सीधे ढंग से सच्चाई को सामने रखा। यह 'प्रेम का परिश्रम' (शेक्सपियर का मुहावरा इस्तेमाल करुँ तो) अकारथ नहीं जाएगा। साहित्य की दुनिया में देर है, अँधेर नहीं।

यह केवल आरम्भ हैः विलंबित किन्तु, अनिवार्य और अवश्यभावी अनावरणों की शृंखला में अभी बहुत कुछ जुड़ना शेष है। अपचयन और अपव्याख्या को जो जो अपना मौलिक अधिकार समझते हैं—उन्हें उनके मौलिक कर्त्तव्यों का स्मरण करा सकने वाले भी इसी परिवेश में विद्यमान हैं, सक्रिय हैं—इस बारे में किसी को भ्रम में नहीं रहना चाहिए था। किन्तु भ्रम और यथार्थ का भेद जानने का सबसे जोर शोर से दावा करने वाले ही भ्रम के सबसे बड़े ठेकेदार और थोकविक्रेता हैं—इसे देख सकने के लिए कॉमनसेंस भर चाहिए। विडम्बना यह, कि यह कॉमनसेन्स ही सबसे अनकॉमन चीज बन जाती है और बाजार का नियम यही है कि खोटे सिक्के में असली सिक्के को ओझल कर देने की सिफत होती ही है—ऐसा सुनने में आता है। पर कब तक? कहा तक?

हिन्दी साहित्य की इस दुर्भाग्य पूर्ण घटना को महेश्वरप्रसाद सिंह ने उसके सही नाम से पुकारा यह देखकर मेरी तरह उन सबको खुशी होगी जो 'प्रज्ञापराध' क्या होता है, यह जानते हैं और उससे होने वाली क्षति को तथा उसके प्रतिकार की आनिवार्यता को भी अच्छी तरह समझते हैं। ईश्वर के लिए, गोरखपुर का पिन कोड नं. लिख दिया करें।

बस तो आशा है आप स्वस्थ सानन्द होंगे। शुभकामनाओं सहित।

आपका

रमेश चन्द्र शाह

पुनश्चः अरुणेश जी का समीक्षा लेख क्या हुआ? क्या सचमुच इस बार भी वह मेम की जरसी की कथा की तरह केवल कथा थी?

(8)

9-2-94

भाई तिवारी जी,

आपका तुरन्त उत्तर पाकर प्रसन्नता हुई। हिन्दी सम्पादकों को अगर कभी इस तत्परता के लिए शील्ड देने की व्यवस्था हुई तो वह सबसे पहले आपको जाएगी।

मेरे भेजे कई नाम पहले ही आपकी सूची में है और उन्हें अंक जा रहे है जानकर तसल्ली हुई।

बाकी भी आप भिजवा ही रहे हैं। एक अंक अथवा कटिंग लेखकी मुझे और फुरसत से भिजवा दीजिएगा क्योंकि एक सहकर्मी पढ़ने ले गए हैं। डर है, वापस करें न करें। जब कभी संग्रह निकालने की बात उठती है तो देखकर हैरान हो जाता हूँ कि प्रकाशित चीजों की रिप्रिन्ट गायब हैं और अंक भी, अब चौथी उमर में व्यवस्था सीख रहा हूँ।

भाई, नेशनल प. हाउस से तो मेरा सम्पर्क ही कट गया है, वहाँ कोई भी पत्र का उत्तर नहीं देता। कृपया बताए इस वक्त वहाँ 23, दरियागंज में जो बैठते हैं, उनका नाम क्या हैं? याद कर, भूल गया हूँ। तुरन्त लिख भेजें। भूषण जी और सुरेन्द्र जी को तो लिख-लिखके थक गया। तीसरे हैं जिनका नाम मुझे चाहिए, छायावाद की प्रासंगिकता का पुनर्मुद्रण वे लोग चार साल से लटकाए हुए हैं। तंग आ गया हूँ। किसे लिखूँ बताइये। इसकी और आपकी सिफारिश करिए, मेरा ख्याल है उस किताब को मरने नहीं देना चाहिए। यह खुश खबर है कि राहुल सांकृत्यायन पुस्तक नेशनल से प्रकाशित होगी। आपकी संकल्पना और परिश्रम सार्थक हुआ। समीक्षा प्रकरणः आपकी कठिनाई समझाता हूँ। अरुणेश जी के कान उमेठने हैं—बहुत तंग करते हैं। गणेश जी की कविताएँ भी मुझे अच्छी लगी हैं। कविता संग्रह भिजवाता हूँ। आपके देर है, पर अँधेर नहीं के आश्वासन पर। पर अच्छा यही है कि अब देर भी न हो।

बस तो सस्नेह/पत्र की प्रतीक्षा में।

आपका
रमेशचन्द्र शाह

(9)

18-8-96

भाई तिवारी जी,

पुनः याद दिलाता हूँ—'दस्तावेज' में 'अज्ञेय' वागर्थ का वैभव' की समीक्षा आनी थी। अभी तक नहीं आई। श्री राम वर्मा करने वाले थे—आपने बताया था। क्या उन्होंने करके भेजी ही नहीं। आपने भी तो यह पुस्तक पढ़ी ही होगी। क्या सचमुच यह पुस्तक ऐसी है कि प्रकाशन के दो वर्ष बाद भी एक भी जगह इसका नोटिस न लिया जाय! आप सरीखे न्याय प्रिय सजग साहित्यिक विवेक सम्पन्न प्रहरियों के रहते ऐसा अनर्थ क्योंकर सम्भव है, समझ में नहीं आता। जानता हूँ, सम्पादक के रूप में आपकी समस्या कोः समीक्षक समीक्षा समय पर करके नहीं देते। किन्तु अज्ञेय पर लिखी इस पुस्तक का ऐसा सार्वत्रिक तिरस्कार क्या अकारण या आकस्मिक है? मुझे ऐसा नहीं लगता। अपने को अलग करके कह सकता हूँ अज्ञेय पर इस तरह शायद ही कहीं लिखा गया होगा। यह कैसा परिवेश हमने बनाया है जहाँ इतनी अँधेरगर्दी चलाई जा सकती है और वह चल भी जाती है। आशा है, आप इस निर्वैयक्तिक प्रलाप को यथावत् लेंगे अन्यथा नहीं लेंगे।

'उपन्यास' पुनर्वास भी वाग्देवी प्रकाशन ने आपको भिजवाया होगा। उसकी भी समीक्षा कहीं देखने में नहीं आई। कर न सकें तो कृपा होगी। इसे भी साल भर हुआ छपकर बाहर आए।

आशा है, आप स्वस्थ सानन्द होंगे। खूब लिख पढ़ रहे होंगे।

शुभकामनाओं सहित

आपका
रमेशचन्द्र शाह

(10)

5-10-99

प्रिय भाई तिवारी जी,

'दस्तावेज 83' में सुचरिता दास का संस्मरण अभी-अभी पढ़ा। तबीयत खिल गई। मैं आपका कृतज्ञ हूँ कि यह रचना पढ़ने का सुख आपने हमें सुलभ करया। अद्‌भुत है। इससे पूर्व के किसी अंक में भी कुछ जोरदार चीज पढ़ी थी। अभी एकदम याद नहीं आ रही। शायद जीवनानन्द दास से ही जुड़ी हुई। अमिय चक्रवर्ती पर भी कुछ पढ़ा था। आपके यहाँ भी अन्यत्र, और भी आ रहा। आलोचना के हाशिए पर आप का सम्पादकीय भी पढ़ गया। आपसे यही उम्मीद थी। माहौल में ऐसी घुटन है कि कोई सच बोल देता है तो बड़ी राहत मिलती है। यह दुश्चक्र टूटना चाहिए। मैं तो कभी से इस पर घन चला रहा हूँ। आपका धीरज भी हिला—यह शुभ संकेत है।

बहुवचन में मेरा लेख देख होगा। कैसा लगा,।

स्वस्थ सानन्द होंगे।

आपका

रमेशचन्द्र शाह

(11)

एम-4, निराला नगर
भदभदा रोड भोपाल-462003

26-12-01

प्रिय तिवारी जी,

दस्तावेज का ताजा अंक मिला। आलोचना का वह अंक पढ़कर मुझे भी अजीब लगा था। आपने अपने क्लेश और क्षोभ को सही, युक्तियुक्त और सप्रमाण ढंग से अभिव्यक्त किया है। लगता है मुक्त बुद्धि और विचारधाराई बुद्धि के आचरण बहुत भिन्न होते हैं आइडियो लॉजी का कवच हमें अपनी ही सहजबुद्धि एवं अन्तरात्मा की ओर से अबध्य बना देता है। उस आइडियोलॉजी के लिए यह और भी सहज है जो साधन की पवित्रता को अनावश्यक अप्रसांगिक ठहराती है। मानवी बुद्धि की इससे बड़ी विडम्बना क्या होगी कि एक ओर वह मुक्ति का माध्यम बन सकती है और दूसरी ओर वह अहंकार और दंभ को छुपकर काम करने की सबसे सुरक्षित जगह प्रदान करते हुए अवसरवादिता को नैतिक औचित्य से मंडित कर सकती है—स्वयं नैतिकता को रणनीति में रिड्यूस कर देती है। यह तो एक उदाहरण भर है बौद्धिक छल का। सारा साहित्यिक परिवेश इस कदर प्रदूषित हो चुका है कि सामान्य विवेक की खुलेआम धज्जियाँ उड़ रही हैं। लोक लाज नाम की चीज ही मर गई है।

एक बात यह भी अपने परिवेश की मेरी समझ से बाहर है कि हम विभूतियों के प्रति अपनी सराहना और कृतज्ञता को भी ढंग से व्यक्त क्यों नहीं कर पाते? कहीं यह हमारी बुनियादी कृतघ्नता और मूल्यांकन अक्षमता का ही चिन्ह (दूसरा महल) तो नहीं? मरणोत्तर उदारता का ऐसा अनर्गल भावुक

विस्फोट दुनिया के परदे पर कहीं नहीं देखा जाता। बड़े-बड़े शब्दों का इस्तेमाल करके हम समझते हैं हमने ऋण चुका दिया—अपनी कृतज्ञता और गुणग्रहणप्रवणता साबित कर दी। जबकि वह निराश अविवेक ही है। डॉ. रामविलास शर्मा के जीवन-कार्य की महत्ता को रेखांकित करने के लिए जो अक्षम हैं, वे उन्हें अवसान के बाद सीधे ऋषित्व से मंडित करने लगें, इससे ज्यादा अनर्गल क्या होगा? स्वयं डॉ. शर्मा को यह अध्यारोप असंगत लगता। निराला प्रसाद टैगोर तक को वह सह्य न होता।

आपका

रमेशचन्द्र शाह

(12)

1-5-03

प्रिय तिवारी जी,

मुद्दत बाद आपकी लिखावट देखने को मिली। अच्छा लगा। दस्तावेज के सौ अंक पूरे होने वाले हैं, यह सुखद विस्मय की बात है और आपके लिए ही क्यों, साहित्यिक पत्रकारिता के लिए भी स्पृहणीय है।

महात्मा गाँधी पर मैं बहुत लिख चुका हूँ। बहुत, यानी जो कुछ लिख सकता था, वह। अब नया क्या लिखूँ। जो लिखा उससे सन्तोष है—वह पढ़ा गया कितना, यह अलग बात है और मेरे बसकी, या चिन्ता की भी बात नहीं है।

जैसा आपने आग्रह किया है, मैं हिन्द स्वराज पर केन्द्रित एक लेख आपको संशोधनपूर्वक अलग डाक से आज ही भेजा रहा हूँ। यही एक फाइल में सुरक्षित मिला। पत्रिका में नहीं छपा है—जहाँ तक याद है।

यह जानकर आश्चर्य हुआ कि भाषा परिषद् के द्वारा बनवाई गई पुस्तक ज्ञानपीठ से छपेगी। खैर, छपने पर भिजवाइयेगा जरूर। परिषद् वालों ने तो कोई पारिश्रमिक भिजवायी नहीं थी। ज्ञानपीठ वाले तो भिजवाएँगे ना? बात पैसे की नहीं, परिश्रम की है।

अभी हाल, याददाश्त मेरी ठीक काम कर रही है तो आपको रूस का कोई महत्वपूर्ण पुरस्कार मिलने का समाचार देखा था। ठीक याद है ना? मेरी ओर से हार्दिक बधाईयाँ स्वीकार करें।

लेख की पहुँच अवश्य दे दीजिए तुरन्त मेरी तसंल्ली के लिए। पढ़ भी लें तो कृपा होगी। अपना मन भी बता सकें तो महा-कृपा। लेखक को और क्या चाहिए?

स्वस्थ-सानन्द होंगे। शुभकामनाओं सहित,

आपका

रमेशचन्द्र शाह

(13)

15-4-08

प्रिय तिवारी जी,

दस्तावेज का अंक आज ही मिला और उसका सम्पादकीय पढ़कर प्रसन्न हुआ। 'वाक्' पत्रिका मैंने

देखी नहीं है। इससे ही उसका परिचय मिला। तिब्बत ही क्यों, कितनी ही समस्याएँ हमारी कूटनीतिक विफलता और राजनीतिक संकल्प-विहीनता एवम् अदूरदर्शिता की उपज हैं या कम से कम उसका निदर्शन हैं। तुलसी के कलिकाल को आपने सही पढ़ा और समझाया है। मैंने बहुत वर्ष पूर्व 'कलिकाल और तुलसी' शीर्षक पूरा लेख ही इसे लेकर लिखा था जो छपा भी था। वह इस पुस्तक में जाना था जो आपको अभी हाल मैंने दी थी। पर जाने कैसे रह गयी। सुनिये, आपके पास मेरी इससे पहले की पुस्तक 'आलोचना का पक्ष' है? उसमें तुलसी पर एक लेख है 'नाम निरुपण और.....'। वह मैं चाहता हूँ आप अवश्य पढ़ें। न हो आपके पास (हालाँकि मुझे याद है आपको भिजवाई थी) तो प्रकाशक को लिखूँ। इसी प्रकाशक (वाग्देवी बीकानेर) ने मेरा सबसे हाल का गीत संग्रह 'अनागरिक' भी छापा था और 'चाक पर' नामक संकलन भी। उसे कहूँगा कि वह इन्हें भी आपको भेजें। आपकी पुस्तक 'आलोचना के हाशिए पर' भी मैं काफी कुछ यात्रा के दौरान पढ़ गया था। बहुत रुचिकर और प्रखर लगी थी। लेखक संघों पर, राजेन्द्र यादव पर और दलित साहित्यः दलित राजनीति पर। राजनीति और साहित्य वाला लेख भी बहुत अच्छा लगा था। शेष भी कभी फुरसत से पढूँगा। दिन-रात काम करते हुए भी समय पता नहीं कहाँ चला जाता है। सारे काम अधूरे ही पड़े रहते हैं। दस्तावेज़ के इसी अंक में कृपाशंकर सिंह और हरिकृष्ण निगम के लेख भी फटाफट पढ़ गया हूँ। ऐसे तुरन्त न पढ़ जाओं तो फिर कामों के घटा-टोप मैं। फिर पढ़ने की नौबत ही नहीं आ पाती। अच्छे लेख हैं दोनों। ऐसी चीजें कम ही देखने में आती हैं। आज की साहित्यिक पत्रकारिता में। निगम ने बहुत सही बातें उठाई हैं जिनका जवाब मैं जानता हूँ कोई नहीं देगा। असुविधाजनक को अनदेखा जरूर करने की बुद्धिजीवियों की आदत बन गई है। जो भी हो, सच बात अगर कोई कहता है। तो राहत मिलती है, अकेलापन छँटता है। बस तो......अरे, आपका फोन नं. भी तो लिखा है। पत्रिका के मुख पृष्ठ पर। देखा नहीं पहले। स्वस्थ-सानन्द होंगे।

आपका

रमेश चन्द्र शाह

(14)

16-4-09

प्रिय भाई

आज अभी-अभी आपकी कविता 'पुस्तक' 'फिर भी कुछ रह जायेगा' मिल गयी है। पहली ही कविता उत्सुकतावश पढ़ते ही तबीयत तर हो गयी। लगा, यह तो मुझे लिखनी थी—नहीं! यह तो मैंने ही लिखा है—मेरी ही अनुमति-प्रतीति—मेरी ही बौखलाहट और आंतरिक एकालाप की अभिव्यक्ति मिली। ऐसे ही, यह अनन्तिम और अन्तिम कविताएँ 'पूरे करो वायदे' और 'फिर भी कुछ रह जायेगा....' जिनमें जोखम की पराकाष्ठा और उससे उपजा हाहाकार भी बोलता है, मगर उसी जोखम से निखरी वह अपराजेय आस्था भी; जो कवि-मन का आखिरी और फिर भी टिकाऊ—अजर अमर सम्बल है।

कृतज्ञता और साधुवाद सहित,

आपका

रमेश चन्द्र शाह

पुनश्चः मैंने आपको एक पत्र लिखा था—शायद आपका फोन आया, उसके दूसरे दिन। मिला होगा। आप

दिल्ली गये? किताबघर से मेरी दूसरी पुस्तक 'अकेला मेला' दूसरा उपन्यास 'सफेद परदे पर' ले आए? जानने की उत्सुकता है। मैंने किताबघर को को कह भी दिया था—तभी। भाई, इस नेशनल के सुरेन्द्र मलिक को क्या कहूँ? सालभर होने आया—इन्हीं की पहल, इन्हीं के आग्रह से आँख फोड़ परिश्रम दिन रात करके कविता समग्र की पांडुलिपि इन्हें सुलभ कराई थी। तब से उसे से रहे हैं। न फोन उठाते, न पत्रोत्तर देते हैं। समझ में नहीं आता इनसे कैसे व्यवहार किया जाए। देखकर अचरज भरा सुख मिला कि आपका वह संग्रह तो उन्हीं ने छापा है। अर्थात् वे ठीक ठाक ही हैं। काम तो कर ही रहे हैं। मैं तो लगभग निराश हो चुका हूँ इनसे। अब इस उम्र में अन्तहीन प्रतीक्षा करने का माद्दा नहीं रहा। आप कभी फिर दिल्ली जाँय तो जरा खटखटाएँ इन्हें, पूछें, क्या इरादें हैं।

रमेशचन्द्र शाह

(15)

05-12-09

प्रिय तिवारी जी,

'दस्तावेज' इस रूप-रंग बदला है—अच्छा लग रहा है—पहले से बेहतर। इस अंक के सम्पादकीय में आपने टेरी ईगल्टन की अच्छी (सही) खबर ली है। बहुत तगड़ी टिप्पणी है यह। मीडिया के बारे में आपने जो-जो कहा है, पूरी सहमति है।

पत्र लिखना अब निरर्थक हो गया है क्योंकि डाक-व्यवस्था चौपट हो गई है। मान लिया गया है कि जो ई-मेल, टेलीफोन नहीं कर सकता, उसे कोई अधिकार नहीं किसी से भी सम्पर्क करने का। पत्रिकाएँ मगर पता नहीं कैसे और क्यूँ कभी नहीं खोतीं। बराबर पहुँच जाती हैं। एक सहज जिज्ञासाः मेरी पुस्तकें क्या आपके यहाँ पहुँचती ही नहीं। प्रकाशक को दस्तावेज का नाम तो बराबर सूची में देते रहे हैं। फिर आखिर बात क्या है? लगता है प्रकाशक झूठ बोलते हैं। उन्होंने समीक्षार्थ प्रतियाँ भेजने की प्रथा बन्द कर दी है। तो भी समीक्षाएँ छपती तो रही हैं अन्यत्र। दस्तावेज में कभी नहीं छपतीं—हमारा पूछने का मन हो आया। और हाँ, किताबघर से छपी दोनों पुस्तकें सफेद परदे पर (उपन्यास) तथा अकेला मेला (डायरी) मैं भूल रहा हूँ शायद वे पुस्तकें आपको व्यक्तिगत तौर पर भेजी गयी थीं—आप कुछ लिख रहे थे, ना, उसी सिलसिले में। बहरहाल....। दरअसल अपने इस उपन्यास पर आपकी राय की मुझे भी उत्कट प्रतीक्षा रही थी। आपकी व्यस्त चर्चा का अनुमान रहते हुए भी। आशा है, आप अच्छी तरह हैं। मुझे खेद है, अस्वस्थता के कारण बेतिया नहीं जा पाया। मन तो बहुत था। बी.बी. कुमार साहब का फोन कल आया था। वे भी निराश थे। बता रहे थे रेणु पर कुछ रखने के लिए रेणु कन्ट्री में आपसे कहा था उन्होंने। जरूर करिये। मैं आऊँगा। ऐट्स के ननिहाली परिवेश को पूरा ऐट्स कन्ट्री कहा जाता है, देख के आया हूँ खुद, इसलिए 'रेणु कन्ट्री' बोला।

बस तो सस्नेह

रमेशचन्द्र शाह

पुनश्च : इस अंक में हरिकृष्ण निगम का लेख बहुत ही बढ़िया है। कई बातें हमको पता चलीं।

(16)

24-8-10

प्रिय तिवारी जी,

स्मृति विभ्रम हो जाता है। अभी लिखने लगा तो लगा यह तो मैं आपको लिख चुका हूँ। खैर लिख भी चुका हूँगा। तो कोई बात नहीं। अच्छी बात का दोहराव बुरा नहीं।

मुझे पूर्वग्रह के एक अंक का अतिथि सम्पादक बनाया गया है। इसे मैं अज्ञेय पर केन्द्रित कर रहा हूँ। आपका तगड़ा सहयोग चाहिए।

बताइए क्या करेंगे आप? 'अज्ञेय की प्रासंगिकता' उद्‌घाटित करेंगे? कि 'अज्ञेय-विरोध की राजनीति' पर कुछ कहेंगे? कुछ नया और विस्फोटक सामग्री जाए, तभी यह श्रम करने का कुछ अर्थ बनेगा। है कि नहीं। खामखा एक रुटीन कर्म में क्यों उलझने देना अपने को। आयु के इस चरण पर....जब एकाग्र होने की जरूरत जीवन-मरण का प्रश्न बन जाता है।

यह विषय न लेना हो, तो किसी एक कृति का पुनर्मूल्यांकन जैसी, कुछ? जो भी हो, सिर्फ एक माह की मोहलत मिलेगी, 30 सितम्बर तक प्रेस में चली जानी है—ऐसा अल्टीमेटम दिया गया है।

जल्दी से हामी भरिए और लिख डालिये।

मैं कल से आपको फोन लगाता हूँ पर लगता नहीं, मोबाइल पर नम्बर मिलाता हूँ तो तीर वापस लौट आता है—लक्ष्यबेध ही नहीं होता। चक्कर क्या है? लैंडलाइन पर बच्चा बताता है—"नहीं हैं"। "बाहर गए हैं क्या?" हाँ, बाहर गये हैं।"

इसलिए और वैसे भी यह पत्र। औपचारिक स्वीकृति भेज दें तुरन्त, तो निश्चिन्त हो जाऊ।

और हाँ, वह मेरा सम्मेलन वाला काव्य संकलन मिला था—आपने बताया था मुझे। उस पर कुछ कहिए ना? चयन पर, भूमिका पर। लिख ही दें (असम्भव माँग) तो क्या कहने! नहीं तो पत्र पुष्प ही सही। क्या हम इतने से भी गये। आशा है सानन्द हैं।

आपका

रमेशचन्द्र शाह

(17)

17-11-2011

प्रिय तिवारी जी,

मैंने तो अपनी याद से दो कविता (जिनमें से एक सा. अकादमी वाले संकलन में जुड़नी है।) कभी की आपको भेज दीं थी। पर आज यह आपका पता-लिखा लिफाफे और उसके भीतर कविताएँ देखकर चकरा गया हूँ। ये वही हो सकती हैं—या फिर पहले भी इनकी प्रतिलिपि भेजी हों।

कृपया देख लें। 'गाँठ' शीर्षक या 'शब्द बताओ' शीर्षक दोनों ही कविताएँ संलग्न हैं। अँग्रेजी अनुवाद समेत। इनमें से एक जुड़वा दें। अनुवादिका सुनीता जैन को सिर्फ दो कविताएँ मिली थीं। जिनका अनुवाद वह मुझसे परामर्शोपरान्त भिजवा चुकीं हैं। कृपया भूलें नहीं, यह बात याद रखें। इसलिए कि अकादमी की भूल से ही वे दो कविताएँ तीन कविताओं की तरह गई थीं। स्मरण होगा आपको ध्यान

दिलाया था इस blunder जैसी भूल पर। एक कविता—कछुए की पीठ पर शीर्षक, उसको भेजने वालों ने दो कविताएँ समझ के भेजा और अनुवादिका ने भी उसी तरह उसे लिया। जब उसने मुझे भेजीं तो इस भूल का परिमार्जन किया गया।

दूसरी बात जो आपको कहने की है— वह शिकायत है। मेरे सम्मेलन वाले काव्य संकलन की समीक्षा श्री G.S. Raina ने दस्तावेज में कोई 6 माह पूर्व भेजी थी। स्वतः स्फूर्त। मैंने आपको दो बार याद भी दिलाया। तबसे तीन अंक दस्तावेज के निकल गये, वह समीक्षा नहीं छपी। अभी हाल ही दस्तावेज का नया अंक मिला। उसमें भी नहीं गई—यह देखकर आश्चर्य और खिन्नता उपजी। इस पुस्तक की दो बरसों में कहीं नोटिस नहीं ली गई। एक मात्र समीक्षा अपनी तरफ से इन्होंने लिखी भेजी, छप जाती कम से कम। कृपया अगले अंक में अवश्य दे दें।

आपका एक इन्टरव्यू देखने में आया था जिसमें आपने अपने पसन्दीदा कवियों के नाम गिनाये हैं। याद नहीं, शायद 'साक्षात्कार' में। और भी कुछ आपका पढ़ा था इस बीच—याद नहीं आ रहा। शायद आपके ऊपर किसी का लेखा था, 'अक्षरा' में शायद।

बस तो इस पत्र की पहुँच फोन से दे दें। आपसे बात हुई थी फोन पर तब आप जोधपुर में थे। गोरखपुर लौटकर फोन करने को कहा था। मैं प्रतीक्षा करता रहा। इसी कविता के बारे में पूछा था। आपका कोई फोन नहीं आया। मैंने लगाया तो उठा नहीं। इसलिए यह पत्र। स्वस्थ-सानन्द होंगे। शुभकामनाओं सहित

आपका
रमेशचन्द्रशाह

रमेश कुन्तल मेघ

(1)

माडर्न कालोनी,
रेडियो स्टेशन के पास
जालंधर

19-5-72

प्रिय भाई,

आपका कोई भी पत्र प्राप्त नहीं हुआ है आज के पहले। इतनी जुर्रत और हिकमत और हिमाकत अभी नहीं है कि गोरखनाथियों के जादूमन्तरों की अवहेलना करुँ क्योंकि अभी भी कम से कम आपका प्यार अगर नक्कारा नहीं बनाता तो कनफटा जरूर बना देता है।

जनाबे आली, अज्ञेय पर सज्ञानतः लिखूँगा! जून के अन्त के आगे जुलाई के पहले सप्ताह तक की मुहलत दें। विषयः "अज्ञेय की सर्जनात्मक आलोचना"। पत्र पुष्प का जुगाड़ लगाया कि नहीं हैं? उन्हें मेरा सलाम बोल देना। यह भी कह देना कि रमेश उन्हें बड़े प्यार और गर्व के साथ याद रखता है।

आपका ही
रमेशकुन्तल मेघ

(2)

ए-5, यूनिवर्सिटी कैम्पस
अमृतसर-143005

10-11-88

प्रियवर,

"दस्तावेज 40" अभी मिला। आपकी गुट-निरपेक्ष नीति लगभग जयहिन्द रही। पत्रिका अपनी मर्यादा और गरिमा के साथ—सीमित साधनों के बावजूद भूकम्पों से अप्रभावित ही रही। धूमिल द्वारा परिभाषित उत्तर प्रदेश के अभिप्राय कई हैं—एक अभिप्राय आप झेलते हैं अवसांस्कृतिकीकरण और ब्रह्मर्षि ठाकुऋशि के बीच; दूसरा हम झेलते हैं यहाँ "भैये" कहलाकर, तीसरा प्रवज्रन वाले वे खेतिहर मजूरे झेलते हैं, अन्य प्रगतों में और चौथा जनता ओढ़ती है, नाशुकरे उत्तरप्रदेश से घृणा करने वाले प्रधानमन्त्रियों तथा बौने मुख्यमंत्रियों की पाँत का। सो, बन्धु, गंगा-जमुना के आर-पार के दर्द कई हैं!

आपके यहाँ प्रोफेसर कौन बना? वरीयता से जगदीश प्रसाद श्रीवास्तव थे। योग्यता से आपकी और साथी परमानन्द श्री वास्तव की पतंगों में पेंच था। बताएँगे। प्रतीक्षा है।

बीसवीं सदी नवजागरण को लेकर पचास साल बीत चुके हैं। अर्थात छायावाद को नील झंकार करके मौन हुये अर्द्धशताब्दी हो चुकी है। मैंने ''राष्ट्रीय स्वाधीनता तथा रोमांतिक जागरणः प्रसाद के नाट्यदर्पण में'' शीर्षक 38 पृष्ठों का एक लम्बा लेख लिखा है जो छपने पर 25-30 पृष्ठों में आपकी पत्रिका के दस बारह पृष्ठों में आयेगा। आपको अभी तक कुछ नहीं भेज सका। सो एक नैतिक शिकायत खुद से रही। आपके उत्तर के बाद ही उसके बारे में अन्यत्र सोचूँगा। लिखेंगे।

आपका
रमेशकुन्तल मेघ

(3)

University of Arkansas
Social & Behavioral Sciences
P.O BoX 4988
Pine Bluff, AR 71611

2-4-2001

प्रिय बन्धु,

बहुत-बहुत सप्रेम धन्यवाद। आपने मेरा एक भटकता हुआ विश्वास लौटा दिया है। छ माह बीत जाने के बाद मैंने मान लिया था कि चलो, विश्वनाथ ने भी तोताचश्म होने का प्रकटावा कर दिया! फिर भी कहीं यह मान नहीं रहा था जिन विश्वनाथ और परमानन्द के साथ अमृतसर के कई वर्षों वाले पक्के मंजीठारंगी सम्बन्ध बने क्या वे कच्चे थे? अगस्त में यहाँ पहुँचने के उपरान्त सर्वप्रथम जो दो पत्र लिखे थे उनमें से भी प्रथम आपको ही था। दस फरवरी को आपका पैकेट तथा पत्र, मिले। लो, मैं अपनी पुरानी भावभूमि पर लौट आया हूँ।

बन्धु, यहाँ तो Post modern, Post industrial Society की दशा आती जा रही है information & Knowledge Soceity (किन्तु सामाजिक परिवर्तन के लिए सक्रिय ज्ञान व सूचना रहित, बस शिक्षा व व्यक्तिवाद केन्द्रित) शारीरिक श्रम लगभग क्षीण है। कम्पयूटर, रोबोटिक्स, मोबाइल व कारें। बिल्कुल चौंकाने वाली दशा है। तथापि यहाँ बस 20 प्रतिशत लोगों के पास ही सारी अमेरिकी आधी आमदनी तथा अधिकांश assets हैं और यहाँ के 20 प्रतिशत गरीबों के पास 4 प्रतिशत से कम राष्ट्रीय आय तथा कम से कम assets है। किन्तु यहाँ के 'गरीब' भी कार, घर, खाने से लैस हैं। यहाँ विषमतायें भी बहुत हैं। सारा जीवन क्रेडिट व लोन पर चलता है क्योंकि शादी-जन्म जैनी कंगालबनाऊ रस्में नहीं हैं। विरासत की भी कोई खास फिक्र नहीं है। बस ये तो हमें सब कुछ सिखा ही रहे हैं। Enjoy Fully because you have only one life.

मई में मेरी वापसी है। कई प्रोत्साहन व लालच मिले कि मैं एक दो साल और रुक जाऊँ। कुछ 'कमा' भी लूँ किन्तु अब तो जहाज का पंछी हूँ। अनत कहाँ सुख पाऊँगा? अगर दस वर्ष पहले की स्थिति होती तो शायद यहाँ टिक जाता। अब तो बस स्वदेश जाकर ज्ञानयोग और ज्ञानयज्ञ में अपनी तीन महापुस्तकों द्वारा अन्तिम प्रायः आहुति जो देनी है।

सुना है कि विष्णुकान्त जी अपने उल्टे व गोबर प्रदेश के गवर्नर होकर विराजे हैं। एक अच्छा लक्षण है। भाजपा में उदार और लोकतान्त्रिक लोगों का तो भीषण अकाल है। उन जैसे कितने हैं।

यात्रा वृत्तान्त या (सतही) संस्मरण लिखने को मन तो हो जाता है लेकिन सोचता हूँ कि जब यहाँ के समाज की यथेष्ट समझदारी नहीं पा सका हूँ तो मात्र इम्प्रेशन के सहारे लिखना बचकाना व अधजल गगरी वाली हरकत होगी। इसीलिए मैंने सोवियत संघ, यूगोस्लाविया व रोम के कोई भी संस्मरण नहीं लिखे। मैंने मात्र इम्प्रेशन संचित किये हैं। अलबत्ता, यहाँ के अपेक्षतया दीर्घ प्रवास के कारण कुछ समाज शास्त्रीय बहिर्मुखता के साथ लिख सकता हूँ जिससे लगे कि मैं दूर की कौड़ी नहीं समेट रहा हूँ। मेरे लँगड़ेपन ने भी मुझे अत्यन्त बाधित कर दिया है। इसके अलावा मैं 'बे-कार' हूँ। जब यहाँ कभी पैदल चलने की मजबूरी होती है तो मोहनेजो-दारो से उड़कर आया हुआ कोई प्रगतिहासिक बन्दा लगने लगता हूँ क्योंकि एक भी तो कार बिना नहीं है। न्यूयार्क के उत्तरी क्षेत्र की बात कुछ अलग है। वहाँ भीड़ भी है।

आपसे ईमानदारी के साथ विचार-बँटादरा करता हूँ। सही है, कि यह एक पूर्णविकसित पूँजीवादी देश है जहाँ पूँजी, दौलत, व्यक्तिवाद, स्वतन्त्रता ये चार महामूल्य हैं। यहाँ निष्पक्ष प्रतियोगिता है। देशीया विदेशी हो; योग्यता है तो सही काम और दाम। अपने देश की जात-पात, रिश्वत-सिफारिश भाई-भतीजा आदि का चक्कर 'कतई' नहीं है। अलबत्ता रेशिज्म तथा गैर-यूरोपियनों के प्रति पूर्वाग्रह की तीव्र अन्तर्धारा बहती है। तथापि इन्होंने समाजवादी सिस्टम के कई ?? पक्ष अपनी कार्परेट इकोनोमी में, अपने ग्लोबलाइजेशन में अपनी विश्वमंडी वाले ढंग से शामिल कर ही लिए हैं। 'शीतयुद्ध' के बाद एक शब्द का सिक्का खूब चला है। 'भूमण्डलीकरण' ग्लोबलाइजेशन।

शेष बातें होंगी, आपका पत्रोत्तर आने पर।

आपका
रमेश कुन्तल मेघ

(4)

4/533, विकास नगर कुरसी रोड,
लखनऊ-226022

1-4-02

प्रियवर,

''दस्तावेज'' के कुछेक पिछले अंकों के तेवर बेहद बदल गये हैं। अर्थात् अब 'दस्तावेज' निष्पक्ष तो हैं। लेकिन तटस्थ नहीं रहा। अब वह 'स्टेंड' भी ले रहा है। रीढ़ का तन जाना कईयों के लिए छोटे कद का सूचक है। मुझे भला लगा।

लगता, यह है कि उत्तर प्रदेश में सत्ता की दो-तीन धुरियाँ हैं। अयोध्या (जो धुँधुवाता ज्वालामुखी है। जब मन्दिर नहीं बनाना था तो उसे ध्वस करके छोड़ने पर भाजपा का सूपड़ा साफ होता जायेगा।) लखनऊ राजधानी है—अपराधी राजनीतिज्ञों तथा सत्तालोलुप कुत्तों का तिलिस्मी चुनार और गोरखपुर दबंगों और माफियाओं का अलादीनी चिराग। यहाँ कोई विकास, सामाजिक न्याय, सामाजिकता संस्कृति का अंकुर ही नहीं पनप पा रहा है। जातिवाद और संकीर्णतावाद ही राज कर रहे हैं। शक्ति और धन पंजाबियों के, मारवाड़ियों के हाथों में है।

हाँ बन्धु! गाहे बगाहे आपसे एकालाप कर लिया करता हूँ। आप मौनी बाबा बने रहकर मुजरा लेते हैं।

एक 25 पृष्ठों का लेख लिखा है। उत्तर मुगलकाल में नारी-अस्मिता की सौन्दर्य सामाजिक प्रासंगिकता। मूलतः रीतिकाव्य को समाजशास्त्रीय समाज विज्ञानी ढंग से पुनः मूल्यांकित किया है कि क्या वह असभ्य है, अश्लील है, अनैतिक है? नहीं। वह जैविक है, अस्तित्व को तलाश रहा है। नारी-मनोविज्ञान की अब-अब सामान्य नींवे जल रहा है जो भारतेन्दु की चन्द्रावली नाटिका तक चली है। आप कहेंगे तो आपको भेज दूँगा।

अन्यथा अन्यत्र। उसमें 45-50 छन्दों कीं उम्दा प्रासंगिक बन्धेज बाँधने में मुझे पिछले कई साल लगे थे।

आपका

रमेश कुन्तल मेघ

(5)

ए-3 स्वास्तिक विहार,
फेज-3, मनसादेवी कामप्लेक्स
पंचकूला (हरियाणा)

25-8-03

प्रियवर,

कहीं छपा हुआ पढ़ा कि आप 'पुश्किन पुरस्कार' से निवाजे गये हैं और इस उपलक्ष्य में 'रशिया' का दौरा करके लौटे हैं। बधाई!! हमें उत्सुकता भी है।

वहाँ आप मदनलाल 'मधु' से मिले होंगे। उनकी पत्नी तान्या से भी। वे कैसे हैं। भारत-रूस मैत्री में उनका सुदीर्घ योगदान राहुल सांकृत्यायन और बरान्निकोव से कम नहीं है। बतायेंगे।

कवि अनिल जनविजय से भी मिले होंगे। उनकी बेटी तो बहुत बड़ी हो गयी होगी। वे कैसे हैं? क्या कर रहे हैं?

उक्त दोनों—श्रेष्ठजनों के पते मुझे लिख भेजें। मैं जब वहाँ था तब मोलोतोव की मृत्यु हुयी थी तथा अकादमीशियन खापचेंको मर चुके थे। मैं ज्यादातर कलाविदों सौन्दर्य वेत्ताओं से मिला था, साहित्यवेत्ताओं से कम। अपने बेबाक तथा बिन्दास वृतान्त छापकर हम सबको भी समुच्चयित करेंगे।

अब 'मेरा' छोटा-सा फ्लैट तैयार हो चुका है। बिजली तथा पानी के जोड़ मिलने के बाद वहाँ का स्थायी वसनीक बन जाऊँगा। सितम्बर 10, तक पहुँच जाऊँगा। नया तथा स्थायी पता ऊपर लिखा है। उसे नोट कर लेंगे। यदि स्थानान्तरण से फोन नम्बर बदलता है तो तदनुसार सूचित करूँगा। पंचकूला वस्तुतः द्वितीय चंडीगढ़ है। चंडीगढ़ की सीमा हमारे निवास से मात्र दो तीन फर्लांग है। स्थानीय बसें चलती है। चंडीगढ़ के हृदय अर्थात् सत्रह सेक्टर अन्तरराज्यीय बस अड्डे पर आठ रुपये के किराये से पहुँचा जा सकता है। पन्द्रह मिनट में। पुराने पैड के पन्ने भी समाप्त हो गये हैं। नया वहाँ पहुँचने पर छपवाऊँगा।

'दस्तावेज' आपके स्नेहाभार से मिल जा रहा है। सम्भवतः अगले अंक में मेरा लेख आप छापें।

पत्रोत्तर देंगे।

आपका

रमेश कुन्तल मेघ

(6)

जनवरी, 2005

प्रियवर कविवर विश्वनाथ प्रसाद तिवारी,

सबसे पहले नये साल 2005 की लख लख बधाइयाँ। संयोग ही है कि मैं इस साल का सर्वप्रथम पत्र आपको लिख रहा हूँ, उसी तरह जैसे कि सन् 1990-2000 में अमेरिका से भी सर्वप्रथम पत्र आपको ही लिखा था। यह हमारी सहजयोग वाली प्रीत ही है।

''दस्तावेज'' के शतक से ऊपर अब 105 अंक निजी बलबूते पर निकालते चले जाना भी आपका ही करिश्मा है। आपका यह भी करिश्मा है कि आलोचना-संसार में अतिप्रसिद्धि अर्जित करने के बावजूद आप समानान्तर अपने स्वकीय कवि को भी हाँक/टेर लगाये चले चल रहे हैं। कविरूप में जिन्दा रहने का तात्पर्य है—चिरयुवा तथा चिर काम-समर्थ बने रहना!! सामाजिक दायित्व तथा त्रिपुरदर्शन तो उसके प्रस्थानक हाशिये हैं। कविता का 'डी.एन.ए.' तो मुझे यही जाबदा है।

'दस्तावेज-105' के अंक में आपके रूसयात्रा के संस्मरण दृश्यविधायी लगे। आपने युवामन को बखूबी सबसे ज्यादा गहरायी तक झाँका। एक सप्ताह या पखवाड़े की यात्रा में सामाजार्थिक या राजनीत्यार्थिक हाशिये मानो छोड़ने ही पड़े, या छूट गये। या आपको उनमें सैलानी रूचि नहीं रही। सोवियत व्यवस्था वाले रूस के बाद आज के दो-मुखी बाज वाले पीटर्सबर्गीय रूस को जानने की इच्छा पूरी नहीं हुयी। यूँ आप बहुत कुशल शाब्दिक फोटोग्राफर हैं। प्रसंगात अपनी बात कहने का भी मन है कि मैंने विदेशों की यात्रा के वृत्तान्त इसलिए नहीं लिखे कि उनकी पारिवारिक-सामाजिक आर्थिक-राजनीतिक जिन्दंगी को पर्तों के नीचे से नहीं समझ सका।

आपके रूस वृत्तान्त से मुझे अहेतुक बल और समर्थन मिला। कि, युवामन तथा युवाजीवन शैली में 'देह' और 'मुद्राएँ' बहुत बड़ी 'साइकोथेरेपी' अर्थात् मनोचिकित्सा हैं। देह और सेक्स और नैतिकता के सामंतीय परावर्ती पटल को आपने झाँका और 'सही' दृष्टि प्राप्त की। मैंने भी उसी अंक में जिसे आपने डेढ़ वर्ष बाद संयोग से साथ-साथ छापा इसी दुविधा और द्वन्द्व को समादृत किया है कि भयंकर यौन रोगों, अस्वस्थ नरनारी सम्बन्धों तथा सेक्सहिंसा और अपराधों से उद्धार तभी होगा जब देह, यौवन तथा समाजपरिवार में अनुरोधी नियंत्रित खुलापन आये। रीतिकवियों ने यह कोशिश भी की थी जब वे श्रीमन्तों और हाथियों-वेश्याओं से जगमग दरबारी संसार से बाहर परिवार और प्रकृति के परिवेश में जीने/रमने जाते थे। इस मुकद्दमें की पैरवी के लिए मैंने छन्दरूप में जो सबूत जुटाये, वे हजारों में से दो-तीन वर्षों में, इकट्ठे किये गये हैं। इसके पीछे मेरे श्रम और पैरवी का अन्दाज स्व. प. विश्वनाथ प्रसाद मिश्र, रामफेर त्रिपाठी या पंडित विद्यानिवास मिश्र—शायद लगा सकते हैं। तथापि उक्त लेख मेरे पचास पृष्ठों के एक महालेख का मध्यान्तर है। बस, इतना ही।

नये साल की सपरिवार बधाइयाँ।

आपका

रमेश कुन्तल मेघ

(7)

10-3-08

प्रियवर,

तो, साहित्य का कौटिल्य चक्र पूरा हो गया। 'साहित्य अकादमी' को भी जग हँसायी-जीवन रुलाई वाला असली मुहान्दरा दिखायी दे गया। जैसा देश वैसे दरवेश!

आप हिन्दी के संयोजक बने हैं– ऐसा मुझे माधव कौशिक तथा प्रभाकर श्रोत्रिय से अनुमित हुआ। सतर्क बधाई!! यह एक अखिल भारतीय तथा महान ऐतिहासिक जिम्मेदारी तथा जवाबदेही तीन (शायद) या पाँच वर्षों के लिए आपको मिली है जो नामवर की राजर्षिशाही तथा गिरिराज किशोर की नक्कूशाही से भिन्न होगी ही। सम्भवतः अब आपको भाजपा या माकपा का (निजी समझदारी वाला) मतभेद/विरोध भी सन्तुलित संयमित करना होगा, जो बेचारी गऊमाता-सी हिन्दी के लिए बहुत श्रेयस्कर होगा। हिन्दी को इक्कीसवीं सदी की चुनौतियों से पंजा लड़ाने की शक्ति दिलाने में आपकी अब महत्वपूर्ण भूमिका होगी। दस्तावेज से आगे तथा व्यापक।

मैं न कोई सुझाव दे रहा हूँ, न सन्देश। ये मेरे जीवनभर के एकांतिक आत्मसंघर्ष से प्राप्त कुछ ज्ञानवर्धक काँटे और फूल हैं।

शुभकामनाओं सहित।

आपका
रमेश कुन्तल मेघ

(8)

28-4-08

प्रियवर,

यत्र पत्र साहित्य अकादमी के हवाले से।

लेखकों पर सैकड़ो छोटे-छोटे मोनोग्राफ छापे गये हैं किन्तु पंजाब से वरिष्ठतम सर्वमान्य, महारथी इन्द्रनाथ मदान अभी तक छूटे हुये हैं। आप पंजाबी से जुड़े रहे है और हिन्दी की पंजाब को देने को भी खूब जानते हैं। अतः आपकी सांस्कृतिक जिम्मेदारी है कि उन पर मोनोग्राफ इसी साल निकलवायें। इसके लिए मैं एक सही नाम भी प्रस्तावित करता हूँ जिन्होंने डॉक्टर मदान पर पी.एच.डी. प्राप्त की है —डॉ. हरीश सूद 'निश्चिन्त' प्रिंसिपल, डी.ए.वी. कॉलेज नक्कोदर (पंजाब)। वर्षों बाद मार्च में लखनऊ में डॉ. परमानेन्ट श्रीवास्तव से मधुर मुलाकात हो गयी। वे व्यास सम्मान, भारत भारती सम्मान क़े मुकुटों के बोझ में बेहद दबे हुए प्रतीत हुये कि उनकी चकाचौंध में उनकी पुरानी सहज छवि छाया हो गयी। यह मेरा कच्चा अनगढ़ इम्प्रेशन है। आप इसे अपने तक ही संरक्षित रखेंगे। किन्तु यह मनोविज्ञान देश में भागमभाग के अनुसार तो है ही।

शेष अशेष-शेष है ही।

शुभाकांक्षी
रमेश कुन्तल मेघ

(9)

26-3-2012

प्रियवर डॉ. तिवारी,

मैं कुशल से हूँ। आप भी कुशल से हैं। वर्षों से आपके ''दस्तावेज'' में नहीं दर्ज हुआ। वर्षों से अपनी कवितायें भी नहीं छपवायी क्योंकि मैं एक ही 'आलोचिन्तना के जलयान' का महनाविक बना रहा।

अब शनैःशनैः लंगर डाल रहा हूँ—देर से, किन्तु अतः पाँच ''प्रौढोत्तर कवितायें'' भेज रहा हूँ। ये भाषा, मिजाज सलीके आदि सभी से अलग हैं– निर्द्वन्द्व, अकुंठ, वैयत्तिक किन्तु साधरणीकृत अगर मई के पहले के अंक में छाप सकेंगे तो मैं भी नेत्रसुख पा लूँगा क्योंकि मई के तीसरे सप्ताह से सितम्बर तक (चार माहों के लिए) मैं बेटी के पास मिशिगन (अमेरिका) चला जाऊँगा—देह भाषा पर बड़ी संहिता लिखने।

आपका

रमेश कुन्तल मेघ

रवीन्द्र भ्रमर

(1)

'शाकुन्तलम्'
3/227, मैरिस रोड,
अलीगढ़—202001

31-7-87

प्रिय भाई,

'दस्तावेज' 30 और 31-32 की प्रतियाँ क्रमशः मिलीं। आभारी हूँ।

कथाशिल्पी श्री अमृतलाल नागर पर बहुत कुछ लिखा जा चुका है लेकिन आपकी 'बातचीत' और श्री आनन्दप्रकाश त्रिपाठी द्वारा लिए गये 'साक्षात्कार' में कई नयी चीजें उभरकर उजागर हुयी हैं। श्री रामदेव शुक्ल और, और.....श्रीराजेन्द्र प्रसाद पाण्डेय के लेख भी पठनीय हैं। अस्तु, श्री नागर जी पर केन्द्रित होने के कारण दस्तावेज-30 का यह अंक संग्रहणीय बन गया है।

अंक 31-32 स्वर्गीय श्रीकान्त वर्मा के व्यक्तित्व और कृतित्व को बखूबी रेखांकित करता है। इस अंक में आपका सम्पादकीय 'राजनीति के 'जलसाधर' में भटका मेघ' एक करुणामय सद्भावना से ओतप्रोत है।

'दस्तावेज' का हर अंक एक सच्ची साहित्यिक प्रतिबद्धता के साथ सम्पादित और प्रकाशित हो रहा है। इसमें छपी कवितायें और लेख नवलेखन तथा नवीन चिन्तन का.द्योतन करते है। इसमें प्रकाशित सटीक समीक्षायें हमारे समय की महत्वपूर्ण कृतियों का आकलन करती हैं।

आपको एक अर्से बाद पत्र लिख रहा हूँ, अतः 'दस्तावेज' के स्तरीय सम्पादन और प्रकाशन के लिए सच्चे मन से बधाई देना चाहता हूँ, इसे स्वीकार कीजिये।

आशा है, सपरिवार स्वस्थ और सानन्द हैं। योग्य सेवा?

भाई
रवीन्द्र भ्रमर

'कोई तीन वर्ष पूर्व, जौनपुर से प्रकाशित एक परिचायिका भी संलग्न कर रहा हूँ। आप जैसे भाई की जानकारी में कुछ चीजें रहनी चाहिए। इसे अन्यथा रूप में न लें।

(2)

23-2-95

बन्धुवर,

अपरिहार्य कारणोंवश, मुझे यह पत्र लिखने में देर हो गयी।

दस्तावेज-67 की प्रति यथासमय प्राप्त हुयी थी। गीत और ग़ज़ल विधा पर केन्द्रित यह विशेषांक ऐतिहासिक महत्व की वस्तु बन गया है। रचनाकारों और आलोचकों के एक वर्ग में छन्दोबद्ध कविता के प्रति जो गहरी उदासीनता दिखायी पड़ती है, उसे तोड़ने में यह अंक एक अच्छा औजार साबित होगा।

नवलेखन की कई पत्रिकाओं और अकादमी जैसे प्रतिष्ठानों ने तो गीतिकाव्य को निर्वासित सा कर दिया है। 'दस्तावेज' हमारे समय का साहित्यिक दस्तावेज भी है। इसके सौहार्द और सहयोग से गीत ग़ज़ल को अभिनव प्रतिष्ठा मिलेगी।

इस विशेषांक में आपने जो मान दिया, उसके लिए किन शब्दों में आभार व्यक्त करुँ? आपसे मेरी साँची और पुरातन प्रीत है। सद्‌भाव बनाये रखिये और योग्य सेवा के लिए लिखिये।

आशा है, सपरिवार स्वस्थ सानन्द हैं। होली और नये संवत् की शुभकामनाओं के साथ।

आपका

रवीन्द्र भ्रमर

(3)

26-6-95

बन्धुवर तिवारी जी,

भोजपुरी साहित्य पर केन्द्रित, दस्तावेज-66 की प्रति प्राप्त हुयी। भोजपुरी मेरी मातृभाषा है। अतः इससे विशेष प्रसन्नता की अनुभूति हुयी। पत्रिका के सीमित कलेवर में आपने जो सामग्री दी है, वह ठोस और पठनीय है। बधाई।

आपका 16.6.95 का पत्र भी मिला। मेरे लिए यह बड़े सुख और सन्तोष का विषय है कि दस्तावेज के आगामी अंक को गीत और गजल पर केन्द्रित कर रहे है। नयी कविता की आँधी में गीत को गहरी उपेक्षा का शिकार होना पड़ा। आपके इस प्रयास से इसकी व्यथा कुछ कम हो सकेगी।

मैं तो गीत-नवगीत के प्रति ही समर्पित रहा। चालीस वर्षों से इसी का राग अलाप रहा हूँ। इस बीच, 'कविता-सविता', 'रवीन्द्र भ्रमर के गीत', 'सोनमछरी-मनबसी' और 'धूप दिखाये आरसी' नामक चार संग्रह प्रकाशित हुये। 'गीत-रामायण' प्रकाशनाधीन है।

आपके आदेशानुसार, दस्तावेज के उक्त अंक के लिए अपने पाँच गीत भेज रहा हूँ। नये और नयी भंगिमा के गीत हैं। आप जैसे संवेदनशील कृती और सहृदय समीक्षक को मेरी ये रचनायें पसन्द आयें तो अहो भाग्य।

अधिक क्या? आशा है, सपरिवार सानन्द हैं।

आपका

रवीन्द्र भ्रमर

पुनश्चः मेरे गीत प्रचलित ढर्रे से अलग हैं। आप ठीक समझिये तो इनके साथ एक प्यारी-सी सम्पादकीय टिप्पणी भी लगा सकते हैं।

रमेश दवे

(1)

से.नि. प्रोफेसर एवं यूनिसेफ सलाहकार,
एल.आई.जी. 276, कोटरा,
भोपाल-462003

21-3-2002

प्रिय भाई डॉ. विश्वनाथ जी,

'दस्तावेज' के अंक निरन्तर मिल रहे हैं। पत्र वाला अंक एक ही दिन में आद्योपान्त पढ़ा। यदि ज्ञात होता तो वीरेन्द्र कुमार जैन के कुछ महत्वपूर्ण पत्र जो मेरे पास थे, आपको भेज देता। अब 'समर लोक' जो मूल रूप से कथा पत्रिका है और जिसका सम्पादन मेहरून्निसा परवेज करती हैं, के लिए उन्हें दे दूँगा। उन्होंने माँगे भी हैं।

नामवर सिंह जी पर आपका सम्पादकीय तो गजब का था। रमेश चन्द्र शाह और मैंने उस पर काफी देर तक चर्चा की। एक सम्पादक का इतना निष्पक्ष, निरपेक्ष और निर्मोह होकर लिखना अच्छा लगा।

रमेशचन्द्र शाह की पुस्तक 'बहुवचन' जो उनके अनेक विधाओं में लेखन का समग्र संग्रह है पर मैंने एक टिप्पणी लिखी है। मैं और शाह सा. दोनों ही चाहते हैं कि वह 'दस्तावेज' में प्रकाशित हो। अतः भेज रहा हूँ। ठीक न लगे या अन्यथा न लगे तो 'दस्तावेज' के किसी भी अंक में छाप दें।

यदि आप चाहेंगे तो मैं नियमित रूप से समीक्षायें भेज सकता हूँ।

आशा है स्वस्थ होंगे।

शुभकामनाओं के साथ

आत्मीय
रमेश दवे

(2)

एस.एच.-19, ब्लॉक-8, सह्याद्रि परिसर,
भदभदा रोड, भोपाल-462003

29-3-11

आदरणीय विश्वनाथ जी,

अत्यन्त विनम्रता और संकोच के साथ आपको यह सूचना दे रहा हूँ कि भारत भवन, भोपाल के

न्यासी-मण्डल ने भारत भवन की प्रतिष्ठित त्रैमासिक पत्रिका 'पूर्वग्रह' के सम्पादन का दायित्व मुझे सौंपा है। मैं नहीं जानता, इस कार्य के लिए मैं कितना उपयुक्त या सक्षम हूँ। यह कार्य मैंने आप जैसे श्रेष्ठ चिन्तकों, सर्जकों, लेखकों के सक्रिय सहयोग की अपेक्षा में करना स्वीकार किया है और मुझे उम्मीद है इस दायित्व के निर्वाह में मुझे आपका आत्मीय-लेखकीय सहयोग अवश्य मिलेगा।

आप अपनी कोई भी मौलिक, अनूदित, समीक्षा-आलोचना एवं अन्य साहित्येतर विधा पर लिखी रचना 'पूर्वग्रह' के लिए यदि भेजेंगे तो न केवल रचना का स्वागत होगा, बल्कि एक पत्रिका को उसकी विविधता के साथ आपके रचनात्मक सहयोग से प्रतिष्ठा मिलेगी, जो उसके चरित्र और स्तर के अनुरूप होगी। पत्रिका के पूर्व सम्पादकों ने जिस उत्कृष्टता के साथ इसकी बौद्धिक, साहित्यिक और कलात्मक छवि रची है, उसे आगे ले जाने का सम्बल तो मुझे आपसे ही प्राप्त होगा। आशा है आप मेरा यह नम्र निवेदन स्वीकार कर अपनी रचना भारत भवन या स्वयं मेरे पते पर भेजने की कृपा अवश्य करेंगे।

शुभकामनाओं के साथ,

भवदीय

रमेश दवे

र. शौरिराजन

(1)

293, 41-मार्ग, सेक्टर-8
के.के. नगर, चैन्नई-600078

आदरणीय श्री विश्वनाथ तिवारी जी,

सादर,

'दस्तावेज'-84 मिला। निर्मल वर्मा पर केन्द्रित अंक महत्वपूर्ण अनुस्मरणीय मुद्रा अंकित कर देता हैं, आपका यात्रा संस्मरण 'लन्दन से लौटकर' बहुत अच्छा रहा, गुणग्राही, गुणगाता स्वर आपका अच्छा लगा। दर्जनों हिन्दी वणिकों ने निन्दा की, शाप दिये—आप उनमें नहीं रहे। कायाकल्प नाटक पर अच्छा लिखा, पर इन जापानी हिन्दी जनन पर कोटिन हिन्दी जन वारिये होना चाहिए, पुस्तकें, स्तम्भ यथावत् गहन-गम्भीर ग्राह्य हैं—धन्यवाद।

एक तमिल कविता का हिन्दी रूपान्तरण भेज रहा हूँ। यथोचित करें।

स्नेही
र. शौरिराजन

(2)

28-8-90

प्रिय बन्धुवर,

आज आपका पत्र 24-8-90 पाकर बेहद खुशी हुयी। पर इस बार की यात्रा मुझे स्थगित करनी पड़ रही है; कारण, प्रस्तावित संवाद संगोष्ठी स्थगित कर दी गयी, पता नहीं, कब आयोजित करेंगे, या करेंगे ही नहीं।

जो भी हो, जब भी मौका उस तरफ आने का मिलेगा, गोरखपुर-दर्शन अवश्य करूँगा, आप बन्धुओं से मिलने आऊँगा जरूर।

तमिलनाडु में ब्राह्मण/ब्राह्मणवाद विरोधी आन्दोलन कुछ विचित्र आयामों के साथ बढ़ते-फैलते अब नया रंग लिए चल रहा है। मूलतः राजनैतिक, सत्तास्पर्धी और प्रतिष्ठा प्रतिस्पर्धी है, आवश्यक उपलक्ष्य सामग्रियाँ एकत्रित करूँगा।

'समकालीन भारतीय साहित्य' के अद्यतन अंक में आपकी कविता 'आग' मुझे बहुत अच्छी लगी। मेरी दादी-परदादी प्रपितामही के साथ गुजरे बचपन की यादें महक उठीं। घर में सबको मेरी मंगलकामनायें

कहें। इस गगनचुम्बी महँगायी में आप कैसे 'दस्तावेज' निकाल पाते हैं? बड़ा करिश्मा लगता है, साहित्यिक लगन, जिद, जिगीषा भी कम रोबदार नहीं। साधुवाद।

शेष शुभ।

आपका

आर.शौरि राजन

(3)

12-5-93

प्रिय श्री विश्वनाथ प्रसाद तिवारीजी,

वैसे तो पूरे 'दस्तावेज' प्रकाशन के लिए सम्पादन के लिए तो अत्यधिक बधाई के पात्र हैं।

अद्यतन अंक 57 पर राहुल जी पर अधिक सामग्रियाँ देकर अद्भुत अभूतपूर्व सेवा की है। तमिलनाडु में राहुल जी का शताब्दी समारोह कई जगहों पर मनाया जा रहा है। और भी मनाया जायेगा। हमें बहुत कुछ जानकारी 'दस्तावेज' से मिल रही है। मैं दो-तीन बैठकों में बोल चुका हूँ, आगे भी बोलूँगा। कुछ पत्रिकाओं को भी लिख रहा हूँ–तमिल की।

आशा है, आप स्वस्थ प्रसन्न होंगे।

कुबेर दत्त की कवितायें बहुत अच्छी हैं। सर्जक प्रकाशक दोनों को साधुवाद।

शेष शुभ।

(समीक्षा के लिए कोई पुस्तक कभी भेजें, दस्तावेज में छपने का अपना सुख है। मजबूरी नहीं।)

स्नेही

र. शौरिराजन

(4)

13-1-04

आदरणीय श्री विश्वनाथ प्रसाद तिवारी जी,

सादर

'दस्तावेज' के सौवें अंक के लोकार्पण समारोह की भव्य प्रस्तुति की रपटें पढ़ीं; उस पर निकली खरी-खोटी प्रतिक्रियाओं के बारे में जानकारी मिली। विशेषकर, 'समीक्षा' के अद्यतन अंक में मान्यवर श्री गोपालराय का सम्पादकीय पढकर वितृष्णा हुयी। यह पुश्तैनी रोग (डाह, असूया, जलनपरक) कहीं न कहीं अपना निदान दिखा देता है। पुरानी सूक्ति याद आ रही है–

"अगुणों न गुणं वेत्ति, गुणी च गुणमत्सरः।
गुणी च गुणरागी च विरलस्सदन्दो जनः॥"

आप ऐसे रोगप्रकोप की परवाह नहीं करेंगे, करनी भी नहीं चाहिए। हम जैसे अनेक प्रबुद्ध पाठक 'दस्तावेज' का महत्व मानते हैं, अपनाते हैं,

एक विनती–

मुझे 'दस्तावेज' 98 दि. 8-9-03 को मिलाः उसके बाद कोई अंक मिला नहीं। कृपया अद्यतन अंक सहित सब भिजवा दें।

विनम्र निवेदन है, जब आप और आपके सुपुत्र से दिल्ली में रामविलास शर्मा संगोष्ठी के मौके पर, आपके सुपुत्र के हाथ में सौ रु. वार्षिक सदस्यता (2004) के लिए दे आया हूँ। इसके बिना भी पत्रिका भेजते रहने की आपकी उदारता भूलता नहीं हूँ।

आशा है, आप सपरिवार स्वस्थ प्रसन्न होंगे। 'दस्तावेज' 99, 100 अंकों की आतुर प्रतीक्षा में—

सस्नेही

र. शौरिराजन

(5)

17-8-09

परमादरणीय मनीषी,
श्री विश्वनाथ प्रसाद तिवारी जी,

सादर बन्दे।

वार्षिक शुल्क (सन् 2009 का) धनादेश से भेज चुका हूँ। मिला होगा। दस्तावेज 120, 121 सामने हैं, पढ़ रहा हूँ।

पत्र—

हस्बमामूल 'सम्पादकीय' पढ़ लेने के बाद ही इतर रचनाओं को पढ़ने देख लेने या कोड देने लगता हूँ। मानेंगे आप "लोकों (पाठक) भिन्नरूचिः"

120-अंक के सम्पादकीय तीनों अंश अनुस्मरणीय हैं, विचार मन्थन के लिए प्रेरक हैं, 'गाँधीगिरी' घोर घृणित व्यंगय है, ताना है। उसकी पूरी बायकाट कर देनी चाहिए। 'अयेध्य' के स्थान पर 'हविर्योग' को रखने का निर्देश मुझे अखरता है, फिर भी आपके विचार मेरे भी अपने हैं, इतर दोनों अंश बहुत सामयिक प्रासंगिक हैं—समानधर्मी के नाते पुनः पढ़ लेता हूँ।

"भारतीय साहित्यः स्थापनाएँ और प्रस्तावनायें"—के सच्चिदानन्दन सुविचारित, पारदर्शी लेख है, प्रबोधक विचार हैं।

अंक 121 का सम्पादकीय स्वजन सुखाय है जो बहुतों के चवितचर्वण से अलग-सा, विशिष्ट लगता है। कवितायें हर अंक की मुझे साथ ले चलती हैं—प्यारे यायावर की मानिन्द यथावत् अधिकांश लेख, समीक्षायें पसन्द आये हैं। पाठकीय प्रणाम साधुवाद धन्यवाद सप्रेम स्वीकारें।

एक याञ्चा (कालिदास की सूक्ति को भी याद करते हुये)—

आप जानते हैं, मैं तमिल और हिन्दी में सेतुकाम में अनुवाद के सहारे गत 58 वर्षों से सेवारत हूँ। प्रेमचन्द, राहुल सांस्कृत्यायन, फणीश्वरनाथ रेणु, धर्मवीर भारती, कमलेश्वर, निर्मल वर्मा, करतार सिंह दुग्गल, शरतचन्द आदि दर्जनों साहित्यकारों की रचनाओं को तमिल में, तमिल के अधिकांश प्रख्यात साहित्यकारों की रचनाओं को हिन्दी में देता आ रहा हूँ। दोनों में मौलिक लेख निबन्ध कहानी भी (तमिल में उपन्यास, नाटक, कहानी आदि) लिखता आ रहा हूँ—अब भी लिखता रहा हूँ।

यहाँ, जातिवाद के मारे, साहित्य अकादमी के अनुवाद पुरस्कार के लिए नामित किये जाने पर भी

टरकाया जाता रहता हूँ, गत वर्षों में निर्मल वर्मा की कहानियाँ 'धर्मवीर भारती का 'सूरज का सातवाँ घोड़ा', राहुल जी का राजस्थान के रनिवास आदि पुस्तकें (तमिल अनु.) विचारार्थ आकर छोड़ दिये गये हैं। इस बार हिन्दी अनुवाद के सहारे वह पुरस्कार नवाजे जाने की कामना है, कृपया आप नामित-अग्रेषित करें। प्रस्ताव्य अनुवाद का विवरण जाँच कमीशन (तमिल उपन्यास) मूल. सा. कंदसामी, अनु. आर. शौरिराजन प्रकाशकः साहित्य अकादेमी, नयी दिल्ली।
प्रथम संस्करकणः 2007, दाम. 100, पृष्ठ सं. 171 यथायोग्य करें।

स्नेही
र. शौरिराजन

(6)

4-9-09

मान्यवर,

दि. 25.8.09 का प्रिय पत्र मिला, धन्यवाद।

1. शिमोगा-संगोष्ठी में अक्तूबर 14 के बाद होगी, तो मैं भाग ले पाऊँगा। 5 से 12 अक्तूबर तक दिल्ली में केन्द्रीय हिन्दी निदेशालय की हिन्दी कार्यशाला में भागीदारी है।

2. आपकी चुनिन्दा कविताओं का तमिल अनुवाद मैं करा देने में स्वान्तः सुखी होऊँगा। कवितायें भेज दें। मेरे पास दस्तावेज-26, साहित्य अमृत (दीपावली अंक, 1994) में प्रकाशित आपकी कवितायें 'मेरी जिन्दगी' 'मेरी गरीबी', 'सबको नमसकार' आदि हैं। इनके अतिरिक्त स्वप्रिय कवितायें भेज दें। सिरपी बालसुब्रह्मण्यम से अवश्य बात करें। उनके सम्पादकत्व में संग्रह सही सलामत प्रकाशित होगा। सहज-सम्भाव्य भी है।

3. सिरपी आदि आधुनिक वरेण्य कवियों की तमिल कवितायें 'दस्तावेज' को भेज दिया करुँगा। आपके सम्पादकत्व में आधुनिक तमिल कवितायें प्रकाशित करायी जायें, तो उत्तम वरदान होगा।

श्री अन्तकीर्ति आदि स्वजनों से मेरा यथायोग्य शुभ-शोभन कहें।

आभार सहित

सस्नेही
र. शौरिराजन

रमेश उपाध्याय

(1)

8-3/4 राना प्रताप बाग
दिल्ली-110007

9-1-85

प्रिय भाई,

आपने रामविलास जी पर 'दस्तावेज' का विशेषांक निकालकर बहुत बढ़िया काम कर डाला है। कल वाणी प्रकाशन में उसका पुस्तक रूप भी देखा। सामग्री भी अच्छी जुटायी है। रामविलास जी से आपकी बातचीत बहुत पसन्द आयी—उसमें आपने बहुत से पहलू उभार दिये हैं उनके व्यक्तित्व के, बधाई।

मैं अपना नया कहानी-संग्रह 'राष्ट्रीय राजमार्ग' भेज रहा हूँ। फुरसत निकालकर पढ़ें और प्रतिक्रिया से अवगत करायें। 'दस्तावेज' में समीक्षा भी करा सकें तो कृपा हो।

प्रकाशक बहुत थोड़ी प्रतियाँ देते हैं, इसलिए एक ही प्रति भेज रहा हूँ अपने खर्चे पर। अन्यथा न लेंगे।

शुभकामनाओं सहित,

आपका
रमेश उपाध्याय

(2)

107, साक्षरा अपार्टमेन्ट्स
ए-3, पश्चिम विहार,
नयी दिल्ली-110063

25-11-98

प्रिय बन्धु,

आपको यह जानकर प्रसन्नता होगी कि जनवरी 1999 से 'कथन' का प्रकाशन पुनः प्रारम्भ हो रहा है। आशा है, आप 1980 से 1983 तक निकले 'कथन' के बीस अंकों को भूले न होंगे। उन चार वर्षों में निरन्तर रूप से निकलने वाली इस पत्रिका को साहित्य और संस्कृति, कला, विज्ञान और समाजविज्ञान के क्षेत्रों से सम्बन्धित बड़े से बड़े और नये से नये लेखकों का रचनात्मक सहयोग 'कथन' को प्राप्त हुआ था। पाठकों ने भी इसे प्रेमपूर्वक अपनाया था। कतिपय अपरिहार्य कारणों से हमें इसका प्रकाशन

स्थगित करना पड़ा था, किन्तु इन पन्द्रह वर्षों में हमारे लेखक और पाठक लगातार यह आग्रह करते रहे हैं कि 'कथन' फिर से निकले। वे नये लोग भी, जो उस समय 'कथन' के लेखक या पाठक नहीं रहे, लेकिन जिन्होंने इसके पुराने अंक देखे हैं, अथवा इसके बारे में सुना या पढ़ा है, हमसे कहते रहे हैं कि 'कथन' का पुनर्प्रकाशन अवश्य होना चाहिए। अपने इन्हीं शुभचिन्तकों के सहयोग के आश्वासन के बल पर हम 'कथन' को पुनः निकालने का साहस कर रहे हैं। हालाँकि आज के समय में पत्रिका निकालना एक प्रकार का दुस्साहस ही कहा जायेगा, फिर भी इसकी जरूरत हमें आवश्यक बल और प्रेरणा प्रदान कर रही है।

आज जबकि साहित्य हाशिये पर है और संस्कृति पर अपसंस्कृति हावी है, साहित्यिक और सांस्कृतिक पत्रिकाओं की जिम्मेदारियाँ बहुत बढ़ गयी हैं। आज के अर्थतन्त्र, मीडिया और इन दोनों से प्रभावित लोगों की जीवन-शैली ने लोगों को साहित्य और संस्कृति से विमुख कर दिया है। दूसरी ओर साहित्यिक-सांस्कृतिक क्षेत्र की अभिजनोन्मुख प्रवृत्तियों ने भी साहित्य और संस्कृति को जनोन्मुख नहीं रहने दिया है। परिणाम यह है कि लेखकों और पाठकों के बीच लगातार अलगाव बढ़ता गया है। इस भयावह स्थिति का मुकाबला करने के लिए साहित्यिक और सांस्कृतिक पत्रिकाओं में परस्पर सहयोग अत्यन्त आवश्यह है। 'कथन' मित्र पत्रिकाओं से सहयोग करने के लिए प्रतिश्रुत है। आशा है, आपका सहयोग 'कथन' को प्राप्त होगा।

हम मित्र पत्रिकाओं की सूची में आपकी पत्रिका को विज्ञापित करेंगे। आपसे अनुरोध है कि आप भी 'कथन' को विज्ञापित करें। यदि अलग से कुछ स्थान देकर 'कथन' के पुनर्प्रकाशन की संलग्न सूचना भी दे सकें तो हम विशेष रूप से कृतज्ञ होंगे।

भवदीय

रमेश उपाध्याय

रविभूषण

(1)

हिन्दी-विभाग,
टी.एन.बी. कॉलिज
भागलपुर (बिहार)

8-7-1980

बड़े भाई,

दस्तावेज 7/8 के लिए धन्यवाद।

मैं इस पत्रिका का ग्राहक-पाठक था पर इधर कतिपय उलझनों में पड़ने से हजारी प्रसाद द्विवेदी वाले अंक से ग्राहक नहीं बन सका। द्विवेदी जी वाले अंक की मुझे दरकार है। सम्भव हो तो भेज देंगे। नहीं तो साथ ही लेते आयेंगे।

बिना किसी की सहायता के (संस्थादि) आप जितनी साफ-सुथरी और विचारोत्तेजक पत्रिका निकाल रहे हैं, वह अपने में इसका सबूत है कि अगर किसी में संकल्प और लगन हो तो वह क्या नहीं कर सकता।

अंक अभी मैं पढ़ रहा हूँ। यह अंक कई कारणों से बहुत समय तक स्मरणीय बना रहेगा। सुरेन्द्र चौधरी, शैलेश जैदी, शम्भुनाथ तथा कुमार पंकज के निबन्ध फिलहाल मुझे अच्छे लगे हैं, आपने भी, एक संघर्षशील लेखक का विश्वसनीय लेखन में कई महत्वपूर्ण बातें कहीं हैं। इतना सुन्दर अंक निकालने के लिए आपको मेरी बधाई! आप भागलपुर के प्रेमचन्द समारोह में कब आ रहे हैं? 27 जुलाई के बाद आते तो ठीक था। वैसे जो तारीख आपके लिए सुविधा जनक हो, कृपया उसकी शीघ्र सूचना देंगे, जिससे कार्यक्रम ठीक तरह बनाया जा सके और एक ही दिन सभी व्यक्तियों की टकराहट नहीं हो जाये।

आप यहाँ किस गाड़ी से कब पहुँच रहे हैं, कृपया शीघ्र सूचित करेंगे। विशेष मिलने पर।

आशा है, आप स्वस्थ-सानन्द हैं।

आपका
रविभूषण

(2)

5-9-80

बड़े भाई,

सबसे पहले हजारी प्रसाद क्ष्विेदी अंक के लिए धन्यवाद।

समय पर पत्र नहीं दे सका। कई कारण सामने हैं, अभी तक कुछ परेशानियों से उबर नहीं सका

हूँ। तस्वीरें बहुत अच्छी उतर नहीं सकीं। एक सप्ताह के बाद उन्हें भेजूँगा। बिहार के दैनिक समाचार पत्र 'जनशक्ति' ने 31 अगस्त के अपने रविवारीय अंक में उस समारोह की विस्तृत रपट छापी है। 'भागलपुर में प्रेमचन्द सप्ताह'। अन्य स्थानों पर रपट मैंने भेजी है।

आपने 'दस्तावेज' के पाँच ग्राहक बनाने की बात कहीं थी। कब दो व्यक्ति एम.ओ. से आपके पते पर वार्षिक सदस्यता शुल्क भेजेंगे—डॉ. शिवशंकर सिंह और श्रीमती किरण सिंह। ये दोनों हिन्दी-विभाग में हैं। अगर प्रेमचन्द वाला अंक हो तो उसी अंक से इन दोनों व्यक्तियों को ग्राहक बना लीजिये। उनका विशेष अनुरोध भी है। सम्भवतः वे आपको बाद में पत्र दें। बच गये तीन। प्रयत्न में हूँ कि पुस्तकालयों में अंक आवें। सितम्बर तक मैं आपके पाँच ग्राहक अवश्य बना सकूँगा।

एक बात और—'दस्तावेज' का अगला अंक कब आ रहा हैं?

आप चाहें तो एक-दो अंक के बाद 'दस्तावेज' का एक अंक कविता पर केन्द्रित कर सकते हैं। अशोक वाजपेयी ने 1980 को कविता की वापसी का वर्ष कहा है। और यह सच है कि इस वर्ष हिन्दी कविता के सात-आठ महत्त्वपूर्ण संकलन भी, अलग-अलग कवियों के सामने आये हैं। 'पूर्वग्रह' का आने वाला अंक इसी पर केन्द्रित हैं। उस अंक के बाद भी बहुत सारे सवाल बाकी रह जायेंगे। अवश्य रह जायेंगे और आप चाहें तो दस्तावेज का अंक इस विषय पर केन्द्रित कर सकते हैं क्योंकि अशोक वाजपेयी जी का नजरिया ज्ञात है। यह बात सिद्ध हो सकेगी कि सच्चायी कहाँ है और फिर देखने की विविध आँखें तो चाहिए ही। क्या नहीं चाहिए?

आशा है, आप सपरिवार सानन्द और प्रसन्न हैं।

सादर नमस्कार

आपका

रविभूषण

रणजीत

(1)

कटरा, बाँदा उ.प्र.

29-5-1979

प्रिय भाई,

दस्तावेज 3 मिला। अभी थोड़ा सा पढ़ा है। पर शिवकुमार मिश्र के कबीर पर लेख तबीयत खुश कर दी। तो मन हुआ आपको पत्र लिख दूँ। यह लेख बीच-बीच में ऊष्मापूर्ण रचनात्मक गद्य बन गया है, जो केवल प्रभावित ही नहीं करता, एक शक्ति, एक प्रेरणा भी देता है। इस लेख के लिए मेरी बधाई उन तक पहुँचा दें।

कविताओं में वशिष्ठ की पाँच कवितायें, राजकुमार कुंभज की पिकासों की पेंटिंग, दिविक रमेश की सत्य और राजेन्द्र प्रसाद पाण्डेय की कविता अच्छी लगी। वशिष्ट के पास कहने को भी कुछ महत्वपूर्ण है और कहने का एक ढंग भी। पर वे धूमिल के मेनेरिज्म के शिकार न हो जाये, यह डर है। 'विस्मृत मित्रों के नाम', 'इर्द गिर्द आजादी' और 'घर' निश्चय ही प्रभावक और महत्वपूर्ण कवितायें हैं।

देशान्तर के अन्तर्गत पाब्लो नेरुदा पर आपकी टिप्पणी समग्र है। पर कवितायें शायद अधिक प्रभावक नहीं चुनी जा सकी हैं।

अगले अंकों में देना चाहें, तो मेरे पास मायकोवस्की और नाजिम हिकमत की कुछ महत्वपूर्ण कविताओं के अनुवाद मौजूद हैं। पर टिप्पणी आप ही को लिखनी होगी। आपने चाहा तो अनुवाद भेज दूँगा।

स्वस्थ-प्रसन्न होंगे।

आपका
रणजीत

(2)

17-6-1981

प्रिय भाई,

दस्तावेज-11 मिला। अभी कवितायें पढ़ी हैं। आपकी सम्पादकीय के रूप में लिखी कवितायें हृदय को झकझोर जाने वाली हैं। दुनिया भर की सभी तानाशाहियों के चरित्र में जो चारित्रिक एकता है, उसे

आपने पहचाना है, उनकी यन्त्रणा के शिकार लोगों के दर्द को अपना दर्द माना है, उनमें राजनीतिक भेदभाव किये बिना। यह मेरे लिए आपके सही मानववाद का प्रमाण है। सम्पादकीय के अलावा उदयप्रकाश, दिविक रमेश और सिद्धेश्वर सिंह की कवितायें अच्छी लगीं। उदयप्रकाश की पहली कविता ने तो एक नयी खुशी से लगभग चौंक दिया। फिर दूसरी और तीसरी में उसी थीम की दोहराहट दिखायी थी। उनकी चौथी कविता 'तपस्या' फिर जोरदार है। निश्चय ही दस्तावेज समकालीन कविता में जो श्रेष्ठतर है, उसका आइना बन गया है। मेरी बधाइयाँ स्वीकार करें।

इसी सबसे प्रेरित होकर अपनी इधर की लिखी एक कविता एक संयोजित यात्रा—दस्तावेज के लिए भेज रहा हूँ। पढ़कर अपनी प्रतिक्रिया से सूचित करेंगे।

आपका
रणजीत

(3)

सिविल लाइन्स,
बाँदा उ.प्र.

25-10-83

प्रिय भाई,

एक लम्बे अर्से के बाद आपको पत्र लिख रहा हूँ। और वह इस कारण कि पिछले दिनों एकाएक दस्तावेज-19 में आपका सम्पादकीय पढ़ लिया। आपका स्थितियों के प्रति सात्विक आक्रोश और आपकी पीड़ा तथा झंझनाहट, सबकी सब अपने भीतर से इतनी निकट की लगी कि क्या कहूँ। लगभग 95 प्रतिशत आपसे सहमति महसूस होती है। आपने आपकी दुनिया की वस्तु स्थितियों का बड़ा ही सटीक मूल्यांकन किया है। सचमुच दोनों शक्तियाँ आसुरी वृत्तियों में बराबर हैं। पारमाणविक सर्वनाश की तलवार भी लगातार इस संसार की गर्दन पर लटक रही है, जिसके प्रति जागरूक होना और इसका सक्रिय प्रतिरोध करना जरूरी है। भाई इतने आवेगपूर्ण, इतने सात्विक मानवीय आक्रोश से भरे सम्पादकीय के लिए मेरा हार्दिक साधुवाद स्वीकार करें।

आपने एक बार मायकोवस्की की कविताओं में मेरे कुछ अनुवाद प्रकाशित किये थे, क्या ब्रख्त तथा पाब्लोनेरुदा के अनुवाद भी किसी के छापे हैं? नहीं, तो मैं भेज सकता हूँ। आप 'देशान्तर' में रूचिशील हो तो लिखें, भेज दूँगा

शेष शुभ है।

आपका
रणजीत

(4)

24-12-88

प्रिय भाई,

आपकी कविताओं में से 'समकालीन हिन्दी कविता' संकलन के लिए कविताओं का चयन इस प्रकार किया है। मिट्टी की ओर, आरामशीन, कसौटियाँ, सपने, हाथी, चार बच्चे, एक अविश्वसनीय सपना, बेहतर दुनिया के लिए। आठ पृष्ठों में ही आ गयी तो एक और कविता लेना चाहता हूँ परवाह। (हरमनहेस के लिए) यह कविता आपने नहीं भेजी पर दस्तावेज के अंक में मुझे बड़ी प्रभावक लगी। हरमनहेस को तो आपने समर्पित ही की है उसकी किसी कविता का छायानुवाद थोड़े ही है यह? आप बतायें कि मेरा पद चयन आपको पसन्द है? कोई आपकी विशेष प्रिय कविता छूटी तो नहीं। हाँ, सभी संकलनों से कवितायें नहीं आयी हैं, मुझे तो अपने ढंग से आपके सृजन का श्रेष्ठ संकलित करना है। एक बात और बतायें यह 'गगनांचल' कौन पत्रिका है, क्या इसे गिरिजा कुमार माथुर सम्पादित करते हैं? इसका पता लिखियेगा—उसे अपना संकलन भिजवा दूँगा। घोषजी की समीक्षा आगाभी अंक में निश्चित दे रहे हैं ना?

शेष शुभ है। इन दिनों इसी संकलन के काम में लगा हूँ। एक कष्ट और। आपका मेरा दस्तावेज का 'आठवें दशक की कविता' विशेषांक एक मित्र ऐसे ले गये कि अब उपलब्ध ही नहीं हो रहा है। आपके पास उस अंक की अतिरिक्त प्रति हो तो एक मुझे भेज दीजिये।

आपका
रणजीत

(5)

4-12-91

प्रिय भाई,

आपका पत्र और दो कवितायें अभी-अभी मिलीं। 'पृथ्वी के लिए' की कुछ कवितायें इस अंक में देने का आपका विचार, मेरे विचार से एकदम मेल खा गया—मैंने इस बीच तीन-चार कवितायें इस निवेदन के साथ आपको भेज दी थी कि उन्हें आपके पास। पहले से पड़ी 'एक नन्हीं कंदी' के साथ दे दें। वैसे तो यह प्रकाशन की सूचना हो ही जायेगी, पर आपने विज्ञापन भी छाप देने के लिए कहा है, तो उसकी एक रूपरेखा भेज दे रहा हूँ। प्रकाशित कर दें।

आपके संकलन 'आखर अनन्त' को प्रतीक्षा रहेगी। आपकी नयी कवितायें मिलीं। 'माँ और आग' तो बहुत सुन्दर है। 'मिट्टी की ओर' को हटाकर इसे दे देता हूँ। पर 'परवाह' को आप क्यों हटाना चाहते हैं? वह मुझे काफी अच्छी लगती है—क्या किसी अन्य कवि छायाभास के कारण आप संकोच महसूस करते हैं। लिखियेगा। वैसे मैं व्यक्तिशः उसे बनाये रखने के पक्ष में हूँ। नयी पाण्डुलिपि में प्रूफ को रह गयी गलतियाँ निकाल दूँगा। फिर भी किताब तो कानपुर में ही छपेगी—जहाँ शुद्ध सुथरी छपायी अभी तो दुर्लभ ही है। कवियों पर टिप्पणी नये संस्करण में नहीं दे रहे हैं—केवल संक्षिप्त परिचय। शेष शुभ है। भेजी हुयी कवितायें मिल गयीं—इसकी सूचना दीजियेगा।

अरे हाँ, आ सकें, सुविधा से तो 19 को झाँसी आ जाइये—भेंटवार्ता हो जायेगी—वैसे बैठक में केवल

परीक्षकों को सूची तैयार की जानी है। कोई व्यस्तता हो तो छोड़ें। शेष शुभ है। स्वस्थ प्रसन्न होंगे।

आपका
रणजीत

(6)

पर्णकुटी, पंचवटी
सीतापुर, उ.प्र.

25-4-95

प्रिय डॉ. तिवारी जी,

सस्नेह नमन। दस्तावेज-65 पहुँचा। पहली ही बैठक में अन्नपूर्णा देवी का साक्षात्कार पढ़ा। खूब अच्छा लगा। मेरी 'अभिशप्त आग' पर समीक्षा किस अंक में दे रहे हैं?

यह पत्र मैं एक विशेष कारण से लिख रहा हूँ। अपनी पुस्तक 'हिन्दी की प्रगतिशील कविता' का पच्चीस वर्ष बाद नया, संशोधित परिवर्द्धित संस्करण प्रकाशित करवा रहा हूँ। उसे तैयार करते हुये आठवें-नवें-दसवें दशक की प्रगतिशील कविताओं पर भी लिखना है। आपकी आरा मशीन और तानाशाह से उद्धरण यथा स्थान दे दिये हैं। मैं चाहता हूँ कि पूर्वी यूरोप और रूस में समाजवादी व्यवस्था के विघटन पर प्रगतिशील कविता में जो कुछ लिखा गया है, उसे भी एक टिप्पणी में समेटूँ। पर मेरे देखने में नागार्जुन, केदार, शमशेर, त्रिलोचन की ऐसी कोई कविता नहीं आयी। आपकी नजर से गुजरी होगी, क्योंकि आपका पठन क्षेत्र मुझसे ज्यादा विस्तृत है। कृपया प्रमुख प्रगतिशील कवियों की और तरुण कवियों की ऐसी कुछ कवितायें आपके देखने में आयी हों तो उनकी छायाप्रतियाँ, या छोटे उद्धरण ही सही, मुझे भेजें—ताकि उनकी चर्चा कर सकूँ। आशा है आप यह रचनात्मक तो क्या कहूँ लेखकीय सहायता मुझे देंगे।

और क्या हालचाल है? क्या कुछ लिखा-पढ़ा जा रहा है? स्वस्थ-प्रसन्न होंगे।

आपका
रणजीत

रामनारायण उपाध्याय

(1)

26-11-89

प्रिय भाई,

नमस्कार।

मेरा एक पत्र मिला होगा। अभी-अभी दस्तावेज का अज्ञेय स्मृति अंक पढ़कर समाप्त किया है। यह एक मर्मस्पर्शी जीवन्त दस्तावेज है।

अज्ञेयजी पर संस्मरण एवं उनके अंतरंग पत्रो को पढ़कर मन उनकी यादों में खो जाता है। कितना बड़ा भारतीय भाषाओं का अंतरराष्ट्रीय व्यक्तित्व हमारे बीच आकर चला गया। हमारा अंह, बौनापन उन्हें नाप समझ नहीं पाया। मैं उनसे जब जब मिला अभिभूत होकर रह गया।

मेरे पास उनके कुछ आत्मीयता पूर्ण दुर्लभ पत्र है। अछूते संस्मरण भी कहेंगे तो भेज दूँगा।

दस्तावेज से जुड रहना चाहता हूँ। । समूचे देश में ऐसे पत्र कहाँ हैं। आपकी साहित्य साधना जिन्दा है। व्यावसायिक पत्रिकाओं के युग में इतनी परिष्कृत साहित्यिक पत्रिका के लिए बधाई। अपनी पुस्तकों की जानकारी भेज रहा हूँ। जो कहें भेज दूँगा।

आपका

रामनारायण उपाध्याय

(2)

15-12-88

प्रिय भाई,

नमस्कार।

आपका स्नेह एवं आत्मीयता पूर्ण पत्र पाकर प्रसन्नता हुयी। साथ में 'हम तो बाबुल तोरे बाग की चिड़िया' तथा 'कथाओं की अन्तरकथाएँ' पुस्तकें भेज रहा हूँ। आपकी परिष्कृत रुचि से प्रभावित हुआ। 'द्विवेदी युग के दस्तावेज ये पत्र' लेख मिला होगा। इसके बाद दिनकर डायरी के पत्रों से भेजूँगा। ये मेरे प्रिय विषय। मेरे पास हजारी प्रसाद जी, राहुल जी, वासुदेव शरण अग्रवाल, बच्चन, अज्ञेय आदि के महत्वपूर्ण पत्र हैं। विमल मित्र का तीन पेज का ऐतिहासिक पत्र जिसमें उनके मन की सारी व्यथा, लेखन प्रक्रिया आदि की खुलकर चर्चा। योग्य सेवा लिखते रहें।

आपका ही

रामनारायण उपाध्याय

(3)

7-3-89

प्रिय भाई,

दस्तावेज में आपके जीवन्त यात्रा संस्मरण के साथ मैं भी बद्री केदार हो आया, पढ़कर रोमांचित हो उठा। आँखे भर आईं। आप सौभाग्यशाली हैं जिन्हें पृथ्वी के स्वर्ग हिमालय और गंगा के प्रदेश की यात्रा का सौभाग्य मिला। मेरा प्रणाम स्वीकार कीजिए। उन नंगी पगथालयों में जिनसे उस धरती का आपने स्पर्श किया है। 23 को दिल्ली रहूँगा। मुझे पद्मश्री प्रदान की गई। स्नेह बनाये रखें।

आपका

रामनारायण उपाध्याय

(4)

18-11-95

प्रिय भाई,

आज साहित्य अमृत में 'न जाने कितने गुजरे होंगे इस रास्तें से 'निबन्ध के माध्यम से मैं पुनः चित्रकूट की सैर कर आया। एक बार मानस समारोह में गया था। 3 दिन रहा। कामद गिरि देखकर पुरानी यादें हरी ही आईं। लगा राम जानकी बनवासी लक्ष्मण यहीं कहीं पहरा देते खड़े हैं। सीता लकड़ियाँ जलाकर खाना बना रहीं। वही आदिवासी परिवेश। इस अंक में सबसे अच्छा लेख आपका लगा। बधाई। एक बार लखनऊ में मिला था।

आपका

रामनारायण उपाध्याय

रामस्वरूप चतुर्वेदी

(1)

इलाहाबाद

17-4-87

प्रिय भाई,

10-4 का पत्र मिला, धन्यवाद। आप 'दस्तावेज' का नया अंक अज्ञेय पर केन्द्रित कर रहे हैं, यह अच्छा है। मेरे तो अधिकांश लेखन के केन्द्र में अज्ञेय रहे हैं, पर इस समय मनःस्थिति ऐसी अनुकूल नहीं लगती कि नया कुछ तैयार कर सकूँ। अज्ञेय के पत्र की प्रतिलिपि संलग्न कर रहा हूँ जो कई सन्दर्भों में महत्वपूर्ण है। इस समय यही योग-दान कृपया स्वीकार करें।

अप्रैल अंत/मई आरम्भ में यहाँ के साहित्यकारों की ओर से एक स्मृति-सभा का आयोजन चल रहा है, जिसके संयोजक हमारे विभाग के डॉ. रामकमल राय हैं। बाहर से भी कुछ मित्रों के आने की सम्भावना है। इसके वृत्त में यदि आपकी रूचि हो तो रामकमल जी को कह सकते हैं। कुछ सामग्री सम्भवतः वे 'टेप' पर भी रखेंगे।

'दस्तावेज' में डॉ. तिवारी की समीक्षा की प्रतीक्षा रहेगी। इतिहास का काम देश और काल दोनों में इतना विस्तृत है कि भूलों की अनेक सम्भावनाएँ है। आगे वे न हो इस के लिए प्रयत्नशील हूँ। समीक्षाओं से इस सन्दर्भ में मार्ग-दर्शन मिलता है।

आशा है आप स्वस्थ तथा प्रसन्न हैं।

आपका
रामस्वरूप चतुर्वेदी

(2)

9-7-88

रचनात्मकता बनाम प्रतिबद्धता शीर्षक में 'और' की जगह 'बनाम' प्रयोग साभिप्राय है।

1. बयः इसी तरह के विषय पर एक परिसंवाद इंडिया इन्टरनेशनल सेन्टर, दिल्ली में आयोजित हुआ था अज्ञेय के पचहत्तर वर्ष पूरे होने पर। इस अवसर पर एक निबन्ध मैंने प्रस्तुत किया था। 'सर्जनः दृष्टि और संप्रेषण'। उन बातों का संक्षेपीकरण मूल मान्यताओं को विरुप कर दे सकता है, और उनकी आवृत्ति

से तर्क कुछ कमजोर ही होगा। यह निबन्ध आलोचना-78 में छप चुका है। आप चाहें तो आंशिक रूप में या पूरे तौर पर इसका उपयोग कर सकते हैं।

2. बद्धता जीवन में पग-पग पर हैं, मुक्त होना पुरुषार्थ है। संक्षेप में, मैं अपने आपको अपने परिवार, समाज, और विश्व-हित से प्रतिबद्ध मानता हूँ। और अपनी दृष्टि को अपने आप से।

3. जबकि सौन्दर्य और पार्टी दोनों लगातार नये-नये रूप धारण करते होते हैं तो ऐसे में स्पष्ट ही साहित्य के सन्दर्भ में चिन्ता सौन्दर्य की होना चाहिए जो कुछ अधिक स्थिर है।

आपका

रामस्वरूप चतुर्वेदी

(3)

12-7-88

प्रिय भाई,

एक पत्र कई दिन हुये लिखा है, इस बीच नये अंक की कुछ और सामग्री देखी। 'गुलाब और बुलबुल' की समीक्षा पढ़ी। जो व्यक्ति 'उठो कटि बाँधों' लिखता है वह संस्कृत का शास्त्री हो सकता है, हिन्दी का जानकर नहीं। हिन्दी मुहावरा 'कमर कसना' है, जहाँ न 'कटि' है और न 'बाँधना'। 'कटि बाँधों' 'कमर कसो' का संस्कृत में अद्धार्नुवाद भले कहा जा सके!

आपका

रामस्वरूप चतुर्वेदी

(4)

25-3-03

प्रिय भाई,

रामविलास-नामवरसिंह प्रसंग पर 'दस्तावेज'-91 में प्रकाशित सम्पादकीय पर अंक-96 में लेखक पाठक समुदाय की व्यापक प्रतिक्रिया छापकर आपने उपयोगी कार्य किया है। इससे हिन्दी जगत की बुनियादी निष्पक्षता और तेजस्विता ही प्रकाशित होती है। डॉ. रामविलास शर्मा के प्रति यह सच्ची श्रद्धांजलि है।

आपका

रामस्वरूप चतुर्वेदी

राजेन्द्र यादव

(1)

2/36, अन्सारी रोड,
दरियागंज दिल्ली-110006

3-12-74

प्रिय डॉ. साहब,

आपका पत्र मिला। धन्यवाद। आपकी जो छात्रा मेरे ऊपर कार्य कर रही है उनका जहाँ तक मुझे याद पड़ता है कोई पत्र नहीं मिला। यदि पत्र मिलता तो देर-सवेर सही उत्तर अवश्य पहुँचता। मैं अपनी कृतियों की एक सूची इस पत्र के साथ भिजवा रहा हूँ इनमें जिन शेष पुस्तकों की आवश्यकता उन्हें हो वे मँगवा लें। और इसके अतिरिक्त जो भी वह जानना चाहें मुझे उत्तर देने में आपत्ति नहीं है। हाँ, मेरी शिकायत सिर्फ यह है कि विद्यार्थी लोग प्रायः प्रश्नोत्तर के नाम पर अपनी पूरी थीसिस लिखा लेना चाहते हैं। बात-अगर संक्षेप में हो तो उत्तर देनें में समय और सुविधा के लिहाज से आसानी रहेगी। अन्ततोगत्वा अपना सारा प्रबन्ध तो रचनाओं के आधार पर ही बनाना होता है, लेखकीय वक्तव्यों के आधार पर नहीं। फिर भी यदि अपनी रूपरेखा के साथ वह प्रश्न भेज सकें तो मुझे उत्तर देने में प्रसन्नता होगी।

अभी कुछ वर्ष पहले डॉ. देवराज उपाध्याय के निर्देशन में किन्हीं विमल मेहता ने उदयपुर विश्वविद्यालय से मेरे ऊपर एक प्रबन्ध लिखा था और नामवर सिंह उसकी मुक्त कण्ठ से प्रशंसा कर रहे थे कि वह अन्य प्रबन्धों से बिल्कुल हटकर और मौलिक है। क्या आप अपने विश्वविद्यालय की ओर से उसे उदयपुर विश्वविद्यालय से नहीं मँगा सकते? शायद इससे श्रीमती माथुर को बहुत मदद मिल सकती है।

और मेरे लायक जो भी कुछ हो निस्संकोच लिखें। आशा है आप स्वस्थ और सानन्द हैं।

आपका
राजेन्द्र यादव

(2)

4-7-78

भाई श्री विश्वनाथ जी,

आपका पत्र मिला। अपनी उस त्रैमासिक पत्रिका के लिए मेरी ओर से अनेक-अनेक शुभकामनाएँ लें। आखिर आपने हिम्मत कर ही डाली। हालाँकि मैं त्रैमासिक के बहुत पक्ष में नहीं हूँ। दर्जनों इस समय निकल रही हैं और साल में हरेक के दो-एक अंक आ ही जाते हैं। वस्तुतः त्रैमासिक सुनते ही पाठकों और सम्पादकों दोनों तरफ एक ढील आ जाती है। परिणामतः न सम्पादक-प्रकाशक को समय

पर निकालने का दबाव रहता है और न पाठक को उसे प्राप्त करने की उत्सुकता रहती है। वैसे भी तीन महीने बीतते-बीतते कोई भी मुद्दा समाप्त हो चुका होता है। इस बीच में इतना समय बीत जाता है कि वह कहीं सोच और कार्य की प्राथमिकता के पिछले खाने में डाल दिया जाता है। क्या ही अच्छा होता कि अगर आप इसे द्वैमासिक या मासिक के रूप में परिकल्पित करते। द्वैमासिक में दो ही अंक तो अधिक निकालने होंगे लेकिन उसका एक साहित्य पर बाकायदा वैचारिक इम्पैक्ट बनेगा। इसलिए मेरे इस सुझाव पर फिर से विचार कीजिए।

मिलना तो आपसे अनेक वर्षों से हो रहा था, लेकिन शिमला की मुलाकात अनायास ही पास ले आयी है, वहाँ शायद एक दूसरे को आत्मीयता से जानने का अवसर मिला है। काठमाण्डों के लिए मैं तो बहुत उत्सुक हूँ, लेकिन जिस तरह का पारिवारिक कार्यक्रम बना था उसमें पूरी गुंजाइश है कि उसका कुछ न बने। किसी भी मित्र से आप कभी भी जाकर मिल सकते हैं। मगर जब उसे पारिवारिक स्वरूप देना चाहते हैं तो बात स्थगित होती चली जाती है। बहुत-सी भीतरी और बाहरी बातें आपके निर्णय को परिचालित करती हैं यों उत्सुकता अजित जी की भी थी, लेकिन भरोसा मुझे न मन्नू का है और न अजित जी का। क्योंकि हो सकता है उस समय कोई और घपला उपस्थित हो और सर्वसम्मति से उत्तर के बजाय दक्षिण जाने का प्रोग्राम बन जाये। आप चूँकि देश के एकमात्र कुशल राजनीतिज्ञ माने गये हैं, इसलिए यह मैं आप पर ही छोड़ता हूँ कि आप इस प्रोग्राम को बनवायें। पत्रिका के लिए क्या भेजना है?

आशा है आप स्वस्थ और सानन्द हैं। मन्नू आपको नमस्कार बोलती है।

आपका

राजेन्द्र यादव

(3)

26-7-78

भाई श्री तिवारी जी,

आपका पत्र मिला। इन दिनों मैं अपनी उन्यासों की किताब के लिए पुराने लिखे हुए लेख तलाश कर रहा हूँ। उस सन्दर्भ में एक-आध विषय ऐसा भी है जो बहुत दिनों से मेरे दिमाग में था और उस पर मैं लिखना चाह रहा था। इसलिए आपकी अपनी पत्रिका 'दस्तावेज' के लिए अगस्त में एक लेख भेजने में कोई दिक्कत नहीं होगी। वह आपको निश्चय मिलेगा। यह सूचना केवल इसलिए दे रहा हूँ कि आप अपनी पत्रिका के लिए जो भी परिपत्र इत्यादि निकालेंगे उसमें शायद इस प्रकार की सूचनाओं की आवश्यकता पड़ेगी। हाँ, मन्नू से अजित जी ने लम्बी बातचीत की और 'नन्दन' अब मेरे पीछे पड़े हैं कि मैं कोई व्यक्ति बताऊँ जो मुझसे बात कर सके। उधर शाहजहाँपुर के प्रतिमान वाले भी इसी तरह की बातचीत चाहते हैं। अब मालूम हुआ कि आपकी भी यही योजना है। मेरी चिन्ता आपको लेकर नहीं है क्योंकि हर समझदार व्यक्ति अपने मतलब की बात निकलवा लेता है। बाकी दो जगहों के लिए किसका नाम सुझाऊँ। यह समझ में नहीं आता। वह तो दिल्ली का ही होना है। इसलिए आपके साथ एक शर्त रहेगी कि वह बातचीत आप खुद करेंगे हम लोग जब भी मिलें।

हाँ, अच्छी रचनाओं की किल्लत हमेशा बनी रहेगी, बनी रही है, इसका सीधा तरीका एक ही है। पत्रिका के दो-तीन अंकों में, वही सामग्री दी जाये तो आप चाहते हैं। इसके बाद एक धरातल बन जाता

है लोग खुद वैसी ही रचनाएँ भेजते हैं जो इस लायक हो। चाहें तो शुरू में एक आध अच्छी रचना का अनुवाद भी दें। डॉ. बच्चन सिंह से लिथानल ट्रिलिंग की पुस्तक सिंसयोरिटी एण्ड ओथेटीसिटी का सार संक्षेप दिलायें। या फिर माइकेल ज़िराफ़ा की पुस्तक 'रियल्टी एण्ड फिक्शन (उपन्यास) का कोई चैप्टर। यह दोनों पुस्तकें मुझे बहुत ही भयानक लगीं। काठमाण्डु का प्रोग्राम आप जरूर बनायें। मगर मेरा अभी भी आग्रह है कि अगर आप उसे पारिवारिक बनायेंगे तो घपला होने की पूरी सम्भावना है। पहले से सूचना दे देंगे तो मैं भी वहाँ किसी को कुछ लिख सकूँगा। और दिल्ली आने का इरादा कब है? आशा है आप स्वस्थ सानन्द हैं।

आपका
राजेन्द्र यादव

(4)

21-8-78

प्रिय तिवारी जी,

आपका 4-8-78 का पत्र मिला। लीजिए 'दस्तावेज' के लिए लेख हाज़िर है। लिखा पहले था और सोचा था कि कुछ और माजूँगा इसलिए कहीं भी प्रकाशनार्थ नहीं भेजा था। मगर अब जब उपन्यासों वाली किताब तैयार करने लगा तो उसमें देते समय लगा कि इसमें बहुत बदलने की गुंजाइश नहीं है, इसलिए वैसा ही पुस्तक में जा रहा है और यही आपके पास आ रहा है। आगे बाकौल अजित कुमार, मेरे भरोसे न रहिए'।

निश्चय ही आप अन्य भाषाओं की चीजें दें, लेकिन अधिकारी या बेहतर लोगों से उनके अनुवाद करायें। लेखों के अनुवाद में मैं बहुत सहायक नहीं हो पाऊँगा। हर भले मानस आराम तलब आदमी की तरह सुझाव एक से बढ़कर एक दूँगा। समीक्षा सम्बन्धी कुछ लेख डॉ. निर्मला जैन ने किये हैं, और करती रहती हैं। आप उनसे सम्पर्क कर लें।

यह प्रसन्नता की बात है कि पत्रिका के लिए चिट्ठियाँ लिखते हुए आपकी उँगलियाँ या तो टेढ़ी हो गयी हैं या घिस गयी हैं। टेढ़ी उँगली से चाहे घी न निकल पाये, मगर उनको घिसना तो पड़ेगा ही। जिन दो तीन लोगों से मैं चाहूँगा कि कथा-साहित्य सम्बन्धी लेखों के विषय में सम्पर्क करें उनमें योगेश गुप्त (85, शिवाखण्ड, विश्वकर्मान नगर, शाहदरा, दिल्ली 72) मृदुला गर्ग (सी 1/9, सफदरजंग डेवलपमेन्ट एरिया, नयी दिल्ली), श्रीमती राजी सेठ (1/12, सर्वप्रिय बिहार, नयी दिल्ली-16)

पुस्तक पर अपने विचार समीक्षा में भेज दिये या नहीं? इधर आने का इरादा कब है? अर्थात मन्नू का कहानी-संग्रह (जो दस दिन में आ जायेगा, डाक से भिजवाना है या आप आकर खुद लेंगे? और अपने समाचार लिखिए। लेख की प्राप्ति दीजिए।

आपका
राजेन्द्र यादव

(5)

24-9-79

प्रिय तिवारी जी,

जानकर प्रसन्नता हुयी कि आप दशहरे के आस-पास इधर अवतार लेने की बात सोच रहे हैं (निश्चय ही रामलीला में कोई भूमिका लेने से इस आने का कोई सम्बन्ध नहीं होगा) मुझसे मिलने की जो धमकी आपने दी है क्या आप समझते हैं कि मैं डर जाऊँगा? वैसे बातें तो मुझे भी बहुत कुछ करनी हैं क्योंकि पिछली बार जब हम लोग शिमला में मिले थे तब मुझे कतई उम्मीद नहीं थी कि आप यह कमाल करेंगे और अब 'दस्तावेज' के 4 अंक निकालकर आपने अपने मुकुट में नये मोर पंख लगा ही लिए हैं (अँग्रेजी मुहावरे का हिन्दीकरण कैसा?) तो यह जरूरी है कि यह आपका स्थायी गहना बना दिया जाये। मुझे विश्वास है कि इस बार नेपाल चलने जैसा झूठा प्रलोभनकारी और अकरणीय प्रस्ताव या चारा डालकर हम लोगों को मानसिक रूप से संक्षुब्ध नहीं करेंगे। साथ ही इस बात का विश्वास दिलाने की कोशिश करेंगे कि कविता के प्रति जो आपका अनुचित और अनैतिक आग्रह है उसमें सन्तुलन होगा।

शेष आपके अवतार लेने पर।

सस्नेह

राजेन्द्र यादव

(6)

30-10-79

भाई श्री तिवारी जी,

यहाँ से जाने के बाद आपने कोई खोज खबर नहीं दी, और मुझे इसी बात की आपसे आशंका थी। लगता है आप द्विवेदी जी वाले अंक में जुटे हैं और यहाँ दिये गये सारे आश्वासन भूल गये हैं। जयपुर की एक कथाकार डॉ. प्रभा सक्सेना ने राजी सेठ के संग्रह "अन्धे मोड़ से आगे" राजपाल एण्ड सन्ज़ की एक समीक्षा लिखी थी। मुझे सूक्ष्म अन्तर्दृष्टि के कारण वह समीक्षा बहुत ही पसन्द आयी है और मैं चाहता हूँ कि रचनात्मक लेखन से जुड़े हुए लोग इसी तरह कहानी को समझने की कोशिश करें। इसीलिए इस पत्र के साथ समीक्षा आपको भेज रहा हूँ। अगर आप इसे 'दस्तावेज' में छापेंगे तो मुझे तो खुशी होगी ही, शायद एक अच्छी समीक्षा छापने का सन्तोष आपको भी हो। और अपने नये समाचार दीजिए। आशा है स्वस्थ और सानन्द हो।

सस्नेह

राजेन्द्र यादव

(7)

14-2-81

प्रिय विश्वनाथ जी,

जब मुझे यह मालूम हुआ कि आपको हृदय सम्बन्धी कोई रोग नहीं है और केवल एक झटके के कारण आप ऐसा समझ बैठे थे तो मन को इतना सन्तोष मिला कि सोच लिया फुरसत से पत्र लिखूँगा। चलो, इसी बहाने से आपके एक महीना आराम करने की मजबूरी तो पैदा हुई। वरना आप तो शरीर को शत्रु समझकर उससे धुआँधार बेगार लेने में लगे रहते हैं। पत्रोत्तर में यह लिखकर निश्चिन्त करें कि रही-सही अस्वस्थता से आप पूरी तरह मुक्त हो गये हैं।

''औरों के बहाने'' पुस्तक अलग डाक से भेज रहा हूँ। ''प्रेमचन्द की विरासत'' को तो आप पी गये थे, लेकिन इसे मैं जरूर चाहता हूँ कि उस तरह के व्यवहार से बचायें।

''दस्तावेज'' का नया अंक कब आ रहा है? मुझे हमेशा उसकी प्रतीक्षा रहती है। और बहुत मन होने के बावजूद अब आपके स्वास्थ्य को देखते हुए ज्यादा आग्रह भी नहीं कर सकता कि इसे द्वैमासिक बना दें। फिर भी जानना जरूर चाहता हूँ कि ''दस्तावेज'' की स्थिति क्या ऐसी है कि एक महीने की कटौती की जा सके और वर्ष में 6 अंक निकाले जा सकें। आशा है आप स्वस्थ और सानन्द हैं।

आपका
राजेन्द्र यादव

(8)

3-6-81

प्रिय विश्वनाथ जी,

आपका भेजा हुआ ''दस्तावेज'' मिला। आप जिस निष्ठा और नियम-बद्धता से इसे निकाल रहे हैं वह प्रशन्सनीय है। मैंने ''औरों के बहाने'' भेजी थी, लेकिन लगता है एक तीसरे दर्जे के कविता संग्रह के मुकाबले आपको अच्छे से अच्छा गद्य बेकार लगता है; इसलिए न कोई व्यक्तिगत प्रतिक्रिया है न सम्पादकीय। बहरहाल, एक और पुस्तक आ रही है और मेरे हिसाब से यह आपको भेजी जाने वाली तीसरी पुस्तक है। आपका हाजमा देखना चाहता हूँ, इसलिए इस बार कुछ नहीं कहूँगा। अगर सम्भव हो तो इसकी प्राप्ति दें अन्यथा इसकी भी जरूरत नहीं है। आशा है आप अब परम स्वस्थ होंगे।

आपका
राजेन्द्र यादव

(9)

20-5-82

भाई श्री विश्वनाथ जी,

''दस्तावेज'' के तीनों अंक मिल गये और वे तीनों मैंने यथा स्थान पहुँचा दिये हैं। आपका विशेषांक

कविता पर था और कविता के बोझ से मेज जितनी जल्दी खाली हो सके उतना ही अच्छा है। इसलिए आगे से भी निश्चिन्त रहें कि जब भी आप कविता सम्बन्धी कोई काम मुझे सौपेंगे एक दिन से ज्यादा उसे अपनी मेज पर देख सकना मैं बर्दाश्त नहीं कर पाऊँगा, मगर मुझे पूरा भरोसा है कि आप बार-बार मेरे धर्म और औदार्य की परीक्षा नहीं लेंगे। पाठकों पर जो आप अत्याचार कर रहे हैं वही काफी है। हिन्दी साहित्य युग युग तक आपको धिक्कारेगा और क्षमा नहीं करेगा। विज्ञापन के जो रेट आपने लिखे हैं, वे दे सकने का ''अक्षर'' के लिए मुश्किल है और मैं यह नहीं चाहता कि विज्ञापन छपे और यहाँ मुझसे पैसे न निकल पायें। सौ डेढ़ सौ तक यदि हो तो वे किसी तरह निकाल सकता हूँ मगर मैं आपसे कोई भी माँग ऐसी नहीं करुँगा जो उचित न हो जैसे मैंने कभी भी इस बात पर जोर नहीं दिया कि छः अंक आ जाने पर भी मेरी किसी भी पुस्तक पर आपने क्यों ध्यान नहीं दिया। आपकी नीति और राजनीति में जो चीज फिट हो वही आपको करनी चाहिए। और नए समाचार क्या हैं? आशा है आगे भी आप इसी प्रकार दिल्ली आयेंगे और बिना मुझसे मिले चले जायेंगे।

सस्नेह

राजेन्द्र यादव

(10)

13-3-87

प्रिय त्रिपाठी जी,

''दस्तावेज'' के नए अंक में श्रीकान्त पर दी गयी सारी सामग्री मैंने पढ़ी। मुझे बहुत दिलचस्प और उपयोगी लगी विशेष रूप से आपके संस्मरण। लेकिन जहाँ आपने बहुत से सवाल उठाए हैं वहाँ यह सवाल आपने भी नहीं उठाया कि राजनेता बनने के बाद श्रीकान्त अपनी तरफ से किन साहित्यकारों से मिले थे या वह यह उम्मीद क्यों करते थे कि लोग स्वयं उनसे जाकर मिलें? और जब पद पर बैठे किसी आदमी से मिलने का संकोच कोई छोड़ता है तो निश्चित रूप से यही देखता है कि उसकी उपयोगिता क्या रह गयी है। श्रीकान्त की उपयोगिता राजनीतिक रह गयी थी साहित्यक नहीं। शुरु के दिनों में जिन्हें वह श्रद्धेय कहकर सम्बोधित करते रहे बाद में उनसे यह उम्मीद करना कि वे उनकी दरबारदारी करेंगे, उनकी कुंठा ही थी। शायद इसलिए औपचारिक अवसरों को छोड़कर उनसे मुलाकात का कोई मौका नहीं होता था। कम से कम व्यक्तिगत रूप से तो मैं यह बात कह ही सकता हूँ।

बहरहाल, यह आपकी भी मानसिकता को उजागर करता है कि जब उन्होंने आपको पैन और लाइटर दिया तो लाइटर के समय मेरा ध्यान क्यों नहीं आया? पैन बेशक आप रख लें, लाइटर नहीं, लाइटर पर अधिकार पाइप पीने वाले का ही होता है।

आपके 'दस्तावेज' के सभी अंक पसन्द आ रहे हैं इसके लिए बधाई।

आपका

राजेन्द्र यादव

रामदरश मिश्र

(1)

ई 4/11 मॉडल टाउन दिल्ली

24-10-78

प्रिय भाई,

'दस्तावेज मिला। इस सुन्दर पत्र के प्रकाशन के लिए बधाई लें। डॉ. बच्चन सिंह और रामचन्द्र तिवारी के निबन्ध अच्छे लगे। राजेन्द्र यादव की जान पहचान की दुनिया से हमारी पुरानी जान पहचान है आपने अन्य भाषाओं के लिए भी स्तम्भ रखा है यह बहुत अच्छा लगा। उड़िया कविताएँ बहुत ताजा लगीं। आपकी सम्पादक दृष्टि बहुत खुली और साहित्यिक है इससे साहित्य का हर रंग इसमें दिखाई पड़ेगा। विचारों की टहराहटों और अच्छे प्रकार है अनुभवों के साहचर्य से पत्रिका को एक नया सौन्दर्य प्राप्त होगा।

सानन्द होंगे। मैं पहली नवम्बर को एक सरकारी दौरे पर जा रहा हूँ। 18 नवम्बर को लौटूँगा।

यदि ठीक समझें तो दस्तावेज में कंधे पर सूरज की भी समीक्षा दें।

आपका
रामदरश मिश्र

(2)

12-2-79

प्रिय भाई,

दस्तावेज का दूसरा अंक मिला। लगता है आपने निश्चय कर लिया है कि पत्रिका निकालेंगे तो अच्छी ही निकालेंगे नहीं तो नहीं निकालेंगे। मुझे विश्वास है कि दस्तावेज का हर अंक अपने समय के साहित्य का दस्तावेज साबित होगा। बहुत अच्छा लग रहा है इसकी प्रगति देखकर। यह भी अच्छा लग रहा है कि आपकी साहित्यिक दृष्टि उन दृष्टियों का स्पष्ट विरोध कर रही है जो पत्रिकाओं एक विशेष कठघरे में खड़ी पत्रिकाओं की जमात में शामिल करना चाहती है। ढिंढोरचियों से सावधान रहना ही पड़ेगा। आपके पास जो छोटी-छोटी कविताएँ भेजी थी उनका इस्तेमाल कर ले रहा हूँ। आवश्यकता होगी तो कुछ ओर भेज दूँगा। कंधे पर सूरज की समीक्षा आप दे सकें तो प्रसन्नता होगी।

देखें आपके यहाँ कब आना हो पाता है। सानन्द होंगे।

आपका
रामदरश मिश्र

(3)

16-5-79

प्रिय भाई,

पत्र मिला। दस्तावेज का नया अंक मिल गया है। रणजीत का निबन्ध बहुत अच्छा है। शिव कुमार ने बहुत साफ सुथरे ढंग से अपनी बात उभारी है। समीक्षाएँ वज़नी हैं। बँगला कविताओं ने प्रभावित किया। हिन्दी की कविताएँ कमजोर हैं, उनमें कुछ भीतर से नहीं उभरता लगता ओढ़ा हुआ लगता है। कहीं कुछ नया पन नहीं है। हाँ उदय प्रकाश के कुछ चित्र निश्चित ही ताजा और प्रभावशाली है। जुलाई में कुछ करूँगा दस्तावेज के लिए। कुछ व्यक्तिगत सदस्य भी बनवाऊँगा। थोक खरीद के लिए तो आपको ही लिखा पढ़ी करनी होगी। हाँ कैसे करनी होगी यह मैं किसी से पूछूँगा। मैं जून में सपरिवार आ रहा हूँ शादी है साले के लड़के की तब बातें होगी। निश्चित तिथि की सूचना बाद में दूँगा। आपकी समीक्षा 'आजकल' में छप गयी होगी।

आपका
रामदरश मिश्र

(4)

16-4-92

प्रिय भाई,

'दस्तावेज' का अंक 52 समय से मिल गया था। अरुणेश की परिक्रमा बहुत जीवन्त रूप में आ रही है। लगता है अब पाठक पहले यही स्तम्भ पढ़ेगा। हल्के-फुल्के ढंग से अरुणेश आज की साहित्यिक विसंगतियों पर गहरी चोट कर रहे हैं। इसमें अद्भुत पठनीयता और प्रभविष्णुता है।

आपके लेख में नामवर जी की आलोचना का असली चेहरा अच्छी तरह से बेनकाब हुआ है। वैसे काफी दिनों से बेनकाब हो रहा है और वे अप्रभावित हुए बिना अपनी चाल चले जा रहे हैं—साहित्यकारों को आंपस में लड़ाते हुए, लड़ा कर एक की शक्ति उजागर करते हुए, दूसरे की शक्ति को छिपाते हुए, भाषणों और लेखों में अपने को ही काटते हुए कुछ रचनाकारों को ध्यान में रखकर उनके लिए प्रतिमान गढ़ते हुए फिर तोड़ते हुए। क्या भव्य साहित्य यात्रा है इस अप्रतिम आधुनिक हिन्दी आलोचक की। आपने बहुत स्पष्ट ढंग से उनकी इस यात्रा पर प्रकाश डाला है। रेवती रमण का लेख मधुर है। परमानन्द का लेख पढ़े बिना ही जाना जा सकता है उनके आशय को। फिर क्यों समय नष्ट किया जाय?

विवेक (मेरे छोटे पुत्र) आजकल गोरखपुर में ही है। मिले होंगे। आप लोगों का आशीष चाहिए उन्हें। महीना भर वहाँ रहेंगे।

आपने 'दस्तावेज' के लिए कुछ लेख भेजवाने की बात कही थी—एक योजना के तहत। इसलिए इधर यदि कोई मुझसे सम्बन्धित कोई लेख लिख रहा है और मेरी जानकारी में आ रहा है तो उसे कह दे रहा हूँ कि उसे आपके पास भेज दे। आप देख लीजिएगा कि वह आपके लायक है कि नहीं। हाँ, उस योजना में कोई व्यवधान उपस्थित हो जाय तो बता दीजिएगा। सानन्द होंगे।

आपका
रामदरश मिश्र

(5)

11-11-92

प्रिय भाई,

गोरखपुर आने वाला था मौखिकी के लिए। स्वास्थ्य के कारण नहीं आ सका। स्पांडीलोसिस के कारण काम कम करता हूँ। परीक्षा सम्बन्धी कार्य तो बिलकुल ही कम कर दिये हैं। आपके यहाँ से बिना पूर्व अनुमति के एक शोध प्रबन्ध आया। मेरी अनुपस्थिति में पत्नी ने ले लिया। खोलकर देखा तो ज्ञात हुआ कि आपके निर्देशन में है। तब लगा कि अच्छा किया पत्नी ने ले लिया था। लौट गया होता तो मुझे तकलीफ होती। मित्रों के काम तो करने ही हैं।

वैसे एक बात बहुत मजेदार है कि आप लोगों के निर्देशन में होने वाले शोधकार्यों में मैं सदा समसामयिक साहित्यिक परिदृश्य से गायब रहता हूँ और मुझी से इस पर सही कराया जाता है। हो सकता है कि सचमुच ही गायब होने लायक होऊँ लेकिन लेखक का एक मुगालता तो होता है। उस मुगालते के ही तहत मैं यह तो कह ही सकता हूँ कि प्राध्यापकों के इतने बड़े संसार में सही करने का काम और भी तो कर सकता है। मुझमें ऐसे क्या सुर्खाब के पर लगे हैं कि मैं ही सही करूँ और स्वयं अपने को रिजेक्ट करने वाले कार्य की पुष्टि करूँ। मुझे शिकायत अपने गायब होने की नहीं है गायब करने वाले कार्य की परीक्षा मैं ही करुँ, इससे है। बहरहाल यह एक सेंटीमेंटल पहलू था। उसका जिक्र कर दिया। एक लेखक के नाते इस सेंटीमेंट को आप समझेंगे और बुरा नहीं मानेंगे। आप मेरे आत्मीय मित्रों में हैं।

इधर कब आ रहे है। रिपोर्ट शीघ्र भेज दूँग्रा।

सानन्द होंगे।

आपका

रामदरश मिश्र

(6)

23-5-98

प्रिय भाई,

'दस्तावेज' का नया अंक यथा समय मिला था। अपने सम्बन्ध में सामग्री देखकर अच्छा लगना ही था। हाँ थोड़ा सभी बिधाओं का ध्यान रखा गया होता तो और पूर्णता आयी होती, खैर, अमिताभ के लेख ने सारी विधाओं को अपने में समेट लिया है। यह अच्छा है। अध्यक्षता का भार-वहन कैसा लग रहा है। मनु जी आपसे बहुत प्रभावित हैं। वे बहुत प्यार और सम्मान से आपको याद करते हैं। आग्रहों से लदी पत्रिकाओं की भीड़ में आप 'दस्तावेज' को खुला मंच बनाए हुए शान से चला रहे हैं यह बड़ी बात है।

आपका

रामदरश मिश्र

(7)

प्रिय भाई,

मुझे पत्र बहुत पहले लिखना था बस आज कल में रह ही गया। आपके सम्पादकीय के लिए बधाई देनी थी, दे रहा हूँ। वह सम्पादकीय देश भर में अपनी गरिमा के साथ व्याप्त हुआ है। आपने बहुत प्रभाविकता के साथ अपनी बात कही है। आपका सात्विक रोष गहरे चिन्तन और अध्ययन से उपजा है किसी प्रतिक्रिया के आवेश से नहीं। अतः सभी लोग अपने को आपके साथ पा रहे हैं।

मैं वैसे तो ठीक हूँ किन्तु स्पांडीलाइस के कारण तीन चार महीने से चक्कर की लपेट में हूँ। इसीलिए डॉ. प्रेमव्रत के शिष्य की मौखिकी में भी नहीं आ सका। कहीं नहीं जा पा रहा हूँ। सब जगह मना कर दिया है। आप सपरिवार सकुशल होंगे।

आपका

रामदरश मिश्र

(8)

6-8-07

प्रिय भाई,

डॉ. सविता मिश्र ने लेख मेरे ही पास भेज दिया था। भेज रहा हूँ।

आप न्यूयार्क हो आये। आपकी कलम से जो यात्रा सामने आयेगा उसके माध्यम से मैं भी न्यूयार्क की यात्रा कर लूँगा। न्यूयार्क यानि विश्व हिन्दी सम्मेलन। इस बार दिल्ली के अखबारों में वहाँ के सम्मेलन और गोष्ठियों के विशेष समाचार आये नहीं। अतः कुछ पता ही नहीं चला कि क्या हुआ। आप लिखेंगे तो पता चलेगा।

स्वस्थ रहा तो अक्टूबर-नवम्बर में उधर आने की कोशिश करुँगा फिलहाल गर्दन और कँधे के दर्द ने बेहाल कर रखा है।

आप स्वस्थ सानन्द होंगे।

आपका

रामदरश मिश्र

(9)

9-4-08

प्रिय भाई तिवारी जी,

दस्तावेज का नया (117) अंक मिला। आपकी समग्र सम्पादकीय टिप्पणियाँ बहुत ही प्रभावशाली हैं। तुलसी पर तो कमाल की है। क्रान्तिकारी वटुकों को आपने जो सलाह दी है वह बहुत मूल्यवान

है। लेकिन उन्हें तो अपनी जड़ता में ही ज्ञान का आलोक दिखायी पड़ता है क्या कीजिएगा, उन्हें अपने आकाओं को खुश भी तो रखना है।

साहित्य अकादमी की महादेवी सम्बन्धित संगोष्ठी ने बहुत सुख दिया इसलिए कि पहली बार लगा कि हिन्दी साहित्य-संसार में कुछ चालाक लोगों की ही उपस्थिति नहीं है बल्कि अन्य बहुत से लोगों से यह संसार बना है और साहित्य अकादमी उनकी भी है। मैंने अपनी डायरी में इस सन्दर्भ का बयान किया है। उसे कहीं भेजूँगा।

सानन्द होंगे।

आपका

रामदरश मिश्र

पुनश्चः आशा है दस्तावेज के अंक 118 में सविता मिश्र की समीक्षा (उस बच्चे की तलाश में पर) आ रही होगी।

(10)

9-2-10

प्रिय भाई तिवारी जी,

जब आप अकसर दिल्ली आने लगे तब मैं आहत पैर की पीड़ा लिए घर में सीमित हो गया। घर घुसर तो यों भी था, इसने और बना दिया।

'दस्तावेज' का नया अंक मिला। आप उन थोड़े लोगों में हैं जो साहित्य के पहलवानों की विसंगतियों को निर्भीक भाव से उजागर करते रहते हैं। इस कार्य के पीछे कोई दुर्भाव नहीं होता, बल्कि साहित्य मंगल की भावना होती है। इस अंक में आपने महाबली राजेन्द्र यादव के साहित्य-कौतुक की खोज-खबर ली है। आप विसंगतियों का उद्‌घाटन बहुत तार्किक ढंग से करते हैं और इसके लिए विसंगतियों की सम्यक पहचान करते हैं। लेकिन जो लोग मान बैठे हैं कि "वे यह सब करते रहेंगे उनका कोई क्या कर लेगा" वे तर्क-वर्क नहीं समझते। वे बेहयाई के साथ साहित्य की फसल चरते रहेंगे।

इधर मेरी तीन पुस्तकें आयी हैं—कविता संग्रह (कभी-कभी इन दिनों) डायरी (आस-पास) और उपन्यास (बचपन भास्कर का)। कविता पुस्तक और डायरी की समीक्षाएँ लिखकर सविता और जगन्नाथ पंडित ने मेरे पास ही भेज दीं। मैं इन्हें आपके पास भेज दे रहा हूँ। प्रकाशक आपको किताबें भेजने की तैयारी कर रहा है आपके पास भी जाएगीं ही।

दस्तावेज में मेरी पुस्तकों के बारे में बहुत छपा किन्तु मेरी कविताएँ नहीं छपीं। न मैंने भेजी न आपने कभी माँगी। बहरहाल पाँच गजलें भेज रहा हूँ।

आशा है आपको पसन्द आएगीं।

आप पर जो पुस्तक तैयार हो रही है यह परिपूर्णता की ओर होगी। ओमजी ने तो सम्पर्क ही तोड़ लिया है। कभी भेंट मुलाकात नहीं। भेंट होती तो पुस्तक के सम्बन्ध में कुछ ज्ञात होता।

सपरिवार सानन्द होंगे।

आपका

रामदरश मिश्र

(11)

20-7-2010

प्रिय भाई,

कुछ कविताएँ भेज रहा हूँ। इनमें से आप अपने काम का छाँट लीजिएगा।

'अक्षरा' में आपकी आलोचना-दृष्टि पर श्री भगवान सिंह ने बहुत अच्छा लिखा है। वे स्वयं बहुत प्रबुद्ध आलोचक हैं। सच पूछिए तो प्रगतिवादी खेमे से बाहर ही असली प्रगतिवाद है—खुला हुआ।

आप खूब सक्रिय हैं—तन मन दोनों से अच्छा लग रहा है। आप स्वस्थ रहें, आपको बहुत कुछ करना है।

आपका

रामदरश मिश्र

पुनश्चः दस्तावेज का 124 अंक के पश्चात का कोई अंक नहीं मिला।

(12)

24-12-2010

प्रिय भाई तिवारी जी,

आप दिल्ली लगातार आते होंगे। मुझे पता चलता तो फोन से बात कर लेता। भेंट मुलाकात न सही संवाद तो हो जाता रहे।

साहित्य अकादमी पुरस्कार के लिए आपके मन में मेरे प्रति जो सद्भाव है उसके लिए आभारी हूँ किन्तु निर्णय के शीर्ष पर जो लोग बैठ जाते हैं वे लोग ऐसे होते हैं जो शायद तय किए हुए बैठे हैं कि वे मुझे साहित्य में ही नहीं रहने देंगे। कारण यही है कि मैंने इन लोगों को कभी भाव नहीं दिया और न इनके गिरोह में शामिल हुआ। हर बार ये ही लोग वहाँ बैठाये जाएगें और हर बार यही होगा। मैं तो न पहले कभी इस सन्दर्भ में सोचता था न आगे सोचना है। मैंने तो अपने को कभी इस दौड़ में शामिल ही नहीं किया अतः बहुत सुकून मिलता रहा।

हाँ, यदि आपके क्षेत्र में आता हो तो एक काम के लिए आग्रह करना चाहूँगा। कई वर्ष पूर्व रामजी यादव ने बहुत उत्साह पूर्वक मुझपर एक फिल्म बनायी थी। उन्होंने मुझसे आग्रह किया कि आपसे पूछूँ कि क्या साहित्य अकादमी, में उसके लिए जाने की शक्यता है? अकादमी के निर्णय में आपकी भूमिका क्या है। आपकी भूमिका बनती है तो कृपया देख लें। फिल्म अच्छी बनायी है।

दिल्ली आयें तो फोन वार्ता के लिए समय निकालें।

स्वस्थ सानन्द होंगे।

आपका

रामदरश मिश्र

राजी सेठ

(1)

एम-16, साकेत
नयी दिल्ली-110017

16-2-85

आदरणीय डॉ. तिवारी जी,

अब पत्रोत्तर अविलम्ब न दे पाने का अपराध मुझसे हुआ जा रहा है। इधर आगंतुकों अतिथियों का ऐसा रेला था कि जल्दी नहीं लिख सकी।

यदि अज्ञेय जी पर कोई विशेषांक आप निकाल रहे हैं तो मेरी इच्छा है कि मेरा लेख उसमें ही सलंग्न हो, चाहे थोड़ा विलम्ब ही क्यों न हो जाए। वह न केवल श्रम से लिखा गया है, बल्कि उनके कृतित्व में ऐसी वृत्ति की तलाश में लिखा गया है, जो अब तक उन्हें लेकर नहीं की गयी। इस पर जो भाग तैयार है वह कविताओं को लेकर है। दूसरी विधाओं पर लेख कालान्तर में बनेंगे। इसे मेरी प्रगल्भता न मानें तो कहुँगी उसे लेकर आप निराश नहीं होंगे।

एक दूसरा समीक्षात्मक लेख जो श्री कमल कुमार के सद्यःप्रकाशित कहानी संग्रह 'पहचान' पर अभी पूरा किया है, उसके जल्दी छपने की सम्भावना हो तो आपको भेजकर मुझे प्रसन्नता होगी।

'दस्तावेज' को एक स्तरीय पुस्तक की तरह पढ़ना होता है। आपका श्रम सार्थक हो कामना है। उत्तर दीजिएगा।

शुभाकाँक्षी
राजी सेठ

(2)

29-1-86

आदरणीय तिवारी जी,

एक पत्र सुबह लिखा था। अज्ञेय जी पर लेख भेज रही हूँ। बहुत श्रमसाध्य काम था। यह कविता-कर्म का अन्वेषण है, एक ऐसी वृत्ति के सन्दर्भ में जो मुझे अज्ञेय के पढ़ते हमेशा एक मौलिक उद्‌भावना का स्वाद देती रही है। वर्षों यह बात मन में बनी रही है और अज्ञेय के कृतित्व को देखने वाली मेरी दृष्टि को सन्दर्भित करती रही है। लिखने का क्षण तब आया जब मुझे लगा कि किसी भी दिशा से चलने लगने पर पहुँचना उसी आस्वाद के आसपास होता है। यह दबाव ही इस लेख का रचनात्मक कारक

बना। कविता का लेख आपको भेज रही हूँ। अगला लेख इसी का विस्तार होगा उपन्यासों के सन्दर्भ में। फिलहाल वह काम स्थगित है।

आशा है लेख को अविच्छिन्न रूप से छापेंगे और पत्र की तुरन्त पहुँच देगें। शेष शुभ है।

सादर
राजी सेठ

पुनश्चः पता नहीं आपके पास कितनी गुंजाइश है पर एक मित्र को भी अज्ञेय जी पर एक लेख भेजने को कहा है। उसका उन पर शोध ग्रन्थ था।

(3)

28-12-98

स्नेही तिवारी जी,

'दस्तावेज' में प्रकाशनार्थ एक लम्बी कविता ''तुमने क्यों पूछा'' भेज रही हूँ। इसे उन गर्दिश के दिनों में लिखा था जब अंगरक्षक के द्वारा देश की प्रधान की हत्या हुयी थी, उसके बाद दिल्ली के फसाद, फिर भोपाल की गैस त्रासदी। अभी तक यह अप्रकाशित है। सब कारणों से बड़ा कारण तो यही है कि कविता उतने ही सालों से बराबर लिखती आ रही हूँ जितने से गद्य पर इसके प्रकाशनार्थ ध्यान नहीं दिया। अब संख्या बोझ बनने लगी है तो उन्हें संकलित कर रही हूँ। शिमला के एकान्त में इसकी सुविधा भी अधिक रही। पता तो होगा कि मैं भारतीय अध्ययन संस्थान में दो साल की फैलोशिप पर थी। अब जनवरी के पहले सप्ताह दिल्ली वापिस जा रही हूँ।

हादसों के बरअक्स बुद्धिजीवियों की (अकसर) चुप्पी कथ्य को खखोलने का कारण बनी थी। शायद आपको यह कुछ बड़बोली लगेगी। चाहे लगे, फिर भी इसके फेरफदल की हिमायत या हिमाकत नहीं कर सकती। करुँ भी तो नहीं हो पाएगी क्योंकि जब की यह घटना है, उस समय मन लावा उगल रहा था। शब्द अन्र्तदर्शिता की जिद्द के चलते बच रहे, इसका आश्चर्य है। घटनाओं ने चेतना पर एक गट्ठर सा बाँध दिया था। अपने घर की छोटी सी चारदीवारी में भी अपने पैरों चलना कठिन होता रहा जब तक कि इस अभिव्यक्ति ने जगह नहीं पा ली। निरायास लिखी जाती इस एक बैठकी कविता ने राहत दी। जितनी बार पढ़ती हूँ वहीं की वहीं टिकी मिलती है। लगता है, शब्द जहाँ-जहाँ जैसे-जैसे गिरे अडिग हो गए। उनमें जो क्रोध ताप और दर्द है वह अपनी जमीन से चिपक गया है। अतः सब कुछ जैसे का तैसा है। मैं उस बारे में कुछ नहीं कर सकती बहरहाल उनमें व्यक्त आयामों के लिए मेरा मत वही है जो तब था।

पत्र की पहुँच दिल्ली के पते पर दे दीजिएगा। गोरखपुर वाला आयोजन अच्छा रहा होगा। उपस्थित हो सकने और आप लोगों से मिलने का एक मौका गवाँ देने का दुख है।

स्वास्थ्य अच्छा होगा। आजकल क्या लिखा जा रहा है? नववर्ष की शतशः शुभकामनाएँ लें।

सस्नेह
राजी सेठ

(4)

14-1-2011

आदरणीय तिवारी जी,

प्रणाम,

जैसी कि आपसे फोन पर बात हुई थी, वात्स्यायन जी के पत्र भेज रही हूँ। इसमें यात्राओं से भेजे कार्ड, और छोटे-छोटे नोट्स हैं। वत्सल निधि यात्रा का एक निमन्त्रण पत्र भी। एक पत्र सुश्री इला डालमिया और डॉ. जगदीश गुप्त का भी है। ये संख्या में कुल 13 हैं। छायाप्रति में जहाँ-जहाँ लिखत मिटी सी है, उसे पेन्सिल से नीचे लिख दिया है। इसी तरह अन्य आवश्यक सन्दर्भ भी। आप स्वयं देख लेंगे।

एक पत्र की मूल प्रति नहीं मिल पायी है। 'शब्दयोग' पत्रिका वालों को माँगनें पर दिया था शायद लौटकर नहीं आया था मैंने ही उसे किसी कागजों में रख दिया है। उसे शब्दयोग के प्रकाशित अंक से फोटोकॉपी करा दिया है।

मुझे एकदम अनुमान नहीं है कि ये पत्र आपके लिए उपयोगी होंगे या नहीं, पर इस दिशा में आपकी मन्शा और चेष्टा हर तरह से मूल्यवान है। 'पूर्वग्रह' में छपा 'पत्रों में अज्ञेय' नामक आपका लेख मुझे बहुत ही सन्दर्भवान और मूल्यवान लगा।

कालान्तर में श्री नरेश मेहता, डॉ. देवराज, तथा डॉ. शिवप्रसाद सिंह के पत्र भी आपको भेज सकती हूँ। अपने मंतव्य से अवगत कराएँ।

नववर्ष की आपको सपरिवार शुभकामनाएँ।

सादर
राजी सेठ

रामशंकर द्विवेदी

(1)

174, पाठकपुरा
उरई-285001

18-11-92

भाई तिवारी जी,

मैं तो समझा था आप बहुत व्यस्त हैं। वनर्डिशॉ का नियम था कि वह उन्हीं के पत्रों का उत्तर देता था जो उसे पत्र लिखने तक का पारिश्रमिक देते थे। और गेटे तो कभी पत्र का उत्तर देता ही नहीं था। किन्तु आप तो वन्धुवर टालस्टाय के उत्तराधिकारी हैं जिसके एक पत्र ने रोलाँ को रोलाँ बना दिया। इतने मास बाद आपका पत्र पाकर बहुत अच्छा लगा।

मैं 'दस्तावेज' के हर अंक में लिखना चाहता हूँ और इसी सन्दर्भ में आपका सहयोग चाहता हूँ। मेरे पास केदारनाथ अग्रवाल का साक्षात्कार अप्रकाशित पड़ा है—यह महत्त्वपूर्ण है अगर आप छापें तो भेज दूँ। इसका एक अंश साक्षात्कार में छप गया है किन्तु शेष अंश जो स्वतन्त्र है अभी तक अप्रकाशित है। 'साक्षात्कार' इसका दूसरा भाग छापने को तैयार नहीं है। आप इस सम्बन्ध में अपनी बात लिखें। मेरी पुस्तक का रजिस्टर्ड पैकेट तो मिला होगा। उसी में समीक्षा थी। अगर कहें तो दूसरी कॉपी भेज दूँ।

समीक्षाओं के लिए पुस्तकें जरूर भेजें क्योंकि यह मेरा रुचिकर विषय है। आपको जिन पुस्तकों पर समीक्षा लिखवानी हो लिख दें।

मैं जिन पुस्तकों या लेखकों पर लिखना चाहता हूँ वह निम्न प्रकार हैं। श्री विष्णुप्रभाकर का अभी अर्द्धनारीश्वर उपन्यास निकला है अगस्त 92 में। मैंने उसे पढ़ लिया है। अगर आप पसन्द करें तो इस उपन्यास की विस्तृत समीक्षा भेजूँ। इस उपन्यास के सम्बन्ध में लेखक से मेरा पत्रव्यवहार भी हुआ है। यह उपन्यास जैनेन्द्र के दशार्क से आगे स्त्री-पुरुष सम्बन्धों पर। इसमें उन्होंने नयी आचार संहिता बनाने की बात की है।

कुबेरनाथराय के निबन्धों पर विस्तार से एक लेख।

क्या आप ऐसा महसूस नहीं करते हैं कि शिव प्रसाद सिंह जी के उपन्यासों का विस्तार से मूल्यांकन हो। उनके उपन्यासों पर एक लम्बा समीक्षात्मक लेख। मेरा उनसे 20-25 किश्तों में लम्बा पत्र व्यवहार हुआ है। पत्र व्यवहार भी बहुत मनोरंजक है।

डॉ. अजित कुमार सिंह जी से 1982 से सौहार्द है किन्तु उसमें महत्वपूर्ण इजाफा तब हुआ जब उन्होंने आपका सन्दर्भ दिया और 'मिथक चिन्तन' के अन्तर्गत महाभारत के पात्रों पर उनके शोधपूर्ण आलेख पढ़ने को मिले। 'दस्तावेज' की प्रति लेकर मैं ही उनके पास गया था। कई बैठकों में मैंने उनके यह आलेख सुने और उन पर यहाँ के स्थानीय अखबारों में लिखा तथा एक सा. में धारावाहिक छपवाया भी तभी उनका

लेखक लेखक के रूप में खड़ा हुआ है। उन्होंने मुझे अपनी पुस्तक की एक प्रति भेंट में दी और उस पर कुछ लिखने को भी कहा है। अगर आप छापें तो उसकी समीक्षा लिख दूँ। महाभारत पर मैंने चिन्तामणि विनायक वैद्य से लेखकर 'महाभारत का काव्यार्थ' और दुर्गा भागवत के व्यास पर्व को पढ़ा है। उनके आत्मलाप शैली में लिखे आलेख रोचक भी हैं और शोधपूर्ण भी। 'दस्तावेज' के अंक की प्रतीक्षा है।

डॉ. अजित कुमार सिंह प्रशासनिक और वह भी पुलिस सेवा में रहकर भी बड़े सहृदय और स्नेहशील हैं। यहाँ कई संगोष्ठियों में वे आपके नाम का गुरुवत उल्लेख करते है। मुझे उनका कृतज्ञता का यह भाव अच्छा लगता है।

आप एक दिन के लिए आ जाएँ। आगे किसी थीसिस की मौखिकी में तो बुलवाने पर आप आएगें ही।

भवदीय
रामशंकर द्विवेदी

(2)

1-6-1993

आदरणीय भाई तिवारी जी,

कल दस्तावेज 58 मिला। अपनी चीज छपते देख खुशी होती है, मुझे भी हुई किन्तु बधाई मैं दूसरे कारण से दे रहा हूँ।

दस्तावेज का पूरा अंक 3-4 घंटों में देखा, सराहा और स्वाद लिया।

आलोचना के बन्द होने के बाद दस्तावेज ही ऐसा त्रैमासिक है जो उस स्तर की ओर बढ़ रहा है। इस अंक के सम्पादन में आपने बहुत परिश्रम किया। पहला लेख अच्छा लगा। किन्तु इस दृष्टि से अपने साहित्य का भी अध्ययन होना चाहिए। एक बार मन हुआ था—एक रूप रेखा भी बनायी थी—'लोकमन' के निर्माण की प्रक्रिया, फिर सोचा कौन छापेगा इसलिए वहीं पड़ी रही। समूचा पाश्चातय चिन्तन या तो भौतिक है या फिर सिर्फ मन तक सीमित है। चेतना का इससे आगे अध्ययन न के बराबर। मनोहर लाल दिल्ली से Indian psychology एक पुस्तक देखी उसमें भारतीय और पाश्चात्य मनोविज्ञान तथा पूरी दार्शनिक प्रणाली का गहन अध्ययन किया गया है। खैर, समीक्षाएँ भी अच्छी लगीं।

सुभाष मुखोपाध्याय का साक्षात्कार तथा कुछ कविताओं का अनुवाद उसके पश्चात आशापूर्णा देवी का लम्बा साक्षात्कार—अंक 59-60 के लिए तैयार की हैं—आप लौटती डाक से पत्र दें। मेरा लम्बा पत्र मिला होगा। आपने सदा की तरह मेरे पत्र का कोई उत्तर नहीं दिया। सादर की चुप्पी ही—आखर अनन्त तीन बार पढ़ ली। पूरी पुस्तक टिप्पणियों से भर गयी। अच्छी लगी।

पुनः दस्तावेज 58 के लिए बधाई। केदारबाबू को अंक भेज दिया होगा। उसमें कहीं-कहीं प्रूफ की भूलें है। देखिए इस साक्षात्कार का कैसा स्वागत होता है। निर्मल वाला अंश निकाल दिया उसे निकालने के लिए केदार बाबू ने भी कहा था। रामविलास शर्मा पर समीक्षा उनका मूल्यांकन है या काटना।

आपका
राशंकर द्विवेदी

(3)

27-7-94

आदरणीय भाई तिवारी जी,

एक पत्र मिला होगा।

कल दिनभर 'दस्तावेज 62' पढ़ता रहा। हिन्दी आलोचना की वर्तमान दशा पर विभिन्न लेखकों आलोचकों के विचारों से मेरा पर्याप्त ज्ञानवर्धन हुआ। बहुत-सी बातें जो मेरे मन में धुँधली सी रहती थीं उन्हें स्पष्ट रूप में जान सका। इस पूरे अंक पर और इस अंक की प्रतिपत्तियों पर एक अच्छा-सा लेख लिखा जा सकता है। लोगों में आलोचना के पाखण्ड का पर्दाफाश का अभी भी साहस नहीं है। आज ऐसी आलोचनात्मक कृतियों और ऐसी रचनाओं को साहसपूर्वक अलगाने की जरूरत है जो छद्म से पीड़ित हैं या किसी प्रतिक्रिया नारे, मतवाद विचारधारा किसी बाद विशेष की उपज हैं। समीक्षक इशारा भर करते हैं—छायावादोत्तर काव्य की टीकाएँ न होना आज की समीक्षा की बहुत बड़ी खामी है। इसलिए शमशेर, अज्ञेय, मुक्तिबोध को कौन समझे , आपके इस आयोजन के लिए बधाई। आप कुशल से होंगे।

आपका

रामशंकर द्विवेदी

(4)

4-11-94

आदरणीय भाई तिवारी जी,

आपका एक पत्र आया था और उसका उत्तर आपका काम पूरा करने के बाद दे रहा हूँ। 'दस्तावेज' 63' समय पर मिल गया था। इसमें परिवेशित सामग्री का स्तर निरन्तर अच्छा होता जा रहा है। आप बहुत परिश्रम कर रहे हैं।

आपने कुछ बंगला रचनाओं के अनुवाद का दायित्व मेरे ऊपर सौंपा था। उनमें से एक का अनुवाद भेज रहा हूँ। अनुवादं करने में छह मास लग गये। कारण अनुवाद को मूल जैसा बनाने के लिए इतना समय देना पड़ गया। पहले रफ कॉपी तैयार कर इसे पड़ा रहने दिया। फिर कुछ गेप देकर उसको पुनः देखा और संशोधन किया। फिर पड़ा रहने दिया। 3-4 बार उसे पुनःपुन देखा। अब अन्तिम रूप दे सका हूँ। पढ़कर देखिए कैसा लगा। पहुँच की सूचना दे दीजिएगा। आशा पूर्णा देवी का यह साक्षात्कार देश 1991 2 फरवरी के अंक में निकला था। प्रश्न पूछने वाली थीं बंगला साहित्य की हस्ताक्षर चित्रा देव। अनुवाद से आपको लगेगा कि इस बंगाली रचनाकार ने अपने लेखकीय जीवन को कितने कष्टों अध्यवसाय व धैर्य से सम्हारा है। आशापूर्णादेवी की खुली दृष्टि कितनी स्पष्ट व स्वच्छ है। किन प्रेरणाओं से उन्होंने अपनी लेखन यात्रा पूरी की है।

हिन्दी के पाठकों और रचनाकारों को इस साक्षात्कार से लाभ होगा।

दीपावली की शुभकामनाएँ।

भवदीय

रामशंकर द्विवेदी

(5)

30-11-94

बन्धुवर तिवारी जी,

प्रणाम।

आपका पत्र। मैंने अपनी सामग्री को सहेजा और 'देश' के अंकों में से एक अंक को चुना उसमें बंगला के उपन्यासकार विमलकर का साक्षात्कार है। आशापूर्णादेवी के इस आलेख के बाद विमल कर का अनुवाद करके भेज रहा हूँ। आपका यह सुझाव अच्छा है कि बाद में इस अनुवाद शृंखला को पुस्तकाकार छपवा दिया जाए। दस्तावेज के अंकों में इसका छपना मेरे लिए भी सन्तोषकर रहेगा। कुछ सामग्री ऐसी है जो साक्षात्कार के रूप में तो नहीं है किन्तु है उसी कोटि की। जैसे एक आलेख मिला जिसमें उमा प्रसाद मुखोपाध्याय के सान्निध्य में रहकर एक लेखक ने यह बताया कि उमा प्रसाद क्यों आजीवन हिमालय भ्रमण करते रहे। एक आलेख में उन स्थलों की यात्रा की गयी है जहाँ रहकर विभूतिभूषण वंधोपाध्याय ने अपने उपन्यासों का परिवेश बुना था, पात्रों को खोजा था, इन साक्षात्कारों में कुछ साक्षात्कार बंगला नाटककारों, संगीतकारों, चित्रकारों और थियेटर से जुड़े लोगों के भी हैं। यह अपूर्व सम्पदा है जो हिन्दी में आनी चाहिए। किन्तु अभी तो विमलकर का अनुवाद तैयार करता हूँ। आशापूर्णादेवी का अनुवाद गिरधर राठी ने भी माँगा था किन्तु इस पर दस्तावेज का अधिकार पहले है। आपने ही मुझे इस दिशा में प्रोत्साहित किया था हालाँकि इस भावना का आज क्या मूल्य है अस्तु। दस्तावेज की प्रतीक्षा है।

आपका

रामशंकर द्विवेदी

(6)

8-6-95

भाई तिवारी जी,

प्रणाम।

आपके अब तक भेजे सभी पत्र अपने सभी निर्देशों के साथ दस्तावेज 65 के दो तथा 66 का एक अंक मिल गये। आभारी हूँ बहुत-बहुत। क्या आशापूर्णादेवी के साक्षात्कार पर कुछ प्रतिक्रियाएँ भी आयी हैं?

विभूतिभूषण का लेख टाइप में है जैसे ही आयेगा भेज दूँगा। मैं क्यों लिखता हूँ शृंखला के कल तक तीन लेखों का अनुवाद पूरा कर चौथे में हाथ लगाया है। बाँगला के श्रेष्ठ कवियों के सोच और उनके बात कहने के ढंग से चमत्कृत हूँ। मेरी स्वयं की दृष्टि साफ होती है और संवेदना गाढ़ी। जिनके लेखों का अनुवाद कर चुका हूँ वे हैं क्रमशः सुभाष मुखोपाध्याय 'क्यों लिखकर भी नहीं लिखता कविता' 5 पृष्ठ, अरुण मित्र 'कविता क्यों लिखता हूँ' '5 पृष्ठ, नीरेन्द्र नाथ चक्रवर्ती 'क्यों लिखता हूँ' 2 पृष्ठ, 'बीज की तरह है मेरा कवि जीवन' जयगोस्वामी अनुमानित पृष्ठ 8 और इस शृंखला का अन्तिम लेख 'कविता फुटबाल मछली और मारुति' नवनीता देव सेन (सुन्दर बातें कौन चाहता है? दो-एक खरी बातें कहो ना।) अनुमानित पृष्ठ संख्या 25, फिर है सुनील गंगोपाध्याय और शक्तिचट्टोपाध्याय के बीच समकालीन बंगला कविता को लेकर एक विवाद, मध्यस्थ हैं—शीर्षेन्द्र मुखोपाध्याय। इसकी पृष्ठ संख्या

19 होगी। यह एक मजेदार साक्षात्कार है। इतना अनुवाद करने के बाद मेरा एक वृत्त पूरा होगा। मेरे अनुवादों की अगर आप मूल कॉपी देख पाते तो अनुमान लगा सकते कि मुझे इन अनुवादों को मूल के निकट लाने में कितनी मशक्कत करनी पड़ रही है। सुभाष मुखोपाध्याय की शैली और बचन भंगी अत्यन्त घरोया और चलित बंगला के शब्द प्रयोगों से पूर्ण होने के कारण उनके आशय को पकड़ने में मुझे बहुत कष्ट होता है। प्रायः एक-एक शब्द और वाक्य पर अटक जाने पर कागज-कलम लेकर कभी-कभी घण्टों बैठना पड़ता है। फिर भी अनुवाद कभी पूर्ण नहीं होता है हाँ पूर्णता के निकट अवश्य हो पाता है।

अब मेरा एक व्यक्तिगत काम है। मेरे निर्देशन में एक शोधप्रबन्ध डॉ. परमानन्द जी के पास पड़ा हुआ है। शीर्षक है 'प्रेमचन्द के उपन्यासों में संवेगों की भाषिक अभिव्यंजना'। अगर रपट शीघ्र और अनुकूल भेज सकें, मौखिकी में आ सकें तो मिलना हो जायेगा मेरी ओर से आप अगर निवेदन कर सकें।

केदारबाबू के साक्षात्कार को जिस अंक में छापा था अगर उसकी दो प्रतियाँ भिजवा सकें उपलब्ध हों तो। आपके पत्रों से प्रोत्साहन, प्रेरणा दोनों मिलते हैं। इस पूरी सामग्री को आप अपने सम्पादन में कहीं से निकलवा दें। यह भी आपके द्वारा ही सम्भव है। अच्छी भूमिका भी लिख देना।

अनुवाद में डूबे होने के कारण प्रायः पूरा समय ही निकल जाता है। कब दिन हुआ कब रात पता ही नहीं चलता। काश हिन्दी के कवि खेमेबाजी छोड़कर इतना गम्भीर चिन्तन कर सकते।

भवदीय

रामशंकर द्विवेदी

(7)

24-6-95

आदरणीय भाई तिवारी ज़ी,

आपका आज ही पत्र मिला। मैं प्रतीक्षा में था। 68 अंक की प्रतीक्षा रहेगी। 65 अंक की कुछ प्रतियाँ भेद दें। मैं अपने आगे के अनुवाद कार्यक्रम की रूपरेखा एक बार पुनः भेज रहा हूँ ताकि आपको चयन की सुविधा रहे। विभूतिभूषण के लेख 'साहित्य का मूल्य' का अनुवाद तैयार है। एक अनुवाद परसो समाप्त किया है। पता नहीं आपको रुचेगा या नहीं किन्तु मुझे अच्छा लगा क्योंकि उसमें बंगाल और हिन्दुस्तानी संगीत के एक कृतिधर व्यक्ति की साधना सुरक्षित है। बंगाल में एक हीरू गांगुली हुए हैं। ये हाईकोर्ट में एटर्नी रहे हैं। आजकल भी 85 वर्ष की आयु में संगीत साधना में मग्न हैं। ये विख्यात तबलावादक हैं। इनके साक्षात्कार में अलाउद्दीन खाँ, रविशंकर, अली अकबर खाँ, इनायत खाँ, फैय्याज खाँ सभी के संस्मरण हैं। मुझे अच्छा लगा मैंने कर डाला। अरुण मित्र बंगला के कवि का साक्षात्कार का अनुवाद भी किया जा चुका है। एक अन्य लेखमाला है जिसका अनुवाद करना है—मैं कविता क्यों लिखता हूँ। इसमें सुभाष मुखोपाध्याय, अरुणमित्र, जय गोस्वामी के 3-3 4-4 पृष्ठ के निबन्ध हैं। अनुवाद के लिए अन्य रूपरेखा यों है—बंगाल के स्टार थियेटर का अपना ऐतिहासिक महत्व है। इसी से जुड़े एक रंगकर्मी हैं देवनारायण गुप्त। इनका साक्षात्कार 1992 की 'देश' में निकला था उसका अनुवाद 2-उत्पलदत्त एक साक्षात्कार 3-बादल सरकार एक साक्षात्कार 4-रवीन्द्रनाथ और सुनीति कुमार चटर्जी के पत्र 5- कुमार राय ग्रुप थियेटर के रंगकर्मी 6-गिरीश करनाड 7- विजय तेंदुलकर 8-सुभाष मुखोपाध्याय।

69 के अंक के लिए अभी से कोई सामग्री भेजूँगा। मेरे ख्याल से शक्ति चट्टोपाध्याय पर भेजना उचित रहेगा। मेरे द्वारा यह जो अनुवाद कार्य हो रहा है इसका सारा श्रेय आपको है। अगर ये अनुवाद कभी पुस्तक रूप में आये तो में इन्हें आपको ही समर्पित करूँगा। विमलकर का अनुवाद आपको अच्छा लगा कृतज्ञ हूँ। इसकी भाषा मूल के निकट रखने में मुझे लगातार दो मास परिश्रम करना पड़ा। इसी तरह कवि अरुण मित्र के अनुवाद में भी मुझे पर्याप्त मशक्कत उठानी पड़ी। वह 21 पृष्ठ में आया है। उसमें कविता की रचना प्रक्रिया पर अच्छा प्रकाश है। इस अनुवाद से मेरे अनुभव में वृद्धि और बड़े लेखकों के साथ रहने का आनन्द रहा है। अगर 66वाँ अंक छप गया है। तो भेजें।

विमलकर बंगला लघु कहानियों के दिकपालों में एक हैं। उनकी 50 प्रतिनिधि कहानियों का एक संग्रह आनन्द कलकत्ता ने छापा है। आप कहानी छापते नहीं हैं—नहीं तो उनकी एकाध कहानी का अनुवाद करता।

भवदीय
रामशंकर द्विवेदी

(8)

8-5-96

आदरणीय

आपका पत्र। अच्छा लगा। आपकी भावना मेरे हृदय में आँसू छलकाती हुयी उतर गयी। शायद अनुवाद का पारिश्रमिक मिलता तो भी उतनी गहरी अनुभूति न होती। मैं सब कुछ पाकर निहाल हो गया। आप हिन्दी के लिए इतनी निष्ठा से लगे हैं इसीलिए दस्तावेज का हर अंक इतनी अच्छी, गम्भीर और मौलिक सामग्री से भरा रहता है।

उसमें जो आग होती है वह गहरी निष्ठा से ही पैदा हो सकती है वह कोई हंस जैसी बड़बोली और झंडावरदार पत्रिका नहीं है। अंक की प्रतीक्षा है और अगले अंको की भी शक्ति के सभी संस्मरण तैयार होने पर आपको भेजूँगा। टाइपिंग का खर्चा प्रति पृष्ठ तीन रूपया पड़ता है। मैं अनुमान से भेज दूँगा। कभी अगर इलोक्ट्रो से कराऊँ तो 5 पड़ता है। अंक भेज रहे होंगे।

भवदीय
रामशंकर द्विवेदी

(9)

31-8-96

भाई तिवारी जी,

'दस्तावेज' का 70 वाँ अंक डॉ. विजयबहादुर सिंह के यहाँ विदिशा में देखने को मिला। बाद में म.प्र. हिन्दी साहित्य परिषद् के कार्यालय में भी ध्रुवशुक्ल ने देखने को दिया। सुभाष मुखोपाध्याय का आलेख मैं कविता क्यों लिखता हूँ उन्होंने भी छापा है। वहाँ से लौटकर घर पर दस्तावेज मिला। इसके पहले 69 वाँ अंक भी मिला था। हो सके तो इन दोनों अंकों की एक-एक प्रति और भेज दें।

अनुवाद की यह शृंखला छपने के बाद आपके पास 'अरुण मित्र' का साक्षात्कार जो सम्भवतः 71 वें अंक में जा रहा है और उसके बाद 'शक्ति चट्टोपाध्याय' से सम्बन्धित सामग्री में 'कवि और काँगाल' तथा शक्ति बरक्स सुनील गंगोपाध्याय शेष हैं जिन्हें आप 72वें अंक में देना पसन्द करें। मेरे पास शक्ति-सम्बन्धी संस्मरणों में शक्ति के साथ एक दिन सुनील गंगोपाध्याय, हजार शक्ति की हजार स्मृतियाँ हिमानीश गोस्वामी, क्षतिहीन कामना के वसन्त और हेमन्त में...,इसी शह का चरवाहा—शंख घोष और तैयार हो गये हैं। अनुवाद परिष्कार के बाद टाइप को दिये हैं जो सितम्बर भर में टाइप होकर आ जायेंगे। अगर इनमें से एक या दो या सब—जो भी लेख आपको चाहिए लिख दीजिए। सारी सामग्री जाने से शक्ति चट्टोपाध्याय को हिन्दी जगत की एक श्रद्धांजलि भी हो जायेगी। मेरे दो आलेखों के अनुवाद आपने समकालीन भारतीय साहित्य में देखे होंगे। मैं एक बांगला अनुवादक के रूप में सामने आ सका इसका सारा श्रेय आपको है। आप स्थान न देते और प्रोत्साहित भी न करता तो मेरे जैसे अन्य हजार विचार स्फुरित होकर आम की बौर की तरह बिना फल झर गये उसी तरह इस योजना का भी होता। अब मैंने बिना विचार किए—चुपचाप काम करना प्रारम्भ कर दिया है। कुछ लोग कहते हैं आप मौलिक क्यों नहीं लिखते। अनुवाद में क्यों लगे हैं—वही लोग जब मैं मौलिक लिखता था तो उसमें दूसरी खोट निकालते थे। मेरे पास उसकी भी योजनाएँ हैं—किन्तु उस लेखन को भी मैं चुपचाप करना चाहता हूँ बिना शोर-शराबे के। आपका साहित्यिक यात्रा-वृत्त पढ़ा। मलयालम साहित्य के सहकारी प्रकाशन का आपने जो ब्यौरा दिया है हिन्दी में तो उसकी सम्भावना ही नहीं है। भोपाल में मदन सोनी, ध्रुव शुक्ल तथा प्रभाकर श्रोत्रिय जी से बातचीत हुई। उनके सामने मैंने कई समस्याएँ रखीं। और उनसे कुछ आग्रह भी किए। अपनी-अपनी तरह से लोग काम कर रहे हैं। लेकिन हिन्दी साहित्य के विकास में हिन्दी वालों की गुटबाजी ही बाधक बनी हुई है। सर्वाधिक क्षति समीक्षा की हुई है। राय देने वाली समीक्षा की भरमार है। आम पाठक उसे क्यों पढ़े? आपने बड़ी अच्छी और तीखी टिप्पणी की थी। उस पर आपको प्रतिक्रियाएँ भी मिली होगीं। आप देखिए कुबरेनाथ राय चुपचाप चले गये। इनका वह सम्मान नहीं हुआ जो होना चाहिए था। किन्तु, आम पाठक को उनके निबन्धों ने बहुत छुआ है।

आप कैसे हैं? परमानन्द पर आप लोगों ने कोई विशेषांक निकाला है। क्या इसकी एक प्रति मिल सकती है।

सपरिवार अच्छे होंगे।

भवदीय

रामशंकर द्विवेदी

(10)

आदरणीय भाई तिवारी जी,

आपका पत्र मिला।

दस्तावेज-73 की प्रतीक्षा है। शक्ति चट्टोपाध्याय अंक से मेरे अनुवाद को एक दिशा मिलेगी और उस अनुवाद का एक स्तर भी तय हो जाएगा तथा स्थान भी। यह सारा श्रेय आपको जाता है। आप तो देख ही रहे हैं आजकल जिस तरह के सम्पादकीय गुट बने हुए हैं। वागर्थ के सम्पादक मिले थे भोपाल में और उन्होंने दस्तावेज और समकालीन भारतीय पढ़कर वागर्थ के लिए अनुवाद माँगा। आज 7-8 मास हो चुके हैं जो सामग्री भेजी थी वह जाम होकर रह गयी है न तो आज तक पहुँच दी, न स्वीकृति

न अस्वीकृति एकदम चुप्पी व्याप्त है। अगर कुछ लिखते तो मैं निश्चिन्त होकर उस सामग्री का अन्यत्र उपयोग कर लेता। यह हाल है। सिर्फ राठी जी का व्यवहार अच्छा है। अस्तु। अंक 74 में रवीन्द्रनाथ और सुनीति कुमार का पत्र-व्यवहार लम्बा है किन्तु, उसकी भी प्रतीक्षा रहेगी। अंक 75 के लिए भी सामग्री होगी। 2 दिन पहले शम्भु मित्र नहीं रहे। इनसे सम्बन्धित कुछ सामग्री मेरे पास पड़ी है। एक तो है तृप्ति मित्र पर एक संस्मरण दूसरा है शम्भु मित्र द्वारा लिखी हुई 'रक्तकरबी' की प्रस्तुति और उसके रंगमंचीय रूपान्तरण तथा उसकी विभिन्न भंगिमाओं पर उनका लम्बा आलेख। यह सामग्री हिन्दी में अभी नहीं आई है। इसका पहली बार प्रकाशन 1991 के अगस्त 10 से 14 सितम्बर 1991 तक 'देश' साप्ताहिक के छह अंकों में हुआ था। इस निबन्ध का महत्व इसे पढ़ने के बाद ही जाना जा सकता है। और यही होगी हिन्दी की इस नाट्य पुरुष को सच्ची श्रद्धांजलि। अगर दस्तावेज इसे अपने दो अंकों में या एक ही अंक में छाप सके तो मैं इसके अनुवाद में लगूँ। शताब्दी के अन्त में बांगला नाटक शम्भुमित्र की बहुरूपी संस्था के प्रधान पुरुष और उनके पट्ट शिष्य कुमार राय का एक साक्षात्कार, अन्नदाशंकर राय एक साक्षात्कार यह सामग्री मेरे पास तैयार है। मैंने आपके पास जो सामग्री भेजी है उसमें कुमार राय एक साक्षात्कार नहीं है। इसमें से जो भी सामग्री आप जिस क्रम से छापना चाहें लिखें। हो सकता है शम्भु मित्र पर तब तक कुछ और सामग्री मेरी नजर में पड़े—उसे भी संजोने की कोशिश करुँगा। मैं जो पुस्तक प्रेस में देना चाहता हूँ उस पर बांगला और हिन्दी दोनों भाषाओं को जानने वाले लोग होंगे किन्तु, उन तक मेरी पहचान नहीं है। सुनील गंगोपाध्याय लिख सकते हैं—देश के सम्पादक सागरमय घोष भी, सम्भवतः इन्द्रनाथ चौधरी और महेन्द्रनाथ दुबे भी लिख सकते हैं किन्तु, इनमें से किसी पर भी मेरा कोई जोर नहीं है। अनुवाद को मैंने कई बार माँजा है। फिर भी कुछ तो कमियाँ रह ही गयी हैं। आज भी उसमें कुछ परिष्कार की इच्छा होती हैं किन्तु, अब समय नहीं है। आगे के काम में हाथ देना चाहता हूँ। 1998 में कवि जीवनानन्द दास की जन्म शताब्दी है। उन पर अभी से कुछ सामग्री तैयार करना चाहता हूँ। आप ध्यान रखिएगा। मसलन जीवनानन्द के पत्र, उनका एकाध लेख, उनकी कविता का मूल्यांकन। सीमित साधनों में मैं बहुत सी सामग्री उपलब्ध नहीं कर पाता। फिर कोई सहायता देने वाला भी नहीं है।

अंक आने पर पुनः लिखूँगा।

पत्र की प्रतीक्षा में।

भवदीय

रामशंकर द्विवेदी

(11)

25-2-97

आदरणीय भाई तिवारी जी,

आपका पत्र मिला और सूचना भी।

रवीन्द्रनाथ ठाकुर और सुनीति कुमार चटर्जी के पत्र व्यवहार वाला लेख प्रेषित है। 'शनिवारेर चिठि' में किस प्रकार रवीन्द्रनाथ के विरोध को लेकर एक अभियान चलाया गया था। व्यंग्य साहित्य का क्या मूल्य महत्व है। इसमें यही सब है लेकिन इसमें सुनीति कुमार के व्यक्तित्व की भी ऐसी झलक है जिससे हिन्दी पाठक अभी तक परिचित नहीं है। रवीन्द्रनाथ के भी मन का एक पक्ष है जो अनुद्घाटित

है। 73 वें अंक के बाद यह छपने जाएगा किन्तु, अभी से इसका स्थान आप निर्धारित कर सकेंगे। इसके बाद मैं सुनीति कुमार चटर्जी पर दो आलेखों का और अनुवाद करूँगा जिसमें एक उनके व्यक्तित्व पर है और दूसरा उनके भाषा चिन्तन पर। रवीन्द्रनाथ के पत्रों पर आपकी अगर रूचि होगी तो असित कुमार हालदार को लिखे उनके कुछ पत्र दिये जा सकते हैं। अब तक रवीन्द्रनाथ के पत्र विश्व भारती द्वारा 16 खण्डों में निकल चुके हैं। किन्तु इनके अलावा उनके चार हजार पत्र ऐसे हैं जो विभिन्न पत्र पत्रिकाओं में तो हैं किन्तु वे किसी पुस्तक में नहीं आये हैं। एक-दो समीक्षकों को छोड़कर अभी इन अनुवादों की किसी ने नहीं की है लेकिन शक्ति अंक की चर्चा होगी।

आलेख की पहुँच जरूर दें।

भवदीय

रामशंकर द्विवेदी

(12)

14-3-97

आदरणीय भाई तिवारी जी,

आपको पुनर्जन्म की घटनाओं में रुचि है तो मैं दो घटनाएँ लिख रहा हूँ। पथेर पाँचाली के लेखक विभूतिभूषण बंधोपाध्याय की पत्नी रमाबंधोपाध्याय ने अपने पति पर एक पुस्तक लिखी है। 'काछे नवे के देखा'– 'विभूतिभूषण निकट से'। इसमें उन्होंने यह उल्लेख किया है कि विभूति भूषण का परिचय अतीन्द्रिय जगत से था। और इस तरह की अनेक घटनाएँ उनके जीवन में घटी हैं। पुनर्जन्म को लेकर उनका एक उपन्यास भी है 'देवयान'। है तो यह काल्पनिक किन्तु इससे उनके मृत्यु से परे के जीवन के प्रति रूझान स्पष्ट होता है। इस छोटे कार्ड में विस्तार से लिखना सम्भव नहीं है। मैं संकेत में लिख रहा हूँ सिर्फ एक घटना। विभूतिभूषण को घने अरण्य में घूमने का बहुत शौक था। एक बार वे अपने कुछ मित्रों को लेकर एक घने वन में घूम रहे थे। सम्भवतः रात या सघन अँधेरा था। दूर एक जगह से प्रकाश आ रहा था। उस स्थल पर जाने की सभी में उत्सुकता थी किन्तु, सभी डर रहे थे। विभूतिभूषण आगे बढ़ते गये किन्तु, उनके साथी पीछे रह गये। डर के मारे विभूति बाबू के लौटने का इन्तजार करने लगे। विभूतिभूषण घने अरण्य में समा गये। थोड़ी देर बाद एक चीख सुनाई दी। इससे लोग और डर गये। किसी तरह साहस कर लोग वहाँ गये और देखा कि वहाँ एक चारपाई पर शव ढका पड़ा है। पास में एक कलश रखा है। प्रकाश भी उसी शव से आ रहा था। विभूति बाबू बेहोश थे। वे सभी लोग उन्हें लादकर गाँव ले आये। सुबह उन्हें होश आया। उनमें से एक-दो अन्तरंग मित्रों को उन्होंने जो बताया उसे मैं यहाँ लिख रहा हूँ। मैं जब तुम लोगों को छोड़कर वहाँ पहुँचा तो देखा कि सफेद कपड़े से ढका एक शव पड़ा है। और उसी के पास से प्रकाश आ रहा है। मुझे उत्सुकता हुई कि इस शव को कौन यहाँ छोड़ गया है। क्योंकि उसके आसपास कोई व्यक्ति नहीं था, नहीं वहाँ से दूर-दूर कोई बस्ती ही थी। उत्सुकता हुई कि इस शव का मुँह खोलकर देखा जाए। मैंने जैसे ही मुँह देखने के लिए कपड़ा हटाया तो मैं चीखकर गिर पड़ा क्योंकि वह और कोई नहीं मेरा शव था हूबहू। इस से बड़ा आश्चर्य क्या होगा। फिर विभूतिभूषण ने अपने साथियों से कहा कि मैं अब अधिक दिनों जीवित न रहूँगा। यही संकेत विधाता ने दिया है कि मेरा समय आ गया है। मुझे मेरे घर छोड़ आओ फिर वे लोग उन्हें घर छोड़ आये। दो मास बाद विभूतिबाबू शरीर छोड़ दिया। उनकी मृत्यु के बाद उनकी पत्नी को यह

घटना उनके पति के अन्तरंग बन्धुओं ने सुनाई। यह घटना अक्षरशः अनुवाद नहीं है। मैंने जो पढ़ा है जैसा याद रहा लिखा। विभूतिबाबू के ही जीवन की एक घटना और है। जिसे फिर कभी लम्बे पत्र में लिखूँगा।

स्वयं मेरे जीवन में ऐसा कुछ भी घटा नहीं है। उसकी जरूरत भी नहीं है किन्तु, मृत्यु के बाद जीवन रहता है या नही इस सम्बन्ध में एक साहित्यकार बन्धु ने मुझे अपने जीवन की एक घटना सुनाई थी और जिसका साक्ष्य उनका पूरा परिवार था। उसे फिर कभी लिखूँगा। अब तो विज्ञान और मार्क्सवाद का बोलबाला है किन्तु, अतीन्द्रिय जगत भी सत्य है।

भवदीय
रामशंकर द्विवेदी

(13)

2-5-97

आदरणीय

अप्रैल के हंस में दस्तावेज में प्रकाशित शक्ति दा वाले आलेख पर भा.भा. की टिप्पणी आपने पढ़ी होगी। उनका एक पत्र आया है जिसमें उन्होंने लिखा है कि शक्ति चट्टोपाध्याय वाले अनुवाद की यहाँ दिल्ली में बहुत चर्चा है। आप भोजपुरी सम्मेलन में दिल्ली गये थे इसलिए आपको इस चर्चा की जानकारी होगी। 73 वाँ अंक इस मास आने की सम्भावना है क्या? दस्तावेज में आपने जो सामग्री निकाली है उसमें से कुछ लेख लेकर एक प्रकाशक पुस्तकाकार छापना चाहते हैं। मेरे पास कुछ ऐसे लेख पड़े हैं जो अभी कहीं छपे नहीं है क्या आप इस पुस्तक के लिए दो-चार पृष्ठ भूमिका के रूप में लिख सकते हैं? चूँकि इस अनुवाद कार्य के मूल प्रेरक आप ही हैं और आपने मेरे अनुवाद को हिन्दी के केन्द्र में लाकर खड़ा कर दिया है—इसलिए मैं यह उचित समझता हूँ कि उसको लेकर जो पहली पुस्तक छपे उसके लिए भूमिका आप ही लिखें। आपकी स्वीकृति मिलने पर मैं उस पुस्तक की सूची आपको भेज दूँगा तथा वे लेख जो अभी दस्तावेज में नहीं छपे हैं। आपके पत्र की प्रतीक्षा होगी। गर्मियों में कहीं यात्रा पर तो नहीं जा रहे हैं।

भवदीय
रामशंकर द्विवेदी

(14)

18-1-98

भाई तिवारी जी,

आपको समरेश वसु पर दो डिस्पैच मिले होंगे—कालकूट के नाम से और एक सुनील गंगोपाध्याय का संस्मरण। आज विभूतिभूषण के यात्रावृत्त की एक किश्त भेज रहा हूँ। यह किश्त एक उत्सुकता जगाकर खत्म हो जाती है। अगर आपको इसके आगे का मजेदार वाकया पढ़ना हो तो ग्यारह फुलस्केप और झेलना पड़ेंगे—इसमें वन्य सौन्दर्य, बाघ का शिकार आदि का अद्भुत चित्रण है। भाई मैं तो विभूतिभूषण

के इस यात्रा विवरण पर न्यौछावर हूँ। अद्‌भुत है इनकी प्रकृति वर्णना, प्रकृति सौन्दर्य और वर्णन की रोचकता। इसके बाद मैं 15-16 फुल स्केप में उनकी डायरी का अंश भेजूँगा। वह भिन्न जातीय रचना है। उनके मन का भी विवरण और वन्य सौन्दर्य भी।

डायरी में उनका मन झाँक-झाँक उठता है। उनका उपन्यासकार रूप बिलकुल भिन्न है किन्तु डायरी और यात्रा-भ्रमण में उनके रूप एकदम भिन्न हैं।

आप अपनी पहुँच और प्रतिक्रिया अवश्य दीजिए। अंक 75 भेजिए अभी तक मिला नहीं है। अंक 76 मिल गया और 74 की एक अतिरिक्त प्रति भी।

भवदीय
रामशंकर द्विवेदी

पुनश्चः इस भ्रमण वृत्तान्त का मैंने शीर्षक नहीं दिया है। उसे आप पर छोड़ दिया है।

(15)

18-2-98

आदरणीय भाई तिवारी जी,

मुझे आपके पत्र की प्रतीक्षा सदा ही रहती है। मैंने आपको एक ही सम्पादक देखा जो मेरी रचना पाते ही उसे पूरी पढ़ने की जहमत मोल लेते हैं और उससे लाभान्वित होने की बात लिखते हैं। जबकि यह सच है कि मेरे अनुवादों के मूल में दस्तावेज और उसके सम्पादकीय का सहृदय सहयोग और प्रेरणा ही है। मैंने बंगला के प्रमुख साहित्यिक पत्रों का संक्षिप्त इतिहास पढ़ा है और देखा है कि उन पत्रों और उनके सम्पादकों ने किस तरह बांगला के साहित्यकारों को खड़ा किया। इधर मैं पुस्तक मेला गया था और वहाँ से बांगला की ही काफी पुस्तकें खरीद लाया आखिर बांगला साहित्य के प्रति मेरे आकर्षण और उसकी उन्नति, लोकप्रियता का कारण क्या है—इस पर स्वतन्त्र रूप से कभी लिखूँगा किन्तु एक बात तो स्पष्ट है कि बंगाली लोग किसी में जरा भी प्रतिभा देखकर उसे विकसित होने, उभरने का पूरा मौका देते हैं—फिर वे यह नहीं सोचते कि यह हमारे दल का है या नहीं। जबकि हिन्दी में दरवाजा छेंककर खड़े होने की प्रवृत्ति है—यही हिन्दी के विकास में रोड़े का काम करती है। बजाय इसके कि हिन्दी में उत्कृष्ट साहित्य की रचना करते, अपने-अपने गुटों के संरक्षण में ही अपनी शक्ति को जाया करते हैं।

इस पत्र के साथ में वह प्रतीक्षित जय गोस्वामी का कविता क्यों पढ़नी चाहिए—इस पर एक आलेख भेज रहा हूँ। इसमें बंगला की समकालीन कविता का एक परिदृश्य भी है।

आपके पत्र की सदा प्रतीक्षा रहती है रहेगी।

भवदीय
रामशंकर द्विवेदी

(16)

6-3-98

आदरणीय भाई तिवारी जी,

आपका पत्र मिला।

अच्छा लगा और प्रेरणा भी मिली। जय गोस्वामी के लेख को आपने ठीक पकड़ा है। इस तरह के 5-6 लेख इनके और हैं—जिनका मुख्य मुद्दा तो बांगला की समकालीन कविता है किन्तु जीवन की भाव भूमि भिन्न-भिन्न हैं। जैसे अभी जनवरी 98 में एक लेख निकला जिसमें मृत्यु, आतंक, हत्या, अपराध से भरा समकालीन जीवन और इसके समानान्तर चलती समकालीन बांगला कविता का अनुशीलन किया गया है। इस लेख का प्रारम्भ ही बिहार में हुए रणवीर सेना द्वारा किये गये नर संहार से हुआ है। इनकी एक पुस्तक भी विश्व पुस्तक मेले से ले आया। अस्तु।

विश्वपुस्तक मेले में मैंने बहुत कुछ देखा—प्रायः सभी प्रमुख साहित्यकारों को देख सका लेकिन आत्मीयता का व्यवहार सिर्फ दो ने किया एक निर्मल वर्मा ने दूसरा मैत्रेयी पुष्पा ने। एक सच देख सका कि हिन्दी का तथाकथित साहित्यकार एक ivory tower में रह रहा है। अभी तो अनुवाद की एक लम्बी शृंखला बन गई है जिसे पूरा करना ही है किन्तु, उसके अलावा कविता पर भी स्वतन्त्र रूप से लिखना चाहता हूँ—जब शुरू हो जाए और कुछ समीक्षाएँ लिखनी हैं लगातार। 'दस्तावेज' 77 की प्रतीक्षा है। 'दस्तावेज 75' निराला अंक मेरे पास आया नहीं है। क्या इसकी कोई प्रति नहीं बची है आपके पास।

'दस्तावेज' में अनुवादों की सराहना भरी चर्चा गिरधर राठी और पंकज विष्ट ने की। गिरधर राठी ने तो शक्ति चट्टोपाध्याय वाले अंक के सम्बन्ध में बताया कि यहाँ दिल्ली में उसका विशेष स्वागत हुआ है। रणजीत साहा ने भी अनुवादों की चर्चा की।

इधर मैंने आपके दो लेखों को पढ़ा। एक उ.प्र. में प्रकाशित ठाकुर प्रसाद सिंह के संस्मरण दूसरा समकालीन साहित्य समाचार किताब घर में प्रकाशित आपका 'आत्मकथ्य' कवि का आत्म संघर्ष अपनी दुनिया को रचते हुए। इस लेख को मैंने दो-तीन बार पढ़ा और मेरा ही काव्यबोध प्रगाढ़ हुआ। प्रायः कविता पर ऐसा बहुत कम लिखा जाता है। लोग एक फर्जी, जड़ विचारधारा को थोपना चाहते हैं। आत्मकथात्मक सन्दर्भों से भरा लेखन ही मन को आकर्षित कर पाता है। आपने अपनी एक कविता का उदाहरण देते हुए शब्द-चयन में आई कठिनाई और उसके लिए वर्ष भर की प्रतीक्षा के बाद बहकर आया उपयुक्त शब्द यह मुझे बहुत अच्छा लगा। काश! हिन्दी समीक्षा ने छायावाद के बाद उदित अज्ञेय से लेकर 80-85 तक के कवियों से शब्द चयन में आई कठिनाई और उससे मुक्ति को लेकर उनकी इसी तरह की कुछ कविताओं का विश्लेषण प्रस्तुत किया होता तो आज की समकालीन कविता समाज और पाठक से जो दूर-कटी कटी लगती है वह दूसरी मिट जाती है। क्या आप स्वयं अपनी 8-10 कविताओं को लेकर इसी तरह का एक लेख लिख सकते हैं—कवि और कविता के बीच यह दुर्घर्ष समर मेरी दृष्टि में हर कवि को झेलना पड़ता है। शायद मैं अपनी बात स्पष्ट कर सका होऊँ।

ठाकुर प्रसाद सिंह पर लिखा आपका संस्मरण अत्यन्त जीवन्त लगा उनका व्यक्तित्व था ही ऐसा। मैं उनसे सिर्फ एक बार मिला था किन्तु उस मिलने की सुगन्ध मेरे मन में सदा बनी रही। आपने उनके माध्यम से बहुत सी ऐसी घटनाओं का उल्लेख किया है जिनका जानना आज की पीढ़ी के लिए बहुत आवश्यक है। आप इस तरह के और संस्मरण लिखिए। साहित्यकारों के निजी जीवन के संस्मरण हिन्दी में बहुत कम हैं—बखिया उधेड़ना तो बहुत है किन्तु, संवेदनशील व्यक्तित्व की खोज और उनकी आराधना

बहुत कम हुई है। व्यक्ति एकान्त में रहते-रहते गुमनामी में चला जाता है। द्विजेन्द्रनाथ मिश्र निर्गुण पर क्या आपने लिखा या रचनाकार के रूप में जो संघर्ष 'शील' ने झेला या 'अज्ञेय' और उनका समय क्या उनके काल ने अज्ञेय व्यक्ति को समझने की भी कोशिश की। आदि-आदि। आप मेरी उपेक्षा कीजिए, करते जाइए, मेरा समय आएगा तब मैं आपकी उपेक्षा करुँगा। यही चल रहा है। अस्तु।

बुद्धु देव वसु की पत्नी की आत्मकथा खरीद लाया हूँ। विभूति भूषण मुखोपाध्याय की डायरी के कुछ अंश एक पत्रिका में निकले उस अंक को भी खरीद लाया हूँ। कहानियों का एक संग्रह लाया हूँ। विभूतिभूषण वंद्योपाध्याय के जीवन पर एक उपन्यास मिल गया है—उसे भी खरीद लाया हूँ। रवीन्द्रनाथ पर कुछ नवीन सामग्री मिली है। 1999 में जीवनानन्द दास की जन्मशती है उन पर सामग्री एकत्र करनी है। उन पर एक लेख, उनके कुछ पत्र—उनकी कुछ कविताओं का अनुवाद हो सकता है तब तक और कुछ सामग्री आ जाय आजकल अमिय चक्रवर्ती द्वारा रवीन्द्रनाथ को लिखे पत्रों पर काम चल रहा है।

इन पत्रों में साहित्य कला औ कला आन्दोलनों के बारे में प्रभूत सामग्री है।

अब कुछ विराम देकर आपको लिखूँगा। 'दस्तावेज 77' क्या इस महीने छपकर आ जाएगा? 75 वाँ अंक भिजवाने की कृपा करें।

कभी-कभी मन दो-चार मास कुछ न लिखने का होता है। समीक्षा के लिए कई पुस्तकें एकत्र हो गयीं—जैसे शलभ श्री रामसिंह के इधर हाल में छपे सभी संग्रह। नरेन्द्र जैन का एक संग्रह, कुबेरनाथ राय का प्रकाशित नया निबन्ध संग्रह।

क्या कलकत्तें की वागर्थ पत्रिका बन्द हो गई? श्रोत्रिय जी वहीं हैं या वहाँ से चले आये। पुस्तक मेले में इसकी चर्चा थी।

अच्छे होंगे।

भवदीय
रामशंकर द्विवेदी

(17)

1260, नया रामनगर,
उरई-285001
3-12-98

आदरणीय तिवारी जी,

कुछ पत्र होते हैं जो अपने उत्तर की अपेक्षा नहीं रखते। उनका कोई उत्तर ही नहीं होता। या वे स्वयं ही उत्तर होते हैं। वे हमारे दिल में ऐसे चस्पा हो जाते हैं कि उत्तर देने लायक तटस्थता प्राप्त करने में काफी समय ले लेते हैं। आपके पत्र मेरे लिए ऐसे ही होते हैं। हालाँकि इस बार उत्तर में इतनी देरी ने मुझे आश्चर्य, फिर शंका, फिर तकलीफ में जरूर डाला।

वागर्थ से पत्र आया है कि शिवप्रसाद सिंह पर कुछ लिखकर भेज दीजिए। अब उन्हें अलग से क्या भेजूँ। अब तो उन्हें दस्तावेज 81 पढ़कर ही सोचना पड़ेगा कि शिवप्रसाद सिंह पर कुछ उत्तम जा सका है या नहीं। मैं जो भी लिखूँ उसके छपने का जब तक विश्वास न हो तब तक लिखने में स्वतः स्फूर्ति नहीं आती है। माँग और चयन के दबाव से लेखन बाधित होता है। कुछ सम्पादक चयन-धर्मी होते हैं। श्रोत्रिय जी ऐसे ही सम्पादक हैं।

मेरे लिए बांगला अनुवाद से छुट्टी पाना दिन पर दिन कठिन होता जा रहा है। अब अन्य पत्रिकाओं

की ओर से माँग-पर-माँग आने से वैसा ही व्यस्तता बनी हुई है और हिन्दी साहित्य पर लिखना बाधित ही हो रहा है। यह तो सच है कि अगर 'दस्तावेज' हाथ न बढ़ाता तो इतना अनुवाद होता ही नहीं। उसने ही एक छवि बना दी। लखनऊ में 23 नवम्बर को श्री लाल शुक्ल जी ने हाथ पकड़कर कहा कि 'दस्तावेज' में अनुवाद करने वाले द्विवेदी जी आप ही हैं। उन्होंने विभूतिभूषण की डायरी की और किश्तें पढ़ने की इच्छा प्रकट की और कहा एक बड़ा काम हो रहा है। विभूतिभूषण पर एक उपन्यासपरक जीवनी भी छप गई है—उसे मँगाने पर सहमत हो गये। अब 'दस्तावेज' ही मुझे हिन्दी साहित्य के केन्द्र में ला सकता है। उसकी पहली शुरुआत शिवप्रसाद सिंह जी के पत्र हैं। पता नहीं किस प्रेरणा से मैं इन्हें सँजोकर रखता रहा और आपने भी समय पर याद दिलाया। छपने पर देखिए कैसी प्रतिक्रिया होती है।

इसके बाद क्या लिख पाता हूँ। आपकी व्यस्तता। मेरा मन उस समारोह और भाषणों के लिए उतावला हो उठता है— सर्जनात्मक लेखन प्रक्रिया और सरोकार एक साथ इतने लेखकों के रूबरू होना उनके अनुभव सुनना अपने आप में एक अनुभव तो है ही। अगर यह भाषण माला एकेडमिक न होकर निजी अनुभव पर आधारित हो—मेरे ख्याल से ऐसी ही रही होगी। इससे बोध शक्ति तो बढ़ता ही है—मैं सोचता हूँ। कि मुझे तो ये सब एटेण्ड करने का कभी मौका ही नहीं मिला—तो क्या वंचित ही रहा। बस सोचकर रह जाता हूँ। आपके पत्र आने से उत्साह मिलता है—अगर जल्दी-जल्दी पत्र आयें तो शायद मेरे लेखन में और इजाफा हो। अंक 80 की प्रतीक्षा है। निराला वाला अंक मुझ तक आते-आते रह गया। लखनऊ के इंडियन बुक डिपों में भी नहीं मिला। मेरी फाइल अधूरी ही रही—यही हाल तुलसी वाले अंक का कहीं न हो? मैं अपने लेखन को सम्हाल रहा हूँ अनुवाद का तो ऐसा क्रम बन गया था कि हर अंक के लिए एडवान्स आलेख पहुँचा देता था। ऐसा ही हिन्दी साहित्य वाले आलेखों का सिलसिला चल निकले। एडवान्स में कुछ लिख रखूँ। कुबेरनाथ राय के 28 निबन्ध संग्रह हो गये। सोचता हूँ अगली किश्त भी पत्रों पर ही रहे। स्वीकृति मिले तो भेजूँ। पत्र बहुत अच्छे हैं—शिवप्रसाद सिंह जी के पत्रों से कम नहीं—फिर देखिए। आभारपूर्वक।

भवदीय

रामशंकर द्विवेदी

(18)

12-12-98

आदरणीय तिवारी जी,

आपका पत्र 9/12 का।

मैं आपको लिखने ही वाला था कि आपका पत्र आ गया। मेरे लेखन के विकास में दस्तावेज की ऐतिहासिक भूमिका है इसे मानने में मुझे कोई संकोच नहीं है। अगर 'यमुना' पत्रिका न होती तो शरतचन्द्र कभी लिखते भी नहीं कहा जा सकता। मेरे लिए यह आश्चर्य की बात है कि मैं इस तरह संकल्प लेकर 'दस्तावेज' के लिए कैसे लिखता रहा और आगे भी मुझे एक नया आयाम खुलता नजर आ रहा है—लेखन का। परिषद पत्रिका के वरेण्य सम्पादक पं. श्री रंजन सूरिदेव मेरे अभिन्न रहे हैं किन्तु परिषद् पत्रिका के लिए दो एक लेखों को छोड़ मैंने कभी नहीं लिखा और उनके निवेदन पर परिषद् पत्रिका की 24 वर्ष की सम्पादकीय टिप्पणियों पर 52 पृष्ठ का एक लिखा पर धारावाहिक कुछ नहीं लिख सका।

पं. श्री नारायण चतुर्वेदी भैया साहब के सान्निध्य में मैं लगभग 20 वर्ष रहा—पर सरस्वती में भी मैं अधिक नहीं लिख सका। 5-6 लेख ही लिखे। न उन्होंने कहा न मैंने लिखा। राष्ट्रधर्म में एक समय बहुत लिखा। फिर छोड़ दिया— पर 'दस्तावेज' में लिखना मुझे अच्छा तो लगता ही है किन्तु, उसे मैं फक्र भी समझता हूँ।

82 वें अंक के लिए मैं जो पत्र चुनूँगा वे बहुत अच्छे होंगे और एक अनखुले अध्याय का उद्घाटन करेंगे। आजकल मैं महाश्वेता देवी की झाँसी की रानी की पाण्डुलिपि ठीक करने में व्यस्त हूँ। इसे दिल्ली के एक प्रकाशक के लिए अनुवाद किया है। मेरे ख्याल से पुस्तक छपकर जल्दी आयेगी। महाश्वेता जी मैं दिल्ली में मिला था तभी इस पुस्तक के अनुवाद की बात हुई थी।

भवदीय

रामशंकर द्विवेदी

(19)

2-2-99

आदरणीय तिवारी जी,

आपको एक कार्ड मिला होगा।

आज पत्रों के क्रम को ही आगे बढ़ाते हुए अपने संग्रह के एक साहित्यकार के पत्र भेज रहा हूँ। पत्रों की संख्या है। कुछ पत्र लम्बे हैं और कुछ छोटे। इन पत्रों में एक मनीषी का चिन्तन और उसका हृदय बोल रहा है। 1964 से शुरू होकर 1974 तक चले इस पत्र-व्यवहार को मैं कैसे सुरक्षित रख सका मुझे खुद आश्चर्य होता है। ये बन्धु विष्णुपद रोड, गया के रहने वाले थे और आपने इनका नाम जरूर सुना था। हिन्दी के ये पहले व्यंग्य चित्रकार थे। इन पत्रों के माध्यम से मेरे जीवन को एक दिशा मिली और लड़ने की एक शक्ति। पत्रों में दर्शन, संस्कृति साधना के अलावा स्वाध्याय के माध्यम से कोई भी दिशा खोज सकता है यह प्रेरणा भरी हुई है। कई पत्रों में हिन्दी की दशा, साहित्य की राजनीति और हिन्दी साहित्यकारों का चिन्तन शून्य होते जाने पर चिन्ता व्यक्त की गई है। रवीन्द्र के सौन्दर्य बोध पर भी कुछ अनुभूति के धरातल से कहा गया है। कौन पत्र महत्वपूर्ण है कौन नहीं मैं यह निर्णय नहीं कर सका। मैं तो पूरे पत्र दस्तावेज को सौंपता हूँ। हिन्दी साहित्य पर दस्तावेज के माध्यम से यह मेरा दूसरा आलेख न है। पत्रों पर संक्षेप में विषय को स्पष्ट करने के लिए कुछ टिप्पणियाँ हैं और प्रारम्भ में 'वियोगी' पं. मोहन लाल जी का संक्षेप में परिचय। एक पत्र टाइप भी है और मूल पत्र की फोटो प्रति भी नमूने के लिए। उन्होंने योषीदा नाम की एक जापानी लड़की से जापानी भाषा सीखी थी फिर अपने लेटर हेड पर जापानी लिपि में वियोगी का ब्लॉक छपवाया था जो एक नजर में चित्रकला का नमूना लगता था किन्तु दूसरे ही क्षण ध्यान से देखने पर 'वियोगी समझ में आता था। यह देव नागरी में जापानी लिपि की अनुकृति है। योषीदा ने जापनी में अभिज्ञान शकुन्तला का अनुवाद कर वियोगी जी को ही समर्पित किया था।

मैंने उन पर कोई साहित्यिक लेख नहीं लिखना चाहा। इन पत्रों में ही उनका चिन्तन-मनन और हृदय धड़कता है। वे एक सिद्ध हस्त कवि थे। उनकी मेरे पास कई तुकबन्दियाँ सुरक्षित हैं:अगम सिन्धु में खोज लिया जब मैंने कूल-किनारा/तब उस पार अजान घाट से किसने मुझे पुकारा। रात हो रही शेष और दीपक ने थककर ली अँगडाई, तब उस पार अजान देश से अब सनेह क्यों देने आई। सौ दीपक

भी साथ जलें तो आप करें विश्वास/अलग-अलग लौ है पर होगा उनका एक प्रकाश। अस्तु। वियोगी। जी के पत्र हिन्दी पत्र साहित्य के एक उत्कृष्ट नमूने हैं। हो सकता है अन्य और किसी बन्धु को भी उन्होंने ऐसे पत्र लिखे हों। उनके पास रवीन्द्रनाथ के भी पत्र थे किन्तु, मैं फिर उनके यहाँ गया नहीं। उन्होंने मेरे और अपने जीवन का एक ऐसा रहस्य बताया था जिससे फिर मेरा उनके यहाँ जाना सम्भव नहीं हुआ। एक जन्म में आपने जिस परिवार में जन्म लिया है आप उसी का भरण-पोषण कर सकते हैं, वहीं रह सकते हैं।

इन पत्रों से अधिक नहीं तो आपका मनोरंजन तो हो ही जाएगा। इनमें से अभी तक एक भी पत्र कहीं अन्यत्र छपा नहीं है।

इन पत्रों में सा. हिन्दुस्तान की सम्पादकीय टिप्पणी, वियोगी जी का पत्र और उस पत्र को पढ़कर पद्मकान्त मालवीय की प्रतिक्रिया, हिन्दी में व्याप्त साहित्यिक राजनीति के एक प्रसंग को उद्घाटित करती है। यह इतिहास का एक दस्तावेजी अध्याय है। 'भारत' और 'अभ्युदय' में हुए इस विवाद पर मैं अलग से कोई टिप्पणी करने नहीं गया।

आप स्वस्थ होंगे और इस सामग्री को पाकर पत्र और अपनी नित्य की प्रतिक्रिया से अवगत कराएँगें।

भवदीय

रामशंकर द्विवेदी

(20)

17--3-2000

आदरणीय तिवारी जी,

दस्तावेज 84 में आपका यात्रावृत्त पढ़ा। अच्छा लगा। यात्रा साहित्य में एक और कड़ी। पहले दक्षिण यात्रा के कुछ संस्मरण पढ़े थे। निर्मल वर्मा विशेषकर उनके गद्य पर परिवेशित सामग्री अच्छी लगी। उनके गद्य पर अभी और लिखा जाना शेष है। उनके गद्य के अपने तेवर हैं और उसकी अपनी विशेषताएँ हैं। हिन्दी के आधुनिक गद्य पर वैसे भी बहुत कम काम हुआ है। इधर कुछ लेखकों का अच्छा गद्य आया है। उस पर भी काम होना शेष है। मेरा पत्र मिला होगा। उसमें मैंने अपनी कलकत्ता यात्रा का जिक्र किया था। अभी-अभी मैं अपनी तीन पुस्तकों प्रेम बिना शिल्प कहाँ, इस शहर का राखाल शक्ति चट्टोपाध्याय तथा कविता, फुटबॉल, मछली और मारुति का अन्तिम प्रूफ देख आया। पहली पुस्तक, दूसरी पुस्तक सचित्र है। खैर।

भवदीय

रामशंकर द्विवेदी

(21)

22-2-02

भाई तिवारी जी,

आपका पत्र और 'दस्तावेज' 91 एक साथ मिले। पहले डिस्पैच किया अंक मिला नहीं। सारी डाक आती रही यही अंक डाक में चोरी चला गया। मैं आपके सम्पादकीय को पढ़कर फड़क गया। आपने सही जगह पर नश्तर लगाया है। आपने नामवर सिंह के अवसरवादी और दो मुँह समीक्षक के चरित्र को खूब उधाड़ा है। आ. क्षेमचन्द्र सुमन इन्हें जानवर सिंह कहा करते थे। ये हर सोच का प्रारम्भ अपने से मानते हैं। डॉ. रामविलास शर्मा एक मनुष्य की हैसियत से भी बहुत बड़े थे। इच्छा तो यह है कि आप इस पक्ष पर और लिखें। नामवर सिंह सात जन्मों में भी डॉ. शर्मा जैसे नहीं हो सकते। उन्हें यह पड़ी है कि मेरे बाद मेरा क्या होगा? हाय, रामविलास जी तो ऋषि कोटि में पहुँच गये। मुझे आलोचना पत्रिका का एक भी अंक अच्छा नहीं लगा।

परमानन्द जी ने किस तरह एक दर्जन पत्र लिख कर मुझसे रचनाएँ माँगी फिर एक को छोड़कर बाकी एक वर्ष डाले रहे। बाद में बड़ी मुश्किल से वापस की। खैर।

आप ठीक होंगे।

भवदीय

रामशंकर द्विवेदी

(22)

22-2-02

आदरणीय विश्वनाथ जी,

एक कार्ड लिखा पर, पूरी बात नहीं कह सका। आलोचना का छठा अंक भी आ गया है। पर उसमें समाविष्ट कोई भी सामग्री रचना नहीं है। इसका एक लेखक वर्ग है और एक निश्चित पाठक वर्ग है। आम पाठक के लिए इसमें कुछ नहीं है।

रामविलास शर्मा वाला अंक मैंने बड़े उत्साह से खरीदा था पर पढ़ने पर निराशा हाथ लगी। उनके व्यक्तित्व विखंडन के अलावा इसमें कुछ नहीं है। रही-सही कसर नामवर सिंह के और अन्त में इतिहास की शव साधना ने पूरी कर दी। नामवर सिंह राग-द्वेष से पीड़ित अश्वत्थामा जैसा व्यक्तित्व है जो साहित्य के अरण्य में उल्का लिए घूम रहा है। जब तक हजारी प्रसाद जी जीवित रहे इस व्यक्ति ने कुछ नहीं लिखा। उनके मरते ही दूसरी परम्परा की खोज में हजारी प्रसाद द्विवेदी के प्रतिपक्ष में शुक्ल जी को खड़ा कर शरसंधान करने लगे डॉ. रामविलास शर्मा पर और शुक्ल जी का मूर्ति मंजन करने के लिए तुलसी के प्रतिपक्ष में कबीर को खड़ा कर दिया। द्वन्द्वात्मक भौतिकवाद से पीड़ित इस मेधावी समीक्षक का यही चमत्कारवाद है जिसका आपने दस्तावेज 91 में बड़ी शिद्दत, ईमानदारी, साहस और सारे प्रमाणों के साथ खुलासा किया है। असल में जो बेशर्म होते हैं उनकी खाल बहुत मोटी होती है। इन्होंने जिन झूठे तथ्यों पर अपना विमर्श खड़ा किया था उनका आपने सटीक व्यंजनापूर्ण खुली भाषा में जवाब देकर एक ऐतिहासिक काम किया है। साहित्यिक पत्रकारिता के क्षेत्र में दस्तावेज का यह सम्पादकीय इस शताब्दी

भर झनझनाता रहेगा और इसी आधार पर आगे का सोच निर्धारित होगा। मैंने आपके सम्पादकीय को दो बार पढ़ा है और अभी और पढ़ूँगा। अब अन्य प्रसंग।

बाडला अनुवाद मैं एक दो मास में भेजने का सिलसिला शुरू करुँगा। मैं दस्तावेज को कोई अच्छी चीज ही भेजना चाहता हूँ। डॉ. रामस्वरूप चतुर्वेदी ने अपनी शुक्ल जी वाली पुस्तक में दस्तावेज में प्रकाशित सुनीति और रवीन्द्र के पत्रों से महिलानवीस को लिखे एक पत्र का अंश उद्‌धृत किया—इतने ईमानदार हैं कि न तो दस्तावेज का सन्दर्भ दिया न मेरा—ऐसे उद्‌धृत किया जैसे मूल बाड्ला में इन्होंने पढ़ा हो। और मुझे बड़ी बेशर्मी से बताते हुए बोले यह मैंने आपके लेख से उद्‌धृत किया है। सन्दर्भ इसलिए नहीं दिया कि यह समर्पण पृष्ठ है। भूमिका में कृतज्ञता व्यक्त कर सकते थे। पर ऐसे लोग सामग्री को इसी तरह हजम करते हैं। ऐसा ही राजेन्द्र यादव ने हंस में भी किया था। हंस में जो विवाद छिड़ा वह पूरा प्रसंग जीराक्स काराकर भेजूँगा। आपके पास वह सन्दर्भ सुरक्षित रहना चाहिए। श्री परमानन्द जी के बारे में फिर लिखूँगा। आप अच्छे होंगे। क्या 92 अंक भी पत्रों को समर्पित है। 91 में प्रकाशित पत्रों पर चर्चा रह ही गयी। उस पर अगले अंक में। आपको श्री नाथू राम जी गुप्त की दो पुस्तके मिलेंगी। उन पर कुछ लिख दीजिए।

भवदीय
रामशंकर द्विवेदी

(23)

8-3-02

आदरणीय तिवारी जी,

आपकी सम्पादकीय टिप्पणी पर मेरी प्रतिक्रिया आप तक पहुँची होगी। वैसे इस अंक में संकलित साहित्यकारों के पत्र अलग से पढ़ रहा हूँ। इस अंक की एक बड़ी उपलब्धि अज्ञेय के पत्रों का संकलन है। ये पत्र उनके व्यक्तित्व पर प्रकाश डालते हैं। कुछ अछूते प्रसंगों को लेकर माध्यम के ताजे अंक में आपकी दो गद्यकृतियों भ्रमण वृत्तान्त की समीक्षा अच्छी लगी। वह आपके एक नये पक्ष को उजागर करती है। समकाल समीक्षा पर आपको कोई अलग से सांगोपांग कृति लिखनी चाहिए। कुछ साक्षात्कारों में आपने साक्षात्कार के लक्ष्य व्यक्तित्व पर बड़ी अचूक टिप्पणी की है। असल में हिन्दी में ऐसा बहुत-सा लेखन आता जा रहा है जिसको एक जगह समेटकर समकालीन समीक्षा पर एक पुस्तक लिखी जा सकती है। साधनों के अभाव में मेरे लिए यह सम्भव नहीं।

—इसमें आपकी सम्पादकीय टिप्पणियों, आपके भ्रमण वृत्तान्तों, निबन्धों, साक्षात्कारों को भी लिया जा सकता है।

भवदीय
रामशंकर द्विवेदी

(24)

21-11-02

आदरणीय तिवारी जी,

कल ही दस्तावेज 95। इसके पहले 94 मिला था। व्यस्तता, दौड़-भाग में पत्र नहीं लिख सका। उस अंक में विमल मित्र के पत्र बहुत अच्छे हैं। मेरे पास भी उनके तीन पत्र हैं। और इधर मैंने उनकी मृत्यु के तुरन्त बाद लिखे शंकर के संस्मरण का अनुवाद किया है। वह संस्मरण विमल मित्र के एक अनोखे ही रूप को व्यक्त करता है। अभी कहीं भेजा नहीं। अंक 95 के सम्पादकीय में आपने राजेन्द्र यादव की जो खबर ली है वह काबिले तारीफ, एक समीक्षक के कर्त्तव्य का निर्वाह और साहसपूर्ण है। वे 'हंस' के माध्यम से एक प्रकार से अपनी जीवनदृष्टि और रुग्ण मानसिकता का प्रचार करते रहते हैं। फिर ऐसे लोगों को उन्हीं जैसे लोग भी मिल जाते हैं। एक अंक में आपने एक और सज्जन का पर्दाफाश किया था। अब इनकी बारी आ गई। वे 'हंस' में जवाब जरूर देंगे। पर, क्या जवाब देंगे उनकी छद्म छलात्कारी आत्म स्वीकृतियाँ स्वयं जवाब हैं। असल में राजेन्द्र यादव जैसे लोग व्यभिचरण की प्रवृत्ति को बढ़ावा देने वाले हैं—ऐसे लोगों ने साहित्य का बहुत अहित किया है। साहित्य में प्रदूषण फैलाना ही इनका काम है। विश्वासघात ही इनका मूलमन्त्र है।

भवदीय
रामशंकर द्विवेदी

(25)

11-5-03

भाई तिवारी जी,

आपको सोवियत रूस से कोई पुरस्कार मिलने का समाचार पढ़ा था। बधाई लें। इधर दस्तावेज के 96-97 दोनों अंक मिले। दोनों अंक दस्तावेज के अनुरूप हैं। अंक 96 में आपके सम्पादकीय पर जो प्रतिक्रिया हुई है और जितनी संख्या में लोगों ने खुलकर अपनी भावनाएँ व्यक्त की हैं उससे नामवर सिंह को अपने भविष्य के बारे में सोचना चाहिए। उनका व्यक्ति सम्बन्धी लेखन एकांगी, चोट पहुँचाने वाला, गुमराह करने वाला है—'ईर्ष्या से व्यक्ति बहुत' देर में ऊपर उठ पाता है। आपके साहस और प्रामाणिकता की सभी ने प्रशंसा की। बाङ्ला में एक शब्द है साड़ा जागानों सम्पादकीय। जिसका अर्थ है हलचल मचाने वाला सम्पादकीय। आपका सम्पादकीय वैसा ही था। 97 में विभूति बाबू की रचना का अनुवाद पढ़ा। अच्छा लगा। आपसे जिस दिन दूरभाष पर बात हुई थी उसी दिन मेरे पुत्र की हालत बहुत बिगड गयी। खैर बिना किसी सिफारिश के मुझे संजय गाँधी में सारी सुविधाएँ मिल गयीं। और 4 अप्रैल को ऑपरेशन हुआ और 24 अप्रैल को वहाँ से छुट्टी मिली। फिर 2 मई को पुनः दिखाकर 3 मई को घर आ सका। अब पुत्र ठीक है। आर्थिक भार तो बहुत आ ही गया।

भवदीय
रामशंकर द्विवेदी

(26)

8-1-04

आदरणीय तिवारी जी,

आज की डाक से दस्तावेज 100 तथा 101 के अंक मिले। मेरा आभार स्वीकार करें। दस्तावेज की उपलब्धियों में एक मैं भी हूँ। मैं शायद जितना अनुवाद कर सका करता ही नहीं यदि 'दस्तावेज' जैसा मंच आप मुझे न देते। आज अपने ही काम को अंक 101 में देख सका और इस सूची को देखकर यह भी लगा कि बाडला साहित्य को केन्द्र बनाकर स्वतन्त्र लेख भी लिखे जा सकते हैं। और वे शायद ज्यादा विचारोत्तेजक होंगे। अब तक प्रकाशित एक सौ अंकों की विषय सूची, विषयवार, लेखक वार वर्गीकरण एक निष्ठा, लगन परिश्रम का काम अवश्य है। इसमें दस्तावेज की देन, उसका विकास उसका इतिहास छिपा है। आपकी लगन, परिश्रम धैर्य सभी का परिणाम है। यह इसका भी सबूत है कि लेखकवर्ग इस सम्पादकीय निष्ठा के आगे नतमस्तक होकर बिना कुछ चाहे भी लिख सकता है, लिखता रह सकता है। इसका विषय विस्तार, विविधता, समीक्षा के प्रति ईमानदारी—लेखकों का जुड़ाव सभी इसे एक महत्वपूर्ण पत्रिका बनाता है। दस्तावेज सचमुच में दस्तावेज है—रचना, समीक्षा, विचारों का आकर। इस संकीर्ण, राग-द्वेष से आकुल साहित्य जगत में बिना विशेष धारा के पँख लगाये उन्मुक्त गगन में उड़ता, आकाश नापता पक्षी।

मेरी बधाई लें। गाँधी पर केन्द्रित अंक भी विशिष्ट लगा। पता होता तो मैं भी कुछ लिखता। गाँधी ने सभी भारतीय भाषाओं के साहित्य को प्रभावित किया है। आपने बड़े परिश्रम से सामग्री जुटायी है।

भवदीय

रामशंकर द्विवेदी

(27)

22-5-04

भाई तिवारी जी,

लखनऊ दूरदर्शन पर आपका साक्षात्कार देखा, आपने नीलम चतुर्वेदी द्वारा उठाये कई मुद्दों के माकूल जवाब दिये और अपने जीवन में दस्तावेज की भूमिका भी काफी स्पष्ट की। पर, मुझे जो सबसे विचारोत्तेजक प्रसंग लगा वह आपका काव्य पाठ था।

सभी की सभी रचनाएँ न तो पढ़ने मौका मिलता है न वे सब तक पहुँच पाती हैं। पर आपकी कविताएँ आपके गद्य से मुझे अच्छी लगीं। उनमें आज का समकाल बिना किसी नारेबाजी और अपनी अलग से पहचान कराए, सहज रूप में उपलब्ध हो रहा है—यही उनका अच्छा पक्ष है। सहजता, सरलता और उसी में, समझ में आने योग्य घुमाव पैदा करना आपकी शैली की विशेषता है।

आपकी 'पुस्तक' कविता इतनी अच्छी लगी कि उसे मढ़ाकर रखना चाहता हूँ। क्या आप उसकी एक जीराक्स प्रति भिजवा सकेंगे।

भवदीय

रामशंकर द्विवेदी

(28)

22-7-04

आदरणीय तिवारी जी,

आपका कविता संग्रह 'बेडियों के विरुद्ध' मिला। अच्छा लगा। मैंने तो एक बूँद माँगी थी और आपने पूरा समुन्दर ही उड़ेल दिया।

आपकी शैली, प्रतीक, मिथक और शब्द-गुच्छ सभी आसपास के जीवन से लिए गये हैं जो सभी हमें अपनी जड़ों की तरफ ले जाते हैं। आपकी कविताएँ किसी ओढ़ी हुई मानसिकता की उपज नहीं है। वे ऐसी हैं जैसे दो पत्तियाँ आपस में बतिया रही हों। दूब जैसे सहज, सरल हमारे लिए गम्य है, वैसे ही आपकी कविता हमारे लिए सुबोध है। हिन्दी की समकालीन कविता में आपका मुहावरा अलग है—आपके जीवन की ही तरह सहज, सरल।

इसके बाद आपका हँसता चेहरा मैं प्रायः रोज ही देखता हूँ जैसे वह इन सारी कविताओं का भाष्य हो।

आप जैसे बातें करने में सहज, सरल लगते हैं वैसे ही आपकी कविताएँ पाठकों से बतियाती हैं। कुछ और पढ़कर लिखूँगा। 104 अंक कब तक। क्या मेरी शेष सामग्री आ रही है। सुनील गाँगुली और सत्यजित राय की पत्नी विजया राय की आत्मकथा के कुछ अंश भेजूँ?

भवदीय
रामशंकर द्विवेदी

(29)

5-3-05

आदरणीय तिवारी जी,

मेरा आलेख व पत्र स्पीडपोस्ट से आपको मिल गया होगा। आपकी प्रतिक्रिया की प्रतीक्षा है। यहाँ 26-27 फरवरी को एक संगोष्ठी का आयोजन किया गया जिसका विषय था पुस्तक संस्कृति का क्षरण। मुझे विषय प्रवर्तन करना पड़ा। उसके बाद प्रो. मैनेजर पाण्डे और अशोक वाजपेयी के बड़े उद्‌बोधनकारी भाषण हुए। मैंने अपनी बात का अन्त आपकी कविता से किया। जिसका शीर्षक है 'पुस्तकें'—जिसे मैंने दूरदर्शन पर आपके मुख से सुना था। उस कविता को लोगों ने बहुत सराहा मेरा भाषण लिखित था और वाजपेयी जी प्रो. मैनेजर पाण्डे जो बोले उसे मैंने अपने टेप पर ध्वनि अंकित कर लिया। दूसरे दिन 27 को वाजपेयी जी से पुनः बातचीत हुई जो समकालीन कविता पर थी। अगर दस्तावेज की इच्छा हो तो ये भाषण रूपान्तरण के बाद उसके किसी अंक में छपने भेजे जा सकते हैं।

आजकल मैं नवनीता देव सेन की एक पुस्तक पर काम कर रहा हूँ। आप कैसे हैं?

भवदीय
रामशंकर द्विवेदी

(30)

27-2-06

भाई तिवारी जी,

'दस्तावेज 109 मिला।' इस अंक के सम्पादकीय को तीन-चार बार पढ़ा। आपके साहस, निर्भीकता, दो टूक बात कहने की बात इन सबने बहुत आकर्षित किया। आपने अपने सम्पादकीय में जिन मुद्दों को उठाया है आज का कोई भी पत्रकार, सम्पादक, साहित्यकार उन्हें उठाने का साहस नहीं करता है। कुछ सम्पादक तो बड़ी अमूर्त भाषा में अपनी बात कहकर निकल जाते हैं। आपकी पत्रिका किसी संस्थान की नहीं है। अमरवेल बिमूल की प्रतिपालति है ताहि अमर वेल की तरह हैं—इसलिए उसे किसी की परवाह नहीं है। अमरवेल परोपजीवी होती है। इसीलिए हजारी प्रसाद द्विवेदी ने 'कुटज' का प्रतीक चुना था तो दस्तावेज कुटजधर्मी है। आपने राजनीति पर, नेताओं पर, तीखे प्रहार किये और देश की दुर्दशा के लिए उन्हें ही जिम्मेदार ठहराया उसमें तथाकथित बड़े लेखकों की भी जिम्मेदारी है—आपने उनका नाम भी लिया—अमूर्त भाषा का प्रयोग नहीं किया, परिणाम की भी परवाह नहीं की क्योंकि आप गाँधी और कबीर के पक्ष के हैं। दस्तावे की आवाज में वजन है। दम है। यह आवाज सुनी जाती है। आपको बहुत बहुत बधाई।

इस सम्पादकीय को मैंने एक गोष्ठी में पढ़कर भी सुनाया—सभी दंग रह गये।

अंक में विभूतिभूषण के शेष पत्र छाप दिये। एक-बार पुनः अपने अनुवाद को पढ़ा, अच्छा लगा। इधर कुछ सामग्री और तैयार हो गयी है। वह मैं आपकी सेवा में भेज रहा हूँ। विश्वास है उसे आप छापेंगे। उसमें एक समीक्षात्मक आलेख है कांतिकुमार जैन के संस्मरण। अगर आपको भाया तो मैं इस शृंखला में फिर और कुछ लिखूँगा और मेरे मौलिक लेखन को भी एक पहचान देने वाले आप ही सिद्ध होंगे।

वे बतकही के संस्मरणकार हैं—

—हिन्द महासागर में समुद्री वाणिज्य—अशीनदास गुप्त मेरा अनुवाद

—अधूरा सफरः कैसा निकला कृतिवास —सुनील गंगोपाध्याय, अनुवाद—रामशंकर द्विवेदी

—मैंने आपका एक साक्षात्कार लिया था। उसका अनुलेखन हो चुका है। क्या उसे दस्तावेज के लिए भेज दूँ? इस बार भारतीय ज्ञानपीठ द्वारा प्रकाशित आप द्वारा सम्पादित समीक्षा की पुस्तक खरीद लाया। पुस्तक मेले से।

पहुँच जरूर दें।

अगले अंक दस्तावेज-110 प्रेस में होगा। उसमें लोक का अर्थशास्त्र छपने शायद गया हो।

भवदीय

रामशंकर द्विवेदी

(31)

8-3-06

आदरणीय तिवारी जी,

आपका अभी-अभी लेखों पर प्रतिक्रिया व्यक्त करने वाला पत्र मिला है। असीन दास गुप्त वाला

लेख आप वापस भेज दें। सभी सामग्री छापना सम्भव नहीं हो पाता है—आपने देख ली यही बहुत है।

सच बात यह है आपके सम्पादकीय पर मैं लम्बी प्रतिक्रिया भेजना चाहता था। ऐसा साहस मैंने हिन्दी के किसी सम्पादक में नहीं देखा। निष्पक्षता के कारण दस्तावेज की आवाज सुनी जाती है। आज देश की दुर्दशा और राजनेताओं का मनमानापन, सरकार द्वारा पशासन का दुरुपयोग आम बात हो गयी है। इस पर कोई उँगली धरने वाला नहीं है। मेरे जिले की और विशेषकर उरई नगर की सड़कें इतनी खराब हो चुकी हैं कि पैदल चलना मुश्किल है। आये दिन डाक, वाहन पलटते हैं। कोई सुनने वाला नहीं। अस्तु।

जैनेन्द्र पर मैं अब तक लिख चुका होता, पर मुझे उनकी भाषा की तुलना के लिए शेखर एक जीवनी का पहला भाग अब तक नहीं मिला है। दूसरा भाग मेरे पास है। बाकी त्यागपत्र, मैला आँचल मैंने जुटा लिया है। जैनेन्द्र का श्रेय और प्रेय तथा ये और वे भी मेरे पास जुट गये है। जैनेन्द्र जी से मैं दो बार मिला था। उनसे जो बातचीत हुई वह पीढ़ियाँ साक्षी में छपी है। निर्मल वर्मा के अन्तिम अरण्य पर मैं लिखना चाहता हूँ। और आपने जो समय दिया है—उस अवधि में मैं लिख डालूँगा। लोक का अर्थशास्त्र तो पड़ा है, पर छपेगा। आपने वि. बाबू के जो पत्र छाप दिए उनका अच्छा असर होगा।

भवदीय
रामशंकर द्विवेदी

(32)

14-11-06

आदरणीय तिवारी जी,

दूरभाष पर आपसे बातचीत कर बड़ा अच्छा लगा। आपने दस्तावेज 111 अंक के सम्पादकीय में जिस निर्भीकता, साहस और विवेक का परिचय दिया वह आप ही कर सकते थे। इतना साहस मैं हिन्दी के किसी भी सम्पादक में नहीं देखता। सब कहीं-न-कहीं समझौता किए हुए हैं। और जिनमें साहस है भी तो पत्रों की नीति, प्रकृति से बँधे हैं।

जैनेन्द्र जी से मेरी प्रत्यक्ष भेंट 1983 में उनके आवास पर हुई थी। वहीं यह बातचीत सम्पन्न हुई थी—उसी वक्त उसे लिख लिया था। उसी की प्रति जैनेन्द्र अंक के लिए भेज रहा हूँ।

आपको 'आशय' में प्रकाशित यह केवल मेघों की लीला अनूदित लेख अच्छा लगा है यह सब आपकी प्रेरणा का फल है। रंग प्रसंग के ताजे अंक में भी सत्यजित राय का एक संस्मरण छपा है। मेरे दस्तावेज में आलापचारी रामकिंकर प्रसंग, विजयाराम का स्मृतिचारण सत्यजित पर, लोक का अर्थशास्त्र और कान्तिकुमार जैन की पुस्तक पर संस्मरणात्मक समीक्षा—निर्मल वर्मा के पत्रों पर एक आलेख पड़े हुए हैं। जब भी जगह हो छापने का प्रयास जरूर कीजिए। अंक 112 में सुनील गंगोपाध्याय का लेख गया है यह जानकर बेहद खुशी हुई। कुछ-न-कुछ निकलते रहने से लोगों की नजरों में बना रहता हूँ। कुछ बंगाली लेखकों के पते इस प्रकार हैं—श्री सुनील गंगोपाध्याय, पारिजात 24, मेनडे विला गार्डन्स, कोलकाता-19, फोन-033-2440-7302, 09830110193

1. श्री नवनीता देव सेन, 72, भालोवास, हिन्दुस्थान पार्क, कलकत्ता-29-033-2462-1603
2. श्री तारादास वंद्योपाध्याय, आरण्यक, स्टेशन रोड बाराकपुर, 24 परगना पश्चिम बंग
3. श्री शंख घोष, ए-16, ईश्वरचन्द निवास, 68/1, बाघमारी रोड़, कलकत्ता-34

4. श्री सिद्धेश, श्रीपुर मध्यग्राम, कोलकाता-743298

5. श्री तिलोत्तमा मजूमदार, आनन्द पब्लिशर्स प्रा.लि., 45, बेनिया टोला, लेन कोलकाता-70009

6. श्री जयगोस्वामी सम्पादकीय विभाग देश, आनन्द बाजार पत्रिका 6- प्रफुल्ल सरकार स्ट्रीट, कलकत्ता-70001

इतने पते भेज रहा हूँ। इन्हें पत्रिका भेजकर देखिए।

भवदीय
रामशंकर द्विवेदी

(33)

1260, नया रामनगर
पाठक का बगीचा,
उरई—285001

2-4-09

आदरणीय तिवारी जी,

आपका पत्र मिल गया था और चेक भी। चेक पाकर अजीब-सा लगा। कारण, 'दस्तावेज से मेरे इतने करीबी सम्बन्ध हैं और उसका मेरे लेखकीय जीवन को बढ़ाने में इतना योगदान है कि मैं उसके ऋण से कभी उऋण नहीं हो सकता। अब दूसरी ओर आपका आग्रह था। लेखकों को पारिश्रमिक जरूर मिलना चाहिए। आपके मन में दस्तावेज के प्रारम्भ से ही यह चिन्ता रही और अभी भी बनी हुई है। यह आपकी उन मूल्यों के प्रति गहरी आस्था का प्रतीक है जो आपको अपने परिवार से मिले हैं, किन्तु दस्तावेज के लिए आपको जिस आर्थिक संघर्ष से गुजरना पड़ा वह इतिहास भी भुलाने योग्य नहीं है। शायद उस कहानी की वास्तविकता को आपसे अधिक और कोई नहीं जानता होगा। मेरे लेखकीय जीवन में दो-तीन सम्पादकों का गहरा योगदान है, उनमें आपका सर्वोपरि है। समकालीन भारतीय साहित्य के सम्पादक राठी जी ने एक बार एक ही अंक में मेरी सात रचनाएँ छापने के बाद मुझसे कहा था कि अब एक वर्ष आपकी कोई रचना मैं नहीं छापूँगा। फिर डेढ़ वर्ष तक 'समकालीन' में मेरी कोई रचना नहीं छापी। लेकिन 'दस्तावेज' ने बड़े लोगों के टोकने के बाद भी मेरी रचनाएँ छापनी बन्द नहीं कीं। और आज भी वह मेरे साथ खड़ा है। इधर मैंने अपने संग्रह में सुरक्षित 'दस्तावेज' के अंकों को उलट-पुलट कर देखा तो मेरे आश्चर्य का ठिकाना नहीं रहा कि उसने बड़ी गम्भीरता से रचनाओं को छापकर अपने समकाल को जीवित बनाये रखा है। मुझे इसमें कुछ ऐसी रचनाएँ मिलीं, जिन्होंने हिन्दी समीक्षा में एक विमर्श खोला और उसे आगे बढ़ाया। इसमें पांडेय शशि भूषण शीतांशु की शैली विश्लेषण और देरिदा के विखंडन के वाद पर भी दो-एक लेख हैं। खैर।

'दस्तावेज' में तड़क-भड़क नहीं है, वह सादे व्यक्तित्व का पत्र है पर उसकी अपील और आवेदन बहुत दूरगामी है। यह वह पत्रिका है जो बहुत समादृत और दूर तक पढ़ी जाती है। इसके साक्ष्य आपके पास आने वाली रोज की डाक है।

समावर्तन का जून अंक आप पर केन्द्रित है। इसमें रेवती रमण और ओम निश्चल को दिया आपका

साक्षात्कार मुझे अच्छा लगा। इस अंक से मुझे आपके जीवन के बारे में कई नयी चीजें जानने को मिलीं। ओम निश्चल वाले साक्षात्कार में आपका हिन्दी समीक्षा की कमियों पर प्रकाश डालते हुए यह कहना एकदम सटीक है कि शुक्ल जी के बाद हिन्दी समीक्षा पर गम्भीरता से कोई काम नहीं हुआ—मसलन 'रेणु' पर या अज्ञेय पर आज भी कोई गम्भीर पुस्तक नहीं लिखी गयी और इसका कारण प्रगतिशीलों की तोड़-फोड़ या नकारवाली साहित्यिक राजनीति रही है। मुझे समावर्तन का यह अंक अच्छा लगा।

'दस्तावेज' के सम्पादकीयों पर देखिये मैं कैसा और कितना लिख पाता हूँ।

इस लम्बे पत्र के साथ मेरा आपसे बड़ा विनीत आग्रह है कि मुझे पारिश्रमिक मत भेजिये। इसके स्थान किसी अन्य लेखक को भेजिये—मेरे लिए तो आपका स्नेह और आप जिस रूप में मेरे बारे में सोचते हैं वहीं पर्याप्त है।

इधर मैंने अपनी पुरानी चिट्ठियाँ देखीं तो उनमें मुझे सन् 1966 से लेकर 2008 तक की विष्णुप्रभाकर की चिट्ठियाँ मिलीं। दर-असल मेरा दिल्ली जाना उन्हीं की वजह से हुआ था और यह सम्बन्ध 2008 तक पत्रों के रूप में बराबर बना रहा। अगर दस्तावेज कभी इनका उपयोग करना चाहे तो मैं उन्हें सँजोकर भेज दूँ। अभी तो मैंने उन्हें क्रम से लगाया भर है। इसके बाद तो मुझे मुख्यरूप से आपके ऊपर लिखना है। अब देखिये हमारा मिलना किस गोष्ठी में होता है। गुणशेखरन जी का काम बहुत ढीला है। 16 अप्रैल को भुगतान के लिए मैंने जो बिल सम्मिट किया था उसका भुगतान आज की तारीख तक नहीं हुआ। आप दिल्ली जाएँ तो याद दिलाएँ।

भवदीय
रामशंकर

(34)

5-8-09

भाई तिवारी जी,
आपका पत्र मिला था। विष्णु प्रभाकर के पत्रों की जीरॉक्स प्रति तैयार करा ली है। उसी को एकबार पढ़कर भेजना चाहता हूँ।

अक्टूबर में किसी समारोह में आपने भेंट होने की बात लिखी है—उसी की प्रतीक्षा में हूँ। छः सितम्बर को आप कलकत्ता में होंगे। शायद 5-6 को वाजपेयी जी पर सेमिनार है। ललितकला अकादमी से अपनी एक पुस्तक के छपने का मैंने आपसे जिक्र किया था। वह पुस्तक छपकर आ गयी है। लेकिन उसे देखकर मैं इतना आहत हुआ कि कह नहीं सकता। पीयूष दईया का लोक का अर्थशास्त्र लेख के सम्बन्ध में मैंने आपसे कुछ कहा था। अब इस पुस्तक के साथ उन्होंने जो खेल खेला है वह इतना घिनौना है कि आप उसकी कल्पना नहीं कर सकते। यह सब अशोक वाजपेयी की आँखों तले घटित होता है यही आश्चर्य है। उसका विवरण मैं आपको अलग से दूँगा विस्तार से। दस्तावेज के अंक 122, 123 की प्रतीक्षा है—सम्भवतः छप रहे होंगे। अक्टूबर में भेंट के समय आपसे कुछ व्यक्तिगत सलाह भी लेनी है तभी आपसे बात करने का मौका मिलेगा। अनुवाद पुरस्कार वितरण समारोह कब प्रस्तावित है लिखियेगा। शायद आप 10 को गोरखपुर पहुँचेंगे। सुनील दा वाला सा. अक्षरा के जुलाई अंक में छप गया। एक वर्ष से पड़ा था। आप उसे न छापें। लोक का अर्थशास्त्र वाले दस्तावेज की प्रतीक्षा है।

भवदीय
रामशंकर

(35)

30-12-2009

आदरणीय तिवारी जी,

काफी दिनों से आपसे बातचीत नहीं हुई। समाचार पढ़ा था कि कृति को दिये जाने वाले पुरस्कारों की घोषणा हो चुकी है। अब 22 फरवरी को पुरस्कार वितरण समारोह होगा।

मैंने आपसे विभूति भूषण वंद्योपाध्याय की डायरी के प्रकाशन की चर्चा की थी। यह काफी दिनों से मेरे पास पड़ी हुई है। इसके कुछ अंश दस्तावेज़ में भी आपने छापे थे। विभूति भूषण को समझने के लिए यह डायरी अत्यन्त महत्त्वपूर्ण है। कुछ तिथिवार है और कुछ भ्रमण वृत्तान्त के रूप में लिखी गयी है। यह अपने किस्म की अकेली डायरी है। इसमें उनकी रचनाओं के स्रोत भी हैं। आज पर्यावरण प्रदूषण बढ़ रहा है। इसका मुख्य कारण वृक्षों, जंगलों का सफाया है। इस डायरी में आज से एक सौ वर्ष पहले के भीतर का प्राकृतिक चित्र उपलब्ध होता है। मैंने अपना प्रस्ताव साहित्य अकादमी के प्रकाशन विभाग को इस आशय से भेजा है कि यह वहाँ से प्रकाशित हो सके। इस डायरी को मैंने तीन भागों में बाँटा है। यह एक साथ ही छप सकती है और अलग-अलग तीन खंडों में भी है। इसका मैंने सम्पादन भी किया है। इससे साहित्य अकादमी द्वारा प्रकाशित भारतीय भाषाओं के मानक ग्रन्थों में इजाफा होगा।

आशा है आप मेरे प्रस्ताव पर सहानुभूति पूर्वक विचार करेंगे। उस प्रस्ताव की एक प्रति इस पत्र के साथ संलग्न है।

दस्तावेज का 123वाँ अंक मिला। अपने सम्पादकीय में आपने राजेन्द्र यादव के कथाकार को पुनः उजागर किया है। ऐसा सात्विक साहस आप ही कर सकते थे।

इस अंक पर आपकी व्यस्तता का असर भी प्रत्यक्ष है। पिछले दो मास से मैं अपने पैत्रिक घर की मरम्मत में लगा होने से मेरे कई साहित्यिक काम पिछड़ गये हैं। क्या आप जनवरी में दिल्ली में रहेंगे। मैं 31 जनवरी से 8 फरवरी तक पुस्तक मेला में रहूँगा। हो सकता है उस समय आपसे भेंट हो जाये।

और सब ठीक है। अब 124 और 125 वे अंक की प्रतीक्षा है। 123 वे अंक में प्रभाकर माचवे के बड़े महत्त्वपूर्ण पत्र छापे। इनसे साहित्यिक इतिहास की कई घटनाओं का पता चलता है।

भवदीय

रामशंकर

(36)

11-8-2012

आदरणीय तिवारी जी,

जैसी कि आपसे बात हुई थी 'अज्ञेय की पत्रकारिता' तथा तीन समीक्षाएँ और नासिरा शर्मा की कहानियों पर एक आलेख भेज रहा हूँ। समय-समय पर आप इन्हें दस्तावेज़ में जरूर स्थान देते रहेंगे।

एक छोटी-सी समीक्षा राजेन्द्र उपाध्याय के यात्रावृत्तान्त पर है और दूसरी तथा तीसरी भागवत भूमि यात्रा (अज्ञेय) और उद्भ्रान्त के 'राधामाधव' काव्य की है। भागवतभूमि और राधा माधव की समीक्षाएँ प्रभाकर श्रोत्रिय ने नहीं छापीं। पहले वे टालते रहे कि आपकी रजिस्ट्री नहीं मिली। बाद में जब मैंने

मधु जैन से पूछा तब पता चला कि आपकी समीक्षाएँ पता नहीं क्यों कम्पोज होने के बाद ड्रॉप कर दी गयीं। इसके बाद फिर मैंने श्रोत्रिय जी से पूछा तो उन्होंने फिर वही टाल-मटोल वाला जवाब दिया कि पता करेंगे आपकी समीक्षाएँ आयी हैं या नहीं। खैर, दस्तावेज में इन्हें स्थान जरूर मिलेगा।

1. क्या विष्णु प्रभाकर के पत्रों को छापने की कोई योजना है? इस वर्ष उनकी जन्मशती भी है और डॉ. रामविलास शर्मा की भी। इन पर साहित्यअकादमी की गोष्ठियाँ जरूर होंगी। आप मेरा ध्यान वैसे ही रखते हैं।

आपकी कविताओं के बांग्ला अनुवाद की क्या स्थिति है? क्या सोमा से बातचीत हुई?

शेष सब ठीक है।

भवदीय
रामशंकर

राजेन्द्र प्रसाद सिंह

(1)

आधुनिका, खबड़ा रोड,
मुजफ्फरपुर-1

5-11-79

बन्धुवर!
कैसे हैं? स्वस्थ प्रसन्न तो हैं!

प्रेषित अंक 'दस्तावेज' का यथाकाल मिल गया था। अचानक तब की 'आलोचना' का अंक याद आया, जब उसमें प्रकाशन की सार्थकता ज्यादा थी। आपने अकादमिक और मिलिटेन्ट के बीच इसे नयी रचनाशीलता और प्रगतिशील सोच-समझ का दस्तावेज बनाया है। यह वैज्ञानिक समाजवादी कला-साहित्य-दृष्टि का संवाहक दीर्घजीवी हों! 'आइना' का नया अंक जल्द ही भेजूँगा।

इधर एक मज़मून तैयार किया—"लेखकों का संयुक्त मोर्चा: अनुभव और संभावनाएँ।" आज यही सवाल फिर से अहम हो उठा है। पुरानी गलतियाँ भी इस प्रसंग में दुहराई जा रही हैं, यद्यपि समाजवादी-साम्यवादी जगत के बँटाव के मूर्त्त प्रभावों से हम गुजर रहे हैं; फलतः यह मिशन पूरा होना कठिनतर हो गया है। इसलिए अपने मज़बून में मैंने 1950 से अभी तक का लेखा-जोखा, जो संयुक्त मोर्चा के बारे में ध्यातव्य है, प्रस्तुत किया है। 'नया साहित्य' पत्र 1950-57 तक मोर्चे का मुखपत्र था, उसके माध्यम से डॉ. रामविलास शर्मा, प्रकाश चन्द्र गुप्त, पहाड़ी आदि के अन्तर्विरोध सामने आये और फलस्वरूप मोर्चे को तोड़ गये। फिर जो प्रयास बांदा से भागलपुर तक के सम्मेलनों में हुए, विचारे गये हैं। आप छापना चाहें और जल्द छापें तो भेज दूँ।

आपका
राजेन्द्र प्रसाद सिंह

(2)

10-7-86

प्रिय बन्धुवर!

स्नेहाभिवादन!

शहर में आये थे आप और चले गये। मैं निश्चित पता नहीं रहने से समय पर नहीं मिल पाया।

खेद है।

एक कष्ट करें कृपया; दस्तावेज की फाइल देखें। याद तो है नहीं कि कोई रचना अगर दस्तावेज के लिए भेजी थी तो कब और कौन-सी। अगली काव्य-कृति की पांडुलिपि प्रकाशक को देनी है। सूचीबद्ध कई कविताओं की पांडुलिपि ही गायब है। कुछ मिल गयीं, तो सहायतार्थ कृतज्ञ रहूँगा।

एक बात और—

डॉ. मैनेजर पांडे से कई जरूरी मुद्दों पर असहमति व्यक्त और उनकी सधी हुई आलोचना करते हुए मैंने साहित्य और इतिहास दृष्टि पर थीसिस-साइज के 21 पृष्ठों का महत्वपूर्ण विवेचन तैयार किया है; यदि आप देखना चाहें तो भेज दूँ और ठीक लगने पर 'दस्तावेज' में स्थान दें तो उपकृत रहूँगा।

आशा है उत्तर देंगे।

स्नेही

राजेन्द्र प्रसाद सिंह

(3)

15-11-96

प्रिय भाई,

'दस्तावेज' का गीत-ग़जल अंक राजकमल् प्रकाशन पटना से खरीदकर देखा-पढ़ा। साधुवाद! आप और 'दस्तावेज' ने गीत और गज़ल और भोजपुरी गीत की वस्तुस्थिति और रचना-स्थिति की ओर रुख किया, यही स्तुत्य है। स्यात् मेरी साम़ग्री देर से मिलने से इसमें नहीं दिखीं; तो फिर कभी। धन्यवाद लें कि कहीं मेरा नाम तो दिख गया! वैसे पहली बार श्री राजेन्द्र गौतम का लेख जल्दी में लिखा हुआ, डिस्पोज़-ऑफ करने की मुद्रा में या फिर कटा-फटा प्रतीत हुआ। श्री नचिकेता ने मिहनत से काम लिया है। पूरी सामग्री, जो गीत-गजल और भोजपुरी गीत से जुड़ी है,—पठनीय, मननीय और सही नजरिये से विचारणीय है। बधाई! विशेष बधाई इसलिए कि कुछ ध्यानाकर्षक रचनाएँ गीत-नवगीत की और ग़ज़ल के अलावा नवरचित भोजपुरी गीत की भी मिलीं जो —वादोत्तर मुक्त सृजन—की ओर कदम बढ़ा चुकी हैं। आशा है, आप और 'दस्तावेज'—'परिवार' के लोग प्रसन्न हैं।

सस्नेह

राजेद्र प्रसाद सिंह

राजकिशोर

(1)

6-02-88

प्रिय विश्वनाथ जी,

दस्तावेज के अंकों के साथ आपकी टिप्पणी भी मिली। आभारी हूँ। बहुत ही खरा और संतुलित लिखा है आपने। 21 फरवरी के अंक में प्रकाशित होने के लिए संयोजित है।

परिचर्चा की शुरुआत शीघ्र ही करूँगा।

पुस्तक समीक्षा के लिए आपने हाँ किया था। आशा है, भविष्य में आपका पूरा सहयोग मिलेगा।

सानन्द होंगे।

सप्रेम
राजकिशोर

(2)

8-02-88

प्रिय विश्वनाथ जी,

हमें ऐसा लगता है कि साहित्यिक पत्रकारिता अब एक ऐसे मोड़ पर पहुँच गयी है, जहाँ उस पर गम्भीर बहस की जरूरत है। हिन्दी पत्रकारिता के उद्‌भव काल में पत्रकारिता खानों में बंटी हुई नहीं थी—वह साहित्य और साहित्येतर दुनिया, दोनों की पूरी खबर लेती थी। फिर एक ऐसा दौर आया, जब साहित्य की अपनी पत्रकारिता विकसित हुई। इसका एक कारण आन्दोलनात्मक भी था। यह भी कह सकते हैं कि जैसे-जैसे हिन्दी में व्यावसायिक पत्रकारिता का विकास हुआ, साहित्य लघु पत्रिकाओं में पनाह लेने लगा। आज स्थिति अत्यन्त भयावह है। लघु पत्रिकाएँ लगभग बुझ चुकी हैं, जिन्हें हम साहित्यिक पत्रिका के नाम से जानते हैं, उनमें विकट खेमेबन्दी है और एकाध तो व्यावसायिक पत्रिकाओं से भी होड़ लेने की आकांक्षा पाल रही हैं।

'रविवार' इस विषय पर एक परिचर्चा आयोजित करना चाहता है। मुझे बड़ी खुशी होगी, यदि आप समकालीन हिन्दी साहित्यिक पत्रकारिता की हालत, उसकी समस्याओं, विडम्बनाओं और उसकी उपलब्धियों पर अपनी टिप्पणी दो सप्ताह में भेज दें।

आशा है, आग्रह की रक्षा करेंगे।

सादर।

राजकिशोर
संयुक्त सम्पादक

(3)

संयुक्त सम्पादकः रविवार
47, त्रिपुरा राय लेन, हावड़ा—711106

16-06-88

प्रिय विश्वनाथ जी,

आपका पत्र अभी-अभी मिला। यह आपने स्पष्ट नहीं लिखा है कि यात्रा कितने दिनों की होगी। फिर भी आनन्द बाजार पत्रिका में, जो बांग्ला साहित्य का सबसे बड़ा गढ़ है, उपलब्ध सूचनाओं के आधार पर जो तस्वीर बनती है वह मैं आपको लिख रहा हूँ।

जिन लेखकों से मिलना चाहिए

1. विमल मित्र, 2. शंकर, 3. गौर किशोर घोष, 4. सुनील गंगोपाध्याय, 5. शीर्षेदु मुखोपाध्याय, 6. आशापूर्णा देवी, 7. महाश्वेता देवी, 8. नीरेन्द्रनाथ चक्रवर्ती, 9. शक्ति चट्टोपाध्याय, 10. अन्नदा शंकर राय, 11. अतीन वन्द्योपाध्याय, 12. शंख घोष, 13. आलोक सरकार, 14. नवनीता देवसेन, 15. प्रणवेन्दु दासगुप्त, 16. अमिताभ दासगुप्त (वरिष्ठता—क्रम से कुछ उलटफेर है)

संस्थाएँः

1. बंगला साहित्य अकादमी, 2. बंगीरा साहित्य परिषद, 3. शरद साहित्य समिति, 4. टैगोर रिसर्च इंस्टीट्यूट।

1. रवीन्द्र ठाकुरः जोड़ासांकू (कलकत्ता) और शान्तिनिकेतन (बोलपुर, बीभूम)। 2. शरत् चन्द्र चट्टोपाध्यायः देवानन्दपुर (हुगली)। 3. बंकिम बाबूः नैहाटी (बंकिम स्मृति म्यूजियम), 4. ताराशंकर बन्दोपाध्यायः लाभपुर (बीरभूमि)। 5. विभूतिभूषण वन्दोपाध्यायः वनगांव।

पते तथा अन्य विवरणों के लिए आपको भारतीय भाषा परिषद, 36-ए, शेक्सपियर सरणी, कलकत्ता—17 की मंत्रिणी श्रीमती कुसुम खेमानी को पत्र लिखना चाहिए। वे लोग काफी सूचनाएँ रखते हैं। वहाँ अतिथि निवास भी है। आपके आगमन के उपलक्ष्य में वे साहित्यिक मिलन का कार्यक्रम भी रखना चाहेंगे। अतः उन्हें तो वैसे भी लिखना चाहिए।

पत्रिकाओं वाली श्रृंखला शीघ्र ही शुरू होगी। आपकी पुस्तक की समीक्षा अभी तक आयी नहीं है। आते ही छप जायेगी।

सानन्द होंगे।

सप्रेम
राजकिशोर

राजेन्द्र कुमार

(1)

649, पुराना कटरा
इलाहाबाद

23-02-79

प्रिय विश्वनाथ जी,

'दस्तावेज' के प्रकाशन की सूचना मित्रों की मार्फ़त पहले ही मिल चुकी थी। लेकिन उसका प्रवेशांक नहीं देख पाया। दूसरा अंक देखने को मिला। बहुत अच्छा निकला है। खासतौर से संकीर्ण मतवादों से मुक्त वैचारिकता की अपेक्षा रखने वाले पाठकों के लिए 'दस्तावेज' का तेवर सचमुच आश्वस्तिकारी है। अभिव्यक्ति-स्वातन्त्र्य पर शम्भुनाथ की टिप्पणी बहुत विचारोत्तेजक लगी। कृपया शम्भुनाथ का पूरा पता मुझे भेजं सकें तो कृपा होगी।

इस पत्र के साथ ही अपनी एक लम्बी कविता 'जनतान्त्रिक' का एक अप्रकाशित अंश भी 'दस्तावेज' के लिए भेज रहा हूँ। आशा है, 'दस्तावेज' में इसका प्रकाशन सम्भव होगा।

पृथक डाक से अपना एक कविता-संग्रह 'ऋण. गुणा ऋण' (प्रथम संस्करण 1978) भी आपको भेजूँगा। समीक्षार्थ।

स्वस्थ और सानन्द होंगे।

आपका,
राजेन्द्र कुमार

(2)

15-5-79

प्रिय भाई विश्वनाथ प्रसाद जी,

आपका पत्र मिला। 'दस्तावेज' का ताज़ा अंक भी चतुर्वेदी जी के यहाँ से प्राप्त हो गया। इस अंक की सामग्री, पिछले दो अंकों की तरह ही स्तरीय है। अभी कुछ कविताएँ और परमानन्द जी का लेख ही पढ़ पाया

हूँ। आश्वस्त हुआ हूँ कि पूर्वाग्रह रहित साहित्य-चिन्तना का उत्साह अब भी हमारे बीच विद्यमान है। इलाहाबाद के साहित्यकों में 'दस्तावेज़' की काफ़ी चर्चा है। अन्यत्र भी होगी। अपनी ओर से इतना ही कहूँगा कि हिन्दी की साहित्यिक और विचारपूर्ण कही जाने वाली पत्रिकाओं में से दो-एक का चुनाव करने को यदि मुझसे कहा जाये तो मैं 'दस्तावेज' को ढूँढ़ने में विलम्ब नहीं करूँगा। 'दस्तावेज' के लिए आप जितना जो कुछ कर रहे हैं, वस्तुतः वह महज़ साहित्यिक पत्रिकारिता के हित की चीज नहीं है वरन् आज की अस्वस्थ मतवादी दृष्टियों के प्रभावों के सामने साहित्य की मूल चेतना को धुँधला बनाने से रोकने की एक कारगर कोशिश है।

आपने 'दस्तावेज' के वार्षिक ग्राहक बनाने की बात लिखी है, पूरा सहयोग मैं दूँगा। फ़िलहाल अपना चन्दा तुरन्त मनीआर्डर से भेज रहा हूँ। कुछ कालेजों में भी प्रयास करूँगा। चार-पाँच को वार्षिक ग्राहक बना लूँगा—ऐसी उम्मीद है।

'दस्तावेज' के पृष्ठों पर समीक्षा के लिए अपना कविता-संग्रह (दो प्रतियाँ) पृथक डाक से भिजवा रहा हूँ। उसी पैकेट में अपना एक अप्रकाशित लेख भी रख दूँगा। ऐसा महज़ डाकखर्च और सुरक्षा की दृष्टि से कर रहा हूँ।

इलाहाबाद आना हो तो मिलें।

शेष कृपा।

आपका

राजेन्द्र कुमार

(3)

19-05-79

प्रिय भाई विश्वनाथ प्रसाद जी,

आपके आदेशानुसार 'ऋण गुणा ऋण' की दो प्रतियाँ 'दस्तावेज' में सीमक्षार्थ सेवा में भेज रहा हूँ। व्यक्तिगत रूप से भी संग्रह की कविताओं पर आपका अभिमत जान सकूँ तो मुझे अच्छा लगेगा।

एक पत्र, इससे पूर्व, अलग से आपको आपके खत के जवाब में लिख चुका हूँ। आशा है, मिल गया होगा। उसमें मैंने यही लिखा था कि 'दस्तावेज' का तीसरा अंक चतुर्वेदी ज़ी के यहाँ से मुझे हस्तगत हो गया है। 'दस्तावेज़' अपनी वैचारिक गम्भीरता से बहुत आश्वस्त करता है।

इस पत्र के साथ, अपना एक अप्रकाशित लेख 'साहित्येतिहास; प्रयोजन और स्वरूप' भी संलग्न कर रहा हूँ। दरअसल यह एक शोध-पत्र है जो गतवर्ष दिसम्बर में यहाँ विश्वविद्यालय के हिन्दी विभाग द्वारा आयोजित एक कार्य-गोष्ठी में प्रस्तुत करने के लिए लिखा गया था। समयाभाव के कारण व्यवस्थित रूप में पूरा का पूरा उस अवसर पर पढ़ा नहीं जा सका। रघुवंश जी ने प्रेरित किया कि यह लेख 'दस्तावेज' के लिए भेजना उचित होगा। इस लेख में हिन्दी साहित्येतिहास-लेखन के बारे में कुछ मूलभूत सैद्धान्तिक बातों को पहली बार विचार के आधीन लाने का विनम्र प्रयास किया गया है।

आशा है, 'दस्तावेज' के लिए इस लेख का उपयोग कर सकेंगे।

शेष कृपा है।

साभिवादन।

आपका

राजेन्द्र कुमार

(4)

8-07-80

प्रियवर तिवारी जी,

सप्रेम नमस्कार!

'दस्तावेज' का प्रेमचन्द-अंक डॉ. रामकमल राय से प्राप्त हो गया है। यह अंक अभी एक सरसरी नजर से ही देख पाया हूँ। जैसा कि आपके सम्पादन में आशा थी, अंक वाकई बहुत अच्छा निकला है। औपचारिक तौर पर प्रेमचन्द-शती के आयोजन इधर खूब हुए हैं; पत्र-पत्रिकाओं में भी उनसे सम्बन्धित सामग्री काफी देखने-पढ़ने को मिलती रही है। लेकिन 'दस्तावेज' का प्रयास इस माने में अधिक महत्त्व का, और विशिष्ट है कि इसमें औपचारिकता के निर्वाह मात्र के लिए प्रेमचन्द का स्मरण नहीं किया गया है। प्रेमचन्द के रचनाधर्मी व्यक्तित्त्व पर अनेक कोणों से प्रकाश डालने वाली सामग्री इस अंक में है।

इलाहाबाद से एक साहित्यिक पत्र का आयोजन हम लोग भी कर रहे हैं। 'अभिप्राय' नाम से इस पत्र का पहला अंक अगले मास निकाल देना चाहते हैं। यदि आप इसके लिए अपना सहयोग भी हमें दे सकें तो कृपा होगी। कोई ताजा लेख या टिप्पणी यदि आप के पास हो तो तुरन्त हमें भेज दें। या दो-तीन हफ्ते में कुछ लिखकर भेज सकें तो हम प्रतीक्षा भी कर सकते हैं। विषय आप स्वयं चुन लें।

अपना कोई लेख या टिप्पणी यदि भेज सकने की स्थिति में न हों तो अपनी कुछ अप्रकाशित कविताएँ ही हमें इस अंक के लिए भेज दें। आपसे कविताएँ पाकर भी हमें खुशी होगी, और 'अभिप्राय' के लिए उनका उपयोग भी हम कर सकते हैं।

उत्तर की प्रतीक्षा हम बड़ी बेसब्री से कर रहे हैं।

सस्नेह,

आपका
राजेन्द्र कुमार

(5)

13 बांध रोड,
इलाहाबाद

1982

प्रिय तिवारी जी,

यह जानकर चिन्ता हुई कि आपके पैर में चोट आ गयी है। आशा है, अब आप अस्पताल से घर आ गये होंगे और ठीक हो रहे होंगे। आपका स्वस्थ और सक्रिय रहना हम सबके लिए बहुज जरूरी है। ईश्वर आपको शीघ्र एकदम कष्ट-मुक्त करें।

कलकत्ते से शंभुनाथ जी ने 'ऋण गुणा ऋण' की जो समीक्षा मुझे भेजी थी, उसकी प्रतिलिपि आपको भेज रहा हूँ। 'दस्तावेज़' में उसके प्रकाशन की अनुमति मैंने खुद उनसे प्राप्त कर ली है।

साथ में अपनी तीन अप्रकाशित कविताएँ भी रख दे रहा हूँ। इधर हापुड़ के एक प्रकाशक को

अपना नया कविता-संग्रह प्रकाशनार्थ देने के लिए कविताएँ देख रहा था—उन्हीं में से तीन आपके लिए भेज रहा हूँ। छपने योग्य हों तभी छापें। आपके निर्णय तक अन्यत्र कहीं नहीं भेजूँगा।

'अभिप्राय' के लिए भी आप कुछ भेजें। 'अभिप्राय' को आप जैसे उत्साही मित्रों से सहयोग पाये बिना सार्थकता नहीं मिलेगी। सप्रीति

आपका
राजेन्द्र कुमार

(6)

12-12-83

प्रिय तिवारी जी,

अलग डाक से आपको 'अभिप्राय-5' भिजवाया गया है, मिल गया होगा।

साही जी की किताब 'साखी' आपने देखी होगी। क्या यह सम्भव है कि आप उस पर एक लेख 'अभिप्राय' के लिए भेज सकें? मैं आपका बहुत अनुग्रहीत होऊँगा। आप जनवरी के अन्त या फरवरी के शुरू तक इस तरह का एक लेख तैयार करके हमें भेज दें। 'अभिप्राय' के पाठकों को 'अभिप्राय' के माध्यम से आपका एक अच्छा लेख पढ़ने को मिले—यह व्यक्तिगत रूप से मेरी भी एक उपलब्धि होगी।

बाकी यहाँ ठीक है।

आप भी सानन्द होंगे और 'दस्तावेज़' के नये अंक की तैयारी में जुटे होंगे।

कृपया सूचित अवश्य करें कि आपका साही जी से संबंधित लेख हमें कब तक मिल सकेगा?

सप्रीति,

आपका
राजेन्द्र कुमार

(7)

13 बांध रोड,
इलाहाबाद

27-01-84

प्रिय तिवारी जी,

आपका पत्र तथा लेख (साही विषयक) मिला। बहुत-बहुत धन्यवाद। लेख बहुत ही उपयोगी है। 'अभिप्राय' के पाठक इसे पढ़कर सन्तोष का अनुभव करेंगे। और साही की कविता के प्रति सही समझ का विकास करने के लिए अपने को समुत्सुक भी पाएँगे।

'अभिप्राय-5' की प्रति आपको दो बार भेजी। आश्चर्य है, आपको नहीं मिली। डाक-व्यवस्था की गड़बड़ी का रोना कहाँ तक रोया जाये। अब 'अभिप्राय-6' भी प्रेस में है। सम्भवतः फ़रवरी के मध्य तक आ जाये। तब दोनों अंक एक साथ रजि. डाक से आपको भिजवा दूँगा।

बाकी ठीक है।

एक बार पुनः 'अभिप्राय' की ओर से आपको रचनात्मक सहयोग के लिए धन्यवाद।

मित्रों को मेरा अभिनन्दन कहें।

सानन्द होंगे।

सप्रीति,

आपका
राजेन्द्र कुमार

(8)

24-12-84

प्रिय तिवारी जी,

'दस्तावेज़' का रामचन्द्र शुक्ल अंक मिल गया था। धन्यवाद।

अगले अंक की क्या योजना है? आप 'दस्तावेज़' के लिए जो श्रम करते हैं वह निश्चय ही प्रबुद्ध पाठक वर्ग के लिए उपकारी है।

आपने 'अभिप्राय' की प्रतियाँ मित्रों को दे दीं—इसके लिए भी आभार।

'84 विदा हो रहा है। '84 का वर्ष एक तरह से बहुत ही क्रूरता और निर्ममता का वर्ष रहा। विदा हो—ईश्वर करे, अपनी सारी क्रूरता के साथ विदा हो। आज यहाँ चुनाव का दिन है। जो देख रहा हूँ, उससे तो यही लगता है कि यह देश अभी भी 'हवा' और 'लहरों' के सहारे ही चलेगा।

उधर भोपाल में सांसों का कोई मोल ही नहीं आंका गया जैसे! और इधर लोक सभा की एक-एक सीट पर करोड़ों खर्च हो रहे हैं। हमारी जन-मानसिकता अभी भी बुनियादी तौर पर कहाँ बदली है। दिलचस्पी के केन्द्र कमोबेश अभी वहीं के वहीं हैं।

बहरहाल, नये बरस की शुभकामनाएँ स्वीकार करें।

हालचाल दें।

सप्रीति,

आपका
राजेन्द्र कुमार

(9)

6-12-85

प्रिय तिवारी जी,

'दस्तावेज़-28' मिला। अभी-अभी। पढ़ूँगा।

आपका पत्र पहले ही मिल चुका था। आपका संग्रह मैंने एक बहुत ही सजग समीक्षक को 'अभिप्राय' के लिए समीक्षा लिखने के सिलसिले में पहले ही दे दिया था। (जब आपको पिछला पत्र लिख रहा था, तभी।) मुझे पूरा भरोसा है कि उनसे समीक्षा मुझे मिल जायेगी। कुछ समय तक प्रतीक्षा कर लूँ। यदि उनसे न मिली तो अवश्य उन समीक्षकों से समीक्षा प्राप्त कर लूँगा जिनका पता आपने लिखा है। वैसे मैंने रेवतीरमण को कल ही एक पत्र लिखा है, उसमें मैंने इशारा कर दिया है समीक्षा के लिए। उनका एक पत्र आया था जिससे यह दुखद समाचार मिला कि उनके पिता और बड़े भाई के निधन का आघात

झेलना पड़ा है। इस हादसे से थोड़ा वे उबर लें तो उन्हें स्पष्ट लिखकर समीक्षा का आग्रह करूँगा। बहरहाल आप निश्चिनत रहें, 'अभिप्राय' में आपके संग्रह की समीक्षा आयेगी जरूर।

आपके 'अभिप्राय' वाले लेख (साही सम्बन्धी) पर कुछ मित्रों ने बहुत प्रशंसात्मक प्रतिक्रियाएँ व्यक्त की हैं। नये अंक में चुने हुए अंश दे रहा हूँ।

आपने दस्तावेज़-29 के लिए मेरी कविताओं के चुनाव की बात लिखी थी। आभारी हूँ। फिलहाल दो कविताएँ भेज रहा हूँ। उपयोगी लगें तो स्वीकार करें। प्राप्ति सूचना भी दें।

सप्रीति,

आपका

राजेन्द्र कुमार

(10)

150, बाघम्बरी हाउसिंग स्कीम,
अल्लापुर, इलाहाबाद—211006

22-12-92

प्रिय तिवारी जी,

'दस्तावेज़' का अंक 55 मिला। धन्यवाद। समकालीन पंजाबी साहितय पर काफ़ी अच्छी सामग्री जुटाकर आपने सराहनीय काम किया है।

मैंने आपको मुक्तिबोध की 'अंधेरे में' शीर्षक कविता से सम्बन्धित अपनी योजना से अवगत कराते हुए जो पत्र लिखा था, उसका जवाब आपने नहीं दिया। मैंने आप जैसे मित्रों के बल पर ही यह कार्य अपने हाथ में लिया है। कृपया ना उम्मीद न करें। 'अन्धेरे में' के बहाने मुक्तिबोध की काव्य भाषा पर विचार करते हुए एक आलेख तैयार करने का निवेदन मैंने आपसे किया था। सूचित करें कि आपका यह आलेख हमें कब तक मिल सकेगा।

'अभिप्राय' को शीघ्र ही किंचित् नये रूप में निकालने की तैयारी में भी जुटा हूँ। उसके लिए भी आपका सहयोग हमें चाहिए ही चाहिए। उसके लिए आप कुछ लिखें लेख या रिपोर्ट कुछ भी।

बाकी यहाँ सब ठीक है।

सप्रीति,

आपका

राजेन्द्र कुमार

राजेन्द्र उपाध्याय

(1)

33, डॉ. शरत बनर्जी रोड,
कलकत्ता–700029

3-10-81

आदरणीय तिवारी जी,
सादर प्रणाम।

नेशनल लायब्रेरी में स्वदेश भारती के आयोजन में आदरणीय डॉ. माचवे ने मेरा आपसे परिचय कराया था। बाद में मुलाकात घनिष्ठ और आत्मीय हुई। वैसे मैं आपको 'दस्तावेज' के प्रखर सम्पादक के रूप में पहले से जानता था।

अभी शम्भूनाथ, माचवे जी व स्वदेशभारती ने सूचित किया कि 'दस्तावेज' की ओर से कविता आयोजन होने वाला है। और इनका आग्रह रहा कि मैं अपनी कविताएँ भेजूँ। सो, मैं अपनी चार ताजी कविताएँ भेज रहा हूँ। अगर ये या इनमें से कोई कविता आयोजन में शरीक हो सके तो आभारी रहूँगा। आशा है, प्रोत्साहन देंगे।

मेरी कविताएँ आवेग, फिर, यथार्थ, साक्षात्कार, सन्दर्भ भारती, नयी धारा, परिवेश, ऋतुचक्र में प्रकाशित हैं। व भाषा, पहल में आ रही हैं।

दस्तावेज-11 में आपकी कुछ अच्छी कविताएँ हैं। पत्र पाकर प्रसन्नता होगी। रचनात्मक सुझाव दे सकें तो लाभान्वित होऊँगा।

आशा है आप स्वस्थ सानन्द होंगे।

आपका
राजेन्द्र उपाध्याय

(2)

ए-6, सनलाइट कॉलोनी, पार्ट-2
हरिनगर, आश्रम, नयी दिल्ली-110014

24-03-87

आदरणीय तिवारी जी,
सादर नमस्कार

आपने श्रीकान्त की 'प्रतिनिधि कविताएँ' का अच्छा सम्पादन किया है। इसमें श्रीकान्त जी की हर प्रतिनिधि कविता मिल सकती है। इसकी भूमिका भी आपने अच्छी लिखी है। 'भूमिका' से श्रीकान्त जी के समग्र कवि व्यक्तिगत को समझने की अच्छी दृष्टि मिलती है। इस पुस्तक को तो किसी विश्वविद्यालय के पाठ्यक्रम में लगना चाहिए। मैंने इस पुस्तक की समीक्षा 'हिन्दी इंडिया टूडे' के लिए लिखी है—पर श्रीकान्त जी की प्रथम पुण्यतिथि 25 मई के आसपास प्रकाशित होगी—आप इसे जरूर देखें और अपनी प्रतिक्रिया से अवगत कराएँ।

भाई अरविन्द कुमार त्रिपाठी से ज्ञात हुआ था कि आप श्रीकान्त पर केन्द्रित 'दस्तावेज' का एक अंक निकाल रहे हैं। उन्होंने इस अंक के लिए मुझसे श्रीकान्त जी की मृत्यु पर दिल्ली में आयोजित शोक-सभा की विस्तृत रिपोर्ट भी ली थी और कहा था कि आपको भेज दी है। क्या उसका उपयोग आप उक्त अंक में कर रहे हैं। इसमें नामवर सिंह, निर्मल वर्मा आदि ने अच्छे विचार व्यक्त किये थे। श्रीकान्त जी पर केन्द्रित अंक की एक प्रति मुझको अवश्य भिजवायें—मेरी रिपोर्ट का उपयोग आप कर रहे हों तब भी और न कर रहे हों तब भी।

मेरे अनुरोध पर आपने अज्ञेय जी पर केन्द्रित अंक की प्रति भिजवा दी थी—उसके लिए आभारी हूँ। क्या आपने 'सदानीरा' की समीक्षा 'दस्तावेज़' में कर दी है?

इधर मैं भी विभिन्न पत्र-पत्रिकाओं में समीक्षा लिखता रहता हूँ। आपके पास कोइ उल्लेख़नीय पुस्तक हो तो समीक्षार्थ भिजवायें।

दिल्ली कब आ रहे हैं? और आएँ तो मिलें।

सानन्द होंगे।

आपका
राजेन्द्र उपाध्याय

(3)

19-1-2002

आदरणीय तिवारी जी,
सादर नमस्कार

आपका पत्र मिला। 'दस्तावेज-91' भी मिल गया था, पर मैं इतने दिन आकाशवाणी के दौरे पर

रायपुर गया था, इसलिए समय पर पत्र नहीं दे पाया। अब फिर एक दो माह के लिए वहीं जा रहा हूँ। कृपया वहीं 'दस्तावेज-92' भेज दें। पता है—समाचार विभाग, आकाशवाणी, रायपुर—492001 (छत्तीसगढ़)।

आपने सम्पादकीय बहुत जोरदार लिखा है। इतना साफ-साफ लिखने की हिम्मत आज किसी सम्पादक में नहीं है। 'नामवर के निमित्त' की भी अच्छी खबर ली है। मैंने भी इसके खिलाफ 'जनसत्ता' में प्रभाष जोशी की खबर ली थी। अशोक वाजपेयी ने भी इस पर लिखा था, पर देखो, अब वे ही 'नामवर के निमित्त' में भाग लेने इलाहाबाद जा रहे हैं। सब एक साथ हैं—हम लोगों को दिखाने के लिए अलग हो जाते हैं।

मैंने 'जनसत्ता' के वार्षिक सर्वेक्षण में आपकी पुस्तक 'एक नाव के यात्री' की चर्चा की है—पर पुस्तक अब तक देखने को नहीं मिली है। आपके प्रकाशक ने भेजी नहीं। जरा कभी ऐसे प्रकाशकों की भी खबर लें। हिम्मत हो तो!

आशा है सपरिवार स्वस्थ सानन्द होंगे।

अरविंद त्रिपाठी मिलें तो नमस्कार कहें और मेरे समाचार दें।

आपका
राजेन्द्र उपाध्याय

(4)

मीरा भवन
तृतीय तल, WB-128ए गणेश नगर 2
शकरपुर, दिल्ली-110092

12-12-2002

आदरणीय तिवारी जी,
सादर प्रणाम

'दस्तावेज-95' मिला। राजेन्द्र यादव की वाजिब धुलाई की है। आप तो उनके आतंक में नहीं जीते—यह अच्छा है। आप इतने पास रहकर भी बगैर मिले चले गये—इसका अफसोस है। मैं राजेन्द्र रंजन के घर के बिल्कुल पास हूँ। गया था। आत्म का वृत्तान्त लाया हूँ। 'अक्षरा' के लिए इन पर लिखना था। पर गोविन्द मिश्र तो उसे छोड़ गये हैं और कहीं लिखूँगा। किताबघर में आपकी 'साक्षात्कार' वाली किताब देखी थी—अच्छी निकाली है। बधाई। लेकर जनसत्ता में लिखूँगा। Outlook में भी चर्चा करूँगा। 'समकालीन समाचार' में भी उन्होंने आपका महत्त्वपूर्ण साक्षात्कार दिया है।

अगली बार दिल्ली आएँ तो अवश्य मिलें। वैसे मैं घर भी बदलने वाला हूँ।

परमानन्द जी, अरविंद जी को नमस्कार कहें।

आशा है सपरिवार स्वस्थ सानंद हैं। अज्ञेय के पत्रों का क्या हुआ?

आपका
राजेन्द्र उपाध्याय

रामजी तिवारी

(1)

हिन्दी विभाग,
पुणे विद्यापीठ, पुणे-7

19-9-84

आदरणीय बन्धुवर,

सादर वन्दे।

'दस्तावेज' का पच्चीसवाँ अंक प्राप्त हुआ। प्रवेशांक में घोषित संकल्प की गौरवपूर्ण सिद्धि के रजत महोत्सव पर मेरी हार्दिक बधाई स्वीकार करें। 'दस्तावेज' ने समकालीन रचना और आलोचना के क्षेत्र में जिस वस्तुगत, अनाग्रही, समावेशक और उदार दृष्टि को अपनाया है वह अन्य समानधर्मी पत्रिकाओं के लिए अनुकरणीय उदाहरण है। हिन्दी साहित्य की प्रवहमान धाराओं के साथ इतर भारतीय भाषाओं एवं विदेशी भाषाओं की साहित्यिक प्रवृत्तियों से परिचित कराने की नीति, 'दस्तावेज' की व्यापक ध्येयधर्मिता का स्वयं प्रमाण है। हर प्रकार की दलीय हठवादिता, गुटबाजी, उखाड़-पछाड़ की संकीर्णता आदि से मुक्त रहकर शुद्ध साहित्यिक लक्ष्य को सामने रखने के कारण 'दस्तावेज' ने शुद्ध साहित्यिक दृष्टि और साहित्यिक अभिरूचि का संस्कार किया है। जिसके लिए हिन्दी जगत दस्तावेज का ऋण स्वीकार करेगा।

'हिन्दी की असंख्य साहित्यिक पत्रिकाओं के साक्ष्य पर 'दस्तावेज' की वर्तमान उपलब्धियाँ निश्चय ही गौरवास्पद हैं। किन्तु हम उसकी अबाध गति और अक्षय कीर्ति के आकांक्षी हैं। पीर, बवर्ची, भिस्ती खर की बहुआयामी और कष्टसाध्य भूमिका को समझना कठिन नहीं है किन्तु यह भी सच है कि महान संकल्प का निर्वाह कर पाने वाले व्यक्तित्व भी थोड़े ही होते हैं। हम आपके भगीरथ प्रयत्न का हार्दिक अभिनन्दन करते हुए आशान्वित हैं कि 'दस्तावेज' समकालीन रचना और आलोचना का प्रत्ययकारी दस्तावेज निर्विघ्न रूप से प्रस्तुत करता रहेगा।

आशा है सपरिवार स्वस्थ और सानन्द हैं। समस्त परिवार को यथायोग्य स्वीकार हो। भाई डॉ. परमानन्द श्रीवास्तव और डॉ. रामदेव शुक्ल को मेरा स्मरण दिलाएँ। यदि मेरे भाई से भेंट हो जाय तो कहें कि यहाँ सभी सकुशल हैं।

आपका
रामजी तिवारी

रामकमल राय

(1)

90 सी, बाघम्बरी मार्ग,
इलाहाबाद

15-8-84

आदरणीय बल्धु त्रिपाठी जी,

आप द्वारा भेजी गई 'दस्तावेज' की प्रतियाँ मिलीं और यथा निर्देशित मैंने उन्हें सभी बन्धुओं तक पहुँचा दिया। जगदीश जी से पता चला कि आप आचार्य शुक्ल शती समारोह में भोपाल में उनसे मिले थे। समारोह की प्रशन्सा मैंने गुप्त जी से सुनी। शुक्ल जी पर आपने पत्रिका अच्छी निकाली। कई लेख बहुत अच्छे लगे। शुक्ल जी की प्रतिभा का समाकलन आचार्य देवेन्द्रनाथ शर्मा के लेख में संक्षिप्त ही सही, बहुत सारवान है। एक बड़ा समालोचक जहाँ अपनी विराट् प्रतिभा से आगे के लिए नयी सम्भावनाओं का द्वार खोलता है, नई चिन्तन-सरणियों को निर्मित करता है, वहीं आने वाली प्रतिभा को कन्डीशन भी करता है। शुक्ल जी भी अपने बाद के समालोचकों की काफी दूर तक कन्डीशनिंग करते है। जो 'दूसरी परम्परा की खोज' करने चलते हैं, वे भी उस कन्डीशनिंग के शिकार होते हैं, एक भिन्न धरातल पर। उनकी सारी आधार-भूमि को लेते हुए आगे की समीक्षा के नये क्षितिज खोलने का काम कितना दुरूह हुआ है, इस पर भी विचार होना चाहिए था। अस्तु।

मैंने एक लेख भाई 'लक्ष्मीकान्त वर्मा' के कवि-व्यक्तित्व को लेकर तैयार किया है। यदि छापना उचित और सम्भव समझें तो भेज दूँ। आशा है स्वस्थ एवं सानन्द होंगे। भाई परमानन्द श्रीवास्तव को नमस्कार कहेंगे।

साभिवादन
रामकमल राय

(2)

28-8-87

आदरणीय तिवारी जी,

इधर अर्से से आपका कोई समाचार नहीं मिला। 'दस्तावेज' का अज्ञेय संस्मरणांक भी नहीं मिला। समाचार देंगे। रामस्वरूप चतुर्वेदी जी की पुस्तक 'हिन्दी साहित्य की संवेदना का विकास' की समीक्षा

मैंने लिख रक्खा है। छापना चाहें तो तुरन्त भेज दूँ। 'शिखर से सागर तक' की समीक्षा 'दस्तावेज' में नहीं छपेगी तो और कहाँ छपेगी? आप किसी उचित समीक्षक से उसकी समीक्षा कराने की कृपा करें। आशा है स्वस्थ एवम् सानन्द होंगे।

इधर तो सारा देश बोफोर्स के तमाशे में उलझा है। जिस देश के प्रत्येक गोशे में भ्रष्टाचार पनप रहा हो, उसमें किसी एक भ्रष्टाचार पर इतना हाय-तौबा क्यों? जरूरत तो एक गहरे संकल्पवान ईमानदार संगठन की है, जिसके पास दृष्टि भी हो और संकल्प भी। केवल मौके मारने वालों से क्या बन सकेगा? श्री विश्वनाथ प्रताप सिंह जैसों को समझना पड़ेगा कि वे जब भी सही अर्थों में जूझना चाहेंगे, उन्हें अभिमन्यु ही बनना पड़ेगा। नियति एक मात्र वही है। पत्रोत्तर देंगे।

आपका
रामकमल राय

(3)

10-7-91

आदरणीय तिवारी जी,

'दस्तावेज' का 49-50 अंक मिला। अंक तो समय से आ गया था, मैं ही प्रयाग देर से पहुँचा और 6 जुलाई की महत्वपूर्ण सूचना का लाभ नहीं उठा सका। ''दस्तावेज'' की यात्रा कितनी महत्वपूर्ण है, यह इतिहास ही बतलायेगा। आज के जमाने में किसी महारथी का यह महाप्रयास ही माना जायेगा जो 50 अंक किसी स्तरीय पत्रिका के निकालने में सफल हो। और 'दस्तावेज' तो अभी चल रही है, पूर्णगति से। 'आखर अनन्त' की प्रति भी चाहूँगा। इस चिट्ठी के साथ या कुछ पीछे नन्दकिशोर आचार्य से सम्बन्धित एक समीक्षात्मक लेख भेज रहा हूँ। देखेंगे।

इधर पूरे डेढ़ महीने प्रयाग से बाहर रहा। मई के उत्तरार्द्ध में पाण्डिचेरी में और जून के पूर्वार्द्ध में शिलांग में। शिलांग में श्री मधुकर दिधे जी का अतिथि था। यह इसलिए लिख दिया कि वे आधे से अधिक गोरखपुरी हैं। इन दोनों यात्राओं का एक अन्तरंग वृत्तान्त लिख रहा हूँ। क्या 'दस्तावेज' में इनकी खपत सम्भव है? निस्संकोच बतलायेंगे। वास्तव में मैं पूरे देश के विभिन्न अंचलों में गहराई से घूमता रहा हूँ। और यात्रावृत्त भी कई लिखे हैं। विचार है इन्हें पुस्तकाकार छपवाने का। चूँकि यह ताजा है अतः 'दस्तावेज' में छपने की सार्थकता हो सकती है। दिल्ली की विजय यात्रा के पश्चात् अब गोरखपुर आ गये होंगे।

सप्रेम
रामकमल राय

(4)

30-7-91

आदरणीय तिवारी जी,

'दस्तावेज' का 49-50 अंक मिला। जैसा मैं पहले भी कह चुका हूँ 'दस्तावेज' इस अर्द्धशती का एक अत्यन्त महत्वपूर्ण प्रयास है। 'सरस्वती के बाद 'कल्पना' की छाप मन पर गहरी पड़ी थी, परन्तु सम्पन्न पृष्ठभूमि के बावजूद 'कल्पना' की भी अकाल मृत्यु हो गई। 'हिमालय' आदि अच्छी पत्रिकाएँ तो कुछ भी नहीं चल पाईं। ऐसे में आपकी यह पत्रिका अपने कितने महत्वपूर्ण विशेषांकों को लेकर आज एक इतिहास बना चुकी है। मेरा अभाग्य था कि इसके पचासवें अंक के समारोह में शामिल नहीं हो सका। अपनी घुमक्कड़ी के क्रम में पहले पाण्डिचेरी और पुनः शिलांग चला गया था। लौटने पर पत्रिका मिली और यह सूचना कि इसका दिल्ली में 6 जुलाई को समारोह हुआ। आपकी कविताओं के संकलन 'आखर अनन्त' का विमोचन भी।

साथ में नन्दकिशोर आचार्य की कविताओं की एक समीक्षा भेज रहा हूँ। उम्मीद है आपको अच्छी लगेगी। आशा है प्रसन्न होंगे।

आपका
रामकमल राय

(5)

10-4-92

आदरणीय तिवारी जी,

'दस्तावेज' का अंक मिला ही था और उस सन्दर्भ में आपको पत्र भेजने ही वाला था कि रात में दूरदर्शन पर आपको देखने का सौभाग्य मिला। आपका व्यक्तित्व एक ऐसे साधक का व्यक्तित्व है जिसमें रसज्ञता और रससिक्तता का भी उतना ही योगदान है। जो हो कविताएँ आपने सुनाईं, सचमुच अन्तर्वेधी थीं।

नामवर जी के ऊपर केन्द्रित अंक में मेरा लेख छपा यह एक सुखद संयोग ही है। नामवर जी के प्रेमियों को 'प्रगति' की परिधि के बाहर की सृजनशीलता की एक झाँकी मिल सकेगी।

आप तो बराबर अपने सम्पादन में एक नाजुक सन्तुलन बनाये रखते हैं। यह आपका एक बड़ा वैशिष्ट्य है। आशा है प्रसन्न होंगे। पहले तो आप कुछ पत्रिका के अंको की योजना बनाते थे तो मुझे भी स्मरण करते थे। मुझे आलोचना विशेषांक की याद ताजा है। इधर आप मुझे अपनी परिधि की कगार पर खड़ा कर दिये हैं। जो भेजूँ उसे कृपापूर्वक छाप देते हैं, परन्तु अपनी योजना का सक्रिय साझीदार नहीं बनाते। विद्यानिवास जी पर केन्द्रित अंक में मेरी कोई सामग्री नहीं थी। इसकी कसक बनी रही। खैर यह तो आपका अपना अधिकार है। आप मुझे जहाँ रखेंगे वहीं सन्तोष मानूँगा। अंक अच्छा है। विशेष बाद में।

आशा है प्रसन्न होंगे।

आपका
रामकमल राय

राजमल बोरा

(1)

6, आनन्द नगर, टाउन हॉल
औरंगाबाद (महाराष्ट्र)

3-2-1979

मान्यवर बन्धु,

दस्तावेज-2, अंक प्राप्त हुआ। प्रसन्नता हुई। डॉ. रामस्वरूप चतुर्वेदी, डॉ. निर्मला जैन तथा डॉ. निर्मला जैन के लेख पढ़े। सभी लेख पसन्द आए। समकालीन भारतीय लेखन में डॉ. चन्द्रकान्त बान्दिवडेकर का लेख पढ़ गया हूँ। कुल मिलाकर इस अंक की सामग्री प्रौढ़ और स्तरीय प्रतीत हुई। 'आलोचना में जैसे लेख छपते हैं, उसी स्तर के लेख हैं। आकार भी आलोचना का है। इस स्तर को बनाए रखें और नियमितता आए तो प्रसन्नता होगी। ग्रन्थालयों के द्वारा नियमित ग्राहक बनवाने में सन्देह होता है। फिर भी मैं यह प्रयत्न करुँगा कि प्रकाशित सभी अंक हमारे विश्वविद्यालय में मँगाए जाएँ।

दो चार वर्ष भी आप इस स्तर को बनाए रखें तो ये अंक ऐतिहासिक हो जाएँगे।

आप चाहें तो 'भाषाः अर्थ और संवेदना' पुस्तक की 2 प्रतियाँ समीक्षार्थ भेजूँगा। लिखिएगा।

आशा है सानन्द हैं। डॉ. परमानन्द श्रीवास्तव से प्रणाम कहिएगा।

अभिवादन सहित

आपका
राजमल बोरा

(2)

14-7-1980

मान्यवर बन्धु,

'दस्तावेज 7/8, 'प्रेमचन्द की जन्मशती पर विशेषांक—की तीन प्रतियाँ रजिस्टर्ड डाक द्वारा प्राप्त हुई। डॉ. भ.ह. राजूरकर साहब एवं डॉ. भगवानदास वर्मा दोनों को आपकी पत्रिकाएँ पहुँचा दी हैं—स्वयं दी है।

अंक भव्य है—साज सज्जा पुस्तक की है। कुछ लेख पढ़े हैं। डॉ. बच्चन सिंह का 'कफनः आधुनिकता बोध की पहली कहानी' तथा आपका लेख 'गोदान' अभी-अभी पढ़ गया हूँ। और लेख भी पढ़ूँगा। इसे मैं पत्रिका कैसे कहूँ? यह तो पुस्तक है। (कफन कहानी के सम्बन्ध में जो लिखा है, उससे मैं सहमत

हूँ। किन्तु मुझे लगता है 'कफन' को सामाजिक सन्दर्भ में भी परखना चाहिए। विशेष रूप से 'कफन' सामाजिक आवश्यकता है।) घीसू-माधव इस बात को पहले से ही जानते हैं कि 'कफन' इस सन्दर्भ में हमें नहीं रखरीदना है। समाज अपने आप खरीदेगा। व्यक्ति अपने आपको समाज के प्रति किस रूप में अनुभव करता है, उसका भी रूप 'कफन' कहानी में है। 'कफन' सामाजिक आवश्यकता है। घर वाले नहीं खरीद सकते तो समाज खरीदेगा। प्रथमतः रूपये देंगे और तब भी 'कफन' नहीं खरीदा गया तो दूसरी बार 'कफन' खरीदा जाएगा। फिर रूपये नहीं दिए जाएगें। इस रूप में भी कहानी को परखना चाहिए। अस्तु। गोदान उपन्यास में आपका विश्लेषण ठीक लगा। हम अपनी ओर से रचना में कुछ चाहें उसकी बजाय यह अधिक ठीक है कि हम रचना में जो कुछ है, उसे उजागर करें।

दस्तावेज के सम्बन्ध में विभाग द्वारा जानकारी मँगाई गई थी—बिल सहित। तदनुसार बिल आ गया है। ग्रन्थालय को आदेश भेजने के लिए लिखा है आपको आदेश मिलेगा। अब तक प्रकाशित भी अंक खरीदे जाएँगें। आसपास के कॉलेजों को दस्तावेज मँगाने के लिए कहा है और कहूँगा। विश्वास हो रहा है कि दस्तावेज बन्द नहीं होगा। अगली की योजना बनी होगी।

बन्धुवर डॉ. परमानन्द श्रीवास्तव को प्रणाम कहें। स्नेहभाव रखें।

आपका

राजमल बोरा

(3)

निवास-5, मनीषा नगर, केसरसिंहपुरा,
औरंगाबाद (महाराष्ट्र)—431005

29-6-85

आदरणीय बन्धु,

दस्तावेज 27, अंक प्राप्त हुआ है। इससे पूर्व भी अंक मिले हैं। 'काल्पान्तर'— आपने छाप दिया। इससे आधुनिक कविता पर कुछ और लिखने की प्रेरणा मिली है। अभी तो पढ़ रहा हूँ। रघुवीर सहाय की 'कविता से सम्बन्धित रचनाएँ पढ़ रहा हूँ। ऊबे हुए सुखी तथा वे और नहीं होंगे जो मारे जाएगें—दोनों पुस्तकें पढ़ी हैं। इन दो पुस्तकों की समीक्षा लिखी थी जो 'नया शिक्षक जुलाई सितम्बर अंक में प्रकाशित हुई। अब समग्र रूप से रघुवीर सहाय पर लेख लिखने का विचार है। आप रुचि रखे तो यथासमय भेजूँगा।

दस्तावेज को नियमित देखकर सचमुच प्रसन्न हूँ। विशेषांक तो विशेष है ही किन्तु सामान्य अंकों में भी आप अच्छी सामग्री दे रहे हैं। मैंने अशोक वाजपेयी की 'कुछ पूर्वग्रह' पुस्तक पढ़ी थी। दस्तावेज 26 में मदन सोनी द्वारा लिखित आलोचना का जनतन्त्र पढ़ गया। बहुत अच्छा लिखा है। इस तरह की समीक्षाएँ आलोचना के साथ आलोचक को भी उजागर करती हैं। आलोचना को आलोचक से अलग मानें भी तो कैसे?

आशा है आप सानन्द हैं। कृपा भाव रखें।

आपका

राजमल बोरा

(4)

23-6-1988

आदरणीय बन्धु,

दस्तावेज के अंक मिलते रहे हैं। यह देखकर सचमुच बड़ी प्रसन्नता होती है कि आपका क्रम टूटा नहीं है। आपके इस आत्मबल और साहस का रहस्य नहीं जानता। चाहता हूँ कि आपका यह काम जारी रहे।

अप्रैल में दिल्ली गया था। वहाँ 5 और 6 अप्रैल की बैठकों में श्री गिरिजाकुमार माथुर से भेंट हुई थी। उन्होंने बतलाया कि कल्पातंर के सम्बन्ध मैंने जो कुछ लिखा था (दस्तावेज अंक संख्या 27 में छपा है।) उसका उत्तर उन्होंने दिया है और वह बाद वाले किसी अंक में छपा है। मैं ठीक से देख नहीं पाया। सम्भवतः उत्तम अंक मुझे नहीं मिला है। उक्त अंश से सम्बन्धित अंक मिल जाए तो भिजवाएँ और यदि अंक उपलब्ध न हो तो उक्त अंश की जीराक्स प्रति भिजवाएँ। आभारी होऊँगा।

विश्वास है आप उक्त अंश भिजवाएगें।

दस्तावेज के आगामी अंकों की योजना बतलाएँ। कुछ सेवा का अवसर दें। अपनी योजना बतलाएँगे तो कुछ लिखकर भेजूँगा।

आशा है आप सानन्द हैं। सादर अभिवादन सहित

आपका

राजमल बोरा

(5)

20-9-1989

आदरणीय बन्धु,

दस्तावेज का नया अंक 43, प्राप्त हुआ है। इससे पूर्व भी अंक मिलते रहे हैं। आपने अपने दस्तावेज के अंकों के माध्यम से समसामयिक चिन्तन को दिशा और गति दी है। भूले-बिसरे प्रसंगों को फिर से जीवित करने के प्रयास दस्तावेज में हुए हैं और इसी तरह कुछ ऐसी तथ्यमूलक समसामयिक लेखन को भी आपने आबद्ध कर दिया है जो आगे शोध छात्रों के लिए उपयोगी हो। हर अंक अपने आपमें बेजोड़ है। मेरी ओर से हार्दिक बधाई स्वीकार करें।

इन दिनों मैं आचार्य शुक्ल की जीवनी लिख रहा हूँ। दस्तावेज का शुक्ल अंक मेरे पास नहीं है। उक्त अंक में आपने श्रीमती कुसुम चतुर्वेदी से लेकर असहयोग आन्दोलन से सम्बन्धित शुक्ल जी के अंग्रेजी लेख का अनुवाद छापा था। आपके पास अंक उपलब्ध न हो तो उक्त आलेख की फोटो जीरॉक्स प्रति भेजने का कष्ट कीजिएगा। उक्त आलेख का उपयोग जीवनी में करना चाहूँगा। विश्वास करता हूँ कि आप उक्त सामग्री भिजवाएँगें।

अवसर पाकर मिलना हो तो बात होगी। पत्र द्वारा तो हम मिल ही जाते हैं।

आशा है आप स्वस्थ हैं: सानन्द हैं।

सादर अभिवादन सहित

आपका

राजमल बोरा

रामनिरंजन परिमलेन्दु

(1)

दक्षिण दरवाजा,
गया–823001 (बिहार)

17-5-2008

आदरणीय डॉक्टर साहब,

सादर परिणाम।

कल लेख पर आपसे हुई बातचीत के आलोक में 'दस्तावेज' लिए 'जैनेन्द्र जीः पत्रों के दर्पण' में आपकी सेवा में भेज रहा हूँ। कम्प्यूटर वाला चार-पाँच दिनों के लिए घर चला गया है। अतएव, टंकित प्रति नहीं भेज रहा हूँ। प्रेस के लिए जो प्रति तैयार की गई थी वही प्रकाशनार्थ भेज रहा हूँ। आपको शीघ्रता चाहिए। अतएव आपको इस प्रति से थोड़ी असुविधा हो सकती है। क्षमा करें सूचना कृपया दें।

भारतेन्दु काल के लेखक पण्डित राधाचरण गोस्वामी (1859-1925) की प्रतिनिधि रचनाओं का संकलन पं. राधाचरण गोस्वामी रचना संचयन के लिए प्रस्ताव साहित्य अकादेमी की ओर से ही आ सकता है। अनुमति तो आपकी ही होगी। हिन्दी हित में कृपापूर्ण अनुमति। चयन एवं सम्पादन आपके आदेश पर मैं करुँगा। इस कार्य से साहित्य अकादेमी का सम्मान बढ़ेगा।

दस्तावेज में पत्रों का प्रकाशन कब से आरम्भ हुआ? दस्तावेज के जिन अंकों में पत्रों का प्रकाशन हुआ, वे अंक कृपया रजिस्टर्ड पार्सल से मेरे गया स्थित पते पर भेज दें। मैं इसके बाऱे में अपनी नई पुस्तक में लिखूँगा।

आपका
रामनिरंजन परिमलेन्दु

(2)

19-2-2013

आदरणीय बन्धुवर प्रोफेसर तिवारी जी,

सादर प्रणाम।

आप साहित्य आकदेमी के निर्विरोध अध्यक्ष निर्वाचित हुए, यह हार्दिक प्रसन्नता का विषय है। आप हिन्दी के सर्वप्रथम साहित्यकार हैं जो अकादेमी के अध्यक्ष हुए। इस निर्विरोध निर्वाचन से आपकी साहित्य साधना सम्मानित हुई, हिन्दी जगत सम्मानित हुआ। आप अब सम्पूर्ण भारतीय भाषाओं के

प्रतीक पुरुष हुए, प्रतिनिधि हैं, नेता हैं। आपके मार्गदर्शन में सभी भारतीय भाषाओं की गौरववृद्धि होगी, हिन्दी को नई दिशा मिलेगी। ऐसी आशा करने का पवित्र अधिकार हमें है।

कल 18-2-2013 को जब आपका निर्वाचन हुआ, बड़ी मुश्किल से आपके मोबाइल पर आपको मैं हार्दिक वधाई दे सका। इस चुनाव के प्रायः छः सप्ताह पूर्व ही मैंने कहा था कि आप साहित्य अकादेमी के स्थायी अध्यक्ष होंगे। ईश्वर ने मेरी वाणी को सार्थक सफल किया।

आप सर्वप्रथम हिन्दी के ही हैं, बाद में कुछ और भी। अतएव, साहित्य अकादेमी के माध्यम से हिन्दी भाषा, देवनागरी लिपि और हिन्दी साहित्य को आप नई और सार्थक दिशा प्रदान करेंगे। ऐसा अखंड विश्वास है। आपकी साहित्य-साधना फलवती हुई। साधना वंध्या नहीं होती।

मेरी पहली रचना 1953 में छपी थी। तब से किसी-न-किसी रूप में निष्ठापूर्वक हिन्दी माता की सेवा में समर्पित रहा हूँ। हिन्दी-हित में यदि कभी भी मेरी सेवा की आवश्यकता आपको हो, तो मैं मनोयोगपूर्वक तैयार रहूँगा।

साहित्य अकादेमी के अध्यक्ष पद पर निर्विरोध निर्वाचित होने पर मेरी हार्दिक बधाई—गगन में सितारे हैं जितने, उतनी बार बधाई, बधाईयों के सूरज चाँद सितारे अगणित।

योग्य सेवा लिखें एवं कृपा बनाए रहें।

सादर सप्रेम

आपका

रामनिरंजन परिमलेन्दु

राजेन्द्र प्रसाद पाण्डेय

(1)

विश्वास 2/174, गोमती नगर
लखनऊ

16-5-96

आदरणीय भाई,

दस्तावेज-68 मिला। यों तो पूरा अंक पढ़ा और प्रसन्नता हुई, पर आपके सम्पादकीय को तो सर्वोत्तम मानता हूँ। इतने थोड़े में महात्मा गाँधी पर इतना-कुछ लिखना और स्वयं गांधीमय हो जाना आपकी बहुत बड़ी आत्मान्नोति है।

कविताएँ—सम्प्रति के लिए भेजी कविताएँ मिल गयी हैं।

आभारी हूँ।

उत्तर वाराणसी के पते पर ही दें।

हार्दिक बधाइयाँ स्वीकारें।

साभिवादन

राजेन्द्र प्रसाद पाण्डेय

(2)

1-3-04

आदरणीय भाई!

आपसे वार्तानुसार जरूरी न था, पर लेख भेज रहा हूँ। शायद आपको न मिला हो।

अर्से बाद आपको पत्र लिख रहा हूँ। कवि जगूड़ी ने पत्र लिखने की परम्परा टूटने पर व्यथा व्यक्त की थी, वह सर्वथा सही था। फोन ने पत्रों की हत्या कर दी है। सम्बन्ध आवाजों के माध्यम से हवा में उड़ रहे हैं। देशीपन—जैसे आस्वाद धीरे-धीरे चुके जा रहे हैं। ऐसे में आपकी कविताएँ और लेखन एक आश्वस्ति पैदा करते हैं। विशिष्टता की सीढ़ी पर दम साधते आदमी को आम आदमी की सहजता तथा निश्छलता की विश्रान्ति इनसे मिलती है।

आपका शिल्प आपकी सहजता को अभिव्यक्त करने वाला और हृदयस्पर्शी है। अपने में दूर तक को समेटने की क्षमता इस शिल्प में है।

सर्वाधिक सुखद है कविताओं को अनावश्यक विस्तार से बचाना और प्रभान्विति के साथ सब कुछ को गझिन रूप से बुनना।

सामान्यतः एक छोटी सी टिप्पणी कर दी है और अन्त में बधाइयाँ भी देना जरूरी मानता हूँ कि नयी कविता की उपयोगिता आप बनाये हुए हैं।

साभिवादन।

राजेन्द्र प्रसाद पाण्डेय

(3)

सी 32/29 बी-7
पाण्ड्या रतन बाग, छित्तूपुर
वाराणसी-221002

12-8-11

आदरणीय भाई!

दस्तावेज-130 मिला । मुझे यह पत्रिका प्रारम्भ से ही मिलती रुझाती रही है। आज तक आपने इसे जहाँ पहुँचा दिया, उसके लिए कोटिशः बधाइयाँ।

यह अंक आपके चीन के यात्रवृत्त के कारण अत्यन्त संग्रहणीय बन गया है। चीन के दिखने और न दिखने वाले पहलुओं को आपने चित्रत्मकता के साथ वैचारिकता को घोल कर प्रस्तुत किया हैं। आज के मनुष्य के समक्ष उपस्थित विभिन्न चुनौतियों से लगातार जूझते जुए एक तटस्थ विचारक के रूप में आपने चीन के चेहरे को यथावत् प्रस्तुत किया है। इसका चीन—मुग्धता के रोगियों पर कितना प्रभाव पड़ेगा, इसका पता नहीं, मगर आपने माओ का मुखौटा उतारकर वहाँ के किसानों-मजदूरों के शोषण को भी सामने रखा है।

'अज्ञेय और पूर्वोत्तर के प्रश्न' में रीतारानी पालीवाल ने अज्ञेय की उस दृष्टि को उजागर किया है, जिसे आज के नारेबाज विचारक नहीं समझ पाये। 'दलित साहित्य के सौन्दर्य-शास्त्रीय मूल्य' में बलराम तिवारी ने दलित साहित्य की शक्ति और सीमाओं के विषय में बेलाग टिप्पणियाँ प्रस्तुत की हैं।

'साधो-ई-मुर्दों का गाँव' में आलोक पाण्डेय ने आज के पारम्परिक मूल्यों को संजोये भारत की अर्थवत्ता और उसके ऊपर अनावश्यक किये जा रहे प्रहारों पर तटस्थ विवेचन प्रस्तुत किया हैं 'पश्चिम एशियाई यथार्थ और नासिरा का कथा लेखन' में नन्द भारद्वाज ने नासिरा की निर्भीक और तटस्थ जिस दृष्टि को मुख्यतः मुस्लिम महिलाओं के शोषण के सन्दर्भ में प्रस्तुत किया है वह यह प्रकट करती है कि नासिरा हिन्दी कथा-जगत में आदर की पात्र क्यों हैं।

वन्दना मिश्रा की कविताओं में रंजना श्रीवास्तव ने जो गहराई खोजी है, वह दोनों की वैचारिक समृद्धि का प्रमाण है। इस प्रकार पूरा अंक सुपाठ्य और संग्रहणीय है।

....और अन्त में—

जो दीखता है और जो दिखता नहीं मुझे
ये नूर आँख का है या धुँध वक्त की?

राजेन्द्र प्रसाद पाण्डेय

रेवती रमण

(1)

हिन्दी विभाग
बिहार विश्वविद्यालय
मुजफ्फरपुर

6-10-1982

परमश्रद्धेय तिवारी जी,

सादर प्रणाम।

आपकी पत्रिका मिली, साथ ही कृपा पत्र भी। यह पत्र मेरे लिए बहुत महत्व रखता है। मैंने अपने प्रिय छात्र श्री अजय जी को आपके पास भेजा था, खासकर पत्रिका लेने के लिए ही। 'अवगुण्ठन का तत्ववाद' नामक एक लेख भी भेजा था, परन्तु वह लौट गया। मुझे इससे आत्म-विश्वास प्राप्त हुआ है। आपने सहयोग बनाए रखने के लिए कहा है, साथ ही रचना भेजने के पूर्व आपसे सम्पर्क कर लेने के लिए भी। मैं यह पत्र इसी उद्देश्य से लिख रहा हूँ। मेरे पास फिलहाल तीन समीक्षात्मक निबन्ध अप्रकाशित उपलब्ध हैं।

1. आत्मानुभूति या अहंप्रचार बनाम प्रगतिशीलता (सन्दर्भः केदारनाथ अग्रवाल की कविता)
2. धर्मवीर भारती का काव्यः व्यक्ति की विडम्बना
3. केदारनाथ सिंह की कविता यात्रा– अब तक मेरे दो दर्जन से अधिक ही निबन्ध प्रकाशित हो चुके हैं, परन्तु दस्तावेज जैसी उच्च कोटि की पत्रिकाओं में एक भी नहीं। जो लेख मैंने आपके पास भेजा था, लौटने पर आज ही जम्मू के मेरे एक मित्र ले गये हैं। आशा है वह प्रकाशित हो जाएगा।

मैंने अपनी रचना यात्रा का प्रारम्भ कविता, कहानी और समीक्षापरक निबन्ध लेखन से ही किया है। पर अभी पहचान बनाना शेष है। मुजफ्फरपुर के कस्बाई साहित्यिक माहौल में मठाधीशों का वर्चस्व है, उनसे बचकर सही रचनात्मक जीवन जी पाना बहुत कठिन है। मगर इन कठिनाइयों के बीच आप और नामवर जी जैसे साधक पुरुष ही मेरे आदर्श हैं। मैं लिखते समय काफी परिश्रम करता हूँ, अतः मेरे लेखन में आपको अनिवार्य रूप से जीवन संघर्ष की चेतना मिलेगी। अभी-अभी जो धर्मवीर भारती पर मैंने लिखा है उसके सन्दर्भ में आपकी सद्य प्रकाशित राजकमल वाली पुस्तक समकालीन हिन्दी कविता से बहुत कुछ ग्रहण किया है।

मैं आशा करता हूँ कि मेरे जैसे अज्ञात साहित्यिक कुल शील वाले कथित लेखक को आप अपनी पत्रिका की जरूरतों में शामिल करने की कृपा करेंगे। स्पष्ट कहूँ, मैं लिखना चाहता हूँ और छपना भी। आपकी पत्रिका में मेरा कुछ प्रकाशित हो यह मेरे कथित साहित्यिक के लिए मोक्ष की प्राप्ति करना है।

कविता और राजनीतिः सन्दर्भ स्वातंत्र्योत्तर हिन्दी कविता मेरे पी.एच.डी. के शोध का विषय है। आपकी पुस्तक 'नए साहित्य का तर्कशास्त्र' और परमानन्द जी की समकालीन कविता का व्याकरण से

भी इसमें सहायता मिली है। विशेष क्या लिखूँ। आपसे मेरी बहुत अपेक्षाएँ हैं। पत्र लम्बा होता जा रहा है, आपका समय खराब होगा।

भवदीय
रेवतीरमण

(2)

25-12-82

परमश्रद्धेय तिवारी जी,

सादर चरण-स्पर्श।

आपकी पत्रिका 'दस्तावेज' का हिन्दी आलोचना पर विशेष अंक 15-16 मिला। बहुत अच्छा है। आपकी प्रतिभा, लगान और परिश्रम से ही यह सम्भव हो सका है। इस अंक के अधिकांश लेख विद्वतापूर्ण, सामयिक एवं सर्जक-निष्ठा के प्रमाण हैं। सर्वश्रेष्ठ निबन्ध प्रभाकर श्रोत्रिय का 'सर्जनात्कता की चिन्ता' है। विश्वम्भरनाथ उपाध्याय ने इन दिनों न जाने क्यों गम्भीरता से समीक्षा कार्य करना बन्द किया है। सम्भवतः वे मौलिक लेखन में सक्रिय हैं–इसलिए। पाण्डेय शशिभूषण का लेख 'शैली वैज्ञानिक आलोचना' परिचयात्मक है। राम विलास जी पर आपने भी परिश्रमपूर्वक नहीं लिखा है–हो सकता है यह मेरी भ्रान्ति हो, भ्रान्ति ही हो तो अधिक ठीक होगा। क्योंकि आपकी रचनात्मकता में मेरी गहरी आस्था है। अशोक वाजपेयी के कृतित्व का मूल्यांकन बहुत उपयोगी नहीं है, वैसे ही निर्मल के अन्तर्विरोधों की चर्चा करते समय परमानन्द श्रीवास्तव सहमे-सहमे लगते हैं। क्या यह आलोचना को सर्जनात्मक नाम देने के आयास के ही कारण तो नहीं हैं?

अन्यथा न लेंगे, मुझे लगता है दस्तावेज के समसामयिक प्रकाशन के पीछे कोई विवशता भी सक्रिय है। मतलब यह कि दस्तावेज के प्रारम्भिक एक दर्जन अंक जिस पाठक की आँखों के सामने से गुजर चुके हैं, वह अगर भयमुक्त हो तो निश्चय ही इस बात की शिकायत करेगा कि इसका स्तर गिरता जा रहा है। मैंने ये बातें अपने अ़नुसार ही लिखी हैं।

इस अंक के पूर्व आठवें दशक की हिन्दी कविता पर ज़ो अंक आपने निकाला था, वह लाजवाब है।

मैं आपको पत्र लिखने चला था, परन्तु लिखने लगा शिकायत। मैं आशा करता हूँ कि आप पूर्णतः स्वस्थ और सानन्द होंगे। मेरे एक मित्र हैं श्री रवीन्द्र उपाध्याय। उन्होंने जनवादी कविता के दौर में कुछ बहुत अच्छी गजलें और जन बोधी कविताओं की रचना की है। उनकी तीन दर्जन कविताएँ अच्छी-अच्छी पत्रिकाओं में प्रकाशित भी हो चुकी हैं। वे अपना स्वतन्त्र काव्य संग्रह निकालना चाहते हैं। उनकी बड़ी इच्छा है कि आप भूमिका लिख दें। वैसे भी, हम लोग आपके दर्शन के अभिलाषी हैं। कृपया एक पोस्टकार्ड द्वारा आप मुझे सूचित कर दें कि आप कब गोरखपुर में अपने निवास पर रहेंगे। नये साल के पहले सप्ताह में तो यह सम्भव नहीं है। परन्तु जनवरी के दूसरे या तीसरे सप्ताह में आप गोरखपुर में रहें तो ठीक रहेगा।

विशेष क्या लिखूँ। आप अपने दर्शन का सौभाग्य हमें देकर अनुग्रहीत करेंगे। एतदर्थ मैं आपका आभारी रहूँगा।

भवन्निष्ठ
रेवतीरमण

(3)

8-5-83

परमश्रद्धेय तिवारी जी,

सादर प्रणाम।

दस्तावेज 18 मिला। विजयदेव नारायण साही से जुड़ी सामग्री बहुत काम की लगी। भक्ति साहित्य का समाजशास्त्र' से सम्बद्ध कवि जायसी पर उनके तीन भाषणों की आपने सूचना दी है। और उनमें एक प्रकाशित किया है। आशा है, आप शीघ्र ही उनके दो और भाषण भी प्रकाशित कर 'दस्तावेज' के पाठकों को उपकृत करेंगे। डॉ. रघुवंश के संस्मरण पढ़कर मैं द्रवित हो गया। साही से अरविन्द और राजेन्द्र रंजन की बातचीत से बहुत सी बातें खुलकर सामने आयी हैं। मेरा ख्याल है आपकी पाँच कविताएँ भी ठोस हैं। इनमें भी 'आरा मशीन' और 'कँहार' की जमीन सख्त है और 'सपने' की प्रशन्सा तो हर हालत में करनी ही चाहिए।

दस्तावेज के आगामी आचार्यशुक्ल अंक के लिए एक टिप्पणी भेज रहा हूँ। आचार्य शुक्ल और द्विवेदी की निबन्ध शैली पर स्थापित विद्वानों के विचार ही वस्तुतः मैंने एकत्र किया है। परन्तु सब कुछ अपनी वैचारिक स्वीकृति की शर्त पर ही आप देखेंगे। यदि विशेषांक के उपयुक्त स्तर का हो तो प्रकाशित करेंगे अन्यथा टिकट लगा लिफाफा साथ में भेज रहा हूँ। मुजफ्फरपुर के ही एक बन्धु अज्ञानी जी से आपका समाचार मिला। उन्होंने कहा कि आप पूर्णतः स्वस्थ लगे, सुनकर अच्छा लगा।

भवन्निष्ठ

रेवतीरमण

(4)

9-12-84

परमश्रद्धेय तिवारी जी,

सादर प्रणाम।

'समकालीन भारतीय साहित्य' में आपकी चार हृदयस्पर्शी कविताएँ पढ़कर ही यह पत्र लिखना पड़ रहा है। बहुत भावुक कर देने वाली ये कविताएँ अपने तराशे हुए अभिनव शिल्प के कारण प्रभावान्विति की दृष्टि से भी अपूर्व हैं। अभी-अभी अशोक वाजपेयी का जो काव्य संकलन (एक पतंग अनन्त में) आया है, उसमें भी कुछ कविताएँ ऐसी ही हैं। ऐसा लगता है, सब तरह के बोधों से उकताकर कविता एक बारगी राग बोध का आश्रय ले चुकी है। आपकी इन चारों कविताओं का अन्तःसूत्र एक ही है, किन्तु आरम्भ में जिस सघन रूप बंध का पता चलता है, अन्त तक वही स्थिति नहीं रह गई। शायद इसका कारण आपके व्यक्तित्व का खुलापन हो। कविता केन्द्र से चलकर परिधि तक पहुँचती है, बहुत नाजुक क्षणों के समर्पण में एक शाश्वत किस्म का इलहाम जैसा था, जो स्थूल जागतिक बंधनों का अंत में सक्रिय प्रतिरोध-संकल्प सिरजता है। मुझे लगता है कविता की सही जमीन वही है, जहाँ से आपने शुरु किया है।

अंतरिक्ष से चमकती/धरती सी तुम्हारी याद

किरणों से नहायी हुई/घाटी सी तुम्हारी याद
तुम्हारी याद एक रात है गरजती बरजती
चोटी पर चढ़ती एक पगडंडी

स्मृति निर्भर कल्पना की यह अपरूप पगडंडी निश्चयात्मक रूप से कवित्व के प्रति जीवन समर्पित करने वाले किसी निश्छल और सच्चे भावुक को ही उपलब्ध होती है।

आपकी कविताओं की समीक्षा तो मैं क्या कर सकता हूँ, बस इतना कहे देता हूँ कि ये मुझे अच्छी लगीं, बहुत अच्छी लगीं। अब गूँगें के लिए गुड़ का स्वाद बताना कितना कठिन होता है, आप बेहतर जानते हैं।

आशा है, आप सपरिवार स्वस्थ, सानन्द होंगे।

भवन्निष्ठ
रेवती रमण

पुनश्चः अशोक वाजपेयी की दो पुस्तकें मेरे पास हैं—'एक पतंग अनन्त में' और दूसरी 'कुछ पूर्वग्रह'। आप आदेश दें तो रिव्यू करके भेजूँ।

(5)

परमश्रद्धेय तिवारी जी,

सादर प्रणाम।

'प्रकाशन समाचार' में आपकी कविता पुस्तक के प्रकाशित हो जाने की सूचना मिली, मन प्रसन्न हो गया। इधर दस्तावेज-27 भी पढ़ गया हूँ। सी.डी. बुक स्टॉल से लेकर । इस अंक में आपके सम्पादकीय में बहुत सी महत्वपूर्ण बातें कही गई हैं। आपने सही लिखा है कि ''राज्य सत्ता से लेखक का क्या सम्बन्ध हो, क्या रवैया हो, इसके बारे में कोई सीधा सरल नुस्खा नहीं बनाया जा सकता। साहित्यकार को अपने विवेक से छानबीन कर, वस्तुपरक दृष्टि और तर्क के आधार पर पूरी तरह परखकर सरकारों के प्रति अपना आचरण निश्चित करना पड़ेगा।

लेखक का सम्बन्ध सत्ता से नहीं अपने चारों ओर के विराट जीवन से होता है। वहीं से वह अपनी रचनात्मक खुराक ग्रहण करता है। उसको शक्ति अपने रचनात्मक कर्म से ही प्राप्त होती है, सत्ता से नहीं।''

हिन्दी का अधिकांश समसामयिक लेखन अपने चारों ओर के विराट् जीवन से कट गया प्रतीत होता है, इसीलिए उसमें वह जीवनी शक्ति और गतिशीलता नहीं है। आज जनबोधी साहित्य के नाम पर अँधेरे बन्द कमरे में सतही नारेबाजी को प्रश्रय दिया जा रहा है। या प्रतिक्रियावादी चिन्तन का जूठन परोसा जा रहा है। पाठक बेचारा असहाय है। आपने पाठक और लेखक के रिश्ते पर नहीं, लेखक और राज्य सत्ता के सम्बन्ध पर विचार किया है। इस सन्दर्भ में यह नोट करने लायक बात है कि लेखक राज्यसत्ता का विरोधी हो या पक्षधर दोनों ही स्थितियों में उसका उसी को धुरी मानकर उसके इर्द-गिर्द चक्कर काटना यह प्रमाणित करता है कि लेखक के पास कहने के लिए ज्यादा कुछ नहीं है। अनेक बार हमारे लेखक सत्ता का जूठन पाने के लिए भी विरोध का उग्र स्वर व्यक्त करते हैं।

आपका इस सन्दर्भ में यह विचार सही है कि मूल लेखक का अपना चरित्र ही है और इसका

नियमन उसे खुद ही करना है अपने ही विवेक के बल पर।

दस्तावेज-27 की विशिष्ट उपलब्धि हैं सत्ताइस की संख्या में छपी बल्गारी कविताएँ।

इधर मेरा एक लेख 'समकालीन भारतीय साहित्य' (सं. शानी) में स्वीकृत हुआ है प्रकाशनार्थ—'निराला जी की कहानियाँ।'

पिछले दो सप्ताहों से मैं पुनः अपनी पुरानी लीक पर लौट गया हूँ। आपके पत्र की आकांक्षा है।

आशा है, आप सपरिवार स्वस्थ प्रसन्न होंगे।

भवन्निष्ठ
रेवतीरमण

(6)

25-9-87

परमश्रद्धेय तिवारी जी,

सादर प्रणाम।

'साक्षात्कार' का नया अंक यहाँ आज ही आया है। इसमें आपका यात्रा संस्मरण (जो बह रही है जिजीविषा की तरह) प्रकाशित हुआ है। बहुत दिनों पहले मैंने एक और यात्रा-संस्मरण पढ़ा था। राजस्थान से सम्बद्ध—'अग्नि परीक्षा की धरती पर कुछ दिन।' काफी दिनों तक मन में वह गूँजता रहा, लेकिन यह दूसरा पढ़कर अपने भीतर डूब गया। घंटो बाद उबरा तो तय पाया कि आपको जितना बड़ा मैंने समझा उससे कहीं अधिक बड़े आप हैं, जितना सहृदय, मानवीय समझा था, उससे कहीं अधिक सहृदय और मानवीय। आपकी आकृति निरन्तर बढ़ती गई—विपाशा के समानान्तर उसके उद्‌गम की ओर बढ़ते हुए आप ऊँचे और ऊँचे होते गये। आपकी रचना के ठीक पहले मैंने विद्यानिवास जी की दो पुस्तकें पढ़ीं 'गाँव का मन' और 'शेफाली झर रही हैं, विद्यानिवास जी को पहले भी पढ़ा है, मेरे राम का मुकुट भीग रहा है, 'परम्परा बन्धन नहीं', आँगन का पंछी और बनजारा मन' आदि। लेकिन इस बार कुछ दूसरा ही अनुभव हुआ। आपका संस्मरण कई कारणों से विशिष्ट है, इसमें एक कारण शायद यह भी है कि आप इसे चित्तरंजन जी को हिमालय की तलहटी में बैठकर लिख रहे हैं, हिमालय पर चढ़कर नहीं। हिमालय की तलहटी में बैठकर लिखना सरल कार्य नहीं, आपने यह सम्भव किया है, उस स्थिति में आपको देखना भी अपूर्व होगा। यह संस्मरण एक पूर्ण रचना है, पढ़कर सारे उद्‌वेलन निःशंक हो जाते हैं। विकार, विद्वेष से मुक्त चित्त स्थिर हो जाता है। आप इसमें खूब खुले हैं, खिले भी कम नहीं। भाषा में प्रवाह तो कविता से कम किंचित भी नहीं। लालित्य के अतिरिक्त विचारों की अन्विति भी ध्यातव्य है। ज्ञानेन्द्र पति की दो कविताएँ छपी हैं, इसी अंक में। एक मेरी सुनी हुई है—पहली कविता, यह दूसरी की तुलना में बेहतर— परिणत कविता लगी दूसरे में बिखराव है, सोचती हुई मानसिकता लेकिन अन्त में पुनः अपनी जमीन पर स्थित हो जाते हैं ज्ञानेन्द्र।

अच्छा लगा, इसलिए यह लिखा है, अनौपचारिक होकर।

आशा है, आप खूब स्वस्थ, प्रसन्न होंगे।

भवन्निष्ठ
रेवतीरमण

(7)

8-3-88

परमश्रद्धेय तिवारी जी,

सादर प्रणाम।

बहुत दिनों से आपका कोई समाचार नहीं मिला है। पिछले दिनों मैं भोपाल से लौटने के बाद दिल्ली गया था। मैं चाहता हूँ कि मेरी एक आलोचना की किताब अब शीघ्र प्रकाशित हो जाये। जिन कवियों पर मेरे लेख तैयार हैं, उनमें नागार्जुन, केदारनाथ अग्रवाल, अज्ञेय, मुक्तिबोध, त्रिलोचन शास्त्री, केदारनाथ सिंह, विश्वनाथ प्रसाद तिवारी, उदयप्रकाश, प्रयाग शुक्ल, राजेश जोशी, ज्ञानेन्द्र पति, अरूणकमल, कुमार विकल विनोददास और वेणु गोपाल प्रमुख हैं। पुस्तक के दूसरे खण्ड में कतिपय कविता पुस्तकों की समीक्षाएँ भी होंगी। मैंने आप पर बिल्कुल नये सिरे से लिखा है। पहले जो लिख चुका हूँ उससे बेहतर और इसलिए पठनीय भी। पुस्तक का नाम होगा 'हिन्दी कविता का समकालीन परिदृश्य।' इधर मैं राजकमल चौधरी पर भी नोट्स ले चुका हूँ, इसके अतिरिक्त जगदीश चतुर्वेदी ने भी बिल्कुल अलग से मेरा ध्यान आकृष्ट किया है।

आप मुजफ्फरपुर कब तक आ रहे हैं। आपके आने पर पाण्डुलिपि दिखा सकता हूँ। 'दस्तावेज' के सिलसिले में मैं प्रयत्नशील हूँ, लेकिन कोई सफलता नही मिल पाने से शर्मिन्दा भी हूँ, सम्भव है अप्रैल में कुछ हो पाये। 'ऋतु गन्ध' में आपका लेख छप गया है। आपकी कविता पुस्तक 'बेहतर दुनियाँ के लिए' की अच्छी समीक्षा डॉ. नन्दकिशोर नन्दन ने लिखी है, कदाचित अब तक की सबसे अच्छी और सुविचारित। इस महीने की पन्द्रह तारीख तक पत्रिका आपको मिल जानी चाहिए। 'ऋतुगन्ध' लघुपत्रिकाओं की कतार में आपके सहयोग से ही अच्छी प्रतिष्ठा प्राप्त कर सकी है, हम हृदय से आपके कृतज्ञ हैं।

मैं दिल्ली गया था तो वाणी प्रकाशन वाले से राजकमल चौधरी की किताब 'इस अकाल वेला में' खरीद लाया। 'दस्तावेज' राजकमल के बारे में कुछ करे तो मैं भी सहयोग करना चाहूँगा।

आशा है, आप सपरिवार स्वस्थ, सानन्द होंगे।

भवन्निष्ठ

रेवती रमण

पुनश्चः 'रविवार' में आपका लेख पढ़ा था, आपने हमारे समय की हिन्दी आलोचना पर बिना किसी सहानुभूति के लिखा है, एक सच को निर्मम सच की तरह, मैं लेख पढ़कर थोड़ा उदास हुआ, फिर लगा कि अपने गिरेबां में झाँककर देखना चाहिए। कई लोगों ने इसे आलोचना पर रचना के पक्षधर का आक्रमण कहा, मैंने सोचा यदि ऐसा आमतौर पर होने लगे तो साहित्य का स्तर अवश्य ऊँचा उठेगा?

(8)

परमश्रद्धेय तिवारी जी,

सादर प्रणाम।

शमशेर के प्रति मेरे मन में 'अश्रद्धा का कोई कारण नहीं है। वे सभी के प्रिय और आदरणीय हैं। उनके प्रति मेरे मन में कोई द्वेष नहीं। मिलेंगे तो उन्हें छूकर ही प्रणाम करुँ। लेकिन जब कविता संसार से साक्षात्कार करेंगे तो जो समझेंगे वही लिखेंगे। मेरी समझदारी में त्रुटि हो सकती है। मैं रंजना

अरगड़े की तरह स्थापित समीक्षक नहीं हूँ। रंजना जी शमशेर की विशेषज्ञा हैं। उन्हें मेरे लेख में असंगति दिखायी पड़ी है तो होगी ही। 'अविचारित रमणीय' मेरा निजी प्रयोग नहीं है। पूर्वग्रह के 76-77 सितम्बर-दिसम्बर-1986 अंक में मोहन कृष्ण बोहरा ने गंगाधर झा की पुस्तक की समीक्षा 'अविचारित रमणीय' शीर्षक से की है। गंगाधर झा की पुस्तक का नाम है—'अविचारित रमणीय का मनोविज्ञान'। इसका काव्य शास्त्रीय प्रसंग भी है, ही। रंजना जी को समझाने की शक्ति मेरे पास नहीं। लेकिन उन्हें मेरी नियत पर सन्देह नहीं करना चाहिए। शमशेर मेरे लिए भी आदरणीय हैं, लेकिन रचना का मूल्यांकन तो होगा ही। सम्भव है कुछ बातें अनौचित्यपूर्ण भी लिखी गई हों। बात यह है कि मैंने जो समझा सो लिखा। पहले से तय करके कि शमशेर का विरोध करना है या स्तुति करनी है, मैंने नहीं लिखा। केदार, शमशेर और नागार्जुन जैसे किसी एक का समर्थन या दूसरे का विरोध करके मुझे अपनी प्रैक्टिस नहीं चलानी है। यह अवश्य है कि जो कुछ मैंने लिखा है, समय-समय पर दूसरे रचनाकारों आलोचकों ने भी शमशेर के बारे में उस तरह सोचा-लिखा है। मेरे लेख के अरोचक प्रसंग मौलिक नहीं हैं। शमशेर की सबसे कठोर आलोचना समय-समय पर स्वयं शमशेर ने ही की है। हिन्दी के अधिकांश कवि मूल्यांकन अवरोधों के शिकार हैं। भक्ति-भाव इसमें सबसे बड़ा बाधक है। कम से कम सामाजिक दायित्व और सरोकार की बात करने वालों को व्यक्तिगत स्तर से ऊँचा उठना होगा।

आप आवश्यक समझेंगे तो वे पत्र आपको भेज दूँगा। मेरे पास कल ही डॉ. रामदरश मिश्र और डॉ. जगदीश विकल के भी पत्र आये हैं। मिश्र जी ने उस लेख की प्रशंसा की है और मुझे बधाई दी है, जबकि उनसे मेरा कोई परिचय नहीं है। डॉ. विकल तो प्रगतिशील लेखक संघ के सचिव भी हैं।

मैंने जो समझा लिखा, यदि वह छपने-योग्य न होता तो डॉ. विश्वनाथ प्रसाद तिवारी जैसा सम्पादक उसे 'दस्तावेज में सबसे पहले क्यों छापता? मैं खुद विवाद से भागता हूँ। इससे शमशेर जी की कविताओं के बारे में शायद ही कोई महत्वपूर्ण बात हो सकेगी। रंजना जी ने वह पत्र आपको सिर्फ इसलिए लिखा है कि लेख दस्तावेज में छपा है, अन्यत्र छपता तो न लिखतीं। ऐसे में मुझे क्या यही है कि उन्हें जवाब दूँ। बड़ी पत्रिकाओं में छपने और बड़े प्रकाशनों से किताबें छपने पर जो लेखकीय दंभ आ जाता है, उसका रंजना जी सहज शिकार लगती हैं। मुझे उन से विवाद में न रुचि है, न वैसी कोई उत्तेजना।

आप जैसा उचित समझें, करें। वैसे, दस्तावेज का प्रत्येक पृष्ठ बहुमूल्य है, वह व्यर्थ के विवाद में खर्च न हो तो ही अच्छा।

आशा है आप सपरिवार स्वस्थ-प्रसन्न होगें।

भवन्निष्ठ
रेवतीरमण

पुनश्चः मुझे अपने लेख की सफाई और पक्ष में कुछ नहीं कहना है। लेख में क्या चाहता हूँ, यह भी अप्रकट नहीं हैं। यह पत्र आपको निजी तौर पर लिख रहा हूँ। प्रकाशनार्थ नहीं।

(9)

परमश्रद्धेय तिवारी जी,

इन दिनों प्रगतिशील कवियों को लेकर प्रतिष्ठित आलोचकों ने दलबन्दी कर ली है। केदारनाथ अग्रवाल रामविलास शर्मा की दृष्टि में सबसे बड़े कवि हैं, उधर पूर्वग्रह कैम्प को शमशेर प्रिय हैं। इसके

अतिरिक्त नागार्जुन बनाम मुक्तिबोध का मामला चल ही रहा है। मुझे इन बातों से कुछ लेना-देना नहीं है। रंजना के शमशेर विशेषज्ञ होने के प्रति मैं आश्वस्त हूँ और कोई दखल नहीं देना चाहता, लेकिन वे मेरी नियत पर सन्देह न करें। विरोध के लिए विरोध या समर्थन के लिए प्रशन्सा से अलग एक तटस्थ दृष्टिकोण के साथ मैंने शमशेर पर लिखा। अग्रज लेखकों की स्थापनाओं से सीखने का मेरा सदा से प्रयत्न रहा है, इसलिए उद्धरण आए हैं, मैंने रंजना अरगड़े की पुस्तक भी पढ़ी है, मेरे शमशेर ज्ञान में कोई फर्क नहीं आया है। शमशेर के गद्य के प्रति मेरी आसक्ति भी अप्रकट नहीं है। जब 'ऋतुगन्ध' का मैथिलीशरण गुप्त अंक निकला था, तो शमशेर जी की अनुमति से उनकी गुप्त जी और हाली की तुलनात्मक समीक्षा छापी थी। कोई अप्रिय प्रसंग मेरा उनसे नहीं है। आप निश्चय ही मेरी स्थिति समझ रहे होगें।

भवन्निष्ठ
रेवतीरमण

(10)

15-3-91

परमश्रद्धेय तिवारी जी,

सादर प्रणाम।

दस्तावेज का नया अंक मिला। 'देवतात्मा का साक्षात्कार' का स्वस्थ और प्रसन्न गद्य पढ़कर मन भी स्वस्थ और प्रसन्न हो गया। इसमें 'केदार' शब्द की व्याख्या आपने लगभग वैसी ही की है, जैसी 'कुटुज' की ह.प्र. द्विवेदी जी ने। आपके संस्मरणों में भारत का इतिहास, भूगोल, पर्यावरण और पुराण गाथाएँ बहुत सहज ढंग से पाठक की परिचय-परिधि में पाठ प्रक्रिया में आती रहती हैं। जगह-जगह आत्मालोचन, अपना भी उपहास करते हुए प्रपञ्चाद्यीन मनुष्यों को आप सतर्क करते रहते हैं। संस्मरण पढ़ते हुए कई स्थलों पर रुकना पड़ा, कई बार तो घण्टों सोचता रहा जैसे इस वाक्य पर ही।

"मेरा स्वभाव कुछ ऐसा है कि जब कोई मेरी सुविधा का ज्यादा ख्याल रखने लगता है तो मुझे असुविधा होती है।"

काफी देर तक विचारों के भँवर में पड़ा रहा।

इस संस्मरण में निम्नलिखित बातें महत्वपूर्ण हैं–

"शक्ति अपने भीतर भी होती है और दूसरे से भी मिलती है। बल्कि दोनों की मिलकर चरितार्थ होती है। अगर 'दूसरा' भी नहीं तो मुश्किल हो जाएगा किसी भी रास्ते को काटना।"

"आदमी की आकृति, प्रकृति और उसकी मनोकामनाओं के निर्माण तथा निर्धारण में भूगोल की निर्णायक भूमिका होती है।"

कुछ बातें बहस के योग्य भी लिखी गयी हैं, आमने-सामने की जा सकती हैं।

कहना अनावश्यक है कि इस बार भी 'दस्तावेज' अपनी गरिमा के उपयुक्त निकला है। डॉ. प्रभाकर श्रोत्रिय, डॉ. विजेन्द्र नारायण सिंह और अजित कुमार सिंह की रचनाओं ने इस अंक को पूर्णता दी है। मनोज मेहता और हेमन्त कुकरेती की कविताएँ ध्यानाकर्षण करती हैं।

विशेष क्या लिखूँ। यहाँ जैसे-तैसे चल रहा है।

आशा है, स्वस्थ-प्रसन्न होगें सपरिवार।

भवन्निष्ठ
रेवतीरमण

पुनश्चः मेरी आलोचना की पहली किताब 'कविता और मानवीय संवेदना' छप गई है। इसमें मुक्तिबोध, नागार्जुन, शमशेर, अज्ञेय, त्रिलोचन, केदारनाथ सिंह, विश्वनाथ प्रसाद तिवारी, अशोक वाजपेयी, धूमिल, राजेश जोशी और ज्ञानेन्द्र पति की कविताओं पर अचेतावस्था में लिखी मेरी समीक्षाएँ संकलित हैं। आप अपने प्रिय शिष्य और मेरे मित्र डॉ. अरविन्द त्रिपाठी से उसकी समीक्षा कराकर दस्तावेज में प्रकाशित करने की कृपा करें तो पुस्तक दो प्रतियों में भेज सकता हूँ।

(11)

26-8-1991

परमश्रद्धेय तिवारी जी,

सादर प्रणाम।

दिल्ली से आने पर यहाँ मैं दो बार ज्वर की चपेट में आ गया था। यहाँ अत्यधिक गर्मी थी। सम्भवतः दिल्ली का वातावरण हम लोगों के लिए उपयुक्त नही है। दिल्ली में दलाली चलती है। हमारा गाँव का मन वहाँ थोड़ी देर के लिए चमत्कृत भले हो जाय, उसमें रम नहीं पाता। इस बार जाने से मुझे कुछ ज्यादा अनुभव हुआ। मैंने देखा कि अखबारों के सपरिवार परिशिष्ट में अक्सर दिखने वाले नाम बहुत छिछले हैं। जोड़तोड़ कितना ज्यादा चलता है। और नामवर जी शुक्ल द्विवेदी शर्मा की परम्परा में किस तरह माने जायेंगे? क्या हिन्दी आलोचना की शुक्ल द्विवेदी शर्मा की जातीय परम्परा व्यक्तित्वहीन लेखकों की परम्परा है? दिल्ली की अनुवादजीवी पत्रकारिता समकालीन साहित्य-परिदृश्य पर मीडिया का सहयोग पाकर छा गयी है, पर वहाँ व्यक्तित्व सम्पन्न लेखक नहीं हैं, लेखन पर भी इसी ढंग से सोचना पड़ेगा। 'आखर अनन्त' की रीढ़ कविता मुझे रास्तें में ही याद हो गई। 'रीढ़ आदमी के शरीर का सबसे कीमती अंग तो है ही' वह साहित्यकार के व्यक्तित्व की भी सबसे मूल्यवान चीज है—क्योंकि

रीढ़ झुकी है तो हाथ बँधे हैं
हाथ बँधे हैं तो बँधी हैं आँखें
आँखे बँधी हैं तो बँधा हैं मस्तिष्क
मस्तिष्क बँधा है तो बँधी है आत्मा

बस, नामवर जी भी मुझे ऐसे ही लगे। साहित्य हो या राजनीति संस्था हथियाकर, अधिकारों के बल पर एकच्छत्र अपनी बात मनवाने वाले शायद इसी तरह एक खास समय के बाद दया के पात्र बन जाते होगें। जो हो, हिन्दी के तथाकथित सबसे बड़े आलोचक द्वारा 'आखर अनन्त' की कविताओं का पाठ मेरे लिए तो विलक्षण अनुभव था। लोकार्पण का यह ढंग मुझे खूब जँचा। कविता के बारे में डॉ. नामवर सिंह का विदग्ध जैसे ही मुक्ति लेना चाहता था, राजनीतिक, कूटनीतिक उसे दबोच लेता था। शायद बोलते हुए बार-बार उनके मन में यह बात आ जाती होगी, कि आखर अनन्त का कवि न तो किसी पार्टी से सम्बद्ध लेखक संगठन का सदस्य है, न कोई बड़ा अफसर न साहित्य अकादमी, ज्ञानपीठ, सोवियत लैण्ड नेहरू पुरस्कार आदि की दृष्टि से महत्वपूर्ण। नामवर जी अपनी आत्मा से

बेईमानी कर सकते हैं। यह मैंने महसूस किया। यदि अच्छा आलोचक इसी तरह होना सम्भव है तो मेरे मित्र डॉ. अरविन्द त्रिपाठी को मुबारक हो। मेरे भीतर आलोचक बनने की इच्छा मर रही है, कम-से-कम सफल आलोचक बनने की इच्छा अब शेष नहीं रही। वहाँ से आने के बाद अरविन्द भाई के नाम मैंने एक लम्बी पत्र-प्रतिक्रिया लिखी थी, सात-आठ पृष्ठों की पर भेज नहीं सका। यहाँ युवा आलोचकों पर केन्द्रित कुछ लोग एक गोष्ठी करने वाले हैं। गोरखपुर से डॉ. अरविन्द त्रिपाठी का चयन हुआ है। वे यहाँ आयेंगे तो मैं उन्हें अपना पत्र पढ़ा दूँगा।

दिल्ली में 'दस्तावेज' की प्रदर्शनी कार्यक्रम का सबसे सार्थक अंश थी। तथाकथित दिल्ली वाले स्तब्ध थे, उदास भी कि दिल्ली के बाहर यह सब कैसे और क्यों सम्भव हुआ? कुछ अनुवादजीवी पत्रकार रचनाकारों को दस्तावेज सम्बन्धी आयोजन पूर्वांचल का दिल्ली पर आक्रमण भी लग रहा था। पर ऐसे आयोजन समय-समय पर किये जाये। यह आवश्यक ही नहीं दायित्व भी लगता है। आखिर दिल्ली वालों को पता तो होना ही चाहिए कि साहित्य यूरोप, अमेरिका, अफ्रीका आदि में ही नहीं लिखा जा रहा है, अपने देश में भी इस क्षेत्र में लगातार प्रगति हो रही है।

वीडियो कैसेट मुझे भी चाहिए। अगले सप्ताह राशि भेज रहा हूँ—आप आ ही रहे हैं लेते आयेंगे।

ज्ञानेन्द्र पति का पत्र आया था। अपनी कविता पुस्तक की पाण्डुलिपि को तैयार कर रहे हैं। उन्होंने समारोह के बारे में आँखों देखा हाल लिखने के लिए कहा था—मैंने लिख दिया है। मेरे पत्र में डॉ. अरुणेश नीरन के बारे में कुछ बाते हैं, शायद ज्ञान जी उन्हें सूचित करें। नीरन जी की कविता वर्तमान साहित्य में आने वाली है। कविता पढ़ने पर अगले महीने उन्हें पत्र लिखूँगा।

आखर अनन्त पर 'ऋतुगन्ध' के लिए शायद अरुणकमल लिख रहे हैं। मैंने भी लिखा है—'विपाशा' या किसी अन्य पत्रिका में छपेगी। कविताएँ—मित्र मण्डली में सराही गई। 'बेहतर दुनिया के लिए' कविताओं में वैचारिक दृढ़ता और व्यक्तित्व सम्पन्न विद्रोह के तेवर प्रथम पाठ में प्रभावित करते हैं, जबकि 'आखर अनन्त' की कविताएँ अत्यधिक संवेदशनशील कवि व्यक्तित्व से साक्षात्कार कराती हैं। पर कहीं-कहीं दार्शनिक हो चले हैं आप। शब्द-प्रयोग में आप मितव्ययी हो चले हैं। कनॉट प्लेस, आग, आत्मा की यह धुन, माँ सम्बन्धी सारी कविताएँ आत्मा, रीढ़, मिट्टी की काया, आखिर इस संकलन की मेरी प्रिय और अविस्मरणीय कविताएँ हैं। कई तो मुझे याद ही हो गई हैं। 'आत्मा' और 'रीढ़' हमारे समय के कवियों को भी कुछ महत्वपूर्ण चीजों की याद दिलाने वाली कविताएँ हैं। 'आग' जैसी कुछ छोटी कविताओं का अपना ही रंग-ढंग है। 'अरथ अमित अति आखर थोरे' को नया अर्थ देती इन कविताओं पर लिखने के लिए भाषा भी आलोचना की वैसी ही चाहिए।

आप आ रहे हैं, यह सूचना आनन्दित करने वाली है। कब आ रहे हैं?

स्वस्थ सानन्द होगें।

भवन्निष्ठ

रेवतीरमण

(12)

13-2-92

परमश्रद्धेय तिवारी जी,

सादर प्रणाम।

अभी-अभी 'गगनाञ्जल' मिला है। इसमें आपकी तीन कविताएँ प्रकाशित हुई हैं। एक का शीर्षक

'आत्मा' है, यह 'आखर अनन्त' वाली कविता नहीं है, पर है महत्वपूर्ण। पहली कविता 'आखिर' की अन्तिम पंक्ति में 'एकाग्र' आया है। शायद यह 'एकान्त' है।

इधर मुझे बनारस जाना पड़ा था। वहाँ ज्ञानेन्द्रपति से मिलना हुआ। मिलना क्या, उन्हीं के यहाँ दो दिनों तक जमा रहा। और भी कई लोगों से मिला, बहुत खाली होकर गया था। समृद्ध होकर लौटा। आदरणीय डॉ. अरुणेश नीरन की यशोगाथा देर तक हम सुनते-सुनाते रहे। ज्ञान जी ने बनारस में पिछले दिनों घटित दंगे से सम्बद्ध कई कविताएँ सुनाईं। वहाँ एक कवि दिनेश कुशवाह से भी परिचय हुआ। कुशवाह भी देवरिया के ही हैं।

मैं नवें दशक की कविताओं में कुछ अद्भुत अपूर्व चीजें देख रहा हूँ, जो पहले की कविताओं में नहीं हैं, या फिर उतने उदग्र रूप में नहीं हैं।

बहुत दिनों से आपका कोई समाचार नहीं मिल रहा है। पिछली बार आप आये भी, तो वैसा सान्निध नहीं मिल सका, जैसा पहले मिलता रहा है। अब राम जाने, कब आपके दर्शन हों।

यहाँ सब जैसे-तैसे चल रहा है।

आशा है स्वस्थ-प्रसन्न होगें, सपरिवार।

भवन्निष्ठ
रेवतीरमण

(13)

1992

परमश्रद्धेय तिवारी जी,

सादर प्रणाम।

'दस्तावेज' का नया अंक मिल गया। डॉ. नामवर सिंह पर केन्द्रित अब तक का यह सबसे व्यवस्थित और सन्तुलित आयोजन है। 'पूर्वग्रह' और 'पहल' के अंक इसके पहले निकल चुके हैं और उनके अंकों को ध्यान में रखकर ही मैं यह कह रहा हूँ। आपने नामवर जी की आलोचना की सीमाओं का उपलब्धियों सहित सूक्ष्म निरीक्षण किया है। यह शायद इसलिए सम्भव हुआ है कि आपके पास एक असाधारण कवि-दृष्टि है और सत्य बोलने का एक नैतिक साहस भी है। भगवान सिंह का आलेख बँधी दृष्टि का परिचायक है।

आदरणीय अरुणेश जी की 'परिक्रमा' की दूसरी प्रस्तुति भी विशेष समर्थ है। इस स्तम्भ से 'दस्तावेज' में पठनीय सामग्री का इजाफा हुआ है। अंक 53 से एक और आजीवन ग्राहक बने हैं, मनोज मेहता। अगले अंक से एक प्रति और बढ़ा देंगें। राशि शीघ्र भेजूँगा।

इधर आपका दूरदर्शन पर साक्षात्कार मित्रों ने देखा। मैं उस वक्त दिल्ली में था। एन.सी.ई.आर.टी. के कार्यक्रम के सिलसिले में गया था। आपका साक्षात्कार मैं नहीं देख पाया, इसका खेद है। पर मित्र लोग बतला रहे हैं कि साक्षात्कार प्रभावशाली था।

मैंने 'कामायनी' पर लेख तैयार करके टंकण में दे दिया है। 'शेखर एक जीवनी' पढ़ रहा हूँ। लम्बे समय के बाद इस उपन्यास का अध्ययन विशेष आनन्द दे रहा है। अज्ञेय का गद्य विशेषतः उनके उपन्यासों का गद्य अप्रतिम है। उनका सहृदय कवि पूरी क्षमता से 'शेखर' में सक्रिय है। ऐसी उत्कृष्ट कृतियों की समालोचना कठिन कर्म है। निर्मल वर्मा का गद्य भी इसी परम्परा की अगली कड़ी है। आ.

ह. प्र. द्विवेदी, रेणु, अज्ञेय, निर्मल वर्मा हिन्दी गद्य के महान शैलीकार हैं। शायद 'शेखर' पर लीक से हटकर मेरी प्रतिक्रिया होगी।

मेघालय यात्रा की तैयारी कर रहा हूँ।

इधर आपकी कविताएँ कहीं नहीं मिल रही हैं। यहाँ सब ठीक है लगभग।

आशा है, आप स्वस्थ प्रसन्न होंगे।

भवन्निष्ठ
रेवतीरमण

पुनश्चः 'दस्तावेज' के इस अंक में मेरी किताब का विज्ञापन देखकर हार्दिक प्रसन्नता हुई, पर आभार प्रकट करने के लिए मेरे पास शब्द नहीं हैं, केवल महसूस कर सकता हूँ।

(14)

टीचर्स हॉस्टल-3
सी/49 बिहार विश्वविद्यलाय
मुजफ्फरपुर'842001

18-7-1992

परमश्रद्धेय तिवारी जी,

सादर प्रणाम।

दस्तावेज के नये अंक मिल गये। दोनों अंक शानदार हैं। विशेषतः दस्तावेज-53 में शिवप्रसाद जी पर अच्छी सामग्री प्रकाशित हुई है। आदरणीय अरुणेश नीरन का निबन्ध सन्तुलित और नई जानकारी देने वाला है। आपने मुझे सम्बोधित करते हुए जो यात्रा-संस्मरण लिखा है, उसमें आपका कवि उन्मुक्त होकर प्रकट हुआ है। प्रकृति के निसर्ग लोक में आपके कवित्व को खुलने-खिलने का मौका मिलता है। अब लगभग सभी मानने लगे हैं कि अच्छा गद्य अपने उत्कर्ष के क्षणों में कवित्व का संस्पर्श पा लेता है। और अच्छा पद्य भी एक ऊँचाई पर पहुँचकर गद्य में प्रकट हो जाता है। आपके संस्मरण से कई महत्वपूर्ण बातों की जानकारी मिलती है। विशेषतः आपकी विचारधारा को समझने के लिए कुछ बातें इसमें आयी हैं। पर मुझे लगता है, इस विशेष अंक में एक सम्पादकीय आपको देना चाहिए था।

दस्तावेज-54 में प्रकाशित ज्ञानेन्द्र पति की दोनों कविताएँ सुनी हुई हैं, दूसरी बेहतर है। निरंजन श्रोत्रिय की कविताएँ एक नये समर्थ युवा कवि का परिचय देती हैं। अनिल गंगल की 'बंजारे' कविता अच्छी लगी। 'मिथक-चिन्तन' वाले दोनों निबन्ध इस अंक की सार्थकता सिद्ध करते हैं। रूश्दी की किताब 'शैतानी आयतें', पर डॉ. उपाध्याय ने गम्भीरता से लिखा है। इसे पढ़ने की इच्छा तीव्र हो गई है। क्या यह किताब हिन्दी में अनूदित हो चुकी है? नाम से तो ऐसा ही लगता है, पर प्रकाशन आदि का उल्लेख नहीं है।

सपरिवार स्वस्थ, प्रसन्न होंगे।

भवन्निष्ठ
रेवतीरमण

(15)

24-10-95

परमश्रद्धेय तिवारी जी,

सादर प्रणाम।

दस्तावेज का नया अंक मिला। गीत और गजल पर इतना महत्वपूर्ण अंक शायद अब तक किसी अन्य पत्रिका का नहीं निकला है। गीत और गजल से सम्बद्ध लेखन और शोध कार्य के लिए इस अंक की उपयोगिता असन्दिग्ध है। रचनाएँ प्रभावित करती हैं और आत्मीय सन्निध्य के लिए आमन्त्रण भी देती हैं। पर गीत और गजल से सम्बद्ध आलेखों में एक साम्प्रदायिक आक्रामकता है। विशेषतः श्री राजेन्द्र गौतम के आलेख में। उन्होंने 'नवगीत' के पक्ष में पर्याप्त उत्साह दिखाया है और इस विधा को रचना और आलोचना दोनों ही स्तरों पर समृद्ध करने का प्रयास किया है। यहाँ तक ठीक है। पर जो रचनाकार विशेषतः आज के सन्दर्भ में अपने ही आलेख में अपनी चर्चा करता है, उसके बारे में सन्देह पैदा होता है। फिर नवगीत विधा की ओर से आलोचना विधा की पिटाई का उपक्रम साहसिक नहीं लगता। गीतों पर कम नहीं लिखा गया है। गीत भी कविता ही है। लय और छन्द केवल गीत के उपकरण नहीं हैं, कविता के भी हैं। मुझे एक विधा की ओर से दूसरी विधा पर आक्रमण कई बार भाववादी अवास्तविक भी लगता है। अध्यापकों पर भी सामान्य रूप से आक्षेप नहीं होना चाहिए। सच पूछें तो मुक्त छन्द की कविता का विरोध सबसे ज्यादा अध्यापकों की ओर से ही किया गया है।

नचिकेता का आलेख भी सम्प्रदायवादी मानसिकता से मुक्त नहीं है। नाम परिगणन इस तरह किया गया है, जैसे समर्थकों की सेना तैयार की जा रही है।

बहरहाल, यह आयोजन महत्वपूर्ण है तो महत्वपूर्ण चुनी हुई रचनाओं के कारण। भोजपुरी की रचनाओं ने इसे और भी वजनदार बना दिया है।

मैं पिछले कई महीनों से गैर साहित्यिक उलझनों में रहा। पारिवारिक दायित्व बढ़ गये हैं। पर पढ़ना-लिखना कभी धीरे-धीरे ही सही चल रहा है। यह कब तक चल पाएगा, कहना मुश्किल है। चिन्ता बस इसी बात की है कि अब तक तो लिखने का अभ्यास करता रहा, अब जब लिखने के लिए मन बना है तो दुनियादारी सर चढ़कर बोल रही है। पर करुँ क्या? अपने हाथ में है ही क्या?

गीत या गजल की गम्भीर वकालत के लिए जैसा आलोचनात्मक गद्य अपेक्षित है, वैसा इन लेखकों के पास नहीं है। यह एक बड़ी विडम्बना है।

आपकी प्रतिनिधि कविताओं के संकलन की प्रतीक्षा कर रहा हूँ। शेष कुशल है।

भवन्निष्ठ

रेवतीरमण

(16)

2-1-96

परमश्रद्धेय तिवारी जी,

सादर प्रणाम।

कुशीनगर में बड़ा आनन्द आया। ज्ञानेन्द्रपति के सन्निध्य में दो युवा कवियों कृष्णमोहन झा और

पंकज चतुर्वेदी के साथ तीन रातें काव्य चर्चा में व्यतीत हुई। कृष्ण मोहन झा तो हिन्दी कविता के सचिन तेन्दुलकर लगे। उनमें अद्भुत प्रतिभा है। पंकज में आलोचनात्मक प्रतिभा के बीज हैं, शायद वह आगे चलकर आलोचना ही लिखें। ज्ञानेन्द्रपति ने यहाँ कवि-सम्मेलन में जो कविताएँ पढ़ीं, उससे कई गुणा बेहतर कविताएँ उन्होंने दस नम्बर कमरे में सुनाईं। चन्द्रप्रभा जी गवाही दे सकती हैं। लौटते समय मैं गोरखपुर जाना चाहता था। आपके दर्शन करने। पर आपके मित्र डॉ. राजेन्द्र प्रसाद पाण्डेय की गाड़ी का लोभ हो आया। उन्होंने देवरिया तक पहुँचा दिया। यहाँ कुछ कार्य अधूरे छोड़कर गया था। इसलिए इच्छा रहने पर भी आते समय आपसे मिल नहीं पाया।

यहाँ पहुँचने पर मेरे प्रिय शिष्य श्री ईश्वर चन्द्र मिश्र का भेजा एक लिफाफा मिला। उन्होंने 'साहित्य अमृत' में छपे आपके संस्मरण की फोटोकॉपी भी भेज दी है। यह पत्र शैली में मुझे ही सम्बोधित है। अत्यन्त शानदार संस्मरण है। भाषा के समकालीन विकास-स्तर को समझने के लिए भी। वैसे, इसे पढ़कर बहुत सारी जानकारी भी मिलती है। मुझे वह अंश कभी नहीं भूलेगा जिसमें आपने बन्दरों के मछली पकड़ने का वर्णन किया है। चित्रकूट वाले संस्मरण में यात्रा-वृत्त को ऐतिहासिक ज्ञान समृद्ध करता है। इसका उत्तरार्द्ध पुनः अपने रचनात्मक रंग पर आ गया है। आपके कई यात्रा-संस्मरण पत्र शैली में मुझे सम्बोधित हो गये। इससे आपका मेरे प्रति जो स्नेहभाव है, वह प्रकट होता है। पर शायद मेरा दायित्व भी बढ़ जाता है। यद्यपि जबसे आपके सम्पर्क में आया मैं हर पल अपनी योग्यता बढ़ाने में लगा रहा। फिर भी बराबर यह भाव मेरे मन में रहता है कि आप जैसे बड़े मनुष्य और रचनाकार के विश्वासों की रक्षा के लिए मुझे सजग रहना चाहिए। यहाँ काट खाने वाला ठहराव है। रह-रहकर स्थगन का अनुभव होने लगता है। फिर भी.......

आप सपरिवार स्वस्थ-प्रसन्न होंगे।

नया वर्ष सपरिवार आप की रचनात्मक समृद्धि का वर्ष हो इस शुभकामना के साथ,

भवन्निष्ठ
रेवतीरमण

(17)

टीचर्स हॉस्टल-3, सी-49
विश्वविद्यालय परिसर, मुजफ्फरपुर-842001

3-11-1996

परम श्रद्धेय तिवारी जी,

सादर प्रणाम।

दस्तावेज-71 मिला।

महत्त्वपूर्ण सामग्री के बावजूद सम्पादकीय का न होना खटका। 'आलोचना के हाशिए पर' स्तम्भ को जारी रखना जरूरी है। इसमें हमेशा कुछ-न-कुछ खास होता है। दोहे पठनीय हैं, विशेषतः इन्द्र जी, योगेन्द्र दत्त शर्मा, भारतेन्दु मिश्र, राधेश्याम शुक्ल और कुमार रवीन्द्र के दोहे। कविता के लोकप्रिय फॉर्म में जहाँ थोड़ी, कलात्मकता रहती है, वहाँ अधिक आश्वासन होता है। मुझे अनन्तकीर्ति का लेख अच्छा लगा। कथ्य सामग्री को भाषा-संरचना से जोड़कर उन्होंने रघुवीर सहाय की कविता पर तर्कपूर्ण विचार किया है। उन्हें लिखने के लिए प्रेरित करना चाहिए। उनमें गहरी सम्भावना है।

इस अंक की सर्वश्रेष्ठ सामग्री शक्ति चट्टोपाध्याय और सुनील गंगोपाध्याय की बातचीत है। इसे

नाटक के रूप में रखा गया है—युवालेखन के सन्दर्भ में इस विवाद का महत्त्व सभी मानेंगे। आपको इसे प्रकाशित करने के लिए धन्यवाद देना चाहूँगा।

अगले निराला अंक के लिए एक लेख भेज रहा हूँ। प्रकाशन योग्य लगे तो स्वीकृति देंगे।

शेष, जस का तस है।

सपरिवार, स्वस्थ प्रसन्न होंगे।

भवन्निष्ठ
रेवती रमण

पुनश्चः शेखरः एक जीवनी, पर लिख चुका हूँ—अलग से पीछे से भेज रहा हूँ।

(18)

17-12-1997

परम श्रद्धेय तिवारी जी,

सादर प्रणाम।

लम्बे समय से आपका कोई समाचार नहीं मिला।

गैर साहित्यिक कार्यों में व्यस्त रहने में पिछले कई महीनों से साहित्यिक दुनिया से कटा रहा। इधर 'दस्तावेज' का निराला-अंक देखा। गुरुवर डॉ. प्रमोद कुमार सिंह की प्रति मैंने ले ली थी। उन्हें आश्वासन दिया था कि मेरी प्रति जब आयेगी, तब आपको दे दूँगा। मैंने अपने प्रिय मित्र सतीश जी को फोन करने के लिए भी कहा था। उन्होंने शायद आपको कहा भी हो। 'दस्तावेज' की कम से कम दस प्रतियाँ इस बार अतिरिक्त भिजवाने की कृपा करें।

'गद्य के प्रतिमान' पढ़ गया। ख़ासतौर से उपन्यासों से सम्बद्ध अलोचनाएँ शक्तिशाली हैं। 'देश-द्रोही', बाणभट्ट की आत्मकथा, 'पुनर्नवा', 'शेखर : एक जीवनी', 'तमस', 'मुझे चाँद चाहिए' के अतिरिक्त रेणु के कथात्मक गद्य को जिस गहरी रचनात्मक अन्तरंगता के साथ आपने विश्लेषित व्याख्यायित किया है—वह असाधारण है। 'कसप' वाली टिप्पणी आलोचना में छपी थी। प्रेमचन्द से सम्बन्धित प्रायः सभी लेख गहरा प्रभाव छोड़ते हैं। आपने उनके संघर्ष को बड़े अनौपचारिक ढंग से उभारकर रेखांकित किया है। मुझे थोड़ा अचरज हुआ, यह देखकर कि किसी समय आप कहानियों की बहुत अच्छी आलोचना लिखते थे। ज्ञानरंजन की कहानियों पर निश्चय ही आपकी समीक्षा सबसे अच्छी है जबकि उन पर लगातार बहुत लिखा गया है। आचार्य रामचन्द्र शुक्ल, डॉ. रामविलास शर्मा, डॉ. नामवर सिंह और अशोक वाजपेयी के आलोचना-कर्म के साथ-साथ राहुल जी, पंडित विद्यानिवास मिश्र और हरिशंकर परसाई के गद्य पर भी आपने पूरे मनोयोग से लिखा है। यह कठिन कर्म है पर जीवन की सार्थकता और जयघोष के स्वर इसमें निहित हैं। निस्सन्देह, आपके कवि ने गद्य-लेखन को एक कसौटी के रूप में प्रस्तुत किया है। मैं इस किताब पर लिखना चाहता हूँ। अच्छी कविता अक्सर मिल जाती है, पर अच्छा गद्य प्रायः दुर्लभ होता है। आजकल के कवि तो पत्रों में भी गद्य लिखने से बचते हैं। पुस्तक के आकार-प्रकार को देखते हुए मूल्य कम है, बहरहाल। आपने 'वागर्थ' को अपनी कविताएँ भेज दी होंगी।

निर्मल वर्मा पर लिखने की तैयारी कर रहा हूँ। इधर निराला की 'तुलसीदास' कविता ने बाँधे रखा। इसका पाठ तो मैं अकेले में लगभग वैसे ही करता रहा हूँ—जैसे विनय-पत्रिका के पद ब्रह्म मुहूर्त्त में बाँचता रहा हूँ। भीतर से ताकत और रोशनी देनेवाली कविता है—'तुलसीदास'। सोचता हूँ, अपनी मुफलिसी के सबसे मुश्किल समय में निराला ने इतनी सुगठित और समय के पार जाने वाली कविता कैसे सम्भव की? समय को बलवान कहा गया है, शायद उसने ही निराला से लिखवा लिया हो।

पत्र लम्बा हो गया।

शेष कुशल हैं।

आप स्वस्थ, प्रसन्न होंगे सपरिवार।

भवन्निष्ठ,
रेवती रमण

(19)

परम श्रद्धेय तिवारी जी,

सादर प्रणाम।

कई कारणों से मन व्यथित था कि औचक डाकिया 'दस्तावेज' का नया अंक दे गया। सब भूलकर इसे ही पढ़ने लगा। 'भँवरवा धीरे चलऽ' पूरा पढ़ गया। शीर्षक में ही आपका जीवन-दर्शन समाहित है। मॉरीशस के इतिहास-भूगोल से किताबी-परिचय रहा है, मानता हूँ। पर जितनी सूक्ष्म जानकारी आपने दी है, उतनी न थी। अक्सर सोचता हूँ, यात्राओं में आप जो देख पाते हैं, वह शायद मूलतः कवि होने के कारण ही। मॉरीशस को आपने भारत के बाहर एक छोटा भारत कहा है। वहाँ हिंसा अत्यल्प है। वहाँ किसी के हाथ में अस्त्र नहीं रहता। आपने अपनी कविता में देखे गये स्वप्न को कुछ-कुछ विश्वसनीय वहाँ पाया। सम्मोहित करता है यह पूरा विवरण। वहाँ के लोगों के खान-पान, रहन-सहन, सामाजिक-राजनीतिक व्यवस्था, इतिहास, भाषा संस्कृति आदि पर यह संस्मरण गम्भीर रूप से प्रकाश डालता है। लेकिन मुझे जो चीज सबसे अधिक प्रभावित करती है—वह है—पशु-पक्षियों पर आपकी दृष्टि। वहाँ के पेड़ पौधों का भी आपने जिक्र किया है। भोजन में प्रयुक्त होने वाली हरी सब्जियों का भी।

इस संस्मरण को पढ़कर मेरी सारी व्यथा तिरोतित हो गयी। बात यह है कि यहाँ एक सेमिनार हो रहा है—'प्रयोजन मूलक हिन्दी' पर। डॉ. सूर्य प्रसाद दीक्षित आए हुए हैं। और भी कई। मैने भी एक सूची दी थी। मेरी नहीं मानी गयी—फिर से दुखी हो गया था। पर अब नहीं हूँ। मेरी मुश्किल यह है कि हर जगह टाँग अड़ा देता हूँ। सफलता मिलती नहीं, और दुखी हो जाता हूँ। हिन्दी विभाग तो अक्सर अध्यक्षों के होते हैं। एक इस संदर्भ में भी आपको अपवाद पाता हूँ। बहरहाल। 'दस्तावेज-86' में इस बार भोजपुरी साहित्य से सम्बन्धित प्रचुर सामग्री है। महाभारत प्रसंग भी चल रहा है। श्री अशोक वाजपेयी से ओम निश्चल का साक्षात्कार पढ़ता हूँ। फिर लिखूँगा।

स्वस्थ-प्रसन्न होंगे।

भवन्निष्ठ,
रेवती रमण

(20)

22, रीडर्स क्वार्टर्स
विश्वविद्यालय परिसर
मुजफ्फरपुर-842001

22-12-2009

परम श्रद्धेय तिवारी जी,

सादर प्रणाम।

आपके निर्देशानुसार 'अज्ञेय सहचर' की सामग्री भेज रहा हूँ। आचार्य श्री का संस्मरण आप पढ़ लेंगे और दूरभाष पर स्वीकृति देंगे तभी मैं माँ जी को सूचित करूँगा। इससे आचार्य श्री को खुशी होगी और इस वजह से उन्हें कुछ वर्षों का स्वास्थ्य भी मिलेगा।

बीसवीं सदी की कविता पर अब शुरू करूँगा।

आपने झूठ का सहारा नहीं लिया है। अपने प्रति सच्चा रहने का इन्तजाम किया है। आप हमारे आदर्श हैं। आपको पढ़ते-गढ़ते देखकर हमें प्रेरणा मिलती है।

इधर कुछ महीनों से बिहार की शिक्षा-व्यवस्था में नौकरशाही का आतंक बढ़ गया है। ज्यादा समय निठल्ला बैठकर गँवाना पड़ता है। अप्रिय अनपेक्षित सुनना-सहना देह से अधिक आत्मा को थका देता है। फिर भी मैं त्रिलोचन पर लिखना चाहता हूँ, बल्कि शुरू भी कर दिया है। 'हिन्द स्वराज्य' पर अगले सप्ताह में अपना लेख भेजूँगा। कृष्ण कृपलानी और लुई फिशर ने गजब लिखा है। गाँधीजी की आत्मकथा फिर पढ़ रहा हूँ। महाकवियों के बारे में कहा जाता है कि सौ-पचास साल आगे की बात कहते हैं। पर गाँधीजी मनुष्यता के शीर्ष पर चढ़कर बोलते हैं। 'हिन्द स्वराज्य' उनके कर्म-योग की संक्षिप्त सैद्धान्तिकी है। गाँधीवाद का अंकुरित विचार-बीज। सभ्यता के नाम पर जो सब चलन है, आधुनिकता के रूप में मान्य है, उस सबको गाँधी जी आरम्भ में ही खारिज कर देते हैं।

मैं यह लेख आपको भेज रहा हूँ।

आपकी सेवा का सुख मेरे भौतिक मन को अध्यात्म से जोड़ देता है, इसलिए आगे भी आप संकोच न करेंगे—यह निवेदन है।

शेष, कुशल है।

आप सपरिवार स्वस्थ प्रसन्न होंगे।

आपकी शीघ्र प्रकाश्य रचनाओं, पुस्तकों और नववर्ष की अग्रिम बधाई और शुभकामनाएँ। आखिरकार वे मुझे भी तो मुफ्त ही मिलने वाली हैं।

भवन्निष्ठ,
रेवतीरमण

(21)

25-12-2009

श्रद्धेय तिवारी जी,

सादर नमस्कार।

'हिन्दी स्वराज्य' एक अच्छी किताब है। आपकी प्रेरणा न होती तो अभी शायद इसे नहीं पढ़ता इसके लिए आपका आभारी हूँ। यह गाँधीवाद की आधार-संरचना है। गाँधीजी को छू पाना आज के मनुष्य के लिए असम्भव लगता है। आप इसके लिए तप रहे हैं। सच को जान लेना मुश्किल नहीं है, मुश्किल है उसके पक्ष में अडिग रहना। व्यवहार में क्या गाँधीजी स्वयं शत-प्रतिशत गाँधीवादी थे? यह आपसे एक प्रश्न है और मैं चाहूँगा कि आप इसका उत्तर दें।

मैं सपरिवार ठीक हूँ। बीसवीं सदी की कविता वाले प्रोजेक्ट पर लगा हूँ। कविताएँ भी जुटा रहा हूँ। 'कविता का शुक्ल पक्ष' और 'कविता नदी' से सहयोग ले रहा हूँ। कुमुदिनी खेतान (स्वान्तः सुखाय) और इन्द्रनाथ मदान (आ. हिन्दी कविता) भी सहयोगी हैं। कुछ और भी—जैसे दलित, स्त्रियाँ।

नया वर्ष 2010 आपके विचारों को कार्य रूप देने में अधिकाधिक सहयोगी हो—यह समय से मेरी प्रार्थना और आपके प्रति शुभकामना है।

भवन्निष्ठ,
रेवती रमण

(22)

18-09-2010

श्रद्धेय तिवारी जी,

सादर प्रणाम।

दस्तावेज का नया अंक (125) मिला। 'हिन्द स्वराज' पर केन्द्रित यह एक शानदार प्रस्तुति है। आपने अलग से सम्पादकीय न लिखकर एक पूरा लेख ही दिया है। पढ़कर स्पष्ट हो गया कि गाँधी जी के अन्तःकरण को केवल आप समझते हैं। 'जानत तुमहिं तुमहिं होइ जाई'। आज की जो सभ्यता है, उसकी आलोचना का हक भी उसका ही है, जो गाँधी के रास्ते पर चलने की कोशिश और हिम्मत करें आपके लेख में आपकी यूरोप-यात्रा के प्रसंग से जान आ गयी है। बस, ट्रेन और कार से की गयी लगभग चार हजार किलोमीटर की यात्रा के प्रसंग से गाँधी की सभ्यता-समीक्षा का मर्म समझने में कठिनाई नहीं आती। इससे स्वदेशी का अर्थ और महत्त्व उजागर होता है। आदरणीय सिद्धेश्वर प्रसाद और श्रोत्रिय जी के लेख भी महत्त्वपूर्ण हैं। इन्द्रनाथ चौधरी, अरुणेश नीरन और रामजी तिवारी ने भी 'हिन्द स्वराज' की मूल स्पीरिट को समझा है। श्रद्धांजलि से कहीं अधिक सृजन।

इस अंक की प्रस्तुति आदर्श है। 'दस्तावेज' के विचार-वृक्ष को अपने खून-पसीने से सींचकर आपने विशाल वृक्ष बना दिया है। यह और आगे और ऊँचे बढ़े, इसके लिए मेरी शुभकामनाएँ और सम्प्रति, बधाई।

सपरिवार स्वस्थ-प्रसन्न होंगे।

भवन्निष्ठ,
रेवती रमण

(23)

5-12-2010

श्रद्धेय तिवारी जी,

सादर प्रणाम।

'दस्तावेज' का नया अंक (123) मिला। सम्पादकीय समय की माँग है। गाँधी के प्रसंग में अनर्गल का प्रतिरोध अनिवार्य और रचनात्मक कार्य है। आपने बिल्कुल सही लिखा है कि 'गाँधी ने सनातन भारतीय दृष्टि का पुनराविष्कार किया। रस्किन, तोल्सतोय के बावजूद गाँधी जी मूलतः अपने सिद्धान्तों के लिए भारतीय साधना और संस्कृति से अपने विवेक का इस्तेमाल करते हुए जीवन-द्रव्य ग्रहण करते हैं। उन्हें विदेशी प्रभावापन्न कहना सरासर मूर्खता है। अहिंसा के पक्ष में आपकी आवाज में गाँधी की अन्तश्चेतना घुल मिल गयी है। वह सच्ची और खरी है। यथार्थ अगर यथास्थिति है तो निश्चित रूप से युद्ध का खतरा दुनिया के सामने बढ़ता जाता है समाज में क्रूरता, ईर्ष्या-द्वेष का विस्तार एक बड़ी चुनौती है संस्कृति कर्मियों को इस चुनौती से जूझना है।

बहरहाल, सामाजिक-राजनीतिक विखण्डन के विखण्डन में आपकी लेखनी सच के साथ चल रही है। इसीलिए उसमें एक चमक है तेज है। आपके तर्क भारतीय मनुष्य और मनीषा के तर्क हैं।

इसी अंक में नेपाली कविता 'कबूतर' आपकी आकांक्षा का प्रारूपण है। इस बार खासतौर से कविताएँ सम्पादक की इच्छा-धारणा का पोषण करने वाली हैं। आपकी संपादन नीति दस्तावेज को सम्पादक की पत्रिका बनाने से बचती रही है। रंजना राजदान का लेख अच्छा है, पर बेहतर लिखा जा सकता था। नन्द किशोर आचार्य और सुनीता जैन की कविताएँ लीक से हटकर मनोरम हैं। अनन्तकीर्ति ने रेणु के पत्रों की प्रस्तुति में अनिवार्य सम्पादन-कौशल का परिचय दिया है।

इस पत्र के साथ आपकी कार्य-योजना के सिलसिले में एक कामचलाऊ सूची भेज रहा हूँ। यह बस आपके आदेश के पालन का सन्तोष है। मुझे लगता है, इस पर पूरा समय देकर लगना होगा। कम से कम तीन-चार महीने का। सूची में संशोधन-परिष्कार-कमोबेश अनुसंधान-प्रक्रिया के भीतर होगी।

मैं यहाँ ठीक हूँ। कई बार महीनों कलम रुक जाती है, अवकाश पर चली जाती है—पत्नी के लिए सीरियल्स देखना केवल कर्त्तव्य नहीं रह जाता, उसमें मन भी लगने लगता है। लेकिन इससे बाधा पड़ती है। आलस्य बढ़ जाता है। हमें आनन्द की साधनावस्था पसन्द है, सिद्धावस्था नहीं। फिर भी।

आप सपरिवार स्वस्थ-प्रसन्न होंगे।

भवन्निष्ठ,

रेवती रमण

लक्ष्मीनारायण मिश्र

शारदापीठ, गुरुधाम
वाराणसी-5

22-7-69

प्रियवर,

शुभाशीर्वाद।

तुम्हारा 14-7 का पत्र मुझे 16 को मिल गया। जब पत्र लिखने बैठा, चित्त ऐसा अधीर हो गया कि लिखते नहीं बना।

भगवान ने मृत्यु के मुँह से तुम्हें खींच लिया इसमें तुम्हारें पूर्वजों के पुण्य का योग है। तुम्हारे बच जाने से वे परलोक में कृतार्थ होंगे। जो लोग तुम्हारे गुरुजन और स्वजन हैं वे भी इस लोक में कृतार्थ हैं। उन्हीं में अब मैं भी हूँ।

''अरक्षितो रक्षति दैव रक्षितः सुरक्षितो दैवहतो विनश्यति'' ऐसे ही अनुभवों पर कहा गया होगा। ऐसी भीषण दुर्घटना में तुम नदी के पेटे में डिब्बे में बन्द चले गये फिर भी बच गये। दैव ने रक्षा की नहीं तो तुम्हारे परिवार के साथ हम सब सम्बन्ध की परिधि वालों की क्या दशा होती? 'विवाह जन्म मरणं च यदा यत्र भविष्यति' विवाह जन्म और मरण जब और जहाँ होने को होता है वहीं होता है। तुम्हारे अनिष्ट का न वह समय था और न स्थान। तुम्हारी रक्षा हुई और ऐसी आर्षवाणी में हमारा विश्वास बढ़ा। दैव इस कर्मलोक में तुमसे कर्म कराना चाहता है। अब चिरायु बनकर कर्म करते चलो इस घटना का यही संकेत है। महामाया ने अपने हाथ में लेकर तुम्हें बचा लिया मेरा मन यही कह रहा है नहीं तो सम्भावना कहाँ थी? 'मृत्युंजय' निजी प्रकाशन का श्रीगणेश है। इसके सफल हो जाने पर मेरे सम्पूर्ण साहित्य के साथ तुम्हारे सरीखे स्वजनों की कृतियाँ भी यहीं से निकलतीं। यही संकल्प है इसके लिए हम सबको कर्म करना है तभी सफलता मिलेगी। गोरखपुर में अध्यापक वर्ग से सम्पर्क कर चेष्टा करो। आजमगढ़ में मेरे बड़े पुत्र के प्रयास से इण्टर के विद्यालयों में 10 से 25 तक प्रतियाँ खप रही हैं। जिला परिषद् में इस नाटक की एक प्रति सभी परिषद की पाठशालाओं में रखने का प्रस्ताव हो गया है। प्रस्ताव ठीक-ठीक चरितार्थ होगा तब तो कई सौ प्रतियाँ उसी में खप जायेंगी। कूड़ा करकट प्रचार और प्रभाव से हिन्दी में बिक रहा है। मेरी लेखनी सदैव पुष्ट साहित्य देती आई है। चेष्टा करो कि गोरखपुर के बड़े छोटे सभी विद्यालयों में कुछ प्रतियाँ निकल जायें।

इस पहले प्रकाशन पर भविष्य के प्रकाशन का संकल्प टिका है। प्रकाशकों की कोठियाँ बनीं मेरे जैसा लेखक जहाँ था वहीं रह गया। तुम आत्मीय हो इसलिए यह बात यहाँ निकल गई। वहाँ रेलवे की ओर से भी पुस्तकें खरीदी जाती हैं। कोई रामविनायक सिंह रेलवे में इसी कार्य के लिए नियुक्त हैं उनसे चर्चा करो और देखो क्या कहते हैं।

यहाँ हिन्दू विश्वविद्यालय में बी.ए. में मेरा नाटक 'गरुड़ध्वज' है और एम.ए. में 'सिन्दूर की होली'। खोजने पर और कई विश्वविद्यालयों में भी यही स्थिति मिलेगी। फिर गोपीनाथ जी ने चन्द्रभाल ओझा

से कैसे कहा कि मिश्र जी का एक नाटक एम.ए. में तो है ही जब मेरा जन्म भी उसी क्षेत्र में हुआ है। गोरखपुर बी.ए. में भले यह नाटक न लगे पर अन्य कई विश्वविद्यालयों का आश्वासन मुझे मिल चुका है। गोरखपुर की पिछली यात्रा में डॉ. श्रीपति शर्मा ने स्वयं मुझसे कहा था कि वहाँ से किस परिस्थिति में और किस कारण मेरा नाटक बी.ए. से हटा था। अगले पाठ्यक्रम में बी.ए. में भी मेरा नाटक रहेगा यह श्रीपति जी ने स्वयं मुझसे कहा था। तब तक 'मृत्युंजय' निजी प्रकाशन से प्रकाशित भी नहीं हुआ था। गाड़ी आगे चलती न देख पड़े तो पं. सुरतिनारायण मणि त्रिपाठी से भी इस कार्य में सहायता लो। यहाँ त्रिपाठी जी ओझा जी के साथ मेरे इस निवास पर आये थे उन्हें एक प्रति देकर मैंने वहाँ बी.ए. में निर्धारण का भार उन्हीं पर डाल दिया था। ओझा जी यहाँ से प्रतियाँ वहाँ तिवारी जी, शर्मा जी और सनाढ्य जी के लिए ले गये थे। उन बन्धुजन को प्रतियाँ मिल चुकी हैं। किसी दूसरे विश्वविद्यालय में 'मृत्युंजय' बी.ए. में आ गया और गोरखपुर में न आ सका तो इसका मुझे खेद होना स्वाभाविक है। दो या तीन वर्ष में इसे हटाकर वहाँ लोग चाहेंगे तो मेरा कोई दूसरा नाटक लगा लेंगे।

ओझा जी का कोई पत्र मुझे इधर नहीं मिला है। कह देना इस नाटक में ओझा जी के हिन्दुत्व की ही प्रतिष्ठा है। गाँधी निष्ठ हिन्दू थे इसमें शंका का अवसर नहीं है। यदि इधर कभी वाराणसी आना हो तो 'मृत्युंजय' की सौ प्रतियाँ अपने साथ लेते जाओ। गोरखपुर में 500 प्रतियाँ निकालने की चेष्टा होनी चाहिए। जिला परिषद् में यदि प्रस्ताव हो जाये तो एक हजार के आसपास परिषद की पाठशालाओं में निकल जाएगी। इस विषय में कर्म भर करो। फल की चिन्ता भगवान पर छोड़ो। तुम्हारे पत्र से तो लगता है तुम्हें खंरोच भी नहीं आई थी। ऐसा हो तो यह भी प्रभु की लीला है।

शुभेच्छु
लक्ष्मीनारायण

लक्ष्मीकान्त वर्मा

(1)

2, विट्ठलभाई पटेल भवन, रफी मार्ग
नई दिल्ली-110001

10-8-1977

प्रिय श्री विश्वनाथ तिवारी जी,

हमें यह सूचित करते हुए, विशेष हर्ष है कि डॉ. राममनोहर लोहिया स्मारक न्यास के तत्वावधान में उसके संयोजकों ने एक साप्ताहिक पत्र निकालने का संकल्प किया है। इस पत्र का नाम 'जन साप्ताहिक' होगा। जैसा कि आप जानते हैं समाजवादी विचारधारा एवं कर्म और वाणी में एक रूपता लाने के लिए डॉ. लोहिया जीवन पर्यतं सक्रिय रहे हैं, इसलिए यह पत्रिका उन्हीं की विचारधारा के विकास प्रसार और उन्नयन के लिए होगी। आप स्वयं एक जागरूक और प्रबुद्ध चिन्तक, विचारक हैं। इसलिए हम आशा करते हैं कि इस पत्र को सफल बनाने में हमें आपका सक्रिय सहयोग प्राप्त होगा।

पत्रिका सितम्बर के अन्तिम सप्ताह तक निश्चित रूप से प्रकाशित हो जाएगी। प्रवेशांक के लिए आपसे प्रार्थना है कि आप जो भी हो सके अपनी लेखनी द्वारा प्रकाशनार्थ भेजकर हमें अनुगृहीत करें।

आपका लेख यदि हमें अगस्त के अन्तिम सप्ताह तक मिल जाये तो हम प्रवेशांक में सम्मिलित कर सकेंगे। यदि किन्हीं कारणों से आप अपने विचार प्रभा में लेख न भेज सके तो भी इस अंक के लिए अपनी शुभकामना और आशीर्वाद हमें अवश्य भेजें।

आभार, सहित

आपका
लक्ष्मीकान्त वर्मा

(2)

सरयू कुटीर
मधवापुर इलाहाबाद

7-1-83

प्रिय श्री तिवारी जी

संध्या के माध्यम से आपके दुर्घटनाग्रस्त होने की सूचना मिली। दुर्भाग्य वश इधर मैं भी जीने से फिसलकर गिर पड़ा हूँ। चोट हल्की है लेकिन ज्यादा लिखने की स्थिति में नहीं हूँ। क्योंकि चोट दायें

हाथ की कुहनी और दायें पैर में आयी है।

सम्भवतः 25-26 जनवरी को अज्ञेय जी के साथ मैं भी गोरखपुर में रहूँ। मिलने की कोशिश ही नहीं करूँगा वरन् यदि घर का सही पता लग गया तो अवश्य मिलूँगा।

लेख तो मैं लिखूँगा ही लेकिन वह फरवरी के दूसरे सप्ताह तक ही सम्भव हो सकेगा।

आशा है स्वस्थ हो रहे होंगे।

नए वर्ष की बधाई के साथ।

आपका

लक्ष्मीकान्त वर्मा

(3)

हिन्दी भवन, 6 महात्मा गाँधी मार्ग,
हजरतगंज, लखनऊ—226001

20-7-95

सम्मान्य महोदय,

समस्त भारतीय भाषाओं के मध्य रचनात्मक सम्पर्क एवं समृद्ध सौहार्द विकसित करने के महत्वाकांक्षी उद्‌देश्य से उत्तर प्रदेश हिन्दी संस्थान, लखनऊ द्वारा भाषा-भारती त्रैमासिक पत्रिका का नियमित प्रकाशन किया जा रहा है। अब तक ''भाषा भारती'' के तीन अंक प्रकाशित हो चुके हैं। इन अंकों को समस्त भारतीय भाषाओं के रचनाकारों तथा सुविज्ञ पाठकों का सक्रिय सारस्वत सहयोग प्राप्त हुआ है।

इसी क्रम में ''भाषा-भारती'' का चौथा-अंक ''गाँधी विशेषांक'' के रूप में प्रकाशित करने का निर्णय लिया गया है। यह सर्वस्वीकार्य है कि राष्ट्रपिता महात्मा गाँधी के विराट व्यक्तित्व तथा अप्रतिम कृतित्व ने समग्र विश्व को प्रेरित-प्रभावित किया है। आधुनिक युग में भारत की वैश्विक प्रतिष्ठा के अंकुर पूज्य बापू के सिद्धान्त-सिद्ध मानवतावादी आचरण की भूमि से ही फूटे हैं। गाँधी जी ने किसी न किसी रूप में समस्त भारतीय भाषाओं के रचनाकारों को आन्दोलित किया है।

आप से साग्रह निवेदन है कि गाँधी जी के व्यक्तित्व अथवा उनके बहुआयामी दर्शन के किसी पक्ष पर अपनी मूल्यवान रचना ''भाषा भारती' के गाँधी अंक हेतु अविलम्ब भेजने की कृपा करें। विधा का बन्धन नहीं है। रचना का मौलिक अप्रकाशित व अप्रसारित होना अनिवार्य है। रचना पर्याप्त हाशिया छोड़कर टंकित अथवा सुपाठ्य हस्तलिपि में अपेक्षित है। परिचय आवश्यक हैं। रचना में आँकड़ों का प्रयोग हो तो कृपया उनकी पुष्टि स्वयं सतर्कता से कर लें। कृपया 15 अगस्त 1995 तक अपनी रचना अवश्य उपलब्ध करा दें। जिससे समय पर पत्रिका का प्रकाशन सुनिश्चित हो सके। अपने सुचिन्तित सहयोग से इस अंक को गरिमा प्रदान करें।

यह स्मरणीय है कि ''भाषा भारती'' में मूल रचना का देवनागरी लिप्यन्तरण भी प्रकाशित होता है। यह इस पत्रिका की विशेषता है, जिसकी सराहना अधिकांश मर्मज्ञों ने की है। अतः हिन्दी में अनुवाद के साथ मूल रचना का देवनागरी लिप्यंतरण संलग्न होना अनिवार्य है। लिप्यंतर नितान्त शुद्ध तथा पठनीय होना चाहिए।

हम आशा करते हैं कि भारतीय मनीषा को साकार स्वरूप देने के निमित्त अनुष्ठानित इस वाणीयज्ञ में आपका प्रखर-तत्पर सहयोग हमें निश्चितरूपेण उपलब्ध होगा।

आपका

लक्ष्मीकान्त वर्मा

लीलाधर जगूड़ी

(1)

उत्तरकाशी

4-2-79

प्रिय तिवारी जी,

हर बार आपके पत्रों का उत्तर इसीलिए नहीं दे सका कि कविता कोई इस बीच लिख ही नहीं पाया। 'बची हुई पृथ्वी' के बाद से निराश और अकेला हूँ, अपनी ही कविताएँ पढ़कर लगता है कि ये किसी दूसरे ने लिखी है। जब तक बची हुई पृथ्वी की कविताओं के मूड से छुटकारा नहीं पा लूँगा तब तक आगे कुछ लिख पाना असम्भव है। इस संग्रह की कविताओं पर ढंग की, बेढंग की कोई प्रतिक्रिया अभी तक मुझे कहीं से भी प्राप्त नहीं हुई है। ये कविताएँ इतनी प्रतिक्रिया हीन होंगी, मुझे उम्मीद नहीं थी। और यह मानने का तो कोई कारण नजर नहीं आता कि इनका इतना गहरा असर हुआ है कि लोग सन्नाटे में पड़ गये। खैर......

'दस्तावेज' का पहला अंक मुझे नहीं मिला। उसकी जितनी तीव्रता से प्रतीक्षा थी उतनी ही तीव्रता से निराश रहा। दस्तावेज का दूसरा अंक मिला है और इसका आकार-प्रकार देखकर अपने इस बर्फ से ढके अकेलेपन में बहुत मुग्ध हूँ। डॉ. विश्वम्भरनाथ उपाध्याय के पत्र की प्रतिक्रिया में आपका यह उत्तर कि 'दस्तावेज' किसी पार्टी का मुख पत्र नहीं है' आदि वाक्य; तो इस सन्दर्भ में मैं यह जरूर कहना चाहूँगा कि डॉक्टर उपाध्याय ने कहीं भी अपने पत्र में पार्टी की ओर उन्मुख साहित्य की वकालत नहीं की है। उन्होंने भी वही बात कहीं है जो अक्षय उपाध्याय ने खुले शब्दों में कही कि—हर विचार के लिए, हर विचारधारा के लिए 'दस्तावेज' के पन्ने देकर पाठक को अपना पक्ष चुनने में कहीं आसानी होगी ऐसा मैं नहीं समझता। क्या आप नहीं सोचते कि यह विचारों की अराजकता को ही बढ़ायेगा और कुछ नहीं?'

डॉ. विश्वम्भनाथ उपाध्याय ने 'जनगाथा' की बात उठायी है और इतने मात्र से कि विद्यानाथ मिश्र के 'रोमानिया पर्यवेक्षण' साम्यवाद विरोधी स्पर्शों से भरे हैं, किसी भी लेखक का आशय गुटबन्धी या छद्म विरोध को प्रश्रय देना नहीं माना जा सकता।

दोनों उपाध्याय के पत्रों के उत्तर में आपने स्वयं बहुत गोल-मोल जवाब दिया है जिससे मैं यह समझ पाया हूँ कि जिनकी कोई राजनीति नहीं होती उनकी बहुत बड़ी राजनीति होती। जे.पी. भी यही कहते थे कि मैंने राजनीति से सन्यास ले लिया है। लेकिन आपके प्रत्युत्तरों में यह पढ़कर बहुत आश्वस्त हुआ हूँ कि—'यह उत्पीड़क और क्रूर ताकतों के विरुद्ध है तथा बेजबान, असहाय समूह के पक्ष में है' साथ ही आप 'दस्तावेज' को 'असहमति' जैसे 'मूल्य' से भी जोड़ना चाहते हैं तो फिर आपकी राजनीति काफी स्पष्ट हो जाती है, आप अपने को छिपा क्यों रहे हैं? हरेक से 'असहमति' या केवल 'सहमति' से असहमति? प्रश्न उठता है कि दूसरी जो असहमतियाँ हैं क्या उनसे असहमति या जो दूसरी सहमतियाँ

हैं उनसे? ऐसा मैं इसलिए पूछ रहा हूँ कि 'असहमत' की जरूर कोई 'सहमति' भी होती है, आपकी वह 'सहमति' क्या है?

इन सवालों को इसलिए भी उकसा रहा हूँ कि 'दस्तावेज' का अगला अंक आप से कोई नयी बहस उठवा सकें। 'दस्तावेज' के दूसरे अंक में ज्ञानेन्द्रपति की कविताएँ बहुत अच्छी बन पड़ी हैं। पहली कविता में एकदम निस्संगता भी है और जुड़ाव भी। कॉफी बारीक सन्तुलन से काम लिया गया है। वरना 'ट्राम में एक याद' धक्का खा जाती। इन पिछले तीन वर्षों में कविता में जो नया काम सामने आया है और जो परित्यक्त वस्तुएँ उभरी हैं, उन पर आलोचकों की नजर या तो पड़ नहीं रही या वे इस इन्तजार में हैं कि रचनाकार ही स्वयं कुछ नयी स्थापनाओं के बयान प्रसारित करे तब वे उसे ले उड़ें। स्थिति जो भी है आलोचना की, समीक्षा की, बुरी है, सोचनीय है। पन्द्रह वर्षों से इतनी पिटी-पिटाई भाषा में बातें हो रही हैं कि मात्र मलयज, परमानन्द श्रीवास्तव, रामस्वरूप चतुर्वेदी, अशोक वाजपेयी, विष्णुखरे, नरेन्द्र मोहन व प्रभात कुमार त्रिपाठी द्वारा लिखी कुछेक समीक्षाओं ने किसी हद तक रचनाओं को समझने की प्राणवान चेष्टा की है और इसकी वजह शायद यह भी रही है कि ये सब अपने अनुभव के लिए कविता को भी माध्यम बनाते रहे हैं। डॉ. विश्वम्भर नाथ उपाध्याय ने भी समीक्षाएँ की हैं लेकिन वे भी ऐसा काम नहीं कर पाये हैं जो समीक्षा पद्धति की वर्तमान जड़ता को तोड़ सके। मगर कहीं-कहीं उनकी सजग चेष्टा से ऐसा झलकता जरूर है कि वे एक साफ और सन्तुलित दृष्टि से नये औजार गढ़ रहे हैं।

लगता है स्वदेश भारती की कविता आपने इसलिए छाप दी कि 'दस्तावेज' का यह अंक कहीं उत्कृष्टता का 'मजहब' न बन जाये। क्या यही है 'विश्वसनीय' लेखन? 'दस्तावेज' का इतना खुला स्वरूप रहा तो बहुत भारी पड़ेगा।

रामदेव शुक्ल ने अपनी टिप्पणी में सशक्त कथाकार काशीनाथ सिंह पर बातें कुछ सलीके से उठाने की कोशिश की है। प्रेमचन्द के बाद कथा साहित्य की हिन्दुस्तानी परम्परा को बीच की पीढ़ी में रेणु जी ने और साठ के बाद केवल काशीनाथ सिंह ने आगे बढ़ाया है। उनकी कहानियाँ सैंतालीस के बाद का 'समस्त भारत' हैं। वे केवल कहानियाँ ही नहीं बल्कि इतिहास भी है। उनका संघर्ष केवल जीवन व उसकी सार्थकता के लिए ही नहीं है। बल्कि शैली, शिल्प व नयी भाषा के लिए भी उतना ही ज्यादा है।

शम्भुनाथ का लेख 75-76 के भारत की दुर्दशा (जो कि आज भी कम नहीं है) को जितनी प्रखरता से व्यक्त करता है उतनी तेजी से वे तथा कथित महान, सुविधाजीवियों के मुखौटे भी हटाते चलते हैं। ऐसी बेबाक टिप्पणी के लिए उन्हें बधाई।

डॉ. रामस्वरूप चतर्वेदी का 'शब्द और सर्जन' साहित्य की कई आदिम समस्याओं को एकदम आधुनिकता के सन्दर्भ में उठाता है। डॉ. चतुर्वेदी बहुत संयत और शालीन भाषा में उस साहित्य और भाषा के वैज्ञानिक सम्बन्ध को जतन से उघाड़ते हैं जहाँ अगर किसी तेज-तर्रार बोलचाल के शब्द का इस्तेमाल हो जाये तो दरार पड़ जाये। हिन्दी की कविता आज बोलचाल के इतने करीब क्यों आयी? इस बात का जवाब डॉ. चतुर्वेदी ने अत्यन्त सटीक और शब्दों की कम खर्ची के साथ दिया है। 'यों कहें कि उर्दू में मुहाविरा भाषा में बनता है, हिन्दी में बात से'।

'आज की गुजराती कविता में मनुष्य' लिखकर रघुवीर चौधरी ने उस सहजस्फूर्त वक्तव्य की याद दिला दी जो उन्होंने इतनी ही सहजता और विशिष्टता के साथ 'गुजराती उपन्यास' पर साहित्य अकादमी के हॉल में एक गोष्ठी में दिया था। रघुवीर चौधरी कृति निष्ठ विचारक हैं और हिन्दी के विचारकों को भी उनसे कृतिनिष्ठ समीक्षण की सीख लेनी चाहिए।

चन्द्रकान्त बांदिवडेकर ने 'स्वातंत्र्योत्तर मराठी साहित्य' में जिन आरोपों को लेकर धर्मयुग में

आधुनिक हिन्दी कविता को कोसा था उन्हीं आरोपों को गुण की तरह बखानते हुए मराठी कविता का स्तवन किया है। उनके द्वारा किये गये अनुवाद बहुत प्रभावी हैं पर उन्होंने पता नहीं क्यों कवियों की कमजोर कविताओं का चुनाव किया।

आशा है मेरे इस लम्बे पत्र से आप 'असहमत' होने को बेताब हो रहे होंगे। पर मुझे जो कुछ महसूस हुआ वह मैंने बिना किसी पूर्वाग्रह के लिखा है।

आपका

लीलाधर जगूड़ी

पुनश्चः 'दस्तावेज' का पहला अंक जरूर भिजवा दें। डॉ. परमानन्द श्रीवास्तव को मेरा प्रणाम अवश्य कहें। उन्होंने बची हुई पृथ्वी पर लिखने को कहा था, उसका क्या हुआ?

आपने कहा था कि आप वह टेक्सट बुक (हिन्दी साहित्य) की भिजवाएँगे जो आपने और परमानन्द जी ने सम्पादित की है। और जिसकी उत्कृष्टता के लिए बहुत चर्चा रही है।

नये पते पर डाक विलम्ब से मिलती है।

स्थाई और सुरक्षित पत्र व्यवहार का पता पहले वाला ही है—

पाने कि—जोशियाड़ा (उत्तरकाशी)

(2)

9-3-79

प्रिय तिवारी जी,

'दिशान्तर' मुझे मिल गया है। इसके लिए हार्दिक कृतज्ञ हूँ। यह संग्रह काफी पहले का है और अपने समय के हिसाब से ठीक है; अब आप लोग स्वयं एक बदलाव महसूस करते हैं अतः आगे भी इस तरह के 'एक और दिशान्तर' के सम्बन्ध में सोचें। आप लोगों का तत्कालीन श्रम तो स्तुत्य है ही।

'दस्तावेज' को पढ़कर तुरन्त मैं जो लिख गया वह आपको या किसी को भी व्यक्तिगत रूप से नाराज करने की दृष्टि से नहीं लिखा और न अपने किसी अहं से किसी अन्य को चोट पहुँचाने की इच्छा से। आपने उसे विचार के स्तर पर ही लिया है—यह जानकर आपके प्रति मन में आदर भाव बढ़ा है। आज ही मुझे भाई माधव मधुकर जी का एक पी.सी. मिला है जिसमें उन्होंने देवेन्द्र कुमार जी का हवाला देते हुए लिखा है कि....'आपका मिलना-जुलना अब साहित्यकारों से कम और अफसरों और डॉक्टरों से मिलना जुलना ज्यादा हो गया है..., उत्तर तो मैंने उनके पत्र में दे दिया है लेकिन क्या देवेन्द्र भाई का अभिप्राय यह रहा होगा कि मैं 'डॉ.' परमानन्द श्रीवास्तव और 'डॉ.' विश्वनाथ तिवारी से मिला? मेडिकल डॉक्टरों से मिलना भी क्या कोई ईर्ष्या और प्रतिस्पर्धा की चीज होती है?

यहाँ बहुत हिमपात हुआ है। परमानन्द जी को नमस्कार।

आपका

लीलाधर जगूड़ी

(3)

21-8-80

प्रिय तिवारी जी,

'दिनमान' में 'दस्तावेज' के प्रेमचन्द विशेषांक की तारीफ पढ़ी। आपकी धैर्य और विवेकपूर्वक की गयी मेहनत की प्रशंसा निर्व्याज रूप से होनी चाहिए। अगर अंक मुझे भी प्राप्त करा सकें तो यह मेरा सौभाग्य ही होगा।

सम्भवतः आपने इसके बाद आचार्य द्विवेदी अंक निकालने की बात की थी, लखनऊ में, इसीलिए मैंने अपनी रचनाएँ तुरन्त नहीं भेजीं। जहाँ तक समझता हूँ अब आचार्य अंक के लिए भी सामग्री आपने जुटा ली होगी। वह अंक कब तक आ जायेगा।

'दस्तावेज' के लिए अपनी रचनाएँ कब तक भेजूँ? इस बार भी विद्यार्थी बना हुआ हूँ। एम.ए. फाइनल (हिन्दी) की परीक्षा दे रहा हूँ, गढ़वाल विश्वविद्यालय से। 29 अगस्त को अन्तिम पेपर है और 6 सितम्बर का मौखिक परीक्षा। उसके बाद मैं निजी लिखने-पढ़ने में जुट जाऊँगा। बीच में बीमार रहा। अस्पताल में था। इसलिए सम्पर्क नहीं कर पाया। अब ठीक हूँ। अस्पताल में भी कुछ कविताएँ ठीक की हैं।' 78 में बीमार पड़ा था तब इसी अस्पताल में कुछ कविताएँ लिखीं थीं, उन्हें इस बार ठीक किया।

आपका भाई

लीलाधर जगूड़ी

(4)

बलरामपुर अस्पताल

24-6-82

प्रिय तिवारी जी,

आपके दो पत्र मिले। आपने मेरे स्वास्थ्य के बारे में चिन्ता प्रकट की इससे मुझे काफी मानसिक शक्ति मिली है। पिछले दो ऑप्रेशनों की भयावह यादों से अभी छुटकारा नहीं मिला और यह तीसरा ऑप्रेशन सामने है। फिर से किडनी (दाहिनी) यूरेटर में ठीक उसी जगह पथरी बन गयी है जहाँ से पिछली बार तीन निकाले गये थे। शायद मुझे दो एक दिन में मेडिकल कॉलेज भेजा जा रहा है। दर्द और बुखार, दोनों अब नियन्त्रित हैं इसलिए ऑप्रेशन तुरन्त कर डालने पर जोर डाला जा रहा है। मुझ में अब पहले जैसा साहस और खून नहीं रह गया है। खैर..... दस्तावेज के अंक मिले थे। श्रीलाल जी को तुरन्त पहुँचा दिया था। कुँवर जी का अंक अभी तक नहीं पहुँचा। वे बाहर थे। अब आ गये है। पहुँच जायेगा। वे मेरी सबसे ज्यादा देखभाल कर रहे हैं। दस्तावेज के कुछ लेख पढ़ गया हूँ। सबसे खुशी की और चकित कर देने वाली बात मेरे लिए यह है कि परमानन्द श्रीवास्तव जी ने जो समीक्षाएँ लिखी हैं वे अपनी साफगोई के कारण इस अंक की उपलब्धि हैं। मुझे एकदम परमानन्द जी की भाषा में बड़ा परिवर्तन लगा। समीक्षाएँ इसी तरह स्पष्टता से की जाएँ तो इस बीच की सारी रिक्तता भर जायेगी। उन तक मेरी शुभकामना पहुँचा दीजिएगा। बाकी अंक पढ़ने के बाद लिखूँगा।

आपका

लीलाधर जगूड़ी

लीलाधर मंडलोई

(1)

आकाशवाणी पोर्टब्लोर
(अंदमान-निकोबार)

1988

आदरणीय विश्वनाथ जी,

आपकी कविताएँ बहुत पहले से पढ़ता रहा हूँ। एक अर्थ में इनसे व्यक्तिगत स्तर पर आत्मीय रहा हूँ। अभी-2 'बेहतर दुनिया के लिए' संग्रह पढ़ा है। कविताओं में व्याप्त विश्वसनीय मार्मिकता और करुणा हमारे समाज-देश के व्यक्ति की इयत्ता को बड़ी अर्थवत्ता देती है। यह हमें बेहतर जीवन के प्रति जवाब देह बनाती है और नजदीक की दुनिया के प्रति उत्कट मानवीय लगाव पैदा करती हुई, समूची दुनिया के लोकमंगल के प्रति प्रतिबद्ध रखती है, यही समकालीन कविता की सही ताकत है। हम इसकी समीक्षा इस केन्द्र से कर रहे हैं। मुमकिन हो तो सुविधा से पत्र दीजिएगा। मुझे अच्छा लगेगा।

जबलपुर से जनवरी में यहाँ तबादले पर आया हूँ।

आपका
लीलाधर मंडलोई

(2)

ए-2492, नेताजी नगर,
नई दिल्ली-110023
15-3-2005

आदरणीय भाई,

आगामी विश्व पुस्तक मेला 2006 से हम एक महत्त्वाकांक्षी ''कवि एकादश'' योजना को मूर्त रूप दे रहे हैं। इस योजना के कुल पाँच चरण हैं। प्रत्येक चरण में कुल ग्यारह कवि रूसी और हिन्दी भाषाओं में प्रस्तुत किए जाएँगे। इस योजना के अन्तर्गत प्रकाशित होने वाला प्रत्येक खण्ड लगभग 250-300 पृष्ठों का होगा। तदनुसार प्रत्येक कवि पर लगभग 25 पृष्ठों की सामग्री एकाग्र की जाएगी। इनमें से दो पृष्ठ कवि के आत्म-वक्तव्य के लिए, एक पृष्ठ कवि के परिचय के लिए तथा एक पृष्ठ कवि की तस्वीर के लिए सुरक्षित होगा और शेष 21 पृष्ठों में कवि की चुनी हुई रचनाएँ प्रस्तुत की जाएँगी।

इस योजना के लिए आपका नाम भी प्रस्तावित है। अतः आपसे अनुरोध है कि आप अपनी श्रेष्ठ 25-30 कविताएँ, अपना आत्म-वक्तव्य, विस्तृत परिचय और रंगीन छायाचित्र (जिसका आकार 10 गुना 15 से.मी. से कम नहीं हो) ऊपर लिखित पते पर एक माह के भीतर भेज दें।

कविताओं का अन्तिम चयन प्रत्येक खण्ड के सम्पादक करेंगे।

शुभकामनाओं सहित।

सादर
लीलाधर मंडलोई
अनिल जनविजय
संयोजक द्वय

ललित शुक्ल

(1)

नयी दिल्ली-59

6-6-81

प्रिय भाई,

'दस्तावेज' का अंक मिला। साथ में आपका प्रपत्र भी। मत्सरी लोगों ने दस्तावेज के सम्बन्ध में जो कुछ लिखा है उसे हम लोगों को इतना सीरियसली नहीं लेना चाहिए। लेखकों को उनका पारिश्रमिक मिलना चाहिए। इससे कौन इंकार कर सकता है पर न मिलने पर शिकायत लेखक की ओर से आनी चाहिए न कि साहित्य के पल्लेदारों की ओर से। किसी एक कम्युनिटी पर अतार्किक शैली में हमला बोलना और निरुद्देश्य हवा में दफ्ती की तलवार भाँजना किसी शिखण्डी हरकत की याद दिलाता है। अध्यापन, पत्रकारिता, दुकानदारी क्लर्की सभी पेशे अच्छे हैं। बुराइयों पर उँगली उठाना अच्छी बात है पर लूले हाथों की हरकतें बेमानी लगती हैं। संभी जानते हैं कि 'दस्तावेज' किसी संस्थान की पत्रिका नहीं है। साधन सीमित हैं। दस विज्ञापन छपे देखकर यदि किसी को यह मुगालता हो जाय कि पैसा बरस रहा है तो उसकी बुद्धि पर तरस ही आना चाहिए। फिर ऐसा व्यक्ति जो किसी कोने से क्रिएटिव नहीं है, अपने को ही गरियाएगा और उसे पता नहीं चलेगा। करना वह भी वहीं है जिसके लिए औरों की शिकायत करता है। विद्या धारण करने वाले तथाकथित सम्पादकों ने प्रकाशनों और लेखकों से मूल्यवान पुस्तकें समीक्षा के नाम पर हथियायी हैं। यही पुस्तकें बाद में पुस्तकालय में बेची गयी हैं। इसी तरह की तमाम हरकतें हो रही है। राजेन्द्र यादव ने पुस्तक छपवायी 'प्रेमचन्द की विरासत'। इसमें प्रेमचन्द पर केवल एक लेख है। वह भी बहुत ही घटिया दर्जे का। फिर क्या एक लेख के नाम पुस्तक का नाम इसलिए नहीं दिया गया कि पुस्तक की बिक्री प्रेमचन्द की बदौलत हो जाय। हिन्दी में केवल अश्क ने इस पुस्तक के घटियापन की ओर लिखित रूप में संकेत किया है। मैं तो चाहूँगा कि दस्तावेज अपनी समर्थता में सच्चाई को कहता चले।

सद्‌भाव सहित,
ललित शुक्ल

पुनश्चः कोहली (द्रोणवीर) वाला उपन्यास मुझसे पढ़ा नहीं गया। रामदरश मिश्र के उपन्यास की समीक्षा मैं लिख रहा हूँ। जल्दी भेजूँगा यानी जून के अन्त तक। कहें तो कोहली वाला उपन्यास वापस भेज दूँ। एक बात पूछूँ—क्या 'दस्तावेज' हर आयी हुई पुस्तक की समीक्षा करवाता है? लिखें, जैसा चाहेंगे, हो जाएगा।

फैजाबाद में 10 महीने पूर्व आपको एक पुस्तक दी थी कृ.श.शु. से सम्बन्धित। आपने स्वयं इस पर

कुछ लिखने को कहा था। साथ ही प्रकाशित करने को भी। समय काफी हो गया। कहीं ऐसा तो नहीं है कि समीक्षा प्रकाशित हो गयी हो और मुझे पता ही न चला हो। देखिएगा। 'सोजालोबो' (रिपोर्ताज) नयी कृति आयी है। भिजवाऊँगा। 'अनाहूत' का कहानी अंक भेजा था, मिला होगा। अनन्त भाई को मेरी याद दिलाइए। उनका मौन कौन वीर बहादुर तोड़ सकता है। शायद वे स्वयं भी नहीं।

(2)

22-1-90

बन्धुवर,

दस्तावेज 44 मिला। प्रसाद पर प्रकाशित सामग्री पठनीय है। आपका लेख एक बैठक में ही पढ़ गया। इस श्रम के लिए आपको बधाई दे रहा हूँ। अब हिन्दी में धीरे-धीरे ईमानदार लेखन की कमी आती जा रही है। बांदिवडेकर ने अपने लेख में कुछ ऐसे मुद्दे उठाये हैं जिन पर बस होनी चाहिए।

'सहमी हुई शताब्दी' पर गोविन्द उपाध्याय की समीक्षा आपको डॉ. रामदरश मिश्र के हाथ भेजी थी। कब छाप रहे हैं उसे। इधर आपके दिल्ली आने का प्रोग्राम कब तक है?

कुशल कामना के साथ।

आपका

ललित शुक्ल

(3)

15-3-91

प्रिय भाई,

मिश्र जी के माध्यम से 'दस्तावेज' 47 मिला। आप का यात्रा संस्मरण पढ़ा। आपके साथ-साथ मैं भी पहाड़-प्रदेश का भ्रमण करता रहा। लेख ने ऐसा बाँधा कि एक सांस में पढ़ गया। इस नवीन प्रस्तुति के लिए बधाई लें। बहुत सशक्त प्रोज लिखते हैं आप। आपकी संस्मरणों की पुस्तक आनी चाहिए। लगभग दो साल पूर्व आपको 'सहमी हुई शताब्दी' की समीक्षा मिश्र जी से ही भिजवाई थी। उसकी पारी निकट भविष्य में आ सकेगी क्या? अनन्त प्रतीक्षा की सीमा तो अवश्य होती होगी। दिल्ली कब आएँगे? नमस्कारान्ते।

आपका

ललित शुक्ल

(4)

1-1-03

सम्मान्य बन्धु,

'दस्तावेज' 95 मिला। धन्यवाद। आपका सम्पादकीय कलकत्ता में पढ़ लिया था। बड़ा मर्दाना सम्पादकीय लिखा है आपने। सच कहने का साहस आप में है। छलात्कारी को पूरा हिन्दी जगत जानता है। इधर 'दस्तावेज' आना बन्द हो गया था मैंने सोचा मुझसे कोई चूक हुई है। खैर। मैं सेवामुक्त हो गया हूँ। हाँ, दस्तावेज में असाहित्यिक पत्रों को न छापें तो बेहतर होगा। और भाई पत्रों पर कापीराइट पत्र लेखका का होता है पत्र पाने वाले का नहीं। सपरिवार स्वस्थ सकुशल होंगे।

नए साल की शुभकामनाएँ।

आपका
ललित शुक्ल

(5)

बन्धुवर,

सप्रेम नमस्कार। जैनेन्द्र जी से सम्बन्धित लेख भेज रहा हूँ। कृपया प्राप्ति की सूचना दीजिएगा।

'दस्तावेज' 117 मिल गया है। समय के हस्ताक्षर की समीक्षा आपने कृपा पूर्वक छाप दी है। अनुगृहीत हूँ। इस अंक में आपका सम्पादकीय धारदार लगा। हार्दिक बधाई। अब हिन्दी समीक्षा में ठकुर सुहाती गायी जा रही है। वास्तविक बात कहने वाले या तो ऊपर चले गये हैं, जो बचे हैं उनका ओज बिला गया है और वे थक भी गये हैं। दस्तावेज के कई अंकों के आपके जुझारु सम्पादकीय या अग्र लेख आज की समीक्षा की मरुभूमि में शाद्धल जैसे लगते हैं। पाठको को तृप्ति मिलती है। यह बड़ी बात है। प्रतीत होता है अभी भी कुछ न कुछ शेष है।

इसी ऊर्जा और सजगता के साथ आगे बढ़ते रहें, कामना है। समय के हस्ताक्षर की प्रति आपके लिए मेरे पास रक्खी है। या तो किसी के हाथ भेजूँगा, या फिर डाक से।

मेरा तो आग्रह है विश्व पुस्तक मेले में आयें तो भेंट भी हो और पुस्तक भी स्वीकार कीजिए।

घर में सभी को अभिवादन, आशीष यथायोग्य।

शेष अशेष।

सद्भावेन आपका,
ललित शुक्ल

वल्लभ सिद्धार्थ

(1)

मऊरानीपुर (झाँसी)

9-9-2006

प्रिय तिवारी जी,

'दस्तावेज' का 111 वाँ अंक मिला है। आभार।

इस अंक में सबसे अधिक प्रभावित आपके सम्पादकीय ने किया। सोल्जेनित्सित मेरे मेनटोर रहे और हैं। 1970 के आसपास इनका Cancer ward पढ़ा और इनका मुरीद हो गया। फिर उनका गुलाग आरकी पैलागी, अगस्त 1914, जूरिच में लेनिन, फर्स्टसरकिल, ए लैम्प इन द विन्ड, सब गले....सभी पढ़ यहाँ तक घोट डाले, उत्तेजना इतनी थी कि मार्क्सवादियों से, उनके घर जाकर लम्बी बहसें करता था। इनमें परसाई, ज्ञानरंजन, कमलेश्वर, राजेन्द्रयादव, पंकज विष्ट और न जाने कितने लोग प्रमुख थे। 1990 के आसपास जब भोपाल में रहा, वहाँ इनके पूरे झुण्ड से अकेला लड़ता था। उनकी हूटिंग के बीच सबको लाजवाब कर देता था। तभी से जितना बना सोल्जे का अनुवाद करता रहा। गुलग से, आत्मा और कटीले तारों का घेरा, गोर्की बरक्स गुलग आरकीपैलागो, गोर्की बरक्स ह्वाइट सी कैनाल, अन्ना स्क्रिटनीकोव, पिछले वर्ष ज्ञानोदय, अक्षर पर्व और अक्षरा में छपे। इसके अलावा The first cirle के 5 अध्याय स्टालिन और कैन्सरवार्ड का 'बाजार के बुत' भी छपे। लेकिन 1990 में सोवियत संघ टूट जायेगा इसकी कल्पना सोल्जे की भी नहीं थी। विनम्रता से कहना चाहूँगा कि महान लेखक पर मैंने जितना लिखा और पढ़ा, उतना किसी ने नहीं।

1990 में डॉ. भारती ने (वे रिटायर हो चुके थे) बड़े दर्द से कहा था, "भइया इन कम्यूनिस्टों ने मुझे चैन से जीने नहीं दिया। कमलेश्वर और महावीर अधिकारी ने तो मुझे पकड़वा ही दिया था—(कविता मुनादी)। वो तो पं. कमलापति त्रिपाठी ने मेरी रक्षा की। वही काम दिल्ली में श्रीकान्त वर्मा कर रहे थे। यानि सरकारी मुखविर।....खैर, मैं खुद इमरजेन्सी में जेल में रहा। कहानी ब्लैकआउट के कारण। पत्र लम्बा हो गया।

फिलहाल 'वार ऐंड पीस' का अनुवाद कर डाला है। अगर कहें तो कोई अंश आपके पास भेजूँ। यह अंक और एक और अंक जिसमें आपने नामवर और राजेन्द्र यादव को बेनकाब किया है, सुरक्षित रख रहा हूँ। आप अकेले पूरी गेंग से लड़ रहे हैं, मटियानी जी की तरह। मैं भी अपनी छोटी सी हैसियत में जूझ रहा हूँ। सानन्द होंगे। साधुवाद लें।

विनम्र आपका—व.सि.

1990 में लम्बी बहस (पत्रों द्वारा) के बाद साहित्य की बेईमानियों से इस कदर मन भरा कि अपना लिखना छोड़कर पीछे Classics पर उतर आया। अब तक सार्त्र, बेकेट, गोगोल, चेखव, दोस्तोवस्की,

स्टीवेन्सन, पुश्किन, काफ्का, आयोनेस्को—आदि में जो best रहा उसका अनुवाद कर डाला। war and peace के बाद महाभारत पर एक किताब पूरी कर रहा हूँ। इसके बाद इलिएड (Homer) और दाँते की Divine Comedy करने का विचार है।

आपका
वल्लभ सिद्धार्थ

(2)

7-10-2006

प्रिय तिवारी जी,

आपका 2-10-06 का कृपा पत्र आभार।

वार एंड पीस का एक बहुत बढ़िया अंश जल्द भेज रहा हूँ। आगे भी भेजता रहूँगा। आज कल महाभारत पर काम कर रहा हूँ। एक पांडुलिपि लगभग पूरी है। इसमें योगेश्वर श्री कृष्ण का चरित्र अद्भुद है क्या भेजूँ। निसंकोच लिखें। मुझे लगता है शायद दस्तावेज जैसी वैचारिक पत्रिका के लिए यह अनुपयुक्त होगी। इसलिए पहले से पूछ रहा हूँ।

मैंने गोर्की बरक्स ह्वाइट सी कैनाल, और गोकी बरकस गुलग ज्ञानोदय में छपे आपके रूसी लेखकों पर लिखे लेख की प्रतिक्रिया में एक पाठक के पत्र/से प्रतिक्रिया में लिखे थे। इसके बाद जो भोपाल में ना. और उनके शिष्यों की हरकतों से चिढ़कर लौटने पर तुरन्त लिख डाले थे।

छद्म का फाश होना ही चाहिए। आपका धैर्य अद्भुद और प्रणम्य है। सानन्द होंगे। कृपया उत्तर शीघ्र दें।

आपका
वल्लभ सिद्धार्थ

वरयाम सिंह

(1)

28-3-86

आदरणीय तिवारी जी,

लिखने में विलम्ब हुआ। क्षमा करेंगे।

आजकल यूरोप के खूबसूरत शहरों में एक प्राहा में दो सप्ताह के लिए आया हूँ। मारीनात्सवेतायेक पर सामग्री एकत्रित करने के सिलसिले में। हिन्दी जानने वालों से कल मुलाकात हुई। युगोस्लाव मूल के, लेकिन प्राहा में रह रहे एक मित्र ने आप की कविताओं के अनुवाद करने में रूचि दिखाई है। मास्को में सेंकेविच तो कर ही रहे हैं। आपकी पुस्तक उन्हें दे दी थी।

स्वस्थ, प्रसन्न होंगे।

सादर

वरयाम सिंह

(2)

1318 पूर्वांचल
जवाहरलाल नेहरू विश्वविद्यालय
नई दिल्ली-67
31-3-87

आदरणीय तिवारी जी,

सुना, आप मेरी अनुपस्थिति में इधर आये थे। मेरी बहुत इच्छा थी कि आप से मिलूँ। बहुत-सी बातें करने को हैं। इस बीच त्रिपाठी जी ने आप को मेरी योजनाओं की जानकारी दे दी होगी।

चूँकि जिन लोगों से सामग्री मिलने की आशा थी उन्होंने मुझे लगभग कुछ नहीं भेजा है अब मैं अपने प्रयास से सामग्री जुटाऊँगा। विषयवस्तु में तनिक परिवर्तन करना होगा। क्यों न पत्रिका के एक अंक को कुछ इस तरह की सामग्री पर केन्द्रित किया जाए। सोवियत समालोचना में समकालीन हिन्दी साहित्य व हिन्दी में रूसी/सोवियत साहित्य।

मेरी इच्छा है कि आप इस बीच आई.सी.सी.आर भारतीय सांस्कृतिक सम्बन्धों की परिषद् को लिखें कि 'दस्तावेज' अपना एक अंक भारत सोवियव उत्सवों के अवसर पर विशेषांक निकालने की इच्छुक है और इस प्रयास के लिए वित्तीय सहायता प्रदान करें।

श्रीकान्त वर्मा जी पर केन्द्रित अंक बहुत अच्छा लगा। मेरे पास प्रो. चेलिशेव का लेख (रूसी भाषा

में, तब वर्मा जी जीवित थे) पड़ा था, अनुवाद भेज सकता था।

इस बीच मेरी कविताओं का संकलन प्रकाशित हुआ है। प्रकाशन संस्थान से। प्रति भेज रहा हूँ। अरविन्द त्रिपाठी कह रहे थे कि 'दस्तावेज' के लिए समीक्षा लिखेंगे।

फिलहाल इतना ही। स्वस्थ, प्रसन्न होंगे,

आपका

वरयाम सिंह

(3)

27-7-87

आदरणीय तिवारी जी,

यों गाँव से यहाँ पहुँचने पर आपका पत्र मिल गया था। पर मुझसे लिखने में विलम्ब हुआ है, बुरा न मानेंगे।

अप्रैल में भाई सेंकेविच दिल्ली आये थे। बता गये थे कि भारतीय साहित्यकारों को विदेशों के साथ मैत्री सम्बन्धों की परिषद् द्वारा इस वर्ष सोवियत संघ में आमंत्रित करने की योजना है। उन्होंने जो सूची बनाई उसमें आपका भी नाम था। यही बात मैंने शर्माजी से भी कही थी। सेकेविच से उसके बाद सम्पर्क नहीं हो पाया है। पिछले दिनों हमारे एक मित्र मॉस्कों गये थे, उम्मीद थी कि वह इस सिलसिलें में सेंकेविच से जानकारी लेकर आयेंगे, पर सेंकेविच इन दिनों मास्कों में नहीं हैं अतः कुछ जानकारी नहीं मिल सकी।

जब तक पुख्ता पता नहीं चलता आप मास्को यात्रा का जिक्र न करें, यों अपना पासपोर्ट बनाकर रख दें। हम लोगों में पूरी कोशिश रहेगी कि कुछ भले लोग भी रूसी साहित्यकारों से मिल सकें।

प्रतिष्ठित पत्रिका 'इनोस्त्रान्नाया लितेरातूरा' (विदेशी साहित्य) के सातवें अंक में सुना है आपकी कुछ कविताएँ (सेंकेविच के अनुवाद में) छपी हैं, अंक प्राप्त होने पर आप को भेज दूँगा।

इधर मैंने एक वर्ष का अवकाश ले लिया है। पिता जी के देहान्त के बाद घर पूरी तरह गड़बड़ा गया है। मैं परिवार में सबसे बड़ा हूँ कोशिश में लगा हूँ सब कुछ ठीक हो जाये।

मैं दो अगस्त को गाँव जा रहा हूँ। 18-19 अगस्त तक लौट आऊँगा।

स्वस्थ, प्रसन्न होंगे।

आपका

वरयाम सिंह

वागीश शुक्ल

(1)

25-3-1976

बन्धु,

पत्र अभी मिला। आदेशानुसार लिफाफे का प्रयोग कर रहा हूँ हालाँकि मैं इतना ही लिखता हूँ जितना पोस्टकार्ड पर आ जाय। अस्तु, 1. कविता संग्रह नहीं मिला। 2. आलोचना पुस्तक मिली लेकिन संयोगवश, मैं माहेश्वर से मिलने गया था, जिक्र किया तो उन्होंने दे दी, सूची में मेरा नाम नहीं था, सूची मेरे सामने देखी गई थी। 3. नामवर जी से भेंट हुई थी, उन्होंने आपके काव्य संग्रह की समीक्षा के लिए मुझसे कहा है सो मैंने सहर्ष ले लिया है। 4. रघुवीर सहाय से भेंट हुई थी लेकिन इसका कोई जिक्र नहीं आया, अब भेंटकर प्रतिक्रिया जानकर सविस्तार लिखूँगा। 5. वात्स्यायन जी अप्रैल/मई में लौटेंगे, इस बीच एक अफवाह उड़ी थी कि इला जी लौट आई हैं। लेकिन इसका सत्यापन नहीं हो सका। 6. इस बीच सम्भवतः वि.नि.मि.जी. 'नया प्रतीक' को देख रहे हैं। 7. रघुवीर सहाय का पता है 391, सेक्टर4, रामकृष्णापुरम् नई दिल्ली। 8. आलोचना के अगले अंक में (धूमिल विशेषांक के बाद वाला) मेरा एक लेख है धूमिल पर, 'चालू भूगोल से हटकर', प्रतिक्रिया लिखिएगा। 9. जो आश्यर्च चकित करने वाली बातें हैं उन्हें तुरन्त लिखिए ताकि आपको भी इधर से एकाध ऐसी बात मैं लिख सकूँ।

शेष कुशल है। पत्र तुरन्त दीजिएगा।

आपका
वागीश शुक्ल

(2)

4, स्ट्रीट एम/1, आई.आई.टी.
कैम्पस नई दिल्ली-110029

13-4-1976

प्रियवर,

पत्र मिला, तुरन्त उत्तर भी दे रहा हूँ। अभी आपकी पुस्तक मिली नहीं, रह गया यह कि चूँकि समीक्षा करनी है इसलिए प्राप्त तो होगी ही। नामवर जी ने कहा है कि दो एक दिन में दिलवा देंगे। मेरा लेख आलोचना-36 में है। शायद दो लेख और आलोचना में शीघ्र ही आवें, एक चॉम्स्की पर, एक रघुवीर सहाय पर। आपका श्रीकान्त वाला लेख आलोचना में प्राप्त हुआ है, छपेगा। यहाँ और सब ठीक

है। नैनीताल वगैरह मुश्किल है। और तो सब सानन्द ही समझें। पत्रिका जरूर निकालिए।

आपको जो लिखने को कहा था वह यह है कि इस बीच सर्वेश्वर जी से बहुत प्रेम से बातें हुई। शेष कुशल ही समझिए। नीरन से नमस्कार कहिएगा, और क्या कहूँ। शेष कुशल। पत्र तुरन्त दीजिए।

आपका

वागीश शुक्ल

(3)

30-12-1990

प्रियवर,

पेरिस से छह दिसम्बर को लौटा। एक वर्ष बाद भारतभूमि को देख सका, रह सका, अपनी जगह आ गया। यह एक बरस बेहद ऊब और निष्क्रियता में मैंने गुजारा, सैयद हैदर रजा के साथ कुछ बैठक कभी कभार हो जाती थी उसे ही आप एक मात्र सहारा समझें। 'परदेस', 'देसनिकाला' जैसे शब्दों का मतलब खूब समझ में आ गया।

खैर, मैं जो कि गाँव घर की तरफ नहीं जा सका, गाँव घर के तमाम लोग यहाँ आ गये। उनमें मेरे साले साहब श्री दिगम्बर नाथ त्रिपाठी भी हैं। जो कि आपके रजिस्टर्ड शिष्य हैं और जैसा कि इनसे बातचीत से पता लगा रजिस्टर में आपके शिष्य बन जाने के अतिरिक्त इन्होंने इस लम्बे अरसे में न तो आपसे मुलाकात की, न ही कुछ पढ़ा लिखा। इसके लिए मुझे वह काम करना पड़ा जो कायदे से आपको करना चाहिए था, यानि डाँटना फटकारना और यह बताना कि रिसर्च करने के लिए कुछ करना पड़ता है। आशा है आप आगे से इन्हें बुलाकर यह काम साप्ताहिक या पाक्षिक या मासिक तौर पर किया करेंगे, 'त्रैमासिक' और 'अनियतकालीन' विशेषण पत्रिकाओं के लिए होते हैं। शोध कार्य के लिए नहीं। इस 'फटकार-पत्रिका' का पहला अंक निकल जाने के बाद यह नियमित रूप से निकलती रहेगी ऐसा मुझे विश्वास है। पहले अंक के प्रकाशन को निर्विघ्न सम्पन्न हो जाने के निमित्त यह पत्र मैं इन्हीं के हाथ भिजवा रहा हूँ। इसमें एक तकनीकी कठिनाई बीच में आ पड़ी है जो ये खुद दूर कर लेंगे। ये अब यूनाइटैड इंश्योरेंस कम्पनी में हिन्दी अनुवादक के तौर पर नौकरी करने लगे हैं, अपने संघटन से अनुमति ले लेंगे कि इन्हें अपना शोध कार्य जारी रखने दिया जाए।

मैं अब मार्च में ही उस ओर आ सकूँगा। आप दिल्ली आते रहते होंगे। मैं भी अब उन लोगों में शामिल हो गया हूँ जिनके पास घर में फोन होता है, नम्बर है 6865951। कृपया अन्य कामों में लगे रहने के साथ मुझे भी दिल्ली आने पर दिखायी दिया करें। क्या लिख पढ़ रहे हैं। बताइएगा, दस्तावेज का क्या हाल है आदि आदि। यहाँ अभी मनोहर श्याम जोशी से अनेक बार, स्वामी जी से एक बार तथा निर्मल जी और कृष्णाबलदेव वैद से फोन पर बातचीत के आलावा कोई भेंट मुलाकात साहित्यिक सिलसिले में नहीं हो सकी है। और सब कुशल है। जनवरी फरवरी प्रारम्भ में बनारस यात्रा का कार्यक्रम है, किन्तु वह दिल्ली-बनारस-दिल्ली ही रहेगी।

पत्र दें। अरुणेश नीरन नाम का व्यक्ति मिले तो उस तक मेरे अभी बाकायदा मौजूद होने की खबर जरूर पहुँचायें, उसके बाकायदा मौजूद होने की खबर मुझ तक भी। खुद तो वह कुछ करने से रहा।

गोरखपुर में मेरा नमस्कार आदि सबसे कहें। आशा और विश्वास है कि सपरिवार आप सकुशल हैं। पत्र अवश्य दें।

आपका

वागीश शुक्ल

विद्यानिवास मिश्र

(1)

वाराणसी

11-3-71

प्रियवर,

मैं बाहर था, इसलिए पत्र का उत्तर देर से दे रहा हूँ। श्री अज्ञेय जी का पता है Deptt.of Rhetoric, university of California, Berkeley California-94720 USA

अगले जन्मदिन तक कुछ करना जरूर चाहिए पर उसकी कुछ रूपरेखा वगैरह बननी चाहिए, उसके लिए कुछ लोग तैयार हों, प्रकाशक तैयार कर लिया जाय। और ग्रन्थ रोमांटिक न निकले तो अच्छा। आधुनिक साहित्य का मूल्यांकन यही वास्तविक उद्देश्य हो। बहरहाल विषय आदि का परिसीमन कर लेना अच्छा है। मैं 25 से 29 तक बाहर रहूँगा, अन्यथा हूँ। जब चाहो आ सकते हो। परमानन्द और केदार से भी बात करना, वे लोग कुछ रूपरेखा बना चुके हों तो साथ लेते आना, मैं इधर गोरखपुर नहीं आने वाला हूँ। अन्यथा वहीं बात की जाती।

सस्नेह

विद्यानिवास मिश्र

(2)

वाराणसी

11-8-78

प्रियवर,

पत्र मिला। कल रात रोमानिया से लौटा। उसके वाला संस्मरण अभी लिखा नहीं गया। इस बीच रोमानिया में ही ऐसे रोमांचक अनुभव हुए कि उसी को अंकित करने को सोच रहा हूँ। पर कोई न कोई रचना जरूर भेज दूँगा। यह बतलाओ कहीं हिन्दी पढ़ाने बाहर एक दो वर्ष के लिए जाना चाहोगे?

हाँ यह पता करना कि कभी अगस्त के अंत में मौखिक परीक्षा लेने (पी.एच.डी.) गोरखपुर आने का सुयोग है?

सस्नेह

विद्यानिवास मिश्र

(3)

कु.मुं. हिन्दी तथा भाषा विज्ञान विद्यापीठ
आगरा विश्वविद्यालय

13-9-1978

प्रियवर,

एक छोटा सा लेख रोमानिया यात्रा से सम्बद्ध भेज रहा हूँ। मैं कल ही पुनः दक्षिण पूर्व एसिया की यात्रा पर निकल रहा हूँ। यत्न करुँगा कि वहाँ कुछ लिखूँ, जब जब फुरसत मिले क्योंकि लौटने पर तो काम का अम्बार रहेगा। यह लेख कहीं भी अन्यत्र अप्रकाशित है। इसकी कोई प्रतिलिपि भी नहीं है। एक प्रति रेडियो में है। इसकी प्रति सुरक्षित रखना टाइप कराके मूल वापिस कर देना। मैं दीपावली तक लौटूँगा।

सस्नेह
विद्यानिवास मिश्र

(4)

29-8-1979

प्रियवर,

द्विवेदी जी पर लेख तो नहीं, एक संक्षिप्त टिप्पणी तीन चार दिनों में भेज दूँगा। दस्तावेज 4 में कविताओं के अनुवाद बहुत ही शिथिल हैं। साहित्य-इतिहास पर जो लेख छपे हैं, अधिकांश चर्वित चर्वण हैं। आलोचना की यह शब्दावली साहित्य को खा जायेगी। पर अधिक नहीं लिखूँगा। तुम लोग चाय में अधिक चीनी के आदी हो, नकली प्रतिक्रियाओं को सही प्रतिक्रिया मान लेते हो। इस मोह में सुख पाते हो, वह सुख मैं नहीं छीनूँगा।

इस पत्र के साथ इसी विद्यापीठ में डीलिट् के लिए शोधरत श्रीमती विद्याविन्दु सिंह की दो कविताएँ भेज रहा हूँ। दस्तावेज में स्थान पाने योग्य लगी इसलिए भेज रहा हूँ।

सस्नेह
विद्यानिवास मिश्र

(5)

18-10-1980

प्रियवर,

विजया की बधाई लो। तुमने आने की बात लिखी थी, इसी से पत्र नहीं लिखा। अभिरूचि के लिए एक आशंसापरक समीक्षा (1978-79 में प्रकाशित किसी महत्वपूर्ण कृति पर) तुम्हारी मिलनी है। तुम चुन लो

और नाम सूचित कर दो। इस महीने के अन्त तक या नवम्बर के प्रथम सप्ताह तक मिल जानी चाहिए।

आशा है प्रसन्न और स्वस्थ हो। मैं अब पहले से काफी ठीक हूँ।

सस्नेह

विद्यानिवास मिश्र

(6)

एम-3 बादशाह बाग कालोनी
वाराणसी-221002

8-9-1987

प्रिय तिवारी जी,

नान्दी का अज्ञये स्मृति अंक निकालने का विचार है पर आप जैसे सुखी सहृदय जनों के सहयोग के बिना यह सम्भव नहीं है। आपसे प्रार्थना है कि आप इस अंक की प्रस्तावित रूप-रेखा में से किसी एक विषय पर या इससे सम्बद्ध अपने सोचते किसी अन्य विषय पर एक लेख जरूर एक डेढ़ महीने के भीतर भेज दें। इस अंक में हम स्व. भाई के कुछ व्यक्तिगत संस्मरण परिवार के लोगों से ओर लम्बे अरसे के साथियों से लेकर देंगे। कुछ अज्ञेय की अप्रकाशित रचनायें, कुछ साहित्यिक पत्र और एक साक्षात्कार वार्त्ता जो अभी तक छपी नहीं है देगें। इस सामग्री के अलावा अज्ञेय के कृतित्व के विवेचन और अज्ञेय के जीवन मूल्यों से जैसे स्वाधीनता, हिन्दी के माध्यम से जातीय अस्मिता की पहचान, मनुव्य और प्रकृति में सामंजस्य तथा सम्प्रेषण की सामाजिकता पर विवेचनात्मक लेख देंगे।

शीघ्र उत्तर देकर कृतार्थ करेंगे।

सस्नेह

विद्यानिवास मिश्र

(7)

207/7 परमार्थ मन्दिर कृष्ण नगर,
सफदरजंग एन्क्लेव, नई दिल्ली-110029

3-1-95

प्रिय विश्वनाथ प्रसाद तिवारी,

आधुनिक हिन्दी साहित्य की अभिवृद्धि में साहित्यिक पत्रिकाओं की भूमिका महत्वपूर्ण रही है। आज सभी रचनाकार एक समग्र सर्जनात्मक पत्रिका का अभाव अनुभव कर रहे हैं। कोई भी ऐसी साहित्यिक पत्रिका नहीं दिखती जो सम्पूर्ण राष्ट्रीय प्रतिभा को प्रतिबिम्बित कर रही हो।

हमने हिन्दी साहित्य की समकालीन प्रवृत्तियों की ओर पाठक को अभिमुख करने और उसके समृद्ध दाय की स्मृति जाग्रत करने के लिए 'साहित्य अमृत' नाम से एक पत्रिका निकालने का संकल्प किया है।

इसमें आप जैसे यशस्वी रचनाकार का सहयोग अपेक्षित है। पत्रिका में मुख्य रूप से सर्जनात्मक साहित्य ही संकलित होगा। कुछ स्थायी स्तम्भ ऐसी भी होंगे जो साहित्य की समग्रता और आस्वादपरकता को आलोकित करें—कोई पुरानी उल्लेखनीय रचना (संक्षिप्त टिप्पणी के साथ), दूसरी सर्जनात्मक कलाओं से साहित्य का संवाद, आधुनिक साहित्य की वैचारिक पीठिका पर लेख, किसी श्रेष्ठ रचना पर आस्वादपरक टिप्पणी, हिन्दी क्षेत्र का कोई लोकगीत या लोककथा। रचना पर मानदेय अभी हम प्रतीक रूप में ही देने की स्थिति में हैं।

आपकी रचना एक महीने के भीतर मिल जाए तो विशेष आभारी हूँगा। यह अभियान आप जैसे सुहृदों के बल पर चलाया जा रहा है। यह पत्रिका आपकी है, आपकी ही रहेगी।

सस्नेह आपका

विद्यानिवास मिश्र

(8)

6-10-95

प्रिय डॉ. विश्वनाथ प्रसाद तिवारी,

आपको यह जानकर निश्चित रूप से प्रसन्नता होगी कि वत्सल निधि एवं संस्कृति मंत्रालय, भारत सरकार के सहयोग से अज्ञेय भारतीय साहित्य संस्थान द्वारा लेखक शिविर का आयोजन दिनांक 22 दिसम्बर से 26 दिसम्बर, 1995 तक तथागत की परिनिर्वाण स्थली, कुशीनगर में आयोजित किया गया है, जैसा आपको विदित है कि आधुनिक हिन्दी साहित्य के सशक्त हस्ताक्षर सं. ही. वात्स्यायन "अज्ञेय" की जन्मभूमि भी कुशीनगर ही है।

इस शिविर का केन्द्रीय विषय गाँधी विचार का सर्जनात्मक पक्ष निर्धारित किया गया है, इसके अतिरिक्त निम्नलिखित विषयों पर गम्भीर चर्चा होगी।

1. कविता का आस्वाद
2. अज्ञेय का पुनर्मूल्यांकन
3. दूर संचार तकनीक एवं सर्जनात्मक सम्प्रेषण
4. भोजपुरी रचना की शक्ति और अपेक्षा।

यह शिविर हिन्दी के वरिष्ठतम रचनाकारों के साथ नए हस्ताक्षरों के बीच औपचारिक और अनौपचारिक अनेक अवकाशों को उपलब्ध कराने के लिए परिकल्पित किया गया है और इसमें आपके सक्रिय भागीदारी को हम अनिवार्य मानते हैं। आपसे हमारा विशेष अनुरोध है कि आप अपने व्यस्त कार्यक्रमों में से इन पाँच दिनों की हमारे लिए स्वीकृत करें और अपनी उपस्थिति से शिविर की नई सार्थकता प्रदान करने में सहयोग दें।

हम आपकी सीमा को देखते हुए द्वितीय श्रेणी ए.सी. शयनयान का मार्ग व्यय वहन करेंगे तथा कुशीनगर में आपके आतिथ्य का पूर्ण दायित्व भी हमारा होगा।

आशा है कि आप अपने आगमन की अग्रिम स्वीकृति लौटती डाक से प्रेषित करने का कष्ट करेंगे, जिससे इस शिविर का पूर्ण विन्यास सुविधा पूर्वक किया जा सके।

भवदीय

विद्यानिवास मिश्र

(9)

22-2-99

प्रिय डॉ. विश्वनाथ प्रसाद तिवारी,

आपको यह जानकर निश्चित रूप से प्रसन्नता होगी कि वत्सलनिधि एवं संस्कृति मंत्रालय, भारत सरकार के सहयोग से "अज्ञेय भारतीय साहित्य संस्थान के द्वारा" लेखक शिविर का आयोजन दिनांक 6 मार्च से 8 मार्च 1999 तक वाल्मीकिनगर में किया गया है। आपको विदित है कि इसके पूर्व लेखक शिविर का आयोजन कुशीनगर में हुआ था।

यह शिविर हिन्दी के वरिष्ठतम रचनाकारों के साथ नये हस्ताक्षरों के बीच औपचारिक और अनौपचारिक, अनेक अवकाशों को उपलब्ध कराने के लिए परिकल्पित किया गया है। अतः शिविर में आपकी भागीदारी को हम अनिवार्य मानते हुए, आपसे अनुरोध करते हैं कि अपने व्यस्ततम कार्यक्रमों में से तीन दिन, इस शिविर के लिए स्वीकृत करें और अपनी उपस्थिति से शिविर को सार्थकता प्रदान करने में सहयोग दें।

हम अपनी सीमा में द्वितीय श्रेणी शयन यान के मार्ग व्यय के साथ गोरखपुर से बाल्मीकिनगर तक की परिवहन व्यवस्था भी सुलभ करायेंगे। वाल्मीकिनगर में आपके आतिथ्य का भी पूर्ण दायित्व हमारा ही होगा।

आशा है कि आप अपने आगमन की स्वीकृति लौटती डाक से प्रेषित करने का कष्ट करेंगे, जिससे कि इस शिविर का पूर्ण विन्यास सुविधा पूर्वक किया जा सके।

भवदीय

विद्यानिवास मिश्र

(10)

11-7-2003

प्रिय विश्वनाथ प्रसाद,

साहित्य अमृत का प्रवेशांक अगस्त 1995 में प्रकाशित हुआ था। अपने लेखकों और पाठकों के बीच निरन्तर संवाद स्थापित करते हुए इसकी यात्रा इस वर्ष अगस्त 2003 में अपने प्रकाशन के आठ वर्ष पूरे कर रही है। समय-समय पर हमने कहानी, कविता, निकष, व्यंग्य एवं अन्य विशेषांक प्रकाशित किए जिन्हें आपका सहयोग और पाठकों का भरपूर स्नेह तथा आशीर्वाद प्राप्त हुआ। एक बड़ी साहित्यिक घटना के रूप में नवम्बर 2003 में साहित्य अमृत का सौवाँ अंक प्रकाशित होगा। हमारे लिए यह अत्यन्त हर्ष का विषय है तथा यह हर्ष और उल्लास आपके सक्रिय सहयोग व मार्गदर्शन के कारण ही हमें प्राप्त हो रहा है। इस अवसर को और अधिक सुखमय और अविस्मरणीय बनाने के लिए हम साहित्य अमृत का शतकांक प्रकाशित करेंगे, जिसमें आप जैसे मूर्धन्य लेखकों की रचनाओं के संकलन से पाठकों को श्रेष्ठ सामग्री उपलब्ध होगी।

आपसे विनम्र अनुरोध है कि कृपया शतकांक हेतु अपना एक आलेख हमें शीघ्र भेजने का कष्ट करें। आपका सहयोग हमें सदैव मिला है और हमें विश्वास है कि इस बार भी आप रचना भेजकर साहित्य अमृत को अपना सहयोग प्रदान करेंगे।

आपकी रचना की प्रतीक्षा है। तुम दस्तावेज के अपने अनुभव पर ही लिखो।

सस्नेह आपका
विद्यानिवास मिश्र

(11)

25-5-2004

प्रिय तिवारी जी,

आशा है आप स्वस्थ-सानन्द हैं।

आपको जानकर प्रसन्नता होगी कि 'साहित्य अमृत' ने सफल प्रकाशन के नौ वर्ष पूरे कर लिए हैं और अगस्त 2004 से दसवें वर्ष में प्रवेश कर रहा है। 'साहित्य अमृत' के विशेषांकों की एक लम्बी-विशिष्ट परम्परा रही है। इसी कड़ी में हम अगस्त 2004 का अंक 'जनाकांक्षा विशेषांक' के रूप में प्रकाशित कर रहे हैं जिसमें 47 के बाद के साहित्य में अनेकानेक स्तरों पर व्यक्त होने वाली जनाकांक्षा पर प्रसिद्ध आलोचकों के विश्लेषणात्मक आलेख प्रकाशित करने की योजना है। स्वाधीनता प्राप्ति के लिए और स्वतन्त्र भारत की रूपरेखा के लिए कौन सी आकांक्षाएँ जनमानस में पल रही थी, और उनकी किन-किन रूपों में लोक साहित्य में, जनपदीय साहित्य में और साहित्य में अभिव्यक्त होती रही, इसका मूल्यांकन भी उदाहरण के साथ करने का हमारा संकल्प है। इसके साथ ही प्रसिद्ध रचनाकारों की उत्कृष्ट रचनाएँ भी उपलब्ध कराएँगे।

इस अंक के लिए हम आपकी रचना के विशेष रूप से आकांक्षी हैं। कृपया अपनी रचना हमें 1 जुलाई तक अवश्य भेज दें।

अब अस्पताल से तो लौट आया पर कमजोरी बनी हुई है। इस अंक के लिए हिन्दी कहानियों में जनकांक्षा का क्या रूप दिखाई पड़ी है, निराशा-आशा दोनों का। इसी पर विस्तृत लेख लिखकर भेजो।

सस्नेह
विद्यानिवास मिश्र

विष्णु प्रभाकर

(1)

818 कुण्डेवालान, अजमेरी गेट
दिल्ली

8-5-79

प्रिय बन्धु,

दस्तावेज-3 कल मिला था, तब से पढ़ रहा हूँ। दो अतियो के बीच मार्ग खोजती और नये सोच को जन्म देती इस सशक्त पत्रिका का मैं हार्दिक अभिनन्दन करता हूँ और कामना करता हूँ कि दल-बदल के दलदल में फँसे इस युग में यह इसी रूप में जीवित जागृत रहे।

रूप-सज्जा आश्वस्त करने वाली है।

शेष शुभ

सस्नेही
विष्णु प्रभाकर

(2)

नागपुर से

10-12-88

प्रिय बन्धु,

आशा करता हूँ आप सानन्द है नववर्ष की हार्दिक शुभकामनाएँ स्वीकार करें।

दस्तावेज 40 देख गया हूँ। अच्छी सामग्री है। मुक्तिबोध के सम्बन्ध में श्री नवल का लेख बहुत सुन्दर है। गहन अध्ययन की छाप है उस पर। प्रतिबद्धता को लेकर कुछ लेख आपने दिये हैं। बातचीत आगे चलनी चाहिए अभी तो अधूरी है। 'एकलव्य' मिथक चिन्तन मैंने बड़े मनोयोग से पढ़ा। लेखक ने नये सन्दर्भ खोजे हैं पर वह अधूरा है। महाभारत के युद्ध और उसके बाद यादवों के महानाश और निषाद द्वारा कृष्ण की हत्या ये प्रसंग क्यों छोड़ दिये गये। लेख में सन्दर्भ बताने के लिए स्थान स्थान पर जो नम्बर दिये गये हैं उनका क्या अर्थ है। क्या अगले अंक में और सामग्री दे रहे हैं आप। उत्तर की राह देखूँगा। दिल्ली के पते पर लिखें। (818 कुण्डेवालान, अजमेरी गेट, दिल्ली110006) शेष शुभ। दस्तावेज ने अपने यशस्वी जीवन के दस वर्ष पूरे कर लिए। बधाई लें। वह शतायु हो यही हमारी कामना है।

सस्नेह
विष्णु प्रभाकर

(3)

18-8-2000

प्रिय बन्धु,

'दस्तावेज' का नया अंक मिला। इस अंक में आपने भोजपुरी भाषा को लेकर जो सामग्री प्रस्तुत की है, वह बहुत ही महत्वपूर्ण है। विशेषकर डॉ. विद्याबिन्दु सिंह और श्री रामदेव शुक्ल के लेख भोजपुरी भाषा के सौन्दर्य को बड़ी कुशलता से उजागर करते हैं। कितना माधुर्य है इस भाषा में जनभाषा हिन्दी को इससे बहुत कुछ सीखना चाहिए। अद्भुत संगीत है इस भाषा में। और भी सामग्री बहुत अच्छी है, श्री अजीत कुमार सिंह का उत्तरा के सम्बन्ध में लेख उनकी खोजपूर्व दृष्टि का परिणाम है। महाभारत के पात्रों को लेकर इन्होंने बहुत कार्य किया है। इस दृष्टि से यह अंक संग्रहणीय हो गया है। मेरी हार्दिक बधाई स्वीकार कीजिए।

आपका

विष्णु प्रभाकर

(4)

बी-151, महाराणा प्रताप एक्कलेव
पीतमपुरा, दिल्ली-1100034

9-1-02

प्रिय बन्धु,

कुछ समय पूर्व दस्तावेज का अप्रैल-जून 2001 का अंक मिला था।

आपने पत्रों का इतना सुन्दर संग्रह किया है बहुत कुछ जानकारी मिली इन पत्रों से।

मेरे पत्र आप शायद अगले अंक में छापेगें लेकिन मेरे पास तो अभी बहुत पत्र हैं। आप जब कहेंगे जीरॉक्स करवाकर भिजवा दूँगा।

बड़ा अच्छा हो कि आप यह सिलसिला जारी रखें। उसके बाद चुने हुए पत्रों का एक बृहत संग्रह प्रकाशित किया जा सकता है।

आपका सम्पादकीय भी बहुत महत्वपूर्ण है। आपने बहुत सटीक जवाब दिया है। रामविलास जी को लेकर मतभेद हो सकता है लेकिन उन्हें दयानन्दी कहना घोर अन्याय है। मैं स्वयं आर्यसमाज में बीस साल रहा लेकिन फिर एक दिन त्यागपत्र देकर चला आया। पर स्वामी दयानन्द जी के लिए मेरे मन में एक बार भी अनादर का भाव नहीं आया। साहित्य अकादमी के लिए मैंने उनकी संक्षिप्त जीवनी भी लिखी और पूरी श्रद्धा के साथ लिखी। आर्य समाज पर भी मैंने कई लेख लिखे बौद्ध धर्म की ओर भी मेरा रूझान हुआ पर वहाँ भी मेरा मन नहीं लगा। एक सीमा पर आकर सब आन्दोलन जड़ हो रहते हैं। Thus far no further. यही तक इससे आगे नहीं। मैं इस बात को नहीं मानता सबकुछ निरन्तर प्रवाहमान है। जो भी हो आपका सम्पादकीय मूल्यवान है और अंक भी। शेष शुभ। नव वर्ष की हार्दिक शुभकामनाओं सहित।

आपका

विष्णु प्रभाकर

विष्णुकान्त शास्त्री

(1)

श्री गणेश भवन
280, चितरंजन एवेन्यू, कलकत्ता–6

27-12-71

प्रिय विश्वनाथ जी,

सस्नेह नमस्कार।

'गणतन्त्री बांग्ला, आमार सोनार बांगला' का भित्तिपत्र के अकार का काव्य संग्रह प्रेषित करने के लिए धन्यवाद। वास्तव में बांगला देश के युद्ध को साहित्यकारों और बुद्धिजीवियों का व्यापक समर्थन मिलना ही चाहिए। बर्बर पाकिस्तानियों ने सबसे पहले और सबसे बाद भी बांग्ला देश के बुद्धिजीवियों को ही मौत के घाट उतारा। इसी तरह दुनिया की हर अन्यायी सत्ता निर्भीक बुद्धि का गला घोंटकर अपने को सुरक्षित अनुभव करती हैं। फिर भी बुद्धिजीवी अपना काम करते ही जाते है। हम सब उसी वर्ग के होने के कारण अपनी लेखनी और वाणी इस युद्ध की सफलता के लिए .... बांगला देश की स्वतन्त्रता के लिए काम में लाते रहे.... यह धर्म निर्वाह की सी बात हुई। स्वतन्त्र बांगला के लिए आपको बधाईयाँ।

सस्नेह।

आपका
विष्णुकान्त शास्त्री

(2)

25-5-72

प्रिय तिवारी जी,

सस्नेह नमस्कार।

'लड़ते आदमी के साथ-साथ' रहना साहसभरी ईमानदारी का परिचय देना है। नहीं तो अक्सर लोग जीतते आदमी के साथ-साथ रहना पसन्द करते हैं। बहुत थोड़े लोग होते हैं, जिनका विश्वास होता है 'यह नहीं कि जय होगी किसकी, यह देख—न्याय किस ओर है।' वियतनाम की जीत सभी स्वाधीनता प्रेमी...विशेषतः छोटे राष्ट्रों की जीत है। उसे अमेरिकी बम कुछ समय के लिए स्थगित कर सकते हैं, पर उसकी धारा को मोड़ नहीं सकते।

आपके अनुवाद बहुत अच्छे लगे। खासकर होची मिन्ह की कविता का अनुवाद बहुत अच्छा लगा। आपका सम्पादकीय भी ओजस्वी है।

सानन्द होंगे।

शुभैषी
विष्णुकान्त शास्त्री

(3)

16-5-76

प्रिय तिवारी जी,

सप्रेम नमस्कार।

'साथ चलते हुए' कभी-कभी ऐसा भी तो होता है कि मौन सम्प्रेषण के द्वारा हम अपनी सहमति और प्रीति की अभिव्यक्ति करते रहते हैं। 'प्रति-स्वीकार' में हुई देर में भी यही सत्य निहित है, इस पर विश्वासिये।

आपके परिवेश की बेचैनी और सार्थक कुछ कर पाने की पीड़ा आप की कविताओं में खूब उभरी है। इस व्यवस्था में सचमुच 'कविता किसी को नहीं मार सकती। सिवा अपने रचयिता के।' फिर भी कुछ ऐसा दुर्निवार आकर्षण है देखे-भोगे, सोचे पाये को शब्द देने का कि व्यक्ति बेध्य बनने की नियति को स्वीकार करके भी 'लिखने का अर्थ' खोजता रहता है, माँ को भले न समझा पाये सहधर्मियों को शब्द-कुन्त से कोंचता रहता है कि आओ, इसे समझने-समझाने की चेष्टा करें। 'जीने की अदम्य आकांक्षा के बावजूद लड़ते हुए' जो मर गये और मर जायेंगे उन्हें कृति-समपर्ण के द्वारा उनकी पीर और कुर्बानी को अपना समर्थन देना तो हमारे हाथ में है ही। यह परम्परा फले-फूले बिना ढकोसले और सत्तालोभ के। यह मेरी भी कामना है।

'प्यार और पैसा, धर्म और ईश्वर, कुर्सी और भाषा' लूट लेने वालों के मुख का खोखलापन उन्हें मुबारक, लेकिन उनकी हरकतों से जब बाहर बहुत अँधेरा हो, शहर जंगल से भी अधिक खतरनाक हो जाये तब 'जो भी टूटे शस्त्र हैं मेरे पास। उन्हीं से लड़ता हूँ' की भावना बल देती रहे आपको भी और मुझे भी।

सानन्द होंगे।

स्नेही,
विष्णुकान्त शास्त्री

(4)

26-10-73

प्रिय विश्वनाथ जी,

सस्नेह नमस्कार एवं दीपावली की मंगलकामनाएँ।

कल ही मैंने परमानन्द जी के नाम जीवनानन्द दास की एक, विष्णु दे की तीन, शमसुर्रहमान की एक कुल पाँच कविताएँ भेजी हैं। विष्णु दे की एक कविता ही छापनी हो तो 'मरते हैं पेड़' छापियेगा। जीवनानन्द दास की कविता तो लाजवाब है ही। शमसुर्रहमान की कविता भी बहुत प्रभावशाली है। आप स्वयं पारखी हैं, अधिक लिखना व्यर्थ है। यदि कहानी भी छाप रहे हों तो सैयद वली उल्ला की कहानी भी छाप सकते हैं।

बंगला के जिन नये कवियों की कविताएँ आपको मिली हैं, वे समर्थ हैं। उन्हें अवश्य छापिये। एक ही नाम जोड़ना चाहूँगा, सुनील गंगोपाध्याय! सम्भव हुआ तो उसकी एक कविता का अनुवाद भिजवाऊँगा। इस समय इतना फँसा हुआ हूँ कामकाज में कि पलक झपकने की फुरसत नहीं है। जो मौज मारी उसकी

कीमत तो चुकानी पड़ेगी।

जयपुर-शिविर की सबसे बड़ी उपलब्धि कुछ सहयोगियों की आत्मीयता प्राप्त कर पाना ही है। आपके और परमानन्द जी के साथ जो घनिष्टता हुई है, भगवान की कृपा से वह स्थायी है। वे बीते दिन बहुत प्यारे और प्रेरक रहे हैं अतः अब भी साथ हैं। साहित्य में एक और एक मिलकर एक भी होता है और ग्यारह भी। अतः साहित्य में गणित कभी हस्तक्षेप नहीं कर सकता!

ध्यान, योगासन, उचित विश्राम करते रहेंगे तो डाकिनियों-शाकिनियों की माया के बावजूद गर्दन में दर्द नहीं होगा। सानन्द रहें।

'युग विचार' पहुँचने लगा है, धन्यवाद! उसके विशेषांक की प्रतीक्षा रहेगी। अच्छा हो यदि उसकी तीन-चार सौ प्रतियों को (हो सके तो 500 प्रतियों को) पुस्तकाकार छपवा लें। उससे कृति को स्थायित्व प्राप्त होगा।

स्नेही,

विष्णुकान्त शास्त्री

(5)

16-11-76

प्रिय तिवारी जी,

सस्नेह नमस्कार।

भारतीय साहित्य विशेषांक के सम्बन्ध में आप लोग जो परिश्रम कर रहे हैं उसका स्थायी महत्त्व होगा। जीवनानन्द दास की कविता इसी पत्र में पीछे लिख रहा हूँ।

इतना फँसा हुआ हूँ कि मनोनुकूल कार्यों को निरन्तर स्थगित करने के लिए विवश और अनिवार्य को झेलने के लिए लाचार हूँ। शायद अपनी शक्ति को बिखेर देने वालों की यही नियति है। प्रभु ही प्रेरणा देकर अपने को समेटने की राह दिखाएँ तो कल्याण हो।

सुनील गंगोपाध्याय की अच्छी कविता खोजकर अनुवाद भेजने की स्थिति में नहीं हूँ। सानन्द होंगे। व्यथा मुक्त होंगे।

अद्भुत आँधार

अद्भुत आँधार ऐसेछे ए पृथिवी ते आज
जारा अन्ध सबचेंये बेशी, आज चोखे देखे तारा।
जाकेर हृदये कोनो प्रेम नेइ, प्रीति नेई, करुणार आलोडन नेइ
पृथिवी अचल आज ताकेर सुपरामर्श छाड़ा!
जाकेर गभीर आस्था आछे आ जो मानुषेर प्रति
एखनो जाकेर काछे स्वाभाविक बले मने हय,
महत् सत्य वा रीति, किंवा शिल्प अथवा साधना
शकुन ओ शेयालेर खाद्य आज ताकेर हृदय।

स्व. जीवनानन्द दास

शुभेच्छु,

विष्णुकान्त शास्त्री

(6)

1-2-78

प्रिय तिवारी जी,

सस्नेह नमस्कार। आपका पत्र मिला, उसके पहले पुस्तक भी मिली थी। क्या बताऊँ राजनीतिक प्रपंच इस कदर सर्वग्रासी होते हैं कि कुछ और करने ही नहीं देते, नहीं तो मैं उसकी प्रशस्ति लिख डालता। चलिए हार्दिक बधाइयाँ (कुछ ऐसे सही) तो आपको दे ही दूँ!

नया प्रतीक में 'गुलागद्वीप समूह' को पढ़कर लिखी गयी आपकी कविता देखी। मुझे तो लगा कि इमर्जेन्सी के लिए थी इससे पुरअसर कविता लिखना मुश्किल है।

'अज्ञेय पर आपके ग्रन्थ का विज्ञापन देखा है। पुस्तक भी जरूर देखूँगा। परमानन्द जी की निष्ठा काम कर गयी तो कौन जाने मार्च के मध्य में आप लोगों से मिलने गोरखपुर आ धमकूँ!

भगवान की कृपा से आपकी गर्दन का दर्द दूर हो गया होगा। कुछ योगासन करते रहें।

स्नेही

विष्णुकान्त शास्त्री

(7)

10-4-79

प्रियवर तिवारी जी,

आपके दो पत्र मिले। 'दस्तावेज' के प्रशंसकों में मैं भी हूँ। इस अच्छे प्रकाशन के लिए आपको शतशः बधाइयाँ।

मौन का पहला कारण तो यह है कि 21 जनवरी से 7 मार्च तक मैं विदेश यात्रा पर था। दक्षिणी अमेरिका के सूरीनाम देश में आयोजित एक हिन्दी सम्मेलन में आमन्त्रित था। सूरीनाम, गयाना, ट्रिनिडाड, अमेरिका और पश्चिमी यूरोप के कुछ देशों का चक्कर इसी बहाने लग गया। लौटा तो एक बार पाँच दिनों के लिए चित्रकूट गया और फिर विधान सभा, विश्वविद्यालय के उत्तरदायित्व में डूब गया। अब विधान सभा का सत्र शेष हुआ है तो थोड़ी राहत मिली है।

लिखने की फुरसत और मनःस्थिति अब भी नहीं है। फिर भी कुछ लिख पाया तो आपको भेजूँगा। परमानन्द जी को सस्नेह नमस्कार कहें। भगवान की कृपा से सानन्द रहें।

स्नेही,

विष्णुकान्त शास्त्री

(8)

16-6-79

प्रियवर विश्वनाथ जी,

सस्नेह नमस्कार।

'इश्क ने गालिब निकम्मा कर दिया'! 'इश्क' आप कवि लोग करते हैं। हम लोग तो केवल रश्क करके रह रह जाते हैं। बहरहाल आप मुझे काम का आदमी मानते रहे हैं, पर मैं बिल्कुल निकम्मा होता जा रहा हूँ। इसका आप अनुभव कर रहे हैं। कारण 'इश्क' न सही, राजनीति सही, वहशत सही! अब इस निकम्मेपन की क्या तारीफ करूँ, सुबह से मेला लगा रहता है। सही कराने वालों का, रात तक मेला लगा रहता है पार्टी वालों का। घरवालों ने तो मुझे बट्टेखाते लिख दिया है, वे आप मित्रों से ज्यादा समझदार हैं, ज्यादा अनुभवी होने के कारण सो आप भी उनके अनुभवों से लाभ उठाइये।

आचार्य पं. हजारी प्रसाद द्विवेदी का मुझ पर बहुत ऋण है सो साहित्यिक तर्पण करना मैं चाहता ही हूँ, पर उसकी भी तो सीमा है। रविवार के सम्पादक सुरेन्द्र प्रताप सिंह मेरे विद्यार्थी हैं, एक बड़ा अधिकार तो यही है, दूसरे गाहे-बगाहे फोन कर सकते हैं, सो जो नया संस्मरण लिखा था, उसे उन्होंने हथिया लिया। शायद रविवार के इस अंक में आपने उसे देखा हो 'फूल की पहचान सरस सुवास केवल' शीर्षक से छपा है। पंडिज जी का एक संस्मरण मेरी पुस्तक 'स्मरण को पाथेय बनने दो?' में संकलित है। इन दोनों में आयी घटनाओं को छोड़कर नया संस्मरण लिखना मुश्किल है।

दिल्ली गया था तो 'साहित्य अकादमी' में डॉ. द्विवेदी की शोकसभा में शृद्धांजलि भी अर्पित की। वही डॉ. नामवर सिंह ने एक विवेचनात्मक लेख आलोचना के द्विवेदी विशेषांक के लिए लिखने का वादा ले लिया। उसी से जूझ रहा हूँ। मालूम नहीं लिख भी पाऊँगा कि नहीं। अतः और एक आलोचनात्मक लेख लिखने का वादा करना बेईमानी होगी।

हाँ, आपके लिए द्विवेदी जी के लिखे कुछ पत्रों की प्रतिलिपि जरूर भेजूँगा।

आर्थिक सहायता की भी चेष्टा करूँगा। आप 'श्री रामकुमार भुवालका ट्रस्टी
भुवालका जन कल्याण ट्रस्ट इंडिया एक्सचेंज, कलकत्ता के नाम एक आवेदन पत्र मेरे पास भेज दें। एक पत्र रायबहादुर विश्वेश्वर लाल, मोतीलाल हलवासिया ट्रस्ट, कलकत्ता' के नाम भी भेजें।

नाराज न हों, सहानुभूति का पात्र हो गया हूँ।

स्नेही

श्री विष्णुकान्त शास्त्री

(9)

2-7-79

मान्यवर,

वैष्णव साधना और साहित्य भारतीय संस्कृति के उदात्त अंग रहे हैं। आधुनिक जीवन में भी उनकी मंगलमयी उपयोगिता निर्विवाद है। आवश्यकता ऐसे माध्यम की है जो दोनों को जोड़ सके। इसी क्षेत्र में अपनी विनीत सेवाएँ अर्पित करने के लिए 'रस-वृन्दावन' ने आत्म प्रकाशन किया है। अलग डाक से

भेजी गयी एक प्रति के द्वारा आपको उसकी सम्भावनाओं का आभास मिल सकेगा।

आप हिन्दी साहित्य और भारतीय चिन्तन के मर्मज्ञ हैं। हमारा विनम्र अनुरोध है कि आप अपना स्नेह-सहयोग 'रस-वृन्दावन' को दें। आप वैष्णव साधना और साहित्य से सम्बद्ध किसी भी मनोनुकूल विषय पर निबन्ध, कविता भेजकर हमें अनुग्रहीत करेंगे।

इस विश्वास के साथ,

सहयोग प्रार्थी
विष्णुकान्त शास्त्री

(10)

12-12-85

प्रियवर विश्वनाथ जी,

सस्नेह नमस्कार।

दस्तावेज 28 का अंक मिला। आपका सम्पादकीय 'एक भारतीय दृष्टि की खोज' बहुत अच्छा लगा। मैं आपके लेख से प्रायः अक्षरशः सहमत हूँ, आपको बधाइयाँ।

आपने मेरा लेख सम्पादकीय के बाद ही प्रथम लेख के रूप में छापा, इसके लिए आभारी हूँ। पर हे भगवान, उसमें कितनी अशुद्धियाँ हैं। संस्कृत का तो एक भी उद्धरण शुद्ध नहीं छपा है। अन्यत्र भी गदर छिड़ा हुआ है। भाई मेरे अशुद्ध उद्धरण से लेख की प्रभविष्णुता तो कम होती ही है पत्रिका के सम्मान की भी हानि होती है। इस ओर अधिक ध्यान दें। स्वस्थ सानन्द होंगे।

मित्रों को नमस्कार कहें।

स्नेही,
विष्णुकान्त शास्त्री

(11)

16-8-86

प्रियवर विश्वनाथ जी,

सस्नेह नमस्कार। दस्तावेज 29 और 30 के दोनों अंक मिले। सचमुच बहुत अच्छी सामग्री आपने अज्ञेय जी और नागर जी पर दी है। आपको हार्दिक बधाइयाँ। अज्ञेय जी और नागर जी दोनों के साक्षात्कर बहुत महत्त्वपूर्ण हैं एवं उनके दृष्टिकोण और साहित्य को समझने में बहुत सहायक हैं। इन दोनो अंकों के लिए आपको बहुत सी बधाइयाँ।

अगले अंकों को भी विशिष्ट साहित्यकारों पर केन्द्रित करने की बात आपने लिखी है। मुझे लगता है कि अगला अंक भारतेन्दु पर केन्द्रित होना चाहिए। हिन्दी जगत् ने हाल ही में उनकी मृत्युशतवार्षिकी

मनायी है। कई विश्वविद्यालयों में इस अवसर पर उन पर संगोष्ठियाँ आयोजित हुईं। मैंने काशी हिन्दू विश्वविद्यालय की संगोष्ठी में जो आलेख पढ़ा था वह भारतेन्दु की खड़ी बोली की कविता पर था। यह लेख बहुत परिश्रम से मैंने लिखा है और प्रचलित मान्यताओं से कुछ भिन्न मत पुष्ट तथ्यों के आधार पर उसमें मैंने निरूपित किया है। नामवर जी ने उक्त लेख आलोचना के भारतेन्दु विशेषांक के लिए स्वीकृत कर लिया था। उसके बाद मेरे विद्यार्थी डॉ. शम्भूनाथ ने भारतेन्दु पर एक पुस्तक प्रकाशित करने की योजना बनायी और मुझसे भारतेन्दु पर लेख देने का अनुरोध करना शुरू कर दिया। मैंने कहा कि अपना लेख मैं आलोचना को भेज चुका हूँ, उन्होंने कहा कि आलोचना में छपने पर भी वह लेख मैं अपनी पुस्तक के लिए लेना चाहूँगा। मैंने उस लेख की एक प्रति उन्हें भी दे दी। अब आलोचना का भारतेन्दु अंक पिछड़ गया और वाणी प्रकाशन ने वह पुस्तक निकाल दी। नामवर जी ने इसकी स्वीकृत सामग्री परमानन्द जी को भेज दी थी। परमानन्द जी ने मुझे लिखा कि चूँकि वह लेख पुस्तक में आ गया है अतः आलोचना के लिए मैं दूसरा लेख भेजूँ। जिस चक्रव्यूह में मैं फँसा हुआ हूँ, उसमें गम्भीर लेख जल्दी लिख लेना सम्भव नहीं है। मैंने उनसे कहा पुस्तक में आने के बावजूद आप इस लेख को छाप सकते हैं। उस पुस्तक का सीमित प्रचार आलोचना के व्यापक पाठक वर्ग को वंचित करे, यह उचित नहीं प्रतीत होता। पर शायद उन्हें यह बात पसन्द नहीं आयी।

मेरा अनुरोध है कि आप परमानन्द जी से लेकर वह लेख पढें और यदि आपको लगे कि उसमें प्रतिपादित मत में कुछ नवीनता और दम-खम है तो उसे दस्तावेज में प्रकाशित करें। मैं परमानन्द जी को भी पत्र लिख रहा हूँ कि उक्त लेख वे आपको दे दें।

सानन्द रहें।

स्नेही,
विष्णुकान्त शास्त्री

(12)

18-1-93

प्रियवर तिवारी जी,

सस्नेह नमस्कार। इधर दौड़धूप बहुत बढ़ गयी है। उसी अनुपात में पढ़ना-लिखना कम हो गया है। फिर भी नामवर जी पर लिखा आपका लेख सौभाग्यवश पढ़ पाया। मन फड़क उठा। आपने बहुत सही समीक्षा की है नामवर जी की। वस्तुतः वे किसी को उठाने के लिए किसी को गिराने की योजना बनाकर आलोचना लिखते हैं। साहित्य की विवेचना में यदि सामाजिक प्रयोजन ही प्रधान हो जाएँगे तो विवेचना दाँव-पेच का रूप ग्रहण कर लेगी। प्रयोजन बदल जाने पर अपने ही निरूपण को नकारने की विवशता होगी। सच कहा जाये तो नामवर जी साहित्य में वही करते रहे हैं जो कम्युनिस्ट पार्टी राजनीति में करती रही है। कम्यूनिस्टों के लिए पलक झपकते साम्राज्य वादी युद्ध जन युद्ध बन जा सकता है, महात्मा गाँधी और जवाहर लाल नेहरु पूँजीवादियों साम्राज्यवादियों के दलाल भी घोषित किये जा सकते हैं और प्रयोजन पड़ने पर जन नेता भी। नेताजी सुभाष को गद्दार और तो जोधा कुत्ता भी कहा जा सकता है और फिर वह मूल्यांकन गलत था, यह भी मान लिया जा सकता है। जो धर्म उनके लिए अफीम के तुल्य था खासकर जिस हिन्दू धर्म की बुराइयाँ वे करते थकते नहीं थे आजकल उसे उदार और सहिष्णु

साबित करने पर जुटे हुए हैं जिससे हिन्दुत्व के उभार को दबाया जा सके। ऐसे ही आलोचकीय हथकंडे नामवर जी भी दिखाते रहे हैं।

इस लेख के लिए आपको पुनः पुनः बधाइयाँ।

इधर मेरी दो पुस्तकें प्रकाशित हुई हैं। 'सुधियाँ उस चन्दन के वन की' तथा 'भक्ति और शरणागति' आपको भिजवाऊँगा। शायद आपको प्रीतिकर लगें।

सानन्द रहें।

सस्नेह

विष्णुकान्त शास्त्री

(13)

अध्यक्ष, भारतीय जनता पाटी, पश्चिम बंगाल
सदस्य, राष्ट्रीय कार्यकारिणी, भारतीय जनता पार्टी
सांसद, राज्य सभा

15-1-97

प्रियवर विश्वनाथ जी,

सस्नेह नमस्कार।

राजनीतिक चक्रव्यूह में फँसा साहित्यिक कार्यों के लिए छटपटाता तो रहता है किन्तु इस व्यूह में घुसना ही सरल है, निकलना अतिशय कठिन। बिहारी का दोहा याद आ गया।

को छूट्यो इहि जाल परि, कत कुरंग अकुलात।
ज्यों-ज्यों सुरझि भज्यो चहत, त्यों त्यों उरझत जात॥

पर आपने उदारतापूर्वक 'राम की शक्तिपूजा' सम्बन्धी मेरे पूर्व-प्रकाशित लेख को अपने महत्त्वपूर्ण ग्रन्थ में पुनः प्रकाशित करना स्वीकार कर मुझे कृतज्ञता-पाश में आबद्ध कर लिया है। इस पत्र के साथ उक्त लेख भेज रहा हूँ। आशा है आपको पसन्द आयेगा।

आप भी अपना निराला सम्बन्धी लेख, यथा सम्भव नवीन निराला जन्मशती समारोह समिति, कलकत्ता के ग्रन्थ के लिए अवश्य भेजने की कृपा करें। इस सम्बन्ध में पहले आपको एक पत्र प्रेमशंकर त्रिपाठी लिख चुके हैं।

अज्ञेय सम्बन्धी पत्र तो अभी तिलस्मी तहखाने में कैद हैं, कोई बीरेन्द्र सिंह जब तिलस्म तोड़ेगा तभी उनका उद्धार होगा।

मित्रों को नमस्कार कहें।

प्रभु कृपा से सानन्द रहें।

स्नेही,

विष्णुकान्त शास्त्री

(14)

280, चितरंजन एवेन्यू,
कलकत्ता–6

6-10-99

प्रियवर विश्वनाथ जी,

सस्नेह नमस्कार।

लन्दन में आपके साथ विश्व हिन्दी सम्मेलन के माध्यम से लम्बी गपशप करने के अवसर मिले, इसका सुखद स्मरण करता रहता हूँ।

यह पत्र आपको लिखने बैठ गया। 'दस्तावेज 83' का आपका सम्पादकीय पढ़कर! आपने लेखक संघों के रहनुमाओं का वास्तविक चित्रण उद्‌घाटित कर हिन्दी की बड़ी सेवा की है। अपने कल्पित मान दंडों को अभ्रान्त मानने का दंभ, अपने शिविर के घटिया लेखकों को स्थापित करने के लिए प्रतिष्ठित लेखकों की पगड़ी उछालने का कूटकौशल, प्रगतिशील लेखकों की सूचियाँ जारी कर लेखकों को घेरने का हथकंडा बहुत घातक सिद्ध हुआ है। अच्छे साहित्य के लिए इन आलोचकों के इस बढ़ते दबदबे के कारण नागार्जुन को भी लिखना पड़ता था, अगर कीर्ति का फल चखना है, कलाकार ने फिर-फिर सोचा, आलोचक को खुश रखना है।

शिविर बद्ध आलोचना ने जो गलत माहौल बनाया है, उसका विरोध करने के लिए आपको बधाइयाँ। सानन्द रहें।

स्नेही
विष्णुकान्त शास्त्री

(15)

राज भवन
लखनऊ–227132

5-2-2001

प्रिय विश्वनाथ जी,

सस्नेह नमस्कार।

यह जानकर प्रसन्नता हुई कि दस्तावेज के अंक 90 में आप साहित्यकारों के पत्रों पर केन्द्रित सामग्री दे रहे हैं। इसमें वात्स्यायन जी के मेरे नाम लिखे गये 27 पत्रों को भी शामिल कर रहे हैं, इस कुशलता के लिए आपको बधाई।

मेरे पास बहुत से साहित्यकारों के बहुत से पत्र हैं, किन्तु उनकी फोटोस्टेट कॉपी भेजने में समय लग सकता है, फिर भी मैं प्रयास करूँगा कि इसमें शीघ्रता कर सकूँ।

बीसवीं शताब्दी के अवसान पर पूछे गये आपके प्रश्नों का उत्तर देने की स्थिति में अभी मैं नहीं हूँ। चेष्टा करूँगा कि इनके उत्तर बाद में आपके पास भेज सकूँ। मैं 15-16 फरवरी को गोरखपुर में रहूँगा। तब निश्चय ही आपसे मुलाकात होगी। साठा तो पाठा होता है। आप अभी बहुत समय तक स्वस्थ रहते हुए साहित्य सेवा करते रहेंगे।

सानन्द रहें, सर्जनारत रहें।

शुभेच्छु,
विष्णुकान्त शास्त्री

(16)

18-12-2001

प्रिय विश्वनाथ जी,

सस्नेह नमस्कार।

'दस्तावेज 91' में आपका सम्पादकीय पढ़कर आनन्द आ गया। आपने बहुत विस्तार से बहुत गम्भीर विवेचना की है। इसके लिए आपको बधाइयाँ। प्रभु कृपा से इसका कुछ सुफल हो। नामवर जी को इसे अवश्य पढ़ना चाहिए। आप पत्रों को प्रकाशित कर बहुत अच्छा काम कर रहे हैं।

मैं सोचता रह गया कि मैं बड़े विद्वानों के कुछ पत्र आपको भेजूँ, लेकिन भेज नहीं पाया। आप कहें तो अब भेज दूँगा।

सानन्द रहें, सर्जनारत रहें।

शुभेच्छु,
विष्णुकान्त शास्त्री

(17)

30-4-2003

प्रियवर विश्वनाथ जी,

सस्नेह नमस्कार।

यह सच है कि दस्तावेज का 96वाँ अंक मुझे यथासमय मिल गया था। मैं उसे पढ़ भी गया था और चाहता था कि आपको पत्र लिखूँ, किन्तु निरन्तर दौरे में रहने के कारण आपको पत्र नहीं लिख सका।

डॉ. नामवर एवं डॉ. रामबिलास शर्मा सम्बन्धी आपके सम्पादकीय पर प्रकाशित पत्र ऐतिहासिक महत्त्व के हैं।

मुझे यह जानकर प्रसन्नता हुई कि बड़े-बड़े विद्वानों ने अपना मत बहुत स्पष्ट शब्दों में व्यक्त किया है। आपने इन पत्रों को प्रकाशित कर हिन्दी साहित्य का बहुत उपकार किया है।

श्री राजेन्द्र यादव सम्बन्धी पाठकों के पत्र भी आप प्रकाशित कर रहे हैं, यह जानकर बहुत हर्ष हुआ।

दस्तावेज के 100वें अंक के लिए महात्मा गाँधी पर मैं कुछ लिखना चाहता हूँ। कृपया लिखें कि मुझे इसके लिए आप कितना समय देने के लिए तैयार हैं।

प्रभु कृपा से सानन्द रहें, सर्जनारत रहें।

शुभेच्छु,
विष्णुकान्त शास्त्री

(18)

14-11-2003

प्रिय विश्वनाथ जी,

सस्नेह नमस्कार।

'दस्तावेज' के 100वें अंक का एवं आपकी कविता पुस्तक 'बेड़ियों के विरुद्ध' का लोकार्पण समारोह बहुत अच्छा लगा।

उस दिन मैं अपने हृदय से बोला था। मुझको लग रहा था कि लोगों को मेरी बातें अच्छी लग रही हैं।

आपकी तपस्या का लोग हृदय से सम्मान करते हैं, यह बिल्कुल स्पष्ट है। दिल्ली में भी लोकार्पण आनन्दपूर्वक सम्पन्न होगा, ऐसा मेरा विश्वास है।

आपकी कविताओं पर अच्छा लेख लिखने के लिए श्री अरविन्दाक्षन को भी मेरी ओर से बधाई दे दीजियेगा।

आप जब चाहें लखनऊ के राजभवन में आकर रह सकते हैं।

मुझे गोरखपुर के सूचना अधिकारी ने आपके लोकार्पण समारोह से सम्बन्धित विभिन्न समाचार पत्रों में प्रकाशित खबरों की कतरनें भेज दी थीं। आपके द्वारा जो दो समाचार-पत्र भेजे गये हैं उनके लिए मैं आभारी हूँ, लेकिन इनको पहले पढ़ चुका हूँ।

प्रभु कृपा से सानन्द रहें।

शुभेच्छु,
विष्णुकान्त शास्त्री

(19)

10-1-2004

प्रिय विश्वनाथ जी,

सस्नेह नमस्कार।

यह जानकर आश्वस्त हुआ कि आपके पिताजी अब स्वस्थ हैं। यह भी ज्ञात हुआ कि आप भी

अस्वस्थ हो जाने के कारण 27 दिसम्बर को काशी नहीं जा सके थे। प्रभु कृपा से अब आप स्वस्थ हो गये हैं, यह जानकर मुझे हार्दिक प्रसन्नता हुई।

दिल्ली में 'दस्तावेज' एवं आपकी कविताओं की पुस्तक का लोकार्पण सफलतापूर्वक सम्पन्न हुआ, यह समाचार मुझे मिल गया था। आपको मेरी ओर से हार्दिक बधाइयाँ।

इन दिनों मेरा लिखना तो बहुत कम हो गया है। लेकिन इधर मैंने दो साहित्यिक संस्मरण लिखे हैं, एक नागार्जुन पर, दूसरा डॉ. नगेन्द्र पर। नागार्जुन पर लिखा संस्मरण कानपुर से प्रकाशित होने वाले 'अकार' के नवम्बर अंक में छपा है। डॉ. नगेन्द्र वाला संस्मरण मैंने 'साहित्य अमृत' के लिए भेज दिया है, न जाने वह कब प्रकाशित होगा। इधर नया संस्मरण लिखने की तो कोई संभावना नहीं है। क्या डॉ. नगेन्द्र वाला संस्मरण आपको भेज दूँ।

आप लखनऊ आएँ आपका स्वागत है। किन्तु आने से पहले सूचित करें, क्योंकि मैं प्रायः दौरे पर रहता हूँ। आप मेरे दूरभाष संख्या 0522-2220316, 2220331 पर बात कर लें ताकि उस समय मैं लखनऊमें रह सकूँ।

सानन्द रहें।

शुभेच्छु

विष्णुकान्त शास्त्री

विश्वम्भरनाथ उपाध्याय

(1)

डी-25 जवाहर नगर,
जयपुर-4 (राज.)

29-10-78

प्रिय विश्वनाथ जी तिवारी,

नमस्कारम!

घणी खमा, नहीं भेज सका लेख। 10 नवम्बर तक "यशपाल के उपन्यासों में राजनीति और समाज" पर, छोटा लड़का मनोज कुमार उपाध्याय शोध कर रहा है, सो, हम भी उसके साथ लगे हैं। 30 नवम्बर तक देना है अन्यथा नाश हो जायेगा। इसी वजह से मौन रहा। कविता भी आपके पत्रयोग्य नहीं थी। अच्छी जो थी, कबंध में छप गई थी, दो तीन नई लिख पाया था, प्रशासनिक उलझनों में, सो, दो बलदेव वंशी ने मँगा ली थी, 'इत्यलम्' के काव्यांक के लिए और एक "गवाह" को भेज चुके थे। आपके लिए तभी भेजेंगे जब हम आश्वस्त हों कि आपकी प्रशंसा मिलेगी।

"देवेन्द्र कुमार की कविता, अनुकरणीय है, कथ्य का सहीपन और तेजी, स्वतः ही तेज तर्रार ठेठ मुहावरा बनाने में कामयाब रही। सर्वेश्वर पर लेख भी नवल नन्दकिशोर का लेख अच्छा है, पक्षधर भी न्याय प्रिय भी। सुखद आश्चर्य यह है कि 'राजेन्द्र यादव' का लेख जोरदार है, अन्तिम परिच्छेद "विद्रोह का धरातल..." खतरा तो पैदा करती ही है, बहुत सही है। कमी यह है कि सम्बन्धों में स्वतन्त्रता और सम्बन्धों के संकट को, मुख्य संकट मानने वालों की कृतियों को यादव राजेन्द्र अब भी, सामाजिक विद्राह व्यवस्था विरोध की तुलना में इतना महत्व देते हैं पर यह उनकी पुरानी आदत है। जैसे-2 समूची सामाजिक संरचना के विरोध का साहित्य मजबूत होगा, मात्र सम्बन्ध की उधेड़बुन में संलग्न साहित्यिकों को भी यह बोध हो जाएगा कि सम्बन्धों के बदलाव का प्रश्न, मूल परिवर्तन का ही एक आयाम है।

—अभी तक सोशल स्टक्चर के परिवर्तनकारी साहित्यकारों और सम्बन्धों में स्वतन्त्रता के "कामी" साहित्यकार, समानान्तर चलते रहे हैं, विशेषकर कथाकार। बहरहाल।

विजयमोहन ने उदाहरण पुराने लिए, उन्हें पक्षधर उपन्यासों का भी जिक्र करना चाहिए था। हर लेखक एक ही से नाम दुहरानें लगता हैं। सवाल यह है कि 'देहगाथा" से जनगाथा के उपन्यासों की ओर ये भाई लोग कब चलेंगे और कब उन पर ध्यान केन्द्रित कर उनका विश्लेषण करेंगे। लेख वैसे, अच्छा है।

बच्चन सिंह ने लेख में बारीकियाँ दिखाई हैं पर वे "नयी समीक्षा" के औजारों में उलझ जाते हैं। उन्हें किसी एक कहानी की ऐसी आलोचना का मॉडल देना चाहिए। जिसमें कथा के तत्व, संवाद, वस्तु, उद्देश्य आदि के विभाजन के बिना ही कहानी का विश्लेषण हो जाय। जब तक ऐसा नहीं होगा तब तक कहानी की आलोचना, पुराने ढर्रे पर चलेगी ही। पर, बच्चन सिंह, यह काम नहीं करना चाहते, सिर्फ

इशारे करते रहते हैं कि ऐसा हो।

रामचन्द्र तिवारी के लेख में जो सवाल उठाया गया है उसका उत्तर कोई दे कि शैली विज्ञान से आलोचना की भूमि संकुचित ही भई है।

भाई परमानन्द का लेखक आनन्ददायक है पर उन्हें यह दिखाना था कि ''भारतीय संस्कृति'' की संकुचित, साम्प्रदायिक, वर्णाश्रमधर्मों, गैरयूनीवर्सल व्याख्याओं से हिन्दूवादियों की करामत, आर.एस.एस. जन संघ आदि) क्या हानियाँ हो रही हैं। कुछ उदाहरण देते। जनरल टर्मस में कुछ कह देने से असर नहीं होता। डीकल्चराइजेशन का मुद्दा क्या इतना सीधा है, क्यों हो रहा है यह असंस्कृति करण पर संस्कृति को लोगों के अस्तित्व संघर्ष से अलग-महात्माओं की तरह देखना मात्र सज्जनता का कार्य है सैद्धान्तिक कार्य नहीं। विद्यानिवास मिश्र के रोमानिया पर्यवेक्षण साम्यवाद विरोधी स्पर्शों से भरे हैं। वह एंटी कम्यूनिस्ट चित्तवृत्ति के भारतीय संस्कृति के कंजरवेटिव नजरिए वाले प्रचारक हैं। समग्रतः अंक साहित्य का दस्तावेज बन गया है पर सम्पादक के पास न कुछ कहने को है! न उसका कोई स्टैण्ड और प्रतिक्रियायें ही सामने आयी हैं। यह स्टेण्डलेसनेस अक्षम्य है। हे विश्वनाथ महाराज।

आपका

विश्वम्भरनाथ उपाध्याय

(2)

12-2-79

प्रिय भाय,

'दस्तावेज' का द्वितीय अंक मिला। आपने मेरे पत्र पर जो प्रतिक्रिया प्रकट की है, उस पर अब आगे कुछ कहना बेठीक है क्योंकि आप ''उत्पीड़क और क्रूर ताकतों के विरुद्ध हैं और बेजबान, असहाय समूह के पक्ष में हैं।'' फिर भी सवाल यह है कि आप संज्ञा की जगह सर्वनामों का प्रयोग क्यों कर रहे है? अन्ततः वे कौन सी ताकतें हैं और ये शोषक या उत्पीड़क शक्तियाँ, किस पद्धति की उपज हैं। अथवा क्रूर और पीड़क शक्तियाँ स्वयंभू हैं। क्या वे सामन्ती पूँजीवादी उत्पादन वितरण पद्धति की अनिवार्य परिणतियाँ नहीं हैं।

बहरहाल, आप दस्तावेज में ऐसा साहित्य अवश्य छाप रहे हैं जो जनपक्षधर है और अभिजन का विरोधी है अतः सम्पादकीय आवश्यकता या नीतिवश मौन भी रहें तो भी रचनाएँ अपना काम करेंगी, वैसे अक्षय उपाध्याय की प्रतिक्रिया में दम है। उस पर आपकी प्रतिक्रिया में गैरजानिबदारी है और जानिबदारी मजहबीपन नहीं सिखाती, लेखक को शोषक वर्गों व्यक्तियों के विरुद्ध युद्ध स्थिति में खड़ा करती है। मजहब शब्द को व्यापकता दें तो अपक्षधरता बुरा मजहब है और जनपक्ष लेकर अभिजनों महाजनों और उनकी व्यवस्था पर चोट करना जनधर्म है जो बेहतर मजहब है। गुडी गुडीपन अन्त में सम्पादक और लेखक को कहीं का नहीं रखता।

ज्ञानेन्द्र पति की दोनों कविताएँ अच्छी हैं। शम्भुनाथ का लेख सामयिक और शंकुभूत-प्वाइन्टिड है। रामस्वरूप चतुर्वेदी का शब्द चिन्तन प्रभावक लगा। निर्मला जैन के लेख में इतिहास बोध का सन्तुलित समर्थन सुखद विस्मय दे गया क्योंकि आजकल इतिहास विरोधी दृष्टियों का बोलबाला है। लोग कार्ल मार्क्स को कार्ल पॉपर से काट रहे हैं।

गुजराती-मराठी साहित्य पठनीय लगा। समग्रतः अंक दस्तावेजी है।

यह त्रैमासिक 'मुखौटा' है। इसका प्रवेशांक, समकालीन उपन्यास विशेषांक होगा। मार्च तक निकलेगा। 1965 के बाद के उपन्यासों पर आप लिखें। लिखवाएँ। भाई परमानन्द जी को भी लिख रहे हैं। थियोरी ऑफ नावेल पर वहाँ कोई मित्र लिख सकें तो उनका नाम पता भेजें। हिन्दी में यह पक्ष एकदम शून्य है। मैं थीसिस छपाने में व्यस्त हूँ, विज्ञप्ति संलग्न है। कुछ समय बाद, 15-20 दिन बाद आजाद होकर आपके लिए लेख भेजेंगे निश्चय ही। विशेष फिर।

भवदीय

विश्वम्भरनाथ उपाध्याय

(3)

25-8-79

प्रिय भाई,

1-8-79 का कृपापत्र तथा दस्तावेज का ताजा अंक। धन्यवाद। इस अंक में लेखों की स्तरीयता मोहक है। बधाई। उदयपुर गया था, तो भी नन्दचतुर्वेदी, दस्तावेज की प्रशन्सा कर रहे थे और उनसे तारीफ पा लेना कठिन है, वह "नन्दन" और "निन्दन" (निन्दा से मतलब यहाँ आलोचना से है।) दोनों कार्य मस्ती से करते हैं। दस्तावेज अब प्रतिष्ठा पा चुका है, छपाई भी बढ़िया है। तपस्या फल गई है, आपकी।

मैं हजारी प्रसाद द्विवेदी तथा प्रेमचन्द के मूल्यांकन पर लिख सकता हूँ पर द्विवेजी जी पर लेख, यात्राओं के कारण, जल्दी कैसे भेजूँ? फिर भी कोशिश करुँगा। "कबंध" पर समीक्षा, जब ठीक लगे दीजिएगा।

आपका

विश्वम्भरनाथ उपाध्याय

(4)

29-6-81

प्रिय भाई,

दस्तावेज पत्र मिला। धन्यवाद।

उदयप्रकाश की कविताएँ उम्दा हैं, ताजे देहाती बिम्ब ही कविता को, बचा सकते हैं क्योकि नगरों में तो एकसापन और मुहमुदोंपन एकान्तवास और गति से भन्नायापन है, जो सब नगरों में है। उसे कहाँ तक रिपोर्ट किया जाए?

घिसे-पिटे समकालीन कवि (सप्तक दशकीय) अब दुहराव के शिकार हैं, पुराने-नए कवि गंधा रहे हैं। वैषम्य और विसंगति देखकर, जो नई तुर्कता (Where are our young Turks?) आनी चाहिए थी, वह नहीं आ पाई क्योंकि साहित्य की परिपाटी में, बदलती स्थितियों में बदलते कथ्य की पकड़ पर नहीं,

कला संरचना पर बल है अतः कबीर और यंग-टर्कस की जगह, विद्रोह और क्रान्ति की सुगबुगाहट को रचाव की अधिकता के कारण, मंदाग्नि का आखेट होना पड़ रहा है। इधर के तथाकथित नए जनवादी शब्द का ढेरा घुमा घुमाकर वाणी में ऐंठ पैदा करने वाले तो "निपनियाँ" से लगते हैं।

आ. देवेन्द्रनाथ शर्मा की जटिलता को वेध कर, मर्मपकड़ दृष्टि आदरणीय लगी पर आचार्य देवेन्द्रनाथ शर्मा को तो नहीं क्योंकि उन्होंने काफी काम किया है पर स्वतन्त्रचिन्तन क्यों नहीं हो रहा है। जिसे देखो, उसमुं अन्य विद्वान बोलते नजर आते हैं, गोया, हिन्दी के आलोचकों आचार्यों का ग्रामोफोनीकरण हो गया हो। इसलिए अन्य देशों के लोग हिन्दी के विद्वानों को उद्धृत नहीं करते क्योंकि वे अपनी स्थिति, समाज, संस्कृति और अपने यहाँ की चुनौतियों से शुरु न कर आयातित अवधारणाओं से शुरु करते हैं अतः वे स्वयं प्रभावक न रहकर, आयातित माल की अभिज्ञता का प्रदर्शन प्रभावक रह हो जाता है। किसी देशी विदेशी कंसैप्ट के अपनाव में बुराई नहीं, बुराई उसके इस्तेमाल में है यानि कि आप, साहित्य व्यक्ति और समाज को निगाह में रखे बिना, कंसैप्टीकरण करते रहें तो आप विद्वान मानें जाएँगे, विचारक नहीं।

शेष सामग्री भी बढ़िया है। अज्ञेय पर दर्शनविशेष का प्रभाव नहीं, सम्पूर्ण भारतीय ज्ञानात्मक सारतत्व की ओर झुकााव है जो उम्र के साथ बढ़ा है। यहाँ हर भारतीय बुढ़ापे में भारतीयता का अंधानुगामी बन जाता है। और जवानी में उसका निषेध करता रहता है। अज्ञेय ने यहीं किया। इनकी आत्माओं को मोक्ष मिले। ओउम् शान्तिः शान्तिः, स्वाहा, इदन्न्मम।

प्यारे मार से घबराओ नहीं। आप पर प्रहार का कारण, आपकी तटस्थता है जो जनपक्ष लेकर अभिजनों से नहीं भिड़ती अतः वामपंथी तो आपको मारेंगे ही पर मैं यह मानता हूँ कि आप अच्छी सामग्री दे रहे हैं।

आपका

विश्वम्भरनाथ उपाध्याय

(5)

4-11-1981

प्रिय भाई,

दस्तावेज 12 मिला। धन्यवाद।

कविताएँ यों तो स्तरीय हैं पर मुझे लीलाधर जगूड़ी और देवेन्द्र कुमार की रचनाएँ कथ्य और कला, दोनों दृष्टियों से श्रेष्ठ लगीं।

देवेन्द्र कुमार की रचना जंगल के दावेदार जंगल के रूपक का कौशल पूर्ण निर्वाह करते हुए अब भी भयंकर स्थिति का अनावरण करती है। जगूड़ी ने अपना पुराना गूढ़ सूत्रात्मक रवैय्या बदला है और जीवन प्रसंगपरकता का विकास किया है, यह अच्छा है।

महेश अश्क का गजलियात कामयाबियों का गवाह है पर चीजे चुनिन्दा ही देंना चाहिए अन्यथा हल्की चीजें आना ही है।

आचार्य देवेन्द्रनाथ शर्मा का विश्लेषण पैना और पारदर्शी है। इतनी समझ और निभ्रान्त अभिव्यक्ति अन्यत्र दुर्लभ है पर आचार्य श्री अब लुकाच और लूसियोंगोल्डमन जैसे सिद्धान्तकारों पर भी अपने "क्रिटीक" पैना करें तो अधिक प्रासंगिक होगा। लूसियों ने, मार्क्स-दर्शन से सावयवता की (The intigration of parts and whole) का दोहन करके, माक्सीय-विश्लेषण प्रविधि का एक नया और सम्पूर्ण स्वरूप प्रस्तुत

किया है। वैसे, समय मिलने पर इस विषय पर मैं भी लिखूँगा।

समीक्षाएँ विशद और आकर्षक हैं। सन्तुलित कम। उदाहरणतः डॉ. नन्दकिशोर नवल की व्यक्तिपरकता (Personality-cult) की आलोचना जरूरी थी। व्यक्ति विशेष से अभिभूत मार्क्सवादी भी जाते है और वस्तुगत नहीं रह पाते, इसका सबूत नन्दकिशोर नवल है। वह अपने श्रद्धेय मार्क्सवादियों को छोड़कर अन्य महत्वपूर्ण मार्क्सवादी विचारकों की उपेक्षा भी करते हैं।

राजेन्द्र यादव की असन्तुलित स्टेटमेन्टबाजी को भी अनालोचित छोड़ दिया गया है।

मधुरेश बनाम मटियानी विवाद सर्वाधिक रोचक है। मधुरेश ने अपने दृष्टिकोण से लिखा, फिर उनके इरादे पर चोट और उन्हें मूर्ख सिद्ध करना अयुक्त है। यह तो स्पष्ट ही है कि मटियानी एंटी-कम्यूनिस्ट स्टैंड लेते हैं जबकि अपने अंतर्विरोधों के बावजूद साम्यवादी ही राष्ट्रीय अंतर्राष्ट्रीय व्यवस्था से भिड़ रहे हैं। रचना, विचार के बिना संवेदना और सामान्य पर्यवेक्षणा से भी सफल हो सकती है, मटियानी की कहानियाँ सबूत हैं पर उनमें वर्गहीन समाज की दृष्टि से किया गया चिन्तन या विचारणा नहीं है यह भी सत्य है। बहरहाल। इस समय आपके अवलोकन के लिए एक कविता में भेज रहा हूँ।

मधुमाधवी के विशेषांक पर न पहुँच न प्रतिक्रिया। अमृतसर में प्रतीक्षा रही।

आपका

विश्वम्भरनाथ उपाध्याय

(6)

22-3-85

प्रिय भाई,

दस्तावेज का 26 अंक। धन्यवाद।

'दस्तावेज' के टिपीकल भारतीय जनतंत्रनुमा परिवेश में, सभी प्रकार के लेखक हैं, लेखन और दृष्टियों के सभी नमूने। बधाई।

पूरा अंक पढ़ने काबिल है और समर्थन-विरोध की सरसराहट जगाता है।

"बातचीत" में सिर्फ बिन्दु उठे हैं। एक पर भी सही प्रकाश नहीं पड़ सका। असलियत यह है कि साहित्यिक-कवियों को सुरुचिसम्पन्न कविसम्मेलनों का आयोजन शुरु करना चाहिए। जाहिर है, ऐसे कवि सम्मेलनों में शिक्षित लोग अधिक भाग लेंगे यों जनता भी आएगी, कौतुकवश, बाद में वह समझने लगेगी। मुझे अब लग रहा है कि पत्रिका सम्पादन कम हो, सम्मेलन अधिक ताकि उनमें कहानी, कवि तादि का पाठ हो सके।

आप गोरखपुर में, नगर के बीच यानि जनता के मध्य ऐसा कवि सम्मेलन कराइये और उसमें पेशेवर गलेबाजों प्रहसनपरक सस्ते कवियों को बाहर रखिए। हम भी यहाँ यह कराएँगें। यह विधिवत हो, यानि पत्रिकाओं, समाचार पत्रों में प्रचार हो, निमंत्रण पत्र, शिक्षित सभी प्रकार के नागरिकों को भेजे जाएँ। 'अज्ञेय' गलत कहते हैं कि पाठक सिर्फ छपी कविता तक सीमित रहना चाहते हैं, सच यह है कि शिक्षित पाठक को श्रोता बनाया ही नहीं जा रहा है।

गोविन्द मिश्र की यह बात सही है कि व्यक्विादी लेखक भी दम्भी होते हैं और यह कि समाजवादी। साम्यवादी यानि विचारधारा निष्ठ लेखकों को सामाजिक यथार्थवाद की व्याख्या व्यापक ढंग से करनी चाहिए। किन्तु सामाजिक चेतना की रचना और विचारधारा का असर नहीं पड़ता तो 1789 की फ्रान्स की क्रान्ति कैसे होती? विक्टर ह्यूगों, वाल्तेयर, रूसों के लेखन से शिक्षित मध्यवर्ग ने जनता का साथ दिया, नेतृत्त्व किया और सामन्ती व्यवस्था को उखाड़ा। असंगतियों और ज्यादातियों के बावजूद करोड़ो

साधारणजनों जनियों यानि स्थियों-बच्चों का उद्धार समाजवादी देशों में हुआ है यह ''सनकी गोविन्द' को नहीं टिपता।

आपकी कविताओं पर आलोचनात्मक भाषा हावी हो रही है, अतः तद्भवों लोकोक्तियों लोकबिम्बों, की शरण गहिएगा। कथ्य चिन्तनात्मक है।

भाई परमानन्द की शाकाहारी शैली के बावजूद उनकी समीक्षा में समझ है, उदारता, बचाव और अपनाव भी, इतना कि गलत और सही के बीच लाइन नहीं खिंचती। खिंचती है कहीं तो वह भेदक रेखा परमानन्ददायक सी हो जाती है।

मदन सोनी ने अशोक की आलोचना का मर्म पकड़ना चाहा है पर वह अशोकीय उदारता के शिकार हो गए लगते हैं। अशोक वाजपेयी की आलोचना में बहुत गड़बड है यों योग्यता हैं। उसमें अपने सम्बन्धों पूर्वग्रहों-रूचियों और विचारधारा विरोध यानि आमूल परिवर्तन का विरोध आदि की नींव पर अभिमत प्रकट किए गए हैं जो बाँकपन से मोहते हैं पर उनमें घपले हैं।

शेष ठीकठाक है, आशा है आप दस्तावेज की वेदी पर शहीद होते रहेंगे, स्वस्थ और सानन्द।

आपका

विश्वम्भनाथ उपाध्याय

(7)

9-9-86

प्रिय भाई,

जहाँ भाव होता है वहाँ व्यक्ति साफ-साफ लिखता बोलता है। आप मेरे प्वाइन्ट को पकड़ते नहीं अतः बिन्दु की गैर पकड़ से आपको वे भर्त्सना लगते है। जब तक किसी पत्र में बौद्धिक कशममश, विचार तरंगे, उनकी टकराहटें, Clash of Opinions व्यक्त नहीं होता, तब तक वह पत्र, सचमुच प्रलेख या दस्तावेज ही रहेगा, सर्वप्रिय सर्व समावेशी किन्तु वैचारिकद्वन्द से रहित। यह मेरा पक्ष है, क्या यह भर्त्सना है? सोचिएगा।

आपसे भेंट तब होती जब आप वह परमानन्द, कभी वहाँ बुलवाते। आप तो जो, हैं, स्पष्ट, पारदर्शी और सच्चे हैं, पर भाई परमानन्द की लीला अपरम्पार है, खैर, इसमें अपना अपना मन और प्रियताएँ अप्रिमताएँ है जो रहेंगी। मैं यहाँ अब रिटायर्ड हूँ। अब तो समाज में कभी मौका मिला, आन्दोलन में तो आपको लिखेंगे। भाई परमानन्द तो अब प्रगतिशील हो ही गए, नामवरी कैम्प के फौलोवर हो गए लाभ हुआ उन्हें, आगे और होगा, उन्हें मुबारकबाद कहें। आप सर्वप्रिय बन्धु है, आपको भी होगा।

हमारा मार्ग और राग, भिन्न है, काश, हम भी ''परमानन्दी'' होते।

मैं अपना लेखन आपको भेजता रहा ट्रैस। आपने लगातार पत्र भेजा है अपना पर लेखन नहीं भेजा। उसमें व्यक्त आपकी संवेदना पकड़ते पहचानते सराहते। आप यकीनन संवेदना की दृष्टि से साथी हैं पर विचार की दृष्टि से तटस्थ स्वतन्त्र मगर कविता में मात्र विचार नहीं होते, खैर छोड़िए।

अभी छपी किताब मीमांसा और पुनर्मूल्यांकन भी भेजेंगे। पढ़िएगा। 'वर्तमान साहित्य' में मेरा लेख पढ़ा, लोक जागरण और शुक्ल पर (डॉ. रामविलास शर्मा की पुस्तक पर) यह जो बहस, शास्त्रार्थ, दृष्टि संग्राम चल रहा है, वह दस्तावेज में व्यक्त हो, तब है। मैंने आपके पत्र में इस तरह का लेखन किया है, रहबर बनाम रामविलास पर। अब पुनः रामविलास/नामवर बनाम विचार—धारात्मक स्टैण्ड, बनाम अन्य दृष्टि बिन्दु जो बहस

चल रही है, उस पर लिख सकता हूँ पर आप उसे छापना न चाहेंगे क्योंकि उससे कुछ लोग नाराज हो सकते हैं। चाहें तो लिख सकता हूँ। परमानन्दी-प्रवृत्ति के सभी लोग बिगड़ेंगे। आप, तो भी चाहें तो मैं तैयार हूँ।

आपको जैसे ही बुरा लगने लग जाए, वैसे ही कह दें, साफ बन्द कर दूँगा।

आपका

विश्वम्भरनाथ उपाध्याय

(8)

कुलपति, कानपुर विश्वविद्यालय
(उ.प्र.)—208024

12-11-91

प्रिय भाई,

दीपावली पर हम सबकी मंगलकामनाएँ स्वीकार करें और आपके सदा दिए जलते रहें और आप इसी तरह दूसरे के दीपक जलाते रहें। कृपा पत्र मिला। धन्यवाद।

आप डॉ. सुमन नाराजे से समीक्षा मँगाकर अवश्य छापिए उन्होंने इच्छा प्रकट की यह एक शुभ लक्षण है।

अहम् जन्य विग्रह ज्यादाद के झगड़े से भी ज्यादा जटिल और विकट होते हैं किन्तु मुझे आशाा है कि आपकी अचूक सौभ्यता से सब कुछ सम्भव है।

जहाँ तक मेरा प्रश्न है मैं तो सर्वदा सहदयता के आधार पर सम्बन्धों में रस उत्पन्न करता रहता हूँ किन्तु सुमन नाराजे का मनोविज्ञान मैं कभी समझ नहीं सका।

आपसे भेंट होने पर वार्तालाप होगा।

मैं स्वयं गोरखपुर आकर गोरखनाथ और आपके दर्शन करना चाहता हूँ और यदि मुझे एक मौखिकी में बुलाया गया तो गोरखपुर वि.वि. में भी आपसे भेंट हो सकती है।

आपने मेरे गीतों को भी महत्व दिया, इससे एक बार फिर आपके चित्त की चारुता प्रकट होती है। मैं कुछ गीतों को टंकित कराकर आपके अवलोकन के लिए भेजूँगा। उनमें से जो आपको रूचे आप प्रकाशित कर सकते हैं। दस्तावेज के पिछले कितने अंक आपके पास हैं। उन सारे अंकों की सूची और मूल्य जो (आप लेना चाहें) उनकी अंकबार सूची बनवाकर, आदेश पत्र भेंजे तो यह वि.वि. पिछले अंक खरीदेगा और दस्तावेज का नियमित ग्राहक बनेगा।

इसके अतिरिक्त अपनी रचनाओं का आदेश पत्र बनवाकर भिजवायें तो उनकी भी प्रतियाँ भी खरीदी जाएगी।

मेरे योग्य अन्य कोई कार्य लिखें। अपने पड़ोसी श्री नागेश्वरशाही को मेरा नमस्कार कहें।

आपने अपना कविता संग्रह यदि भेजा होता तो मैं उस पर कुछ लिखकर भेज सकता था।

विशेष पुनः पुनः।

भवदीय

विश्वम्भरनाथ उपाध्याय

7-डी-25 जवाहर नगर,
जयपुर-302004 (राज.)

26-4-95

प्रिय डॉ. तिवारी,

दस्तावेज का 65वाँ अंक। धन्यवाद।

''लेडी चैटलीज लवर'' उपन्यास का लेखक डी.एच. लारेंस था, डिकिन्स नहीं। फिर लारेंस, बुद्ध देव बसु, समरेस बसु, सोजेवतन के साथ ''असलाह'' को पंक्तिबद्ध करना, असावधान 'लीला' है आपकी। क्योंकि 'असलहे' का जिक्र, 'सब धान बाइस पसेरी' की नीति जैसा है। यह ऐसा कार्य है जैसे ''गिरोह गिरिराज'' के ढाई घर'' जैसे साधारण उपन्यास को 'साहित्य अकादमी' से पुरस्कृत करवाना....आप तो ''सत्य'' की मीमांसा कर रहे हैं और यह ''लीला'' भी कर रहे हैं वाह!

सभी ''सत्य'', सापेक्ष नहीं होते यथा, ''महाप्रकृति अपनी दुर्दमनीय ''इच्छाशक्ति'' और अपने नैसर्गिक नियमों से संचालित हो रही है'', यह आपका वाक्य, ''सत्य'' के स्थायित्व का प्रमाण है यो इसमें इच्छाशक्ति शब्द का प्रयोग चिंत्य है क्योंकि प्रकृति के मूल में प्राकृतिक प्रेरणा है इच्छाशक्ति तो चिन्मयता का प्रतीक है जो प्रकृति में मूलतः नहीं है—प्राकृतिक विकास में मूलस्थित पदार्थ जड़ है पर विकास के क्रम में सर्वप्रथम प्राण शक्ति लाइफ विकसित होती है पुनः प्राण जीवन से ''चेतना'' विकसित होता है और ''इच्छा'' चेतना का लक्षण है।

आपके सत्य की मीमांसा परिवर्तन को ध्यान में नहीं रखती, भारतेन्दु से आप तक का मुख्यधारा का साहित्य न अमूर्त है, न शाश्वत, वह समाज में परिवर्तन के लिए व्यग्रता से पनपा है और इस क्रम में मार्क्सवादी प्रगतिशील जनवादी साहित्य एक विशेष प्रकार के वर्ग हीन शोषणविहीन समाज के लिए लिखा गया है जो निरपेक्ष नहीं है, समाज सापेक्ष है। इसे अपनी परम्परा में, महाभारत के श्री कृष्ण द्वारा मूल्य या धर्म की व्याख्या के प्रकाश में देखा जा सकता है। श्रीकृष्ण ने युधिष्ठिर के घायल होने पर युधिष्ठिर द्वारा गांडीव की निन्दा सुनकर अर्जुन द्वारा भ्रातृवध के लिए प्रस्तुत होना और श्री कृष्ण द्वारा बरजने पर आत्महत्या का प्रयत्न किया तो कृष्ण ने कहा था कि धर्म या सत्य 'हित' है और 'हित' शब्द में सर्वप्राणिहित भी 'हित' ही होगा जो सापेक्ष है। 'महाजन' की धारणा भी सही है परन्तु महाजनों में पुरुषोत्तम श्री कृष्ण ही अनुकरणीय हैं जिन्होंने पापियों को महाभारत कराके नष्ट कराया और फिर अपने वंशज, 'यादवों के पापी या मूल्यहीन होने पर स्वयं उनका वध कर दिया तथा मनुष्य के सुधारने में असफल हो जाने पर दुःखी होकर आत्महत्या कर ली, बलराम सहित। इसलिए हे बन्धु, आपका सत्य विवेचन, शुभ पक्ष के हित में पीड़ित बहुजन हिताय के लिए वर्ग संघर्ष से बचता है। तानाशाही के सब विरुद्ध है, हम भी, आप साम्यवादी दल भी लेकिन मैं आपसे पूछता हूँ कि यह जो रक्त शोषक वर्ग की तानाशाही चली आ रही है, उसका संगठित विरोध जो कर रहे हैं, गरीब की बात कह रहे हैं, जनपक्षधर क्रान्ति के समर्थक हैं, उन्हें 'सामान्य तानाशाही'' (हिटलरः मुसौलिनी) की श्रेणी में कैसे रखा जा सकता है? स्तालिन ने अवश्य ज्यादितियाँ की थी पर उसको अनावृत तो उसी 'पार्टी' के लोगों ने किया था अतः ''सत्य'' का ऐसा अमूर्त्त विवेचन जो पीड़ितों प्रवंचितोः शोषितों के पक्ष में न खड़ा हो और अत्याचारियों से न भिड़े तो सत्य की ऐसी मीमांसा, वर्गीय तानाशाही की समर्थक होगी, क्या राय है?

'रचना और आलोचना' में विषय में मत-प्रकाशन रोचक है पर इन सबमें भी वही अमूर्त्तता है

जबकि सत्य तो Concrete होता है। शोध सामग्री पठनीय है। ''रवीन्द्रभारती'' की कविताएँ अब की बार 'कविताएँ' लगीं, उनको बधाई।

दस्तावेज में महाभारत के पात्र वाला स्तम्भ जाना चाहिए था।

हमने, इधर, शताब्दी का अन्त देखकर और आर्थिक साम्राज्यवाद के तहत बढ़ रहे साँस्कृतिक आयात के खतरों तथा पुनः विदेशी कम्पनी राज्य के भयों एवम् सर्वत्र धर्म या मूल्य हीनता देखते हुए, बढ़ती अराजकताः हिंस्रता की बाढ़ के सन्दर्भ में एक Prophetie poem पैगम्बरीय दीर्घ कविता लिखी है, युगान्तकारी परिप्रेक्ष्य वाली, नीत्शे के शीर्षक के अनुकरण पर नीत्शे के विरोध में उसका शीर्षक है, Thus spoke Nath Vishwambhar और इस तरह नाथविश्वम्भर बोला हमारा आपके यहाँ कुछ छपता नहीं, इसलिए नहीं भेज रहा हूँ। मैंने 'विक्षिप्त होते हुए' शीर्षक से कविता संग्रह तैयार किया है। और एक उपन्यास लिखा है 'जाग मछन्दर गोरख आया'। उस पर टी.वी. सीरियल स्वीकृत हो गया है। सो अब दृश्य लेखन भी करना होगा।

भवदीय

विश्वम्भरनाथ उपाध्याय

(10)

20-11-95

प्रिय डॉ. तिवारी,

दस्तावेज-67 का अंक। धन्यवाद गीतों-गजलों पर विशेष अंक और मैं अनुपस्थित रहा, आपकी नजर-ए-करम से। आपको गीतसंग्रह, गुनगुनाते हुए तो दिया था, शायद कशमकश भी दी है, ताहम, कशमकश की प्रति भेज रहे है। यह स्वयं भी आपके दृष्टिपथ से गुजर कर सच बता देगी।

आशा है आगे कभी आप हमारे गजलियात और अशमार को भी कुछ ''लिफ्ट'' देंगे।

आपका लेख सुधीश पचौरी की किताब, नामवर के विमर्श में पढ़ा। ताज्जुब हुआ, जायकेदार जब पाया कि आपने एकदम बेलाग होकर दूध का दूध और पानी का पानी कर दिया। वस्तुतः नामवरीय आलोचना में परस्परविरोधी कॉनसेप्ट की चालाक मिलावटें हैं। हमारे सिवा, उनमें रामविलास शर्मा वाली असन्तुलित न्यायहीन पक्षरता है। द्वितीय परम्परा तो इस देश में आगमों ने शुरु की थी योगियों ने बाद में ''निगमागम स्वीकृत होकर एक भारतीय परम्परा बन गई। अतः अब दूसरी परम्परा'' तो मार्क्सवादियों ने विशेषकर, राहुल ने रची जिसमें अन्य आगम या तंत्र या सिद्ध योग परम्परा का प्रतिफलन भी देखा जा सकता है। आपने इस ओर संकेत भी किया है।

आप यदि नामवरीय विमर्श का विश्लेषण चाहें तो मैं लिख सकता हूँ पर उसमें ''उधरहिं अन्त न होउ निबाहूँ'' होगा, यह सोचकर लिखें।

शेष ठीक है। दोनों आँखों का मोतियाबिन्दी आपरेशन करा लिया है सफल रहा अब उपन्यास पर बैठेंगे, अभी तक नेत्र कष्ट के कारण कुछ लेख लिखे और कविताएँ।

'विक्षिप्त कविता' शीर्षक से नया कविता संग्रह जयपुर से छप रहा है।

इसका ताजा (अप्रकाशित) नमूना संलग्न है।

भवदीय

विश्वम्भरनाथ उपाध्याय

(11)

8-7-96

प्रिय भाई,

आपका आत्मीय पक्षधर पत्र। आभार।

मैं आप पर लिखना चाहता हूँ क्योंकि आपने, एक ईमानदार तटस्थता, बरती है और साहित्यिक सहृदयता भी सभी के साथ और मेरे प्रति तो आपमें सदा एक आदर और स्नेह का भाव रहा है, कद्रदानी का भी। आप पत्र पाते ही, अपने सभी संग्रह अविलम्ब भेज दें....मैं अपनी पुस्तकों में ढूँढ़ने का प्रयत्न करुँगा पर कोई सम्हालनें वाला न होने से आपके संग्रह मिल नहीं रहे.....लेख लिखकर मैं आपके संग्रहों को पार्सल से भेज दूँगा, यह तय है आप मेरे लेख के आने तक अपने रचनाजगत पर पुस्तक को प्रेस में न दें, मेरा लेख आ जाने पर ही दें, अन्यथा कसक रहेगी मेरे मन में।

आप मधुरेश जी का लेख अवश्य छापें....आलोचकों पर इतनी मेहनत से कोई लिखता नहीं है। यों मधुरेश, आलोचना को कृतीक्षा मान बैठते हैं और सैद्धान्तिक आलोचना को कम महत्त्व देते हैं, खैर अपना दृष्टि कोण है।

आप दस्तावेज लगातार निकाल रहे हैं, यह सुखद आश्चर्य का विषय है। नलिनी उपाध्याय का प्रेस बिक जाने से 'मधु माधवी' बन्द हो गई।

आप 'गन्ध', सम्पादक, गोपाल जैन श्री लक्ष्मण का गढ़ जिला, सीकर, राजस्थान को अपनी रचनाएँ, टिप्पणियाँ आदि भेजें।

श्रीगोपाल जैन, अच्छा सम्पादन कर रहे हैं।

''विश्वबाहु परशुराम'', छप रहा है, आपको प्रति भेजेंगे ही। गर्मियों भर उसमें लगे रहने से स्वास्थ्य पर बुरा असर पड़ा है पर दवा ले रहे हैं, वही सुगर, रक्तचाप का सिलसिला शुरु हो गया है। तथापि कार्य जारी है।

'विक्षिप्त होते हुए'' कविता संग्रह भी छप रहा है, भेजेंगे ही।

मैं आपके कविता संग्रहों की प्रतीक्षा कर रहा हूँ।

भवदीय

विश्वम्भरनाथ उपाध्याय

(12)

18-8-2002

प्रिय भाई,

आपका कृपा पत्र तथा लेख मिला। कृतकृत्य हुए। आपमें जो तटस्थ पर्यवेक्षक है, वह आपको न्यायकर्त्ता बनाता है।

पत्रों और स्वतन्त्र निरीक्षण के बल पर जो लेख आपने लिखा है, वह हम अपने ऊपर जो ग्रन्थ सम्पादित हो रहा है उसमें दे रहे हैं और किसी पत्रिका में भी कोशिश करेंगे।

आपने शुरु से अब तक अपना जो स्वरूप निर्धारित किया है वह आपको सत्य और सहृदयता का

पक्षधर बनाता है। अब स्थिति यह आ गई है कि साम्यवादी आन्दोलन, सोवियत रूस के विघटन के बाद हतप्रभ हो गया है और इतिहास चौराहे पर खड़ा है कि अब क्या हो....पूँजीवाद की विजय फिलहाल साम्यवादियों समाजवादियों को, प्रश्नाकुल किए हुए है किन्तु पूँजीवाद अंततः अनावृत्त होगा क्योंकि वह जन का उद्धार नहीं कर सकता, तन्त्र के रूप में वह स्थापित हो गया है यानि जनतन्त्र तो है, जन की दशा खराब़ है। इस 'अन्तर्विरोध को साम्यवाद' दूर का सकता था पर वह अपने ही अनार्विरोधों में फँस गया है। अतएव उससे उत्पन्न रिक्ता को साम्प्रदायिक शक्तियाँ भर रही हैं। फलतः गुजरात और प्रमोद महाजन पनप रहे हैं। महाजन प्रमुदित हैं जन विपन्न और मति भ्रम में हैं....यह क्रम अभी चलेगा अन्ततोगत्त्वा इतिहास निर्णय कर रहा है। अभी तो विकल्प क्या हो, यह स्पष्ट नहीं है।

चौहान जी का एक अन्तिम पत्र मेरे पास है, उसे पृथक से भेज रहा हूँ। आपकी कृपा के लिए आभारी हूँ।

भवदीय

विश्वम्भरनाथ उपाध्याय

(13)

26-4-2003

प्रिय डॉ. तिवारी,

आपका दस्तावेज-96 मिला, आभारी हूँ।

यह महत्त्वपूर्ण पत्रों से समृद्ध है, पूर्ववत् परन्तु लगता है कि हिन्दी में जो सामग्री आप दे रहे हैं उसका विश्लेषणात्मक उपयोग नहीं हो रहा है, आगे होगा, यह आशा है।

काव्यशास्त्र की प्रासंगिकता पर अभी लिखा जाना है। संस्कृत काव्य शास्त्र पर अमरीकियों ने नया उपक्रम किया था पर वह शास्त्रीय अधिक है। हमने भारतीय काव्य शास्त्र की मूल स्थापनाओं पर अपनी दृष्टि से मार्क्सवादी द्वन्द्वात्मक भौतिकवादी दृष्टि से लिखा था। वह सिलसिला अब बन्द हो गया है, मूल चिन्तन में हमारी रूचि ही नहीं रही है, भविष्य में यह होगा, यह आशा है।

डॉ. रामविलास शर्मा के साथ जो हुआ था, वह चिन्त्य है। मैं जहाँ तक उन्हें जानता हूँ, उन्हें पढ़ा भी है, वहाँ तक उन्हें आर.एस.मार्क सोच का आखेट बताना असंगत है। भारतीय अतीत/इतिहास के विषय में यह समझना चाहिए कि यह खुला हुआ विषय है और व्याख्या सापेक्ष है, इसके विषय में मतान्तर रहे हैं और रहेंगे। डॉ. शर्मा ने इस विषय में जो लिखा है, वह अपनी दृष्टि अनुसंधान और अपनी व्याख्या थी। उन्हें इस कारण लक्षित करना गलत है क्योंकि वह उनकी अपनी व्याख्या थी, किसी राष्ट्रीय स्वयं सेवक संघ या आर्यसमाज या किसी पुनरुत्थानवादी की वह दृष्टि नहीं थी। क्योंकि डॉ. शर्मा ने इतिहास से साक्ष्य जुटाई है। जो उनके समय उपलब्ध थी। पुनरुत्थानवादी यह गम्भीर शोध नहीं करते केवल अपना विश्वास व्यक्त करते हैं। राहुल जी ने भी यही किया था यों उनसे डॉ. शर्मा के मतभेद थे। तथापि यह मान भी लिया जाए कि डॉ. शर्मा भारतीय अतीत के प्रति मनोगत हो जाते थे तो भी यह मनोगतता ऐतिहासिक तथ्यों पर आधारित थी और व्याख्या सापेक्ष थी, उसे तुरत-फुरत समाप्त नहीं किया जा सकता। वस्तुतः डॉ. शर्मा के खंडन के लिए उन जैसी शोध वृत्ति होनी चाहिए और वह दृष्टि जिसे उन्होंने इतने परिश्रम से पाया था। अस्तु।

यहाँ आपके लेख सहित, "सृजन के तीन आयाम" पुस्तक छप गयी थी उसका स्थानीय स्तर पर लोकार्पण भी हो गया था। हम बाहर के साथियों को बुलाने की दशा में नहीं थे। उसकी प्रति आपको

भेजेंगे। आपका लेख सादर छपा है।

आपके प्रति ममत्त्व और अपनत्त्व बाढ़ पर भी है, क्योंकि आपमें मानवीयता और साथ ही न्याय प्रियता भी है। अब इसी का महत्त्व रह गया है शेष तो सब दुराग्रह के हवाले हो गया है। लेकिन आग्रह और प्रचार काम नहीं आएँगे, सत्यनिष्ठा की जय होगी।

आपका दस्तावेज इस सत्य के संग्राम को अर्पित है, यह प्रशन्सनीय है, मैं अब स्वस्थ हो रहा हूँ। दुर्बलता शेष है पर पुनर्जीवन हो गया है, आप सबका आभार।

भवदीय

विश्वम्भरनाथ उपाध्याय

(14)

प्रिय डॉ. तिवारी,

दस्तावेज-111 अंक के सम्पादकीय लेख में आपका साम्यवाद विरोधी रुख, पूर्णतः स्पष्ट हुआ है और अब यह लिखना आवश्यक हो गया है कि साम्यवाद विरोधी भूमिका दस्तावेज की प्रमुख भूमिका बन गयी है।

सोवियत रूस में जो हुआ, वह वहाँ के साम्यवाद विरोधी भ्रांतियों का परिणाम था। इस तथ्य के सम्बन्ध में मैं आपका ध्यान यहाँ आकर्षित करना चाहता हूँ।

डॉ. चन्द्रवली सिंह के पास वह 'दस्तावेज' है जिसे मैंने वाराणसी यात्रा के समय देखा था। उसको आप डॉ. चन्द्रवली सिंह के यहाँ से प्राप्त कर सकते हैं। उस दस्तावेज में आपको षड्यन्त्र के प्रमाण मिल जायेंगे। मैं उस दस्तावेज के लेखक का नाम भूल रहा हूँ। किन्तु अभी डॉ. चन्द्रवली सिंह जीवित हैं और उनसे यह तथ्य उपलब्ध हो सकता है।

पूँजीवादी देशों के हस्तक्षेप और बरसों के प्रचार और षड्यन्त्र सर्वविदित हैं तथापि यह सही है कि सोवियत रूस में जो अचानक मार्क्सवाद लेनिनवाद का पतन या ह्रास हुआ, उसके कारण थे, अतएव जो लेख आपने लिखा है, उनमें कुछ तथ्य और आधार है।

मुख्य कारण, मेरी समझ से यह था कि सोवियत रूस में जनतन्त्र का विकास नहीं हो सका और स्तालिन के काल में यह असम्भव हो गया था, लेकिन ख़ुश्चेव ने बीसवीं साम्यवादी दल की काँग्रेस में जो आलोचना की थी, उसमें स्तालिन का बुनियादी योगदान उपेक्षित हुआ, यह कि स्तालिन के नेतृत्व में ही द्वितीय विश्व युद्ध में जर्मनी के विरुद्ध सोवियत रूस की विजय हुई और स्तालिन ने ट्राटस्की के वैकल्पिक क्रान्ति के विचार को अस्वीकार कर दिया, तभी विजय हो सकी।

स्तालिन के काल में ही साम्यवाद का मुख्य आधार निर्मित हुआ। कृषि का सहकारी करण और सहकारी करण से शिल्प या घरेलू उद्योगों के कोपरेटिव बने। कोई भी प्रचार इसका खंडन नहीं कर सकता और राज्य तथा पार्टी या साम्यवादी दल ने मिलकर उद्योगधंधो का विराट रूप खड़ा किया और सोवियत रूस को पूँजीवादी शक्तियों के साथ समकक्षता उपलब्ध हुई।

जो बुनियादी भूल या गलती या अन्तर्विरोध हुआ, वह जनता की सहभागिता के अभाव के कारण हुआ क्योंकि सोवियत रूस में संसदीय पद्धति का प्रयोग दल के अधीन होते रहे तथा रूस में मूलभूत स्वाधीनता या मूल अधिकारों का रक्षण नहीं हो सका। स्वाधीनता, विचार प्रकट करने, लिखने और बहस के रूप में नहीं दी गई। अतएव सोवियत रूस में गोर्वाचोव के बाद लोकमत इलिस्तन के पक्ष में चला

गया ओर सोवियत व्यवस्था समाप्त हो गई।

अतएव मूल प्रश्न जनतांत्रिक मानवीय अधिकारों का था जो यदि स्तलिन के समय मिल जाते तो अचानक परिवर्तन नहीं होता और वहाँ समाजवादी व्यवस्था संशोधित रूप में लागू रह सकती थी।

समता और बन्धुत्व तभी सफल हो सकते हैं जब जनता को स्वाधीनता का अधिकार मिले और वह स्वतंत्र होकर अपने विचार प्रकट कर सके। चीन में लचीला रूख अपनाया गया है यो वहाँ भी साम्यवादिता का एकाधिकार स्थापित है, अभी भी।

मार्क्सवाद के आधारभूत सिद्धान्त अपने आधार को कायम किए हुए है। और पूँजीवादी के पक्ष में अभी भी तर्क और तथ्य नहीं है। शोषण, दमन और षडयन्त्र अभी चालू है। अभी-अभी खबर आई है कि वहाँ अमेरिका में स्तालिन की तरह सी.आई.ए. ने कैदखाने बना रखे हैं और नागरिक गुप्तचर संस्था सी.आई.ए. के आतंक में चल रहा है अभी भी।

अतएव मार्क्सवाद का मूलभूत सिद्धान्त यह है कि पूँजीवादी व्यवस्था वरेण्य नहीं है, समाजवादी व्यवस्था ही वरेण्य है और मार्क्सवाद अभी भी प्रासंगिक है। यह देखा जाना चाहिए कि अभी भी कोटि-कोटि जनता, पूँजीवादी व्यवस्था के घेरे को तोड़ने में संलग्न है और नक्सल पंथी तथा माओवादी क्रांतिकारी संगठन समकालीन व्यवस्था को चुनौती दे रहा है। यदि पूँजीवादी व्यवस्था का जनतन्त्र जन शोषण और दमन को समाप्त नहीं कर पाता तो क्रान्ति का विकल्प अभी भी खुला हुआ है और एशिया, अफ्रीका तथा लेटिन अमेरिका में सशस्त्र संघर्ष बढ़ता ही जाएगा।

आप इसे हिन्दू-मुस्लिम या धार्मिक आधार पर रोक नहीं सकते। धर्म के आधार पर जनमुक्ति के संघर्ष को टाला नहीं जा सकता। यह समय सापेक्ष अवश्य है पर जन मुक्ति के मार्ग को मजहबी विग्रहों से समाप्त नहीं किया जा सकता।

आपने मार्क्सवाद के वैज्ञानिक आधार के विषय में जो शंकाएँ प्रस्तुत की हैं उनका उत्तर मैंने अपने अभी -अभी प्रकाशित भारतीय काव्य शास्त्र का द्वन्द्वात्मक भौतिकवाद के आलोक में अध्ययन, नामक गन्थ में दिया है। यह ग्रन्थ, वाणी प्रकाशन 2/ए दरियागंज नयी दिल्ली से अभी-अभी प्रकाशित हुआ है।

आपका लेख साम्यवाद और मार्क्सवाद के विरुद्ध कोई बुनियादी बिन्दु उपस्थित नहीं करता। वह मात्र प्रचार का आधार बनाता है। तथापि आपने अपना पक्ष स्पष्टता के साथ प्रस्तुत किया है अतएव वह प्रशंसनीय है।

दस्तावेज में जो प्रेमचन्द का आलेख प्रकाशित हुआ है, वह बहुत पूर्वकाल का है और उसका आधार नहीं है। मजदूरों का साम्राज्यवाद में कोई मूलभूत आधार नहीं है अतएव मार्क्सवाद का आवाह्न सत्य है कि श्रमिको को संघवद्ध होना चाहिए।

आपका

विश्वम्भरनाथ उपाध्याय

विजयेन्द्र स्नातक

(1)

ए 5/3 राणा प्रताप बाग, दिल्ली-7

8-2-79

प्रिय तिवारी जी,

'दस्तावेज' का दूसरा अंक मिला। पहला अंक तो शायद कोई मित्र कार्यालय से ही उठा ले गये थे। मुझे नहीं मिल सका था। मैंने किसी अन्य स्थान पर उसे देखा था। पढ़ नहीं सका था।

'दस्तावेज' को आप जिस स्तर पर निकाल रहे हैं उससे बहुत सी आशाएँ बँधती हैं। लघु पत्रिकाओं के अम्बार में अलग दिखाई पड़ना ही इसकी विशेषता नहीं है, वरन् अपने वस्तु और शिल्प से पाठक को बरबस पकड़ लेना इसका गुण धर्म है। यदि आप इसी स्तर से इसकी सामग्री का चयन करते रहे तो जागरूक पाठक के लिए यह दस्तावेज नाम को सार्थक बनाकर पठनीय और संग्रहणीय बन जाएगा। इस अंक की रचनाओं में से मैं केवल एक कविता का ही उल्लेख करना चाहूँगा जिसमें पाँच सवारों की तस्वीर बड़ी सटीक और सार्थक है। स्वदेश भारती को मेरी ओर से बधाई दें। इस कविता को मैं साभिप्राय युगबोध की कविता मानता हूँ। बिना आडम्बर के, बिना अलंकरण के, बिना पांडित्य प्रदर्शन के गूढ़-गम्भीर को सहज में कह देना यदि कविता की विशेषता है तो वह इस लम्बी कविता में भरपूर है।

आपने दूसरा अंक कार्यालय के पते पर भेजा—हो सकता है" पहला भी भेजा हो जो मुझे नहीं मिला। कृपया भविष्य में मेरे आवास के पते पर ही अंक भेजें। अन्यथा न लें—मैं अच्छी पत्र पत्रिकाएँ सेंत मेत नहीं लेता क्योंकि इनके मुद्रण-प्रकाशन में उत्साही सम्पादकों को प्रायः अपनी ही पूँजी लगानी पड़ती है अतः वार्षिक मूल्य का चैक भेज रहा हूँ, स्वीकार करें। पहला अंक भी भेजने की कृपा करें। मेरा स्वास्थ्य इधर 4-5 महीनों से ठीक नहीं चल रहा है। ठीक होने पर दस्तावेज पर हस्ताक्षर करूँगा। सस्नेह।

आपका

विजयेन्द्र स्नातक

(2)

14-8-80

प्रिय तिवारी जी,

'दस्तावेज' का प्रेमचन्द विशेषांक प्रकाशित हुआ है ऐसा मैंने मित्रों से सुना और समाचार पत्रों में पढ़ा है। मुझे अंक नहीं मिला। शायद मेरा चन्दा समाप्त हो गया होगा। यदि ऐसा है तो मुझे सूचित कर देते। मैं तत्काल अग्रिम वर्ष का चन्दा भेज देता। मुझे दस्तावेज का पहला अंक भी अधावधि नहीं मिला। खैर—

'प्रेमचन्द्र' पर विद्वानों के लेख दस्तावेज में होगे। इसमें कोई सन्देह नहीं। दस्तावेज को सहयोग देने की इच्छा अकारण मेरे भीतर रही है लेकिन दस्तावेज के सम्पादक को न मेरे ग्राहक बनने की गरज है और न लेखक के रूप में सहयोग की। मैं हठात अपने को आरोपित करने की मूर्खता नहीं करना चाहता। मेरी इच्छा यह अवश्य रहती है कि अच्छी स्तरीय पत्रिकाएँ हिन्दी में प्रकाशित हों और उनकी यथाशक्ति सहायता देकर जीवित रखा जाए। समीक्षा, संचेतना, लहर, वातायन आदि की प्रतियाँ उनके सम्पादक मेरे पास निशुल्क भेजते रहे हैं किन्तु मैंने अपना चन्दा भेजना धर्म समझा क्योंकि इन पत्रिकाओं को आत्म निर्भर बनाने के लिए डेढ़ 2 हजार ग्राहक अवश्य चाहिए। इसी ख्याल से मैंने दस्तावेज के लिए चन्दा भेजा था। आगे भी भेजना चाहूँगा। यदि आप मुझे ग्राहक न बनाना चाहें तो भी चन्दा तो भेज ही दूँगा। पत्रिका की प्रति आप न भेजे, मुझे कोई शिकायत न होगी। लेख मैं कभी बिना माँगे नहीं भेजता। यदि दस्तावेज के सम्पादक कभी चाहेंगे तो लेख जरूर भेजूँगा लेकिन स्वेच्छा से अपने को आप पर लादूँगा नहीं। हिन्दी के विद्वानों की कमी नहीं है। एक से वढ़ कर एक विद्वान पड़े हैं, वे दस्तावेज की सेवा करते ही हैं।

कृपया सूचित करें कि मेरा पहले वर्ष का चन्दा कब समाप्त हुआ और मुझे अग्रिम वर्ष का कितना चन्दा भेजना है। आशा है आप स्वस्थ और सानन्द हैं। सस्नेह

शुभाकांक्षी
विजयेन्द्र स्नातक

(3)

1-6-81

प्रिय त्रिपाठी जी,

आज की डाक से दस्तावेज का 11वाँ अंक मिला। बीच के दो-तीन अंक नहीं मिले किन्तु मैं उनकी शिकायत नहीं करता। हो सकता है शिक्षित पोस्टमैन ने उन्हें पढ़ा हो।

आज के दस्तावेज के साथ जो परिपत्र आपने भेजा है वह मेरे लिए चौंका देने वाला है। मैं यह कल्पना भी नहीं कर सकता कि दस्तावेज जैसे व्यक्तिगत एकाकी प्रयास से प्रकाशित होने वाले इस शुद्ध साहित्यिक पत्र से किसी को वैर-विरोध हो सकता है। यदि ऐसा हुआ है और किसी ने व्यक्तिगत राग-द्वेष के स्तर पर दस्तावेज के खिलाफ कुछ लिखा पढ़ा है तो उसकी उपेक्षा ही नहीं निन्दा होनी चाहिए। मैं तो कभी किसी दलबन्दी में नहीं रहा, किन्तु दस्तावेज की सामग्री और दृष्टि की सराहना करने में मैं अपने को अगली पंक्ति में पाता हूँ। मैं नहीं जानता कि कौन से वे मत्सरी महानुभाव हैं जो विश्वनाथ प्रसाद तिवारी के विरोध के लिए दस्तावेज का विरोध कर रहे हैं। मुझे दिल्ली में अपने अनेक साहित्यिक मित्रों से दस्तावेज की प्रारम्भ से ही प्रशन्सा ही सुनने को मिली है। एक भी व्यक्ति ऐसा नहीं

मिला जो एक शब्द भी, दस्तावेज के खिलाफ कहने वाला हो। आपका यह परिपत्र जिन मत्सरी बन्धुओं को लक्ष्य कर लिखा गया है उनका पता अभी दिल्ली में नहीं है। गोरखपुर और बनारस तक ही वे मत्सरी, सीमित रहें तो, अच्छा है। एक अच्छे स्तरीय साहित्यिक पत्र का विरोध करके वे लोग साहित्य सेवा के स्थान पर हिन्दी भाषा और साहित्य को हानि ही पहुँचाएगें। विश्वनाथ प्रसाद तिवारी को पीड़ा पहुँचाने के लिए किसी और मोर्चे का उपक्रम कर लें, दस्तावेज को न घसीटें। दस्तावेज के तटस्थ लेखक और पाठक दस्तावेज पर आँच आते देखना नहीं चाहते। वैसे गाली-गलौज से आँच तो नहीं आती, हाँ, वातावरण में दुर्गन्ध अवश्य फैलती है। यह भी पर्यावरण का ही रूप है। मेरा अपने अज्ञात मत्सरी मित्रों से विनय पूर्वक अनुरोध है कि वे साहित्य के क्षेत्र से इस प्रदूषण के दूर ही रखें।

दस्तावेज एक प्रकार से नितान्त स्वावलम्बी है। मूलतः वैयक्तिक प्रयास है। लेखकों का सहज सहयोग उसे मिला तो केवल इसलिए कि उसका क्षितिज व्यापक, दृष्टि स्वच्छ और वृत्ति तटस्थ है। एक शुद्ध साहित्यिक पत्रिका के लिए जो वाँच्छनीय है वह पाठक के दस्तावेज में मिल जाता हैं। पूँजीवादी पत्र-पत्रिकाओं की स्थिति से, उनकी सीमा मर्यादाओं से कौन परिचित नहीं है। उनके साथ दस्तावेज का कोई सरोकार नहीं। न उनसे हाथ मिलाता है और न पंजा लड़ाता है। फिर कुढ़न-चिढ़न क्यों? हाँ, पारिश्रमिक की बात भी दस्तावेज के सन्दर्भ में अभी से उठाने की जरूरत नहीं। अपने पैरों पर दस्तावेज को खड़ा तो होने दीजिए। प्रत्येक लेखक सभी पारिश्रमिक के लिए ही लिखते हों, ऐसी बात नहीं। साहित्य की समस्याओं को समझने-समझाने, उनसे जूझने को भी कुछ लोग लिखते हैं। उन्हें पारिश्रमिक के चैक का लोभ प्रेरित नहीं करता। इसलिए इन छोटी मोटी बातों से दस्तावेज पर कीचड़ न उछाले, यही नम्र निवेदन हैं।

मुझे आपके परिपत्र को पढ़कर बहुत कष्ट हुआ। कभी फिर विस्तार से लिखूँगा। सस्नेह

आपका

विजयेन्द्र स्नातक

(4)

15-12-91

प्रिय श्री तिवारी जी,

'दस्तावेज' को लगातार पढ़ रहा हूँ। पढ़ने के बाद हर बार मन करता है कि कुछ लिखूँ, लेकिन लिख नहीं पाता। क्यों नहीं लिख पाता यह भी नहीं लिख सकता। खैर, जो कर नहीं पाता उसकी चर्चा से क्या फायदा।

'दस्तावेज' का वार्षिक शुल्क न भेजना मैं अपना गुनाह मानता हूँ। हर वर्ष याद आने पर ही भेजता हूँ। आप कभी स्मरण नहीं कराते। मैं तो यह मानने लगता हूँ कि लोग मुझे भूलने लगे हैं। जो नहीं भूले हैं वे जल्दी ही भूल जाएँगे। चन्दा भेजना मेरा कर्त्तव्य है। यदि मैं चन्दा नहीं भेजता तो अपराध मेरा ही है। इस अपराध बोध के साथ इस वर्ष का निर्धारित शुल्क 50 रुपए चैक द्वारा भेज रहा हूँ। विलम्ब के लिए क्षमा करें।

दस्तावेज को आद्योंपात पढ़ने वाले पाठकों में मैं भी एक हूँ। परिक्रमा के लेखक से मैं परिचित नहीं

हूँ। उनके व्यंग्यलेख की सराहना करता हूँ। वाल्टेयर की उक्ति को सम्पादक तिवारी की उक्ति मानकर मैं आपकी प्रशन्सा करने को बाध्य हूँ। परिक्रमा में जो कुछ कहा गया है वह केवल छींटा कशी न होकर कुछ तथ्यों की ओर अंगुलि निर्देश भी है। शलभ ने अपने लेख में रांगेय राघव का स्मरण मूल्यांकन के स्तर पर सही तरीके से किया है। लेख तो और भी अच्छे हैं। ऐसे साहित्य संस्पर्शी लेख अब हिन्दी की पत्र-पत्रिकाओं में दुर्लभ हैं। आप दस्तावेज में इन्हें जीवित रखकर साहित्य और शब्द को पाठकों तक पहुँचा रहे हैं।

चैक 50 रुपए सलंग्न है।

आपका

विजयेन्द्र स्नातक

विष्णुचन्द्र शर्मा

(1)

ग्राम सादतपुर/डाक गोकुलपुर
दिल्ली-110094

17-2-1981

प्रिय भाई तिवारी जी,

आपका 23-1-81 का खत मैंने उज्जैन से वापस लौटकर पढ़ा। मैंने सुनी-सुनाई बात से आपको ठेस पहुँचाया, इसके 'लिए क्षमाप्रार्थी हूँ। मैं वाम राजनीति का पक्षधर लेखक हूँ। आप ज. प्र. की तरह दलहीन राजनीति के हिमायती है। इस नाते बहस तो होगी ही। मैं आपको 'साहित्य की राजनीति और राजनीति के साहित्य' की टक्कर में शुद्ध कला या शुद्ध कविता के मोर्चे का प्रवक्ता मान रहा हूँ। विद्या निवास मिश्र जी ने तात्कालिक सवाल के दो टुकड़े करते समय (अभिरूचि प्रवेशांक) दूसरे प्रकार के समाधान पर आप की ही तरह बचाव का तर्क दिया है। वह लिखते हैं दूसरे प्रकार का समाधान संवाद या संप्रेषण से हटकर एक उलझे हुए तर्क में ले जाता है। आप भी वर्ग-संघर्ष की सही राजनीति से बचकर सर्वहारा राजनीति पर कुछ उलझा हुआ तर्क या मुहावरा चस्पा कर रहे हैं। विद्यानिवास मिश्र आधे आधुनिक और आधे पोंगा पंडित हैं। उन्हें चिन्तन की धुरी वैज्ञानिक मार्कसवाद पर भरोसा नहीं है। वह खुद को बहलाने या पाश्चात्य चिन्तन के बचाव में, यह सवाल पूछते है पर क्या साहित्य की प्रामाणिकता की जॉच राजनीति या तर्क से कभी सम्भव हुई या कभी होगी? प्रभाकर श्रोत्रिय, रामकमल राय, अस्तित्ववाद के बहाने कविता में राजनीतिक तर्क का कुछ ऐसा ही खतरनांक खेल खेल रहे हैं। सही राजनीति सही साहित्य को जन्म देती है। उलझी हुई राजनीति तात्कालिक सवाल को टुकड़ों में बाँटकर देखती है। इन विचारगत टुकड़ों में अध्यात्मवादी या अस्तित्ववादी अपना पक्ष जानकर नहीं बताना चाहते हैं।

'दस्तावेज' 90 अभी-अभी मिला हैं पढ़ कर विस्तार से बातचीत के लिए खत लिखूँगा। सूचना वाकई भ्रामक थी।

आपका
विष्णुचन्द्र शर्मा

(2)

26-5-05

प्रिय भाई विश्वनाथ तिवारी जी,

दस्तावेज 106 मिला। इसमें आपका सम्पादकीय 'विद्यानिवास मिश्र को अन्तिम प्रणाम' यादगार संस्मरण है। आप उनके करीब रहे, इसलिए आपने कई कोणों से उनके व्यक्तित्व को देखा है। उनकी मौत एक गहरी दुर्घटना की याद दिलाती है। मैं उस समय बनारस में था और मैंने उनके पार्थिव शरीर पर माला चढ़ाते हुए, एक पूरे दौर की प्रदीक्षणा ही की थी। वह ठाकुर प्रसाद सिंह के आत्मीय थे। अज्ञेय जी के साथ उनकी गहरी-दार्शनिक पहचान थी और राहुल जी पर लिखते समय मुझे बार-बार उनकी याद आती थी। आपकी ही तरह मेरे मित्र कृष्ण बिहारी मिश्र ने भी 'वागर्थ' में बड़ी ही निकटता से उनको याद किया है। अब आप ही लोग उनकी 'चुनी हुई रचनाएँ' ललित निबन्धों का एक संकलन प्रकाशित कराएँ ताकि उनके रचना सौष्ठव के जरिए हिन्दी के पाठक उनकी याद ताजी कर सकें।

आपने दस्तावेज में पत्र प्रकाशित किए हैं। एक अंक में स्वर्गीय विद्यानिवास मिश्र के पत्रों का प्रकाशन अवश्य करें। भोजपुर संस्कृति के वे सजीव कोश थे। कुछ मतभेदों के बावजूद, कालिदास और महाभारत जब-जब भी पढ़ूँगा उनकी याद आएगी ही। इस अंक में 'काफ्का से संवाद' विष्णु प्रभाकर की आत्मकथा और धमकदार आसमानी आभा अनिल जनविजय पर किरण अग्रवाल की समीक्षा मुझे अच्छी लगी।

आपका
विष्णुचन्द्र शर्मा

विजय मोहन सिंह

(1)

समर हिल काटैज शिमला

9-9-79

प्रिय बन्धु,

बहुत दिनों से आपका कोई हाल नहीं मिला। पर 'दस्तावेज' बराबर मिलती रहती है। और बहुत अच्छा निकल रहा है। यह सुखद आश्चर्य है कि उसमें कविता वाला हिस्सा जयादा महत्वपूर्ण तथा पठनीय होता है। खासतौर पर आपने उसे जो अन्तर्राष्ट्रीय सन्दर्भ दिया है, उस कारण वह और भी व्यापक तथा प्रभावर्श्ण हो गया है।

'दस्तावेज' मिलता है, पर अब मैं उसे मुफ्त प्राप्त करने में गिल्टी फील कर रहा हूँ। कुछ विद्यार्थियों को ग्राहक बनाया है। पर अब आगे से आप उसका अंक वी.पी.पी. भेजें, ताकि मुझे आलस्य तोड़कर मजबूरन ग्राहक बनना पड़े।

इस पत्र के साथ मैं अपने यहाँ के एक शोध छात्र का निबन्ध भेज रहा हूँ, जरूरत मुताबिक इसमें संशोधन परिवर्धन करके उपयोग कर लेंगे।

आपका

विजयमोहन सिंह

(2)

19-11-88

प्रिय श्री तिवारी जी,

आप ''श्रीकान्त वर्मा प्रसंग'' में सम्मिलित हुए इसके लिए हम आपके अत्यन्त आभारी हैं। यदि कुछ असुविधाएँ हुई हों तो उनके लिए क्षमा प्रार्थी भी।

अपने वक्तव्य में जो मुद्दे उठाए थे वे हम सब लोगों को बहुत महत्त्वपूर्ण तथा विचारोत्तेजक लगे, चूँकि हम ऐसी संगोष्ठियों में पढ़े गए निबन्धों और अधिकांश महत्त्वपूर्ण वक्तव्यों का उपयोग भारत भवन से प्रकाशित होने वाली पत्रिका ''पूर्वग्रह'' में कर लेते हैं, इसलिए आपसे आग्रह है कि आप

अपने वक्तव्यों को अथवा नोट्स के रूप में जो कुछ आप लाए थे उनको एक व्यवस्थित निबन्ध अथवा टिप्पणी जो भी आपको उचित प्रतीत हो के रूप में लिख कर तत्काल हमें भेज दें ताकि हम श्रीकान्त जी पर केन्द्रित पूर्वग्रह के अंक में उसका उपयोग कर सकें। आपके उत्तर और आलेख की प्रतीक्षा रहेगी।

आपका
विजयमोहन सिंह

(3)

ए-26/27, सनलाइट इन्श्योरेंस बिल्डिंग,
आसफ अली रोड,
नई दिल्ली-110002

25-7-92

प्रिय श्री तिवारी जी,

अकादमी द्वारा हिन्दी दिवस के अवसर पर हिन्दी भाषा और साहित्य के प्रचार-प्रसार के उद्देश्य से ''संकल्प'' नामक साहित्यिक ग्रन्थ के प्रकाशन की योजना है। वर्ष 1991 अकादमी के स्थापना दशक के रूप में मनाया जा रहा है। इस अवसर पर अकादमी की कार्यकारिणी द्वारा यह निर्णय लिया गया है कि वर्ष 91 को संकल्प ग्रन्थ पिछले दशक 1981-90 की श्रेष्ठ एवं चुनी हुई कहानियों/कविताओं/निबन्धों के संकलन के रूप में श्री राजेन्द्र यादव, श्री केदारनाथ सिंह, प्रो. निर्मला जैन के सम्पादन में तीन भागों में प्रकाशित किया जाए। कविता संग्रह में प्रकाशन के लिए आपकी 'आरामशीन' नामक कविता/का चयन किया गया है। इस/इन कविता/कविताओं के प्रकाशन के लिए आपको 500 रुपए की राशि का मानदेय भी दिया जाएगा।

आपसे अनुरोध है कि कृपया अपनी सहमति तथा पत्र प्राप्ति की सूचना अकादमी को यथाशीघ्र भिजवाने का कष्ट करें।

आदर एवं सम्मान सहित,

आपका
विजयमोहन सिंह

विजय बहादुर सिंह

(1)

48, स्वर्णकार कालोनी
विदिशा म.प्र. 464-001

4-7-93

भाई तिवारी जी,

नमस्कार।

उस दिन दुबारा मिलने का वायदा निभा नहीं पाया। 20-6 को गोरखपुर फिर गया पर रात काफी हो चुकी थी और सुबह ही राम नारायण के गाँव से भाग का 9-30 तक अकबर पुर पहुँचना था। अतः भेंट न हो सकी। शलभ जी भी 22-6 को गाँव पहुँच गए है।

आखर अनन्त की आधी से अधिक कविताएँ पढ़ गया हूँ। कहीं-कहीं रुकना पड़ता है सोचने के लिए कहीं कुछ प्रयोग करते हैं। सोचता रहता हूँ कि आपकी मुख्य चिन्ता क्या है?

10-6 को स्कूटर से गिर पड़ा था तो दायीं आँख के ऊपर और दायें घुटने में काफी चोटें आई थी। आँख के ऊपर तो 5 टाँके भी आए। फिर भी पट्टी बाँधें भाग दौड़ जारी रही। जल्दी ही अपनी प्रतिक्रिया भेज सकूँगा। अगस्त अंत तक। त्रिपाठी जी वाला लेख मूल्यांकन लेख नहीं है। वह एक प्रकार से व्यक्ति लेख है, संस्मरण और रेखाचित्र के बीच का अतः जो आप सोच रहे हैं उससे अलग चीज है। न छापें तो भेज दें।

विजय बहादुर सिंह

(2)

29, निराला नगर,
दुष्यन्त मार्ग, भोपाल

23-11-2005

प्रिय तिवारी जी,

नमस्कार।

इधर संयोग से भी अपनी भेंट कभी-कहीं नहीं हो पाई। गाँव इतने कम समय के लिए आता हूँ कि अकबरपुर फैजाबाद के लोगों से भी मिलना नहीं हो पाता। 1906 आचार्य नन्ददुलारे जन्मशती वर्ष है। आपने दस्तावेज का शुक्ल अंक निकाला था। अब क्या वाजपेयी जी पर कोई अंक केन्द्रित करना चाहेंगे? मेरे पास उनकी कुछ चिट्ठियाँ हैं कुछ बेहद पुराने प्रारम्भिक लेख। अभी तक असंग्रहित तुलसी विषयक सामग्री भी। वाजपेयी जी रीतिवाद, शुक्ल जी के नीति और मर्यादावाद छायावाद विरोध से टकराए थे। पर वृहत्मयी की स्थापना और प्रतिष्ठा तो उन्हीं की है। प्रयोगवाद और कलावाद के साथ-साथ विदेशी

विचारों के साम्राज्यवाद और उसके नकलची हिन्दी साहित्य से भी लोहा लिया था। शताब्दी वर्ष में क्या एक बार फिर से बीसवीं शताब्दी की साहित्यिक उथल-पुथल से संवाद करने की जरूरत है?

सप्रेम
विजय बहादुर सिंह

(3)

29-9-2006

प्रिय तिवारी जी,

नमस्कार,

संयोग ही कहिए कि इस बार भेंट न हो पाई। 111 का सम्पादकीय ऐतिहासिक है। 110 का वह अंक भी जिसमें शास्त्री जी को याद किया गया है, अच्छा लगा पर थोड़ा हल्का।

हाँ, चिट्ठियाँ खूब अच्छी लगीं। इनमें से एक भवानी भाई की भी है।

आप जब वाजपेयी अंक निकालेंगे, मैं कुछ महत्त्वपूर्ण चिट्ठियाँ भी दूँगा। कुछेक लेख तो आपके पास और पहुँचे ही होंगे। दो-एक महीनों में उज्जैन में वाजपेयी जी को लेकर विश्वविद्यालय कुछ करेगा। शायद आपको निमन्त्रण और आग्रह पहुँचे।

दस्तावेज के किसी अंक में यदि वाजपेयी जी द्वारा लिखे गए पत्रों की माँग आप कर लें तो शायद कुछ लोग आएँ।

'शब्द जिन्हें भूल गई भाषा' आपको कैसी लगी? कुछ नया किया हुआ काम दिखता है या नहीं? श्याम सुन्दर दुबे ने लिखा है, उस पर। आपको दो-एक रोज में भेजता हूँ।

सप्रेम
विजय बहादुर सिंह

पुनश्चः वाजपेयी जी देशी प्रगतिशीलता स्वराज के लिए आधुनिकता उत्तर आ. के सन्दर्भ में अच्छे मंच हैं।

(4)

36 ए, शेक्सपियर सरणि
कोलकाता-700017

9-5-2009

प्रिय तिवारी जी,

नमस्कार,

यहाँ की व्यस्तता और भागा दौड़ी में सहज संवादाचार भी मुश्किल हो उठा है। इधर श्री ओम निश्चल का पत्र मिला है। उसी से पता चला की जून 2010 में आप 70 के हो रहे हैं। इसका मतलब

यह हुआ कि मैं आपसे पाँच महीने पहले आया। 16 फरवरी 2010 को मैं यह संख्या पार कर लूँगा।

आपके व्यक्तिगत पर लिखना ही शायद मेरे लिए रूचिकर रहेगा। या फिर देखूँगा कि जो पुस्तक आपने भोपाल में दी थी, उस पर लिखना तो फर्ज में है।

आचार्य नन्ददुलारे वाजपेयी वाली रचनावली तो आप देख ही रहे होंगे। पहले खण्ड में जीवनी है लगभग 300 पृष्ठों की 'आलोचक का स्वदेश- नाम से। वह मेरा स्वतन्त्र काम है और कइयों—अशोक वाजपेयी, रमेश दवे (जनसत्ता) विजेन्द्र नारायण सिंह (इण्डिया टूडे) में उस पर काफी विस्तार से लिख चुके हैं। कृष्ण बिहारी जी मिश्र का आलेख उसी पर भेज रहा हूँ। चूँकि आपको पूरी रचनावली गई है इसलिए यह जो स्वतन्त्र पुस्तक के रूप में भी प्रकाशित है नहीं भेजी होगी। पर यह मेरे जीवन का एक बड़ा काम है। हिन्दी के जीवनी लेखन में।

आशा है, आप इसे जरूर पढ़ लेंगे और फैसला कर पाएँगे कि मैंने क्या किया है। अशोक वाजपेयी के मतानुसार तो मेरे इस काम के आ जाने से कई भ्रमों का निवारण तो होगा ही, साहित्यिक तथ्यों और उनको लेकर बनी बनाई बातें भी बदली जाएँगी। जिस तरह से कविता आदि को पिछले दिनों साहित्य अकादमी में नवाजा गया है, देखें कि यह उस तुलना में कैसी है। एक आलोचक के बहाने किस तरह समूचे साहित्यिक समय का साक्षात्कार किया गया है।

वाजपेयी जी वाले आयोजन में श्री भगवान सिंह (भागलपुर) को लिखित पत्र पहले भी नहीं भेजा गया है। कृपया भिजवा दें। डॉ. त्रिपाठी जी के निधन के बाद उस सत्र की अध्यक्षता अब या तो डॉ. कमलेश दत्त त्रिपाठी कर सकते हैं या फिर राधावल्लभ त्रिपाठी। यह सिर्फ आपको याद दिलाने के लिए।

उधर आना मेरा हो नहीं पा रहा है। आप इधर कब आ रहे हैं? अब भाषा-परिषद का अतिथि कक्ष सुधार दिया गया है।

आशा है, आप स्वस्थ प्रसन्न हैं।

सप्रेम

विजय बहादुर सिंह

पुनश्चः कृष्ण बिहारी मिश्र का आलेख संलग्न है।

विजेन्द्र नारायण सिंह

(1)

विभूतिपुर

13-1-2002

प्रिय बन्धुवर,

नमस्कार,

दिसम्बर के आरम्भ में ही 'दस्तावेज' के अंक 91 में सम्पादकीय पढ़ा। खण्ड़-खण्ड़ पाखण्ड पर्व। यह आवश्यक था कि कोई गदा उठाता। शेर जब मर गया तब गीदड़ उसकी लाश नोचने पहुँचा। जब तक शेर जीवित रहा तब तक दूर से भी हुआ-हुआ, करने की हिम्मत नहीं हुई। डॉ. रामविलास शर्मा ने लोकजागरण और हिन्दी साहित्य की भूमिका 1984 में लिखी थी। लेकिन गीदड़ 16 साल तक उनके मरने की प्रतीक्षा करता रहा। बे मिसाल नामर्द होने का यह दृष्टान्त है।

लिखना छूटे इनका बीस वर्ष से ऊपर हुए और पढ़ना छूटे भी 15 वर्ष हो गए। कलम गह्यौ नहि हाथ'। पर अहंकार प्रतिदिन प्रतिपल स्फीत होता चला गया। 8-9 दिसम्बर को बेगूसराय में नामवर के निमित्त का आयोजन था। दिल्ली आदि से कोई नहीं आया। पटने से अरुण कमल भी नहीं आए जो इनकी कृपा से साहित्य अकादमी का पुरस्कार पा सके थे। इनके अपने समधी केदारनाथ सिंह उन्हीं तिथियों में पटने में पुस्तक मेला घूमते रहे। सो, इस परम अहंकारी को इतना गुस्सा आया कि पहले ही दिन के समारोह की समाप्ति पर शाम में ही भाग गए। परिणामतः दूसरे दिन का समारोह न्यस्त कर दिया गया।

वक्ता के रूप में अपना वर्चस्व बनाए रखने के लिए ये अच्छे वक्ता को उठने ही नहीं देते हैं । ज्यों ही एहसास हुआ कि कोई अच्छा बोल लेता है कि पूरे देश में निर्देश भेज दिया जाता है कि इसे सेमिनार में न बुलाया जाए। चूँकि यह बात सीधे नहीं कहीं जा सकती है, इसलिए उसके खिलाफ कोई झूठ गढ़ दिया जाता है। उनकी जाति-प्रजाति के लोग इस निर्देश का पालन करते हैं।

पंडित जी! इस पुण्यकार्य के लिए अपरिमित बधाई।

आपका

विजेन्द्र नारायण सिंह

(2)

18-11-2002

प्रिय बन्धु,

नमस्कार,

'दस्तावेज' का अंक-95 मिला। सम्पादकीय पूरी सावधानी और मनोयोग के साथ दो बार पढ़ गया। यह दूसरे असुर का संहार है। बिना किसी बाह्य या अतान्तर साक्ष्य के आपने इसे पूरी तरह बेनकाब कर दिया है। अन्तः साक्ष्य के विश्लेषण का सामर्थ्य देखने लायक है। बहुत बधाई। मैं तो आपका मुरीद हो गया हूँ।

पर ये सब थेथर हैं। इनकी खाल गैंडे की खाल है। इन्हें धूल झाड़ने की भी जरूरत नहीं पड़ती है। पर आपने अपना दायित्व पूरा किया खण्ड़-खण्ड़ पाखण्ड़ पर्व। एक परामर्श है। यदि हो सके तो एक और निबन्ध तीसरे माफिया सरदार के विखण्डन के लिए लिखिए और नामवर सिंह वाला, राजेन्द्र यादव वाला तथा इस तीसरे निबन्ध को मिलाकर एक पुस्तक छपा दें। या तीसरे पर नहीं लिखना हो तब एक निबन्ध हिन्दी में गुटबाजी पर लिखें। जिससे रचनात्मकता के साथ होने वाले अन्याय का पर्दाफाश हो सके। या तीसरा न ही लिखा जा सकें तब इसी दोनों निबन्ध को पुस्तकाकार रूप दे दें। क्राउन साइज में करीब सौ पेज की किताब हो जाएगी। प्रकाशक मिलेगा। इन दोनों निबन्धों को लोग चाव से पढ़ेंगे।

प्रसन्न होंगे।

आपका

विजेन्द्र नारायण सिंह

(3)

मुजफ्फरपुर

2-7-2010

आदरणीय तिवारी जी,

नमस्कार।

आज दूरभाष पर अज्ञेय और शमशेर जन्मशती के सम्बन्ध में बात हुई। दूरभाष पर सब कुछ स्पष्ट नहीं होता है। अतः यह छोटा-सा पत्र।

इन जन्मशताब्दी कार्यक्रमों में मेरी पसन्द की जगह दिल्ली, शान्तिनिकेतन, गोरखपुर और वर्धा है। वर्धा में रेणु वाले कार्यक्रम के सम्बन्ध में भी मेरा अभियोजन कर सकते हैं। जोधपुर और बीकानेर तो मुझे न दें। disability आ गई है। जहाँ रेलगाड़ी बदलना होता है वहाँ मुझे बहुत कठिनाई होती है। एक अभियोजन दिल्ली के किसी कार्यक्रम में कर दें तो कृपा हो। शान्तिनिकेतन में शमशेर वाला कार्यक्रम मेरी पहली पसन्द है। अब आप जो समुचित समझें करें। कृपा भाव बनाए रहें।

आपका

विजेन्द्र नारायण सिंह

पुनश्चः नामवर सिंह पर संस्मरण भेजा है। स्वीकृति पत्र भेजने की कृपा करें।

विजेन्द्र

(1)

आर-30, सिविल लाइन्स,
भरतपुर-(राज.)

12-6-71

प्रिय भाई,

पत्र और संलग्न लेख। आपने बड़ी सार्थक बातें उठाई हैं। मुझे खुशी है आप जैसे लोग रचना के जीवन्त मर्म को डाँटे हुए हैं। सरल और साफ भाषा बोलते हैं। इधर देखा गया है कि कविता में बोलचाल है और समीक्षा में पंडिताऊपन से परिपूर्ण लफ्फाजी। मुझे लगता है समीक्षा से ज्यादा तो आज रचना अपने आपको उजागर कर रही है। मुझे आपके लेख का इन्तजार था। इतनी व्यस्तता में होकर भी आप ने जो निर्व्याज सहयोग भेजा है उसके लिए मैं अपनी आत्मीयता भेजता हूँ। मुझे उम्मीद है 'ओर' के लिए आपका सहयोग इसी आत्मीयता से मिलेगा। क्या आप 'ओर' में कुछ समीक्षाएँ भी लिखना पसन्द करेंगे। मैं पुस्तकें भेजने को कहूँ? प्रसन्न होंगे। अगले लेखों का इन्तजार रहेगा। पत्र दें। सस्नेह

आपका
विजेन्द्र

(2)

सी-133, वैशाली नगर,
जयपुर-302021

24-4-2003

प्रिय भाई विश्वनाथ जी,

'दस्तावेज' 96 में पत्रों को पढ़कर लगा कि अंक 91 में आपने बहुत महत्वपूर्ण सम्पादकीय लिखा है। दुर्भाग्य से वह अंक मुझ तक पहुँचा नहीं, अन्यथा मैं भी आपको लम्बा पत्र लिखता। यदि उन अंक उपलब्ध भी हो तो अपने सम्पादकीय की एक फोटो कॉपी भिजवा कर मुझे उपकृत करें। हम उसके कुछ अंश कृति ओर में भी पुन, प्रकाशित कर सकते हैं। ऐसी बातें बड़े जन समुदाय तक बार-बार जानी चाहिए। जन पक्षधर पत्रिकाओं का यह भी एक दायित्व है कि ऐसी महत्वपूर्ण सामग्री को लगातार प्रकाशित कर पाठकों के भ्रम को दूर करें। सच को सामने लायें।

पत्रों के आधार पर ही मैं आपको अच्छे सम्पादकीय के लिए हार्दिक बधाई देता हूँ। प्रसन्न होंगे।

सस्नेह
विजेन्द

विजय कुमार

(1)

10, नटराज आर.बी. मेहता रोड
घाटकोपर (पूर्व)
बम्बई-400077

3-12-1981

प्रिय भाई तिवारी जी,

दस्तावेज-12 पढ़ा। आप जिस लगन और निष्ठा के साथ पत्रिका निकाल रहे हैं वह काबिले तारीफ है। इस अंक की कविताओं में लीलाधर जगूड़ी और राधेलाल बिजधावने की कविताओं ने विशेष प्रभावित किया। जगूड़ी की कविता में घनापन तो पहले भी था पर उल्लेखनीय बात यह है कि वे अब अमूर्तता से बाहर आ रहे हैं। भाषा को जितनी धूप जगूड़ी ने दिखायी है उतनी कोशिश उनके किसी भी समकालीन की नहीं है।

केदारनाथ सिंह की कविता पर आपने बहुत मेहनत से लेख लिखा है, हाँलाकि यह भी महसूस हुआ कि जहाँ आपने उनकी 'अभी बिल्कुल अभी' संग्रह की रूमानी भावभूमि का विश्लेषण किया है वहाँ तो बात बहुत स्पष्ट होकर आयी है पर यही बात 'जमीन पक रही है' की कविताओं के बारे में कहना थोड़ा मुश्किल लग रहा है। मेरा ख्याल है कि अपनी आरम्भिक कविताओं से अलग जमीन की होकर भी उनकी ये नयी कविताएँ पुरानी रूमानियत से अपना दामन बिल्कुल नहीं छुड़ा पायी हैं। यह सच है कि समकालीनता के दबाव को उनकी इन कविताओं में कोरी राजनीतिक नारेबाजी और आक्रोश व आक्रामकता के चालू मुहावरे में नहीं पाया गया है और उनकी कविता में एक गहरा काव्यानुशासन है पर साथ ही यह भी सच है कि केदारनाथ सिंह की रूमानी दृष्टि जनसामान्य के प्रति उनकी संवेदना को, उसके संघर्ष में कवि की हिस्सेदारी की भावना को एक मोहक रूपबन्ध में ही रच पाती है, अपनी अन्तिम परणति में अपने खुरदुरे अनुभव-मूल से नितान्त अलग हो जाती है। इसी रूमानियत के चलते यह अकारण नहीं है कि केदार अपनी कविता में चित्रों और बिम्बों का ऐसा अतिशय व्यवहार करते हैं कि यह यथार्थ को उसके नैसर्गिक ताप से बाहर निकाल कर कविता में कुछ 'रचे' जाने के एक बुर्जुआ सुख में तब्दील में होता दिखाई पड़ता है। क्या आपको इन कविताओं को पढ़ते हुए यह महसूस नहीं हुआ कि हमारे समकालीन संसार की अमानवीयता को यह कविता विश्लेषित नहीं करती, बल्कि एक हद तक उसे अस्पष्ट और अमूर्त बनाती सी प्रतीत होती है। 'रोटी' कविता का आपने जिक्र किया है, रोटी कविता मनुष्य के बुनियादी संघर्ष को एक तल्खी और बेचैनी के स्तर पर नहीं बल्कि एक सौन्दर्यवादी ढंग से देखते हुए, इस 'देखने' को ही कविता का मूल विषय बना लेती है। आपने लिखा है कि केदार अपने ही पुराने मुहावरे को तोड़कर आगे आये हैं और उन्होंने चीजों को नये दौर से गुजरते देखा है,

पर यहाँ अपेक्षा इस बात की थी कि उनका यह नया कविता संग्रह पुराने कविता संग्रह के सन्दर्भ में क्या अर्थ रखता है क्योंकि महान कवि लोर्का के शब्दों में कहा जाए तो कोई भी कलाकार सिर्फ अपनी भावभूमि का विकास करता है, उसे छोड़ता नहीं। शायद आप मेरी उपरोक्त बातों से सहमत न हों पर यह तो आप भी स्वीकार करेंगे कि जिस दुरुहता और अस्पष्टता को आप केदारनाथ सिंह की कविता के लिए एक खतरा मान रहे हैं, इस खतरे की बात तभी उठती है जब हमें महसूस होता है कि शिल्प की दुरुहता के बावजूद कवि का अनुभव उतना जटिल नहीं है। जब कवि का अनुभव संसार जटिल होता है तो हम कभी भी कवि से सरलता की अपेक्षा नहीं करते। मुक्तिबोध का कविता संसार हमारे सामने हैं।

आशा है आप सानन्द होंगे। पत्र देंगे।

आपका

विजय कुमार

पुनश्चः 'दस्तावेज' के लिए वार्षिक सदस्यता शुल्क शीघ्र ही भिजवाऊँगा।

(2)

29-7-82

प्रिय विश्वनाथ जी,

आशा है आप स्वस्थ और सानन्द हैं।

आपका 'आठवें दशक की हिन्दी कविता' पर केन्द्रित विशेषांक मुझे यथा समय मिल गया था। मुझे यह चिट्‌ठी बहुत पहले ही लिखनी चाहिए थी—अंक आने के बाद ही लेकिन इस शहर में जैसी अस्त व्यस्त दिनचर्या रहती है, उसमें स्थिर मन से किए जाने वाले काम टल ही जाते हैं।

यह विशेषांक इस दृष्टि से बहुत ही महत्वपूर्ण है कि इधर के वर्षों में हिन्दी कविता में जो उल्लेखनीय बदलाव आया है, उस सन्दर्भ में कविता के सभी महत्वपूर्ण संकलनों पर इस विशेषांक में लेख है। आज कविता की आलोचना जिस तरह की स्थिति में है वह बहुत सुखद नहीं है। आप देखते होंगे कि अधिकांश आलोचक आज की हिन्दी कविता पर लिखते हुए वही तर्क दोहरा रहे हैं जो आज से 15 वर्ष पूर्व लिखी जा रही उग्र और आक्रामक सपाट राजनीतिक मुहावरे वाली कविता के बारे में दिए जाते थे। मसलन आज की कविता व्यक्तित्वहीन है और उसमें अनुभव की गहराई नहीं है। अभी इसी आशय का एक लेख दो किस्तों में धर्मयुग में श्री विजेन्द्र नारायण सिंह का छपा है। इस तरह के दृष्टिकोण की मेरी समझ में दो ही वजहें हो सकती हैं। या तो ऐसे आलोचक समकालीन कविता में आए महत्वपूर्ण बदलाव से नितान्त अनभिज्ञ हैं या फिर वे साहित्येतर राजनीति और गुटबाजी में फँसकर रचना के साथ न्याय नहीं कर पा रहे हैं। आपका यह विशेषांक इसी सन्दर्भ में बहुत महत्वपूर्ण लगा कि यह आज की कविता को समझने का एक बहुत ठोस आधार प्रदान करता है। दरअसल रचना में बदलाव के साथ ही आलोचना के समक्ष जो एक बड़ी चुनौती और जिम्मेदारी आ जाती है उसे यह विशेषांक बखूबी निभाता है। एक साथ इतनी अधिक सन्दर्भ सामग्री मैं नहीं समझता कि पिछले दिनों किसी भी पत्रिका ने इस तरह से प्रस्तुत की है। अतः मेरी हार्दिक बधाई स्वीकार करें।

इसी सन्दर्भ में यदि अन्यथा न लें तो मैं एक विनम्र सुझाव देना चाहूँगा। आप भी यह पाते होंगे

कि आज हम सभी लोग कविता-संकलनों पर साधारणतया एक ओवर ऑल वियू लेकर लिखते हैं। मैं समझता हूँ कि रचना में आए महत्वपूर्ण बदलाव को ठोस ढ़ंग से दर्ज करने के लिए हमें कुछ कविताओं की बड़े वस्तुनिष्ठ ढंग से उसी तरह विवेचना करनी चाहिए जैसे कि डॉ. नामवर सिंह ने 'अँधेरे में' की या केदारनाथ अग्रवाल ने 'लुकमान अली' की समीक्षा की थी। इससे रचना की individuality को प्रोत्साहन मिलेगा और समीक्षा कुछ सामान्यीकृत मुहावरों को अपनाने की बजाय एक ज्यादा चुनौतीपूर्ण दायित्व से गुजरेगी। एक अंक में आप एक महत्वपूर्ण कविता पर एक से अधिक लोगों की टिप्पणी आमन्त्रित कर सकते हैं।

'दस्तावेज' के प्रति लगाव महसूस करता हूँ इसलिए यह लिखने की अनधिकृत चेष्टा कर गया हूँ।

आशा है आप स्वस्थ एवं सानन्द हैं।

आपका
विजय कुमार

(3)

18-4-83

प्रिय तिवारी जी,

आपका पत्र तीन पुस्तकें और दस्तावेज का अंक-17 रजि. डाक से प्राप्त हुए जिसके लिए आपका आभारी हूँ।

आपने मराठी दलित कविताओं और नारायण सुर्वे की कविताओं की पुस्तक समीक्षा के लिए भेजी है। मेरा विचार तो यह था कि इनकी समीक्षाएँ यदि आप डॉ. बांदिवडेकर जैसे हिन्दी मराठी दोनों के विद्वान से कराते तो अधिक न्याय होता। मुझे पुस्तकों की रिव्यू करने में कोई आपत्ति नहीं, सिर्फ सुझाव के तौर पर कह रहा हूँ। आप जैसा उचित समझें।

मेरी कविता पुस्तक की रिव्यू आप अंक-20 में देंगे यह जानकर प्रसन्नता हुई। पुस्तक की एक रजि. डाक से भिजवा रहा हूँ। दरअसल 'दस्तावेज' में आप समीक्षाएँ बड़े अच्छे ढंग से दे रहे हैं। सर्वेश्वर और असद जैदी की कविता पुस्तकों की आपने बड़ी अच्छी समीक्षा की है। गत सप्ताह दिल्ली में असद जैदी से मुलाकात हुई थी और उन्हें आपकी समीक्षा बड़ी अच्छी लगी थी।

अंक-18 अभी आपके पास से तो नहीं आया पर यहाँ विश्वविद्यालय के पुस्तकालय में पढ़ा। स्व. विजयदेव नारायण साही पर आपने बहुत बढ़िया सामग्री दी है। परमानन्द श्रीवास्तव ने रघुवीर सहाय की नयी कविता पुस्तक की भी बड़ी अच्छी समीक्षा की है फिर भी मेरा ऐसा ख्याल है कि नये संग्रह में कवि की मझदार में रहने वाली बात का और अधिक खुलासा किया जाना चाहिए था।

शेष सब ठीक है।

दस्तावेज का वार्षिक सदस्यता शुल्क एम.ओ. से भेज रहा हूँ।

स्वस्थ सानन्द होंगे।

आपका
विजय कुमार

(4)

24-4-85

प्रिय तिवारी जी,

आपका कृपा पत्र मिला। बांदिवडेकर जी वाली मेरी समीक्षा को आप जैसा ठीक समझें वैसा छाप लें।

आपके कविता संग्रह का बेसब्री से इन्तजार है। इधर शायद आपने बहुत लम्बे अन्तराल के बाद कविताएँ लिखी हैं, या शायद छपायी काफी दिनों के बाद। एक साथ ढेरों कविताएँ छपवाने का यह लाभ तो है ही कि कवि की एक मुकम्मल तस्वीर सामने आती है।

इधर कुछ कविता संग्रह छपे हैं—उदय प्रकाश, नरेन्द्र जैन, इब्बार रब्बी इत्यादि के। आपको कैसे लगे? मुझे ऐसा लगता है कि इन दिनों हिन्दी की सारी कविता करुणा और दुख की कविता हो गयी है। कवि की सामाजिक स्थिति ही शायद उससे ऐसी कविता लिखवा रही है। कुछ वर्षों पहले हमारे यहाँ धूमिल इत्यादि के यहाँ जैसा गुस्सा था, उस गुस्से की उपयोगिता या प्रासंगिकता जैसे इन नये कवियों के लिए अब नहीं है। हिन्दी में किसानी संस्कार का वह कवि जो सफेद पोश और नरम नरम भाषा में नहीं बोलता, क्या अब सचमुच आवश्यक नहीं रहा? क्या आपको ऐसा नहीं लगता कि आज एक संवेदनात्मक ठहराव की सी स्थिति है। एक बात और मुझे लग रही है कि कविता में अपने परिवेश का 'डॉक्यूमेन्टेशन' लगातार कम होता जा रहा है। यह एक अजीब सी बात है।

बम्बई में हिन्दी पुस्तकों के दो ही पुस्तक विक्रेता हैं। एक पुस्तक विक्रेता 'हिन्दी ग्रन्थ रत्नाकार' तो काफी कुख्यात हैं। दूसरे विक्रेता आर.आर. सेठ एंड कम्पनी हिन्दी और गुजराती दोनों भाषाओं के साहित्य के विक्रेता हैं पर उन्हें पत्रिकाओं में रूचि नहीं है। मैंने बात की थी। यह सचमुच शर्म की बात है कि बम्बई में न तो कोई साहित्यिक अड्डेबाजी होती है और न ही कोई इस तरह का कॉफी हाउस है। हम आठ-दस पढ़ने-लिखने वाले नवलेखन में रूचि रखने वाले लोग भी प्रायः आपस में सम्पर्क हीन ही रहते हैं। काफी कोशिश कर ली पर इस शहर में कुछ नहीं हो पाता। विश्वविद्यालय का अधिकांश अध्यापक वर्ग नवलेखन के बारे में घोर उदासीन है। कई बार यह शहर छोड़कर कहीं और चल देने की तबियत होती है पर रोजी-रोटी से बँधे हुए हैं। पठन-पाठन यहाँ एक निहायत व्यक्तिगत कर्म सा होकर रह गया है। मैं आपके पढ़ने के लिए शीघ्र ही अपनी कुछ कविताएँ भेजूँगा। पढ़कर राय देंगे।

शेष सब ठीक है। शुभकामनाओं सहित

आपका

विजय कुमार

(5)

13-7-85

प्रिय तिवारी जी,

मैं छुट्टियों पर था। लौटकर आपका पत्र और दस्तावेज-27 मिला। आपके कविता संग्रह की प्रतीक्षा है। मैं उस पर अवश्य लिखना चाहूँगा।

दस्तावेज-27 में साहित्यकार और राज्यसत्ता के सम्बन्धों पर आपने बड़ा अच्छा सम्पादकीय लिखा

है। मध्यकाल का लेखक जिस तरह सीकरी से दूर बैठकर अपनी साधना में डूबा रहता था वैसी सुविधा आज के लेखक को नहीं है। आज तो समूचा लेखन ही मध्यम वर्ग कर रहा है। दलितों और शोषितों की समस्या भी मध्यम वर्गीय लेखक ही उठा रहा है। और विडम्बना यह है कि जिन माध्यमों से होकर वह अपने 'टारगेट एरिया' तक पहुँचना चाहता है वे राज्य सत्ता या पूँजीवादी संस्थानों द्वारा नियंत्रित-निर्धारित हैं। आज एक ओर जहाँ पढ़े-लिखे आदमी के लिए शक्ति केन्द्रों से निर्लिप्त रहकर स्वतन्त्र ढंग से जीवकोपार्जन करना कठिन हुआ है, वहीं औद्योगीकरण और उन्नत टेक्नोलॉजी ने आम आदमी के जीवन के सभी पहलुओं पर राज्य का बाह्य नियन्त्रण बढ़ाया है। विडम्बना यह है कि आम आदमी के भीतरी जीवन को जो अंधविश्वास, रूढ़ियाँ और वर्जनाएँ सदियों से नियंत्रित करती रही हैं, उनसे टकराने का माद्दा इस विकसित टेक्नॉलॉजी में नहीं है। क्योंकि उसका मूल चरित्र औपनिवेशिक है। ऐसे में एक लेखक क्या करे? क्या वह कमजोर और सीमित साधनों के बल पर हवा में तलवार चलाए या राज्य नियंत्रित टेक्नॉलाजी और पूँजीवादी संस्थान से निकलने वाली पत्रिका में सवार होकर इस 'निषिद्ध क्षेत्र' में जाने का भ्रम पाले। आज एक ईमानदार लेखक का द्वन्द एक नागरिक के रूप में राज्य या पूँजीवादी संस्थान की नौकरी करने के लिए मजबूर होने और आत्म-चेतस लेखक के रूप में उसके अन्तर्विरोधों के प्रति तटस्थ न होने का है। चूँकि ईमानदार लेखक की नियति इसी द्वैत में जीने रहने की है इसलिए लेखन-कर्म की गुणवत्ता भी एक बड़ी हद तक इससे प्रभावित हुई है। आप बहुत सारी चीजों के खिलाफ चीख तो सकते हैं पर अपने ही जीवन में उनके दायरे से बाहर नहीं आ पाते।

आशा है आप स्वस्थ सानन्द है।

आपका

विजय कुमार

(6)

21-12-85

प्रिय भाई तिवारी जी,

आशा है आप स्वस्थ एवं सानन्द हैं।

इधर कॉफी दिनों से आपसे कोई सम्पर्क नहीं हो पाया। इधर 'बेहतर दुनिया के लिए' मैं पढ़ चुका हूँ। मुझे आपकी ये कविताएँ बहुत पसन्द आयीं। कुछ तो इधर-उधर पत्र-पत्रिकाओं में पहले ही पढ़ चुका था। आपके पिछले संग्रह की कविताओं से अलग मिजाज है इन कविताओं का अपने एप्रोच में भी और अपने गठन में भी। सर्वेश्वर बाद के दिनों में जिस तरह की कविता लिखने का प्रयास कर रहे थे, कुछ-कुछ उसी दिशा में यात्रा है आपकी। दरअसल इधर कविता में रागात्मकता की जिस प्रकार से बाढ़ आयी थी, उससे अघा जाने के बाद मुझे आपकी ये कविताएँ पढ़कर बड़ी ताजगी सी लगी हैं। मेरा इन कविताओं पर लिखने का भी मन है। कृपया मुझे सूचित करें कि 'वर्तमान साहित्य' (इलाहाबाद) में उन पर लिखना दोहराव तो न होगा। अपनी पत्रिका में शायद आप किसी को कह चुके होंगे लिखने के लिए।

दस्तावेज का नया अंक आ चुका है क्या?

सानन्द होंगे।

आपका

विजय कुमार

(7)

20-4-89

मान्यवर भाई तिवारी जी,

'दस्तावेज' के तीन अंक पिछले दिनों मिल गए थे। मैं बाहर होने के कारण जल्दी पत्र आपको न लिख सका। आप जिस परिश्रम, एकाग्रता और संकल्प के साथ पत्रिका निकाल रहे हैं वह सचमुच आपके प्रति आदरभाव जगाता है। हिन्दी लघु पत्रिकाओं के संसार में जो संकट दिनों दिन बढ़ रहे हैं उनमें एक पत्रिका को नियमित निकालते ले जाना एक हिम्मत का काम है। आपको लेखकों का सहयोग भी खूब मिला है।

मेरे पास 'दस्तावेज' का विश्व कविता अंक अभी तक नहीं आया है। यहाँ एक मित्र के पास था जो सरसरी तौर पर देखा। यदि आप विश्व कविता अंक तुरन्त मुझे भिजवा सकें तो कृपा होगी। तीव्र उत्सुकता है।

आशा है आप स्वस्थ सानन्द हैं।

आपका
विजय कुमार

(8)

3-5-95

मान्यवर तिवारी जी,

'दस्तावेज' के अंक नियमित मिल रहे हैं और इसके लिए आपका आभारी हूँ। अंक-65 में रचना और आलोचना के सम्बन्धों पर परिचर्चा महत्वपूर्ण लगी। बहुत सारे सार्थक मुद्दे इस परिचर्चा में उभरे हैं जिन पर आगे भी बातचीत होते रहनी चाहिए। नई पीढ़ी में कुछ और भी लोगों को जोड़ें तो शायद बहुत से नये आयाम भी सामने आएँगे। बहरहाल, यह परिचर्चा महत्वपूर्ण है। आशापूर्णा देवी से बातचीत भी बड़ी पठनीय और सार्थक लगी।

इधर राधाकृष्ण प्रकाशन से मेरा एक कविता संग्रह 'चाहे जिस शक्ल से' प्रकाशित हुआ है। मैंने प्रकाशन से आपको समीक्षार्थ दो प्रतियाँ भेजने का अनुरोध किया था। सम्भवतः प्रतियाँ आपको प्राप्त हुई हों। समीक्षा दे सकें तो आभारी रहूँगा।

शेष ठीक।

भोपाल में आपसे इत्मीनान से बातचीत का सुयोग न मिल सका। बड़े मेलों में यही दिक्कत होती है। शायद फिर कभी....।

आशा है आप स्वस्थ सानन्द हैं।

आपका
विजय कुमार

विजय मोहन शर्मा

(1)

सी-358 विकासपुरी
नई दिल्ली-110018

18-1-2002

आदरणीय तिवारी जी,

नमस्कार।

आपके एक नोट के साथ दस्तावेज 91 प्राप्त हुआ। मैं यह अंक पहले ही पढ़ चुका हूँ। जब से आलोचना का विशेषांक निकला है, कई लोगों ने इसके बारे में तीखी प्रतिक्रिया व्यक्त की है। मौखिक भी और लिखित भी। अंक निकलने के बाद दो मौकों पर साहित्य अकादमी के सभागार में मेरी उनसे नामवर सिंह से मुलाकात भी हुई है। पहली बार 10 अक्टूबर 2001 के दिन। पिताजी की पुस्तकों के संकलित, सम्पादित अंश, दो नई पुस्तकों के रूप में प्रकाशित किए गए हैं। 'ऐतिहासिक भाषा विज्ञान और हिन्दी भाषा' सम्पादक राजमल बोरा, और 'पाश्चात्य दर्शन और सामाजिक अन्तर्विरोध थलेस से मार्क्स तक' सम्पादक मुरली मनोहर प्रसाद सिंह। चूँकि आयोजन राजकमल का था मुख्य अतिथि नामवर सिंह थे। उन्होंने पिताजी की तारीफ की, लेकिन पुस्तकों के बारे में कहा कि हड़बड़ी में छापी गई लगती हैं, अनेक अशुद्धियाँ हैं, आदि आदि।

दूसरी बार मुलाकात हुई पहली नवम्बर 2001 को, जिस दिन साहित्य अकादमी द्वारा प्रकाशित पिताजी की पुस्तक 'भारतीय सौन्दर्य बोध और तुलसीदास' का लोकार्पण हुआ था। लोकार्पण किया भीष्म साहनी जी ने। उसी दिन एक प्रदर्शनी में पिताजी के चित्र और पत्र आदि भी प्रदर्शित किए गए थे। उस दिन नामवर सिंह और मेरे अलावा अन्य वक्ता थे, भगवान सिंह, नित्यानन्द तिवारी, मैनेजर पांडेय, कपिला वात्सायन। कपिला जी को छोड़कर सभी ने आलोचना के अंक की आलोचना की, और तीखे शब्दों में। जाहिर है, दोनों मौकों पर नामवर सिंह जी का रूख एकदम बदला हुआ था। वह कब कैसे पलट जाते हैं, यह बात एकदम विस्मयकारी है। आप इसे अन्यथा न समझें तो मैं यह कहना चाहूँगा कि इस नामवरी आलोचना के विरुद्ध कई लोगों ने लिखा है, लेकिन कई लेखों में मात्र लफ्फाजी है, बात की तह तक जाकर तर्क सहित अपनी बात कहने की कोशिश नहीं की गई है। यह काम आपने जितनी अच्छी तरह किया है, वह अनुकरणीय है।

नामवर सिंह जी तथ्यों को किस तरह तोड़-मरोड़ कर अपने पक्ष में तर्क देते हैं, इसकी मिसाल वह अपने निमित्त कार्यक्रमों को आयोजित करवा के और उसमें राजनीतिज्ञों को बुलाकर दे रहे हैं।

कभी गोरखपुर की ओर आया तो आपके दर्शन करूँगा। वहाँ रामदेव शुकल जी हमारे परिचित और स्नेही हैं। कभी मेरे योग्य कोई सेवा हो तो अवश्य लिखें। एक बार फिर धन्यवाद सहित,

आपका
विजय मोहन शर्मा

(2)

10-4-2011

आदरणीय तिवारी जी,

पिछले दिनों के.के. बिड़ला फाउण्डेशन द्वारा सम्मानित किए जाने के सम्बन्ध में आपका एक साक्षात्कार अखबार में देखा था। साहित्य अकादमी के कार्यक्रम में आप दिल्ली आए थे, यह सूचना भी मिली थी, लेकिन उन दिनों मैं किसी और काम में लगा था, आपसे मिल नहीं पाया। देर से ही सही, सम्मान के लिए बधाई स्वीकार करें।

बिना किसी पार्टी या लेखक संघ को अपनाए हुए आपने एक निर्भीक, जुझारू, प्रगतिशील लेखक कवि-आलोचक की तरह जो काम किया है, आने वाले समय में जनता उसे पहचानेगी, उसका मूल्यांकन करेगी और सराहेगी। समय-समय पर 'दस्तावेज' में लेखकों के पत्र प्रकाशित होते रहते हैं। सचमुच ये दस्तावेज हैं। नन्द दुलारे वाजपेयी जी के 13 पत्र, एक छोटी भूमिका के साथ भेज रहा हूँ, आशा है आपको पसन्द आएँगें।

रामविलास जी की जन्मशती इस वर्ष 10 अक्टूबर 2011 को शुरु होगी। हम लोग भी कुछ कार्यक्रमों, प्रकाशनों की योजना बना रहे हैं।

इस बीच कभी गोरखपुर आना हुआ तो आपके दर्शन करुँगा।

आपका

विजय मोहन शर्मा

विनोद दास

(1)

बैंक ऑफ बड़ौदा
क्षेत्रीय कार्यालय, 47-बी. श्री शाम जी
पटना-

आदरणीय भाई,

मैं पहली बार आपको पत्र लिख रहा हूँ। हालाँकि साहित्यिक दायरे में रहने के नाते आपसे परिचित हूँ। 'दस्तावेज' के अंक लेता हूँ। साही पर केन्द्रित अंक अच्छा है, खासकर उनका इन्टरव्यू! हम और विनयदास भी उनका इन्टव्यू लेना चाहते थे।

विनय दास जी (मेरे बड़े भाई) से आपकी मुलाकात शायद है। कई बार 'दस्तावेज' में कुछ लिखकर भेजने को कहते रहे। एक तो संकोच और दूसरे मैं इतना कम लिखता रहा हूँ कि कुछ भेज नहीं पाया।

मैंने 'कुँवर नारायण' की आलोचना पर एक वर्ष पूर्व लेख लिखा था जो कुछ कारणोंवश छप न सका। यदि आपको लेख उपयोगी लगे तो दस्तावेज में इसे जगह दें। मैं इसी क्रम में साही, नामवर सिंह, और विष्णुखरे आदि पर भी लिखना चाहता हूँ। कृपया अपनी सहमति दें।

स्वस्थ और सानन्द होंगे।

आपका
विनोद दास

(2)

बी-3/5, नाबार्ड कॉलोनी,
जगतपुरा रोड, मालवीय नगर
जयपुर-17

आदरणीय डॉक्टर साहब,

दस्तावेज-68 मिला। हृदय से आभारी हूँ। बंगला कथाकार विमलकर से साक्षात्कार पठनीय है। उत्तर आधुनिकता पर देवेन्द्र इस्सर ने नए कोण से लिखा है। गाँधी जी को आज के समय में आपने एक सही परिप्रेक्ष्य में रखा है। बधाई। आप जिस जीवट से पत्रिका निकालते हैं, उसे महसूस कर सकता हूँ। मैं स्वयं पत्रिका निकालता हूँ। अन्तदृष्टि '8' शीघ्र ही आपको मिलेगी।

कभी जयपुर पधारिए। आपको हमारे परिवार में सभी याद करते हैं—खासतौर से शिमला प्रवास को। सादर

आपका
विनोद दास

विनोद शाही

(1)

9 धामी नगर,
जालन्धर-144014,

1-11-06

मान्य श्री विश्वनाथ प्रसाद तिवारी जी,

सादर अभिवादन।

दस्तावेज-111, एक संग्रहणीय अंक भिजवाने के लिए हार्दिक आभार।

सोवियत संघ के पतन और मार्क्सवादी चिन्तन के सन्दर्भ में आपने बहुत विचारणीय मुद्दे उठाए हैं। उन पर विचार-पुनर्विचार का क्रम चलना चाहिए। खुद मैं थोड़ी फुर्सत पाते ही इस पर लिखना चाहूँगा।

फिलहाल एक आलेख मेरे पास था—जिसे आपके पास विचारार्थ भेज रहा हूँ। आपकी प्रतिक्रिया मुझे प्रेरित ही करेगी—उम्मीद रखता हूँ।

इस बीच मेरी एक किताब छपकर आयी है। उस पर 29-10 के 'जनसत्ता' में एक समीक्षा छपी है। वह किताब आपको भेज रहा हूँ,। प्रकाशकों से बहुत किताबें नहीं मिल पाती हैं, अतः यदि समीक्षार्थ उपयोगी पाएँगें, तो प्रकाशक से अनुरोध कर दूसरी प्रति की व्यवस्था की जा सकती है। यो मान्य श्री सदानन्द जी के पास एक प्रति भेजी गयी है।

शेष शुभ।

आपका
विनोद शाही

(2)

21-10-2011

मान्य श्री विश्वनाथ प्रसाद तिवारी जी,

सादर अभिवादन।

आभार कि आपने रामविलास शर्मा सम्मान के लिए मेरे नाम का अनुमोदन किया। अपने प्रति आपके ऐसे भाव को देखकर मैं नतमस्तक हूँ क्योंकि मुझे पहले कोई अन्दाजा नहीं था कि आप निर्णायक समिति के सदस्य थे। और न ही मैंने आपसे इस बारे में कभी कोई चर्चा ही की थी।

अपना एक आलेख भेज रहा हूँ। एक बहसतलब मुद्दे को लेकर कुछ सवाल, कुछ प्रस्ताव इसमें है। उम्मीद करता हूँ कि आपसे इस पर संवाद/प्रतिक्रिया का हकदार हो सकूँगा।

आपका
विनोद शाही

वीरेन्द्र कुमार बरनवाल

(1)

36, कोटला रोड
नई दिल्ली 110002

25-5-89

श्रद्धेय डॉक्टर साहब,

यद्यपि आपसे व्यक्तिशः मिलने का सुअवसर नहीं प्राप्त हो सका किन्तु एक समीक्षक और कवि के रूप में एक अर्से से आप को पढ़ता आया हूँ। इस प्रकार दोनों रूपों में आपके अनेक प्रशंसकों में से मैं भी अपने को एक मानता हूँ। मैं एक अर्से से अश्वेत साहित्य का पाठक और प्रेमी रहा हूँ। उसका नशा कुछ ऐसा चढ़ा कि कुछ प्रमुख कवियों की रचनाएँ अनुदित करने का दुस्साहस कर बैठा। इस प्रकार अनूदित कविताओं का एक संकलन-पानी के छींटे सूरज के चेहरे पर परीक्षार्थ आपकी सेवा में अपने मित्र और सहयोगी श्री ए.पी. श्रीवास्तव के माध्यम से भेज रहा हूँ। यदि इन पर एक दृष्टि डालकर अपनी मूल्यवान प्रतिक्रिया से अवगत कराने का समय आप निकाल सकें तो बड़ी ही कृपा होगी। आपकी प्रतिक्रियाएँ मेरे अगले प्रयासों के लिए अत्यन्त मूल्यवान होंगी।

'दस्तावेज' की कई प्रतियाँ मेरी निगाह से गुजरी हैं। उनका वार्षिक चन्दा सम्प्रति मुझे ख्याल नहीं है। पचास रूपए अनुमान से भेज रहा हूँ। कृपया उसे मुझे भिजवाने का प्रयास करेंगे। मैंने शोयिंका और ब्रॉडस्की की कुछ ताजातरीन कविताओं के और भी अनुवाद किए हैं। क्या 'दस्तावेज' की रूचि उनमें होगी? सूचित कर सकें तो कृपा होगी। पहले ही पत्र में ढेर कुछ लिख गया। आशा है अन्यथा न लेंगे।

सप्रणाम।

आपका

वीरेन्द्र कुमार बरनवाल

(2)

फ्लैट न. 7, चौथा माला
बेलवेडियर, 79 भूलाभाई देसाई मार्ग,
मुम्बई-400036

प्रिय बन्धु,

आप सहमत होंगे कि एक अर्से से सामान्य हिन्दी समाज साहित्य और संस्कृति के सरोकारों से लगातार कटता चला जा रहा है। इस त्रासद स्थिति का अन्त दूर-दूर तक नजर नहीं आता। इलेक्ट्रॉनिक

मीडिया की ओर से लिखित और मुद्रित शब्द को भीषण चुनौती लगातार मिल रही है। ऐसी हालत में साहित्य से समकालीन हिन्दी समाज को जोड़ने की पहल की जरूरत अनेक संवेदनशील लोग शिद्दत से अनुभव कर रहे हैं। कविता साहित्य की आदि विधा है जो युगों से मनुष्य की रागात्मकता और संवेदना की अविरल वाहिका रही है। दुर्भाग्यवश आज सामान्य हिन्दी समाज लगभग कविता विमुख हो चुका है। लगता है कविता महज कवियों के बीच सिमटकर रह गयी है। कविता के जरिए हिन्दी समाज को साहित्य से जोड़ने की कामना हमारे बीच कई लोगों में अक्सर जगती रही है।

आज सामान्य युवा और युवतर पीढ़ी कविता के नाम पर हल्की-फुल्की गजलों, मंचीय गीतों और फिल्मी गानों से ही थोड़ा बहुत परिचित हैं। प्रेम मनुष्य की प्रबलतम रागात्मक वृत्ति है। जाने-अनजाने सभी कभी न कभी उसकी सरहद से गुजरते हैं। समाज और खासतौर से युवा पीढ़ी को कविता से जोड़ने का प्रयास इनके लिए प्रेम कविताओं की सहज उपलब्धि के जरिए भी विचारणीय है। इस दिशा में कुछ कवि और कविता प्रेमी खड़ी बोली हिन्दी की चुनिन्दा प्रेम कविताएँ एक जगह संकलित कर उसे सामान्य पाठक को एक पुस्तक के रूप में कम से कम मूल्य पर उपलब्ध कराने का मन बना रहे हैं। इस प्रयास की सफलता आपके सक्रिय सहयोग पर निर्भर है। आप न केवल स्वयं कविता से रचनात्मक रूप से जुड़े है बल्कि अच्छी कविता के प्रेमी और पारखी भी हैं। संकलन में भारतेन्दु युग से लेकर बीसवीं सदी के अन्त तक के कवियों की कविताओं की प्रस्तुति प्रस्तावित है। इसके लिए विचारार्थ अपनी कविता के साथ अपने प्रिय कवियों की प्रेम कविताएँ भी नीचे दिए गए किसी भी पते पर उपलब्ध कराके इस योजना को आगे बढ़ाने में कृपया अपना अमूल्य सहयोग दें।

1. वीरेन्द्र कुमार बरनवाल
   फ्लैट नं. 7, चौथा माला, बेलवेडियर, 79, भूलाभाई देसाई मार्ग, मुम्बई-400036
2. हरिनारायण
   सी-52/जेड 3, दिलशाद गार्डन, दिल्ली

सधन्यवाद

आपका

वीरेन्द्र कुमार बरनवाल

वीरेन्द्र सक्सेना

(1)

18/11, पुष्पविहार, साकेत,
नई दिल्ली-110017

13-12-85

आदरणीय डॉ. तिवारी जी,

दस्तावेज 28 की प्रति मिली, बहुत-बहुत धन्यवाद। इस अंक का 'आधुनिक हिन्दी कविता और छन्द' (विष्णुकान्त शास्त्री) लेख निश्चय ही ज्ञानवर्धक है और इस तरह के परिश्रमपूर्वक लिखे लेख अब कम ही पढ़ने को मिलते हैं।

अपने वादे के अनुसार, देर से सही, मैं मृदुला गर्ग के उपन्यास 'मैं और मैं' पर समीक्षा भेज रहा हूँ। आप पर अगर इस उपन्यास की प्रति न पहुँची हो, तो सूचित करें—मैं लेखिका को फोन करके इसकी प्रति आपको भेजने को कह दूँगा।

आप अब दिल्ली कब आ रहे हैं? पिछले दिनों जो सप्ताह हम लोगों ने एक साथ पांडिचेरी में बिताया, वह अविस्मरणीय है।

शेष फिर।

आपका
वीरेन्द्र सक्सेना

(2)

25-12-2001

माननीय डॉ. तिवारी जी,

'दस्तावेज' के अंक बराबर मिलते रहे हैं और उनके माध्यम से लगता रहा है कि आपसे भी बराबर सम्पर्क बना रहा है।

हाल ही में 91 वाँ अंक मिला, जो पत्र-साहित्य पर केन्द्रित है, इसलिए मैं भी आपको पत्र लिखकर उसके प्रति बधाई एवं शुभकामनाएँ प्रकट कर रहा हूँ। यह इसलिए भी, क्योंकि अब पत्राचार की बजाय फोनाचार या ई.मेल के विकल्प सामने आ गए है, और साहित्यकारों ने भी पत्र लिखना लगभग बन्द ही कर दिया है।

91 वें अंक का सम्पादकीय भी 'बेमिसाल' ही है, क्योंकि उसमें आपने तर्कसंगत ढंग से प्रमाण देकर अपनी बातें कही हैं। उसमें 50 वें अंक के जिस समारोह का उल्लेख आपने किया है, उसमें मैं भी

उपस्थित और मेरी कामना है कि जल्दी ही आप 100 वाँ अंक निकालें और उसमें भी मैं उपस्थित हो सकूँ।

इसी वर्ष 1/8/2001 से मैं 'निदेशालय' की सरकारी सेवा से निवृत्त हो चुका हूँ, अतः अब लेखन पर और अधिक ध्यान दे सकूँगा।

अन्त में नए वर्ष के लिए हार्दिक शुभकामनाओं के साथ,

आपका
वीरेन्द्र सक्सेना

(3)

6118/4, पॉकेट डी-6, वसन्त कुन्ज,
नई दिल्ली-110070

8-2-2005

माननीय डॉ. तिवारी जी,

'दस्तावेज' के अंक नियमित रूप से मिल रहे हैं और 105 वाँ अंक भी यथासमय मिल गया। आभारी हूँ।

इस अंक में जो भी लेख छापें हैं, वे निश्चय ही पर्याप्त स्तरीय हैं, क्योंकि उनमें वरिष्ठ साहित्यकारों के लेखन और चिन्तन का तथ्यपरक विश्लेषण प्रस्तुत किया गया है। उदाहरण के लिए यशपाल जी के बारे में मधुरेश जी ने इस तथ्य का भी खुलासा किया है कि वे उनके उपन्यास 'क्यों फँसे' में चित्रित मान्यताओं को सही परिप्रेक्ष्य में नहीं समझ पाए थे। इस बारे में मैं भी आपको यह जानकारी देना चाहता हूँ कि तीन दशक पहले जब मैं अपने 'काम-सम्बन्धों का यथार्थ' के शोधकार्य के सिलसिले में यशपाल जी से उनके आवास पर लखनऊ में मिला था तब भी उन्होंने मधुरेश जी की आलोचना का जिक्र किया था और यह बताया था कि 'क्यों फँसे' उपन्यास को उन्होंने ठीक ढंग से समझ नहीं पाया है और शायद इसका उचित मूल्यांकन बाद में ही हो पाएगा। इससे यह भी सिद्ध होता है कि अगर कोई लेखक नए ढंग से या नए विचार की कोई कृति लिखता है, तो कई बार सुधी आलोचक भी उसके विरोध में लिखते रहते हैं।

इस अंक में रूस की आपकी डायरी भी पर्याप्त रोचक, सूचनाप्रद और पठनीय है। उसके लिए बधाई स्वीकारें/मेरे पिछले उपन्यास 'सर्वोत्तम सच' की उर्मिला शिरीष लिखित समीक्षा आपके पास काफी दिनों से सुरक्षित है, उम्मीद है उसे शीघ्र ही अंगले अंक में देने की कृपा करेंगे।

नए वर्ष में नई उम्मीदों के साथ,

आपका
वीरेन्द्र सक्सेना

(4)

1-10-2005

माननीय डॉ. तिवारी जी,

'दस्तावेज' का 107वाँ अंक मिला। इसमें दिनकर की कविता के बारे में डॉ. सत्यकाम का आलेख पर्याप्त विश्लेषणपरक है और कई नए निष्कर्षों को भी सामने लाता है। उदाहरणार्थ इस निष्कर्ष का उल्लेख किया जा सकता है—"दिनकर को आमतौर पर रणभेरी फूँकने वाले कवि के रूप में देखा जाता है। पर उनकी कविताओं को गौर से पढ़ने पर यह मालूम होता है कि उनकी युद्धविषयक कविताएँ वस्तुतः युद्धविरोधी कविताएँ हैं।"

इस अंक में डॉ. कान्ति कुमार जैन का परसाई के व्यंग्य पर लिखा आलेख भी विश्लेषणात्मक और यथार्थ परक ही है, इसलिए प्रभावी भी बन पड़ा है। अन्यथा जिस तरह के संस्मरणात्मक आलेख डॉ. जैन 'हंस' में लिखते हैं, वे रोचक भले बन जाए, पर प्रभावी नहीं बन पाते हैं।

अंक में आचार्य विष्णुकान्त शास्त्री के बारे में आपकी श्रद्धांजलि भी बहुत ही मार्मिक और हृदयस्पर्शी बन पड़ी है। और वास्तव में शास्त्री जी ऐसे ही थे—'छद्म और कुंठा से मुक्त। विद्या और विनय से संयुक्त'।

और अन्त में इस अंक में छपी समीक्षाओं को पढ़ने के बाद यह अवश्य याद दिलाना चाहूँगा कि आपने उदय भानु पाण्डेय के उपन्यास 'बनानी' तथा कई अन्य पुस्तकों की समीक्षाएँ तो छापी हैं, पर मेरे उपन्यास 'सर्वोत्तम सच' की समीक्षा अभी तक नहीं छापी है। मेरे इस उपन्यास पर डॉ. उर्मिला शिरीष की लिखी समीक्षा काफी समय से आपके पास है और आपने जल्दी ही उसे छापने का आश्वासन भी दिया था।

इस बीच अगर दिल्ली आने का कोई कार्यक्रम हो, तो अवश्य सूचना दें।

आपका
वीरेन्द्र सक्सेना

शंकर दयाल सिंह

(1)

कामता सदन, बोरिंग रोड
पटना—800 001

06-08-86

श्रद्धेय तिवारी जी,

दोनों अंक दो-चार दिनों के अन्तराल के साथ मिले—29 भी तथा 30 भी। अज्ञेयजी से भी मुलाकात हुई तथा नागरजी के भी दर्शन हुए। दोनों अपूर्ण होते हुए भी परिपूर्ण हैं।

दस्तावेज के हर अंक को सँभालकर रखता हूँ। कोई खो न जाये, इसकी सावधानी रहती है।

मात्र साहित्य के लिए प्रतिबद्ध होकर निकलने वाली हिन्दी की यह एकमात्र पत्रिका है, जिसके लिए आपको बधाई दूँ तो इसे औपचारिक न लें।

मैं तो बेतिया हाता में भी आपके घर खा-पी आया, जबकि शास्त्रों में ठाकुरों को ब्राह्मण का अन्न खाना मना है। आप कब पटना पधार रहे हैं? आएँ तों मेरे साथ ही ठहरें। यह भी पहले से ही आमन्त्रण ले लें।

मेरे योग्य अन्य सेवाएँ लिखें।

आशा है सपरिवार स्वस्थ-प्रसन्न हैं।

आपका
शंकर दयाल सिंह

(2)

15-4-87

श्रद्धेय तिवारी जी,

आपका आदेश पत्र। आज बुधवार है और मेरा मौन-दिवस। पहले से ही सोच रखा था कि अज्ञेयजी के बारे में यदि कुछ लिख गया तो लिखूँगा। टुकड़ों में संस्मरण की मनका सेवा में भेज रहा हूँ। कुछ धरोहर रूप कागजात, जिनकी चर्चा भी की है, फोटोस्टेट कापी बनाकर शीघ्र ही भेज दूँगा। इसे तो अपने प्रारूप में ले लें। कोई सज्जन फिर आ गये और माँग लिया तो यह भी चला जायेगा और मुझसे उन पर कुछ भी नहीं लिखा जायेगा।

साहित्य के परे भी उनका एक व्यक्तित्व था, जो मुझे ज्यादा प्यारा लगता था। अब उनके समान

दूसरा तो कोई होगा नहीं और यदि होगा भी तो हम उस समय नहीं रहेंगे। इसे यह भी कह सकते हैं कि हमारे परिवेश में अब कौन उनके समान है!

अच्छे ढंग से पत्रिका निकालें और अभी से ही पारिजात के लिए 100 प्रतियाँ रखवा दें। एक प्रति का कितना मूल्य होगा, लिख भेजें जिससे कहकर अग्रिम तो भिजवा ही दूँ।

आपके सम्पादन में जो भी चीज आये ऐतिहासिक हो, यह भरोसा करता हूँ। ज्यादा देर न लगाएँगे, वरना रस सूख जाता है।

कल पुनः दिल्ली जा रहा हूँ तब स्थिरतापूर्वक इलाजी से बातें करूँगा। लोग-बाग हर ओर से रचनाएँ माँगते हैं, मैं न लिख पाता हूँ, न दे पाता हूँ। भला या बुरा आपकी आज्ञा की रक्षा तत्काल कर सका, यही सन्तोष है।

पी.टी.आई. वालों को एक छोटा सा आलेख दिया है, शायद वे तीन-चार सौ पत्रों को रिलीज करेंगे—उस ऊँचाई का आदमी मिलना मुश्किल है शीर्षक से।

आप मेरे संस्मरण का शीर्षक चाहें तो कर सकते हैं—अज्ञेयजी! आप पास हो गये, मैं फेल हो गया। देख लेंगे और पत्र देंगे।

आपका

शंकर दयाल सिंह

(3)

4-1-90

प्रिय तिवारी जी,

अज्ञेय क्या थे, कौन थे और उनकी उपलब्धियाँ क्या रहीं, इसके बारे में मैं केाई औपचारिक शब्द का व्यवहार करूँ, यह आपके सामने मुझे कठघरे में खड़ा कर देगा। ऐसी स्थिति में बिना किसी भूमिका के पत्र आपकी सेवा में भेज रहा हूँ।

आगामी 7 मार्च को देव, जो बिहार का एक सांस्कृतिक केन्द्र है, वहाँ अज्ञेय जी की प्रतिमा का अनावरण होने जा रहा है। उस भूमि खण्ड पर उनकी छाप है जहाँ उन्होंने आज के 7 वर्ष पूर्व "भारत माता ग्रामवासिनी" विषय पर एक घंटे का ऐतिहासिक भाषण दिया था। उस वातावरण में अभी भी उनकी अनुगूँज है। अतः उस भूमि खण्ड को यह हक है कि उन्हें समृति धरोहर के रूप में अपने सामने रखे।

इस अवसर पर विनीत भाव से मेरी प्रार्थना होगी कि आप अवश्य उपस्थित हों। साथ ही 15 दिनों के अन्दर एक छोटा सा व्यक्तिगत संस्मरण भी हमें भेजें जिसका उपयोग उस अवसर पर प्रकाशित होने वाली स्मारिका में करेंगे।

आपके पत्र की प्रतीक्षा रहेगी जिसे मैं प्रेरणा के रूप में लूँगा, क्योंकि अज्ञेय सदा आपके लिए ज्ञेय थे। इसका संयोजक भले मैं हूँ लेकिन बिन आपके सारथी बने यह श्रद्धा-पर्व अधूरा रहेगा।

आदर सहित।

आपका,

शंकर दया सिंह

(4)

15, गुरूद्वारा रकाबगंज रोड,
नई दिल्ली—110001

14-5-92

प्रिय भाई,

"दस्तावेज" का अद्यतन अंक मिला। जिस सुरुचिपूर्ण ढंग से यह अंक आपने प्रस्तुत किया है और जिस तरह की पठनीय सामग्री इसमें देखने को मिली उसके लिए बधाई स्वीकार करें। कई लेख ऐसे हैं जिनका स्थायी महत्त्व है। ऐसे पत्रों से राजभाषा का स्वर निखर रहा है तथा साहित्य का कोष भी भरता जा रहा है।

आशा है इसके अगले अंक भी इसी तरह पुष्ट और उपयोगी रचनाओं से परिपूर्ण होंगे।

अपने लेखकों तक मेरी बधाई पहुँचा दें। जिनके कारण किसी पत्र की मर्यादा में वृद्धि होती है।

शुभकामनाओं सहित।

आपका
शंकर दयाल सिंह

(5)

14-5-94

प्रिय तिवारी जी,

निश्चय ही 'दस्तावेज' साहित्य का दस्तावेज बन गया। इसके हर अंक को जिस आत्मीय रूप में देखता हूँ, गम्भीरता से इसके पन्ने उलटता हूँ और बार-बार आपको स्मरण करता हूँ। इसका लेखा-जोखा नहीं कर सकता। निश्चय ही इसके प्रकाशन में आपकी पूरी शक्ति व्यय हो रही होगी, लेकिन जो भी आप दे रहे हैं वह सही अर्थ में साहित्य धर्मिता हैं मेरी बधाई, शुभकामना और अभिनन्दन इसके लिए स्वीकार करें।

इधर मैंने दो विशेष लेख तैयार किये हैं जो मेरे गुजरात विद्यापीठ में दिये गये दो भाषणों से छनकर निकले हैं। एक में भाषा पर, दूसरे में साहित्य पर मैंने चर्चा की हैं। संलग्न आलेख सेवा में प्रकाशनार्थ भेज रहा हूँ।

जून में संभवतः 21 को मैं एक दिन के लिए गोरखपुर आ रहा हूँ। आशा विश्वास है स्वस्थ प्रसन्न हैं।

आपका
शंकर दयाल सिंह

शंभुनाथ

(1)

हिन्दी विभाग
कलकत्ता विश्वविद्यालय—700073

14-7-79

प्रिय विश्वनाथ प्रसाद तिवारी जी,

इसके पहले भी मेरे पत्र मिले होंगे। कलकत्ता विश्वविद्यालय की ओर से मिथक तथा काव्य-भाषा—इन दो विषयों पर दो पुस्तकें प्रकाशित करने की हमारी योजना है। स्मरण दिलाता हूँ कि मैंने आपसे इनमें से किसी भी एक विषय पर लेख भेजने का अनुरोध किया था।

अब मैटर प्रेस में जा रहा है। किसी अहिंदी भाषा प्रदेश में प्रकाशन कार्य में कितनी असुविधाएँ हो सकती हैं, इनका आप सहज अनुमान लगा सकते हैं। पुस्तक कायदे की तभी बन पायेगी, जब आप जैसे प्रखर विचारक का इसमें सहयोग रहेगा। अतः आगामी लगभग दो सप्ताह के भीतर लेख भेज देने का मन आप तैयार कर लेंगे, ऐसा विश्वास है। उपरोक्त विषयों पर अपने प्रकाशित विचारों को भी पुस्तकानुकूल प्रासंगिक तथा तरोताजा बनाकर भेजें।

भेजने के आपके अन्तिम फैसले की स्पष्ट जानकारी प्राप्त करके मुझे एक सुविधा यह होगी ताकि मैं योजना को तदनुसार रूप दे सकूँगा।

आपके लेख तथा पत्र की प्रतीक्षा निम्नोक्त पते पर कर रहा हूँ:

389, जी.टी. रोड, हावड़ा-6। अपने सुझाव भी भेजें।

आप स्वस्थ और सानन्द होंगे।

आपका
शंभूनाथ

(2)

389, जी.टी. रोड
हावड़ा-6

12-1-79

प्रिय भाई,

आपका पत्र मिला। दिक्कतों के बीच ही काम आगे बढ़ाना पड़ता है। आप वह पैराग्राफ निकाल दें।

इन तथ्यों का इस्तेमाल मैं कहीं दूसरी जगह करूँगा। फिर भी उसी पैराग्राफ के 'अभिव्यक्ति के तमाम कठोर बन्धनों के बावजूद' से 'अपसंस्कृति है' तक का अंश अगर यथोचित समझें, तो रहने दें। ध्यान में रखें कि इसी पैराग्राफ की नीचे से तीसरी पंक्ति में' स्वतन्त्रता कतई हैं की जगह 'स्वतन्त्रता कतई नहीं है' होगा।

दस्तावेज का पहला अंक काफी पसन्द आया, तभी मैं इसे हर प्रकार से सहयोग देने के लिए उत्सुक हुआ। पत्रिका पर आपने 'दस्तावेज' नाम नहीं छापा, इससे विक्रय इत्यादि के मामले में आपको स्वतः कठिनाइयाँ हो रही होगी। ऐसा आपने महसूस किया होगा। यह प्रयोग है, तो सार्थक कदापि नहीं है।

पत्रिका की नये अंक की दस प्रतियाँ आप हमारे 'जनपत्रिका विक्रय स्टाल में भेजें' अन्यों से भी प्रतियाँ भिजवायें। इनके पैसे सुरक्षित पहुँच जाया करेंगे।

श्री परमानन्द श्रीवास्तव कलकत्ता आये हुए थे। उनसे काफी बातें हुईं। तथा गोरखपुर में होने वाले साहित्यिक प्रयासों को जानकर काफी प्रसन्नता हुई।

मुख पत्र पर विचार भेजें।

आप मजे से होंगे।

आपका

शंभुनाथ

(3)

27-12-87

प्रिय भाई,

दिल्ली से लौटने पर ज्ञात हुआ कि आपके व्याख्यान अच्छे हुए, आपने कविताएँ भी सुनायीं। दुर्भाग्यवश मैं आनन्द नहीं ले सका। आपसे मुलाकात का सुयोग फिर कभी होगा।

बाबा ने आपकी पत्रिका खासकर इसकी स्तरीयता तथा नियमितता की बराबर प्रशंसा की मुझसे।

सानन्द होंगे।

आपका

शंभुनाथ

पुनश्चः मैं कलकत्ते से एक पत्रिका का सम्पादन आरम्भ कर रहा हूँ। 'समकालीन सृजन'। युद्ध के खिलाफ केन्द्रित पहला अंक महीने भर में छप जायेगा। दूसरे अंक के लिए, 'तानाशाही शासन में संस्कृति' से सम्बन्धित विषय पर कुछ भेजें। यह भी बताएँ कि जो स्टाल बिकने पर पैसे भेज देते हैं—गोरखपुर तथा उसके बाहर—वे कौन-कौन से हैं। सूचित कर सहयोग करेंगे, मेरा विश्वास है।

(4)

28-6-2000

प्रिय विश्वनाथ प्रसाद तिवारी जी,

दिल्ली में आपसे बड़ी सुखद मुलाकात हुई। आपने सूचना दी थी कि आप कलकत्ता आ रहे हैं।

जालान पुस्तकालय का कार्यक्रम हो जाने के बाद, मेरा अनुरोध है कि दूसरे दिन संध्या समय आप श्री हनुमान पुस्तकालय, हावड़ा आएँ। आपको कोई दिक्कत नहीं होगी।

आशा है, आप अपनी स्वीकृति यथाशीघ्र भेजेंगे। यदि मेरे घर के पते पर भेजें तो सुविधा होगी, क्योंकि पुस्तकालय सुबह-शाम खुलता है और चिट्ठियाँ अक्सर गायब हो जाती हैं। घर का पता है—389, जी.टी. रोड, हावड़ा-711106।

आशा है, सकुशल हैं।

आपका

शंभुनाथ

पुनश्चः 1. यदि सोमवार को भी कलकत्ता रहें तो विश्वविद्यालय जरूर आएँ व्याख्यान के लिए।

2. यदि मुझे गोरखपुर आना हुआ तो 4 सितम्बर तक हावड़ा के लिय रवाना होना चाहूँगा। क्योंकि 5 बजे से हमारे यहाँ परीक्षा शुरू है।

3. वहाँ पत्रिकाओं के सम्पादकों के सममेलन तथा आन्दोलन के प्रति आपके मन के कुछ सन्देह हों तो लिखें, हमें उसे आगामी बुलेटिन में छापकर खुशी होगी।

शलभ श्रीरामसिंह

(1)

विजय निवास
48, स्वर्णकार कॉलोनी मार्ग
विदिशा (म.प्र.) 464001

10-4-1992

प्रिय भाई,

कल दूरदर्शन पर मीडिया के व्यापक प्रभाव पर बात करते हुए हीरामन की पीठ में उठती गुदगुदी में संदर्भ में कैमरे की सीमा का रेखांकन बहुत अच्छे ढंग से किया गया आपके द्वारा। शब्द के प्रति आस्थायीशील जनों को अच्छी लगी होगी आपकी बात। साधुवाद।

नमस्कारान्ते।

हाँ 'आरामशीन' के बाद 'माँ' पर पढ़ी गयी आपकी कविता में 'चन्दन की जगह चिता में लकड़ियों' का जो प्रयोग किया गया है, वह समझ में नहीं आया क्या चन्दन को लकड़ी से अलग करके देख रहे हैं? वैसे कविता मार्मिक है।

शलभ श्री रामसिंह

(2)

23-4-1992

भाई श्री,

19, अप्रैल, 92 का कृपा कार्ड।

मेरे नाम संभवतः यह आपका पहला पत्र है, इसलिए इसका महत्व मेरे समीप कुछ ज्यादह है।

'दस्तावेज' के अंक मैं नियमित...देखता रहा हूँ। इधर कुछ कविताएँ लिखी गयी हैं, ठीक-ठाक करके भेजता हूँ। यदि पसन्द आएँ तो उपयोग में लाइयेगा।

विजय बहादुर जी का एक आलेख भी जा सकता है आपके पास। मन बना रहे थे पिछले दिनों। शायद भेजें। कुछ अच्छी कविताएँ भी लिखी हैं उन्होंने।

आप स्वस्थ सानन्द और सक्रिय होंगे। इसी आशा के साथ।

नमस्कारान्ते।

शलभ श्रीरामसिंह

(3)

15-11-1993

प्रिय भाई,

'उत्तर संवाद' का प्रवेशांक तैयार हो चुका है। शीघ्र ही पहुँचेगा। दूसरे अंक में आपकी कविता पुस्तक की समीक्षा जा रही है। श्री कुन्दन माली की लिखी हुई।

कृपया अपनी पाँच कविताएँ कम से कम भेजें। एक विशेष स्तम्भ में उनका उपयोग होना है।

शेष ठीक-ठाक है। 'दस्तावेज' के अंक यदि आप मेरे पते पर अलग से भिजवा सकें तो उनका कुछ और भी उपयोग हो सकेगा।

अपनी किताब की एक प्रति भिजवाइये। ऑफिस रिकॉर्ड के लिए।

कृपया गोरखपुर के दीगर दोस्तों से रचनाएँ भिजवाइये।

आपका

शलभ श्रीराम सिंह

(4)

8-7-1995

माननीय भाई

कृपा कार्ड मिला। आपकी पुस्तक मुझे चाहिए। न हो तो अपनी ही प्रति भेज दें। मैं अपना काम करने के बाद उसे लौटा दूँगा।

प्रिय श्री कुन्दन माली के साथ पिछले दिनों हुई एक लम्बी साक्षात्कार वार्ता के अन्तर्गत मैंने आपके रचनाकार्य पर संक्षेप में कुछ कहा है। वार्ता अक्षरा में आ रही है।

कविता पर कोई आलेख तैयार हो तो भेजें नहीं तो तैयार कर लें। कुछ कविताएँ पाँच-सात भिजवाएँ। कवितांक में उपयोग करना चाहता हूँ। आगे आगे केवल प्रतीक्षा.....

भोजपुरी पर केन्द्रित दस्तावेज का अंक मंगवाया है।

आपका

शलभ श्रीराम सिंह

शानी

(1)

एफ. 3/3 प्रोफेसर कॉलोनी
भोपाल-462002

11-11-1976

प्रिय बन्धु तिवारी जी,

आपका 8 नवम्बर का पत्र मिला धन्यवाद। आपने मेरे कहानी संग्रह की जो समीक्षा की है उसके लिए आभारी हूँ। असल में मेरे पास आपका पता नहीं था वरना मैं स्वयं धन्यवाद का पत्र लिखता। बहरहाल अब सही। अलग डाक से ''साक्षात्कार'' का अंक रवाना कर रहा हूँ। कृपया अपनी राय से अवगत कराएँ।

मजे में होंगे।

आपका
शानी

(2)

साहित्य अकादमी, नयी दिल्ली
06-9-1982

प्रिय भाई,

आपका 27 अगस्त का पत्र मिला, धन्यवाद। यह बात सही है कि मुझे आपका उस लेख को परमानन्द जी से झटक लेना बुरा लगा। मैंने उनसे वचन लिया था और मुझे आश्वस्त कर गये थे कि मुझे लेख जल्दी ही मिल जायेगा और उसी के अनुसार मैंने अपना कार्यक्रम बना रखा था। यहाँ से जाने के बाद श्री परमानन्द श्रीवास्तव का यह व्यवहार मुझे उचित और न्यायसंगत नहीं लगा।

आपसे नाराज़गी इसलिए थी कि आपने जानते-बूझते हुए भी इसका कारण बनना स्वीकार किया। जहाँ तक अब उस पुस्तक पर किसी और लेख के जाने का सवाल है, आपकी रचना का स्वागत है। आप मुझे जरूर भेजें। उसे 'समकालीन भारतीय साहित्य' में प्रकाशित करके मुझे प्रसन्नत होगी।

आशा है आप मजे में होंगे।

आपका
शानी

(3)

14-09-1984

प्रिय भाई,

चौधरी साहब के नाम सम्बोधित आपका 2 सितम्बर 1984 का पत्र मिला। यह जानकर प्रसन्नता हुई कि आप 21 सितम्बर को दिल्ली आ रहे हैं और 27-28 सितम्बर को यहाँ होंगे। मेरी चौधरी साहब से इस सिलसिले में बात हो गयी है और उसी के अनुसार 28 की शाम को 6-30 बजे साहित्यिक मंच के अन्तर्गत आपका काव्य पाठ का कार्यक्रम रखा जा रहा है। यह पत्र केवल आपको सूचित करने के लिए ही है ताकि आप अपने कार्यक्रम में फेरबदल करने के पहले ध्यान रखें। जब आप आएँगे तब आपसे मुलाकात तो होगी ही।

आशा है आप सानन्द हैं।

आपका
शानी

(4)

29-8-85

प्रिय तिवारी जी,

आपका 6 अगस्त का पत्र मिला, बहुत-बहुत धन्यवाद। आपकी कविताओं का संकलन मुझे मिल गया है। यह आपने अच्छा किया कि परमानन्द जी को आपने अपने संकलन की एक प्रति दे दी है। मैं उन्हें आज ही एक औपचारिक पत्र लिख रहा हूँ कि वे उसकी समीक्षा लिखकर जितनी जल्दी हो सके मुझे भेज दें।

मैं एक सप्ताह के लिए भोपाल चला गया था इसलिए आपके पत्र के उत्तर में देर हो गयी।

आशा है आप सपरिवार मजे से होंगे।

आपका
शानी

शिवमंगल सिंह सुमन

(1)

कैम्प—हिन्दी विभाग
सरदार पटेल विश्वविद्यालय
बल्लभ विद्यानगर
गुजरात

9-7-79

प्रिय भाई विश्वनाथ जी,

आपका 2/6 का कृपापत्र यथासमय मिल गया था। दस्तावेज का द्विवेदी स्मृति अंक 'स्वयं' में ही

एक दस्तावेज होगा। इसका मुझे पूरा विश्वास है। अन्य अंक भी नियमित रूप से मिलते रहे हैं। आपके लिए भी कुछ न कुछ सामग्री अवश्य भेजूँगा। पर पहले नामवर का तक़ाजा निबटा लूँ। 13 जुलाई को साहित्य अकादेमी की बैठक के सिलसिले में दिल्ली जा रहा हूँ। 16-17 तक लौट आऊँगा। तब आपके आदेश का संभार उठाऊँगा। मेरे पास की सामग्री काफी बिखरी पड़ी है अभी उसे समेटने में लगा हूँ। आप इस सम्बन्ध में शिवकुमार को कोचते रहें। वे आपकी सूई मेरी ओर घुमा देंगे। वर्षों से प्रकाशन की जड़ता ने गरियार बैल बना दिया है। अब कुछ-कुछ लीक पकड़ने लगा हूँ। आप सबकी औगी मैं बल होगा तो फिर रफ्तार पकड़ लूँगा।

आशा है स्वस्थ और सानन्द होंगे। भगवती प्रसाद, तिवारी जी तथा अन्य सब सुहृदयों से मेरा स्नेहाभिवादन कहें।

सस्नेह।

आपका
शिवमंगल सिंह सुमन

(2)

30-8-79

प्रिय विश्वनाथ जी,

आपका 23/8 का पत्र परसों ही मिला और मैंने लेख भी किसी प्रकार घसीट डाला। यहाँ हिन्दी टाइपिंग की सुविधा नहीं है। शिवकुमार तो अपना लेख स्वयं टाइप कर लेते हैं। मैंने व्यर्थ ही उन पर भार डालना ठीक नहीं समझा। अतएव हस्तलिखित ही भेज रहा हूँ। इस लालच से कि एक प्रति टंकित करके मुझे भी भिजवा देंगे। मेरे पास दूसरी प्रति नहीं है। आशा है मेरी घसीट पढ़ लेंगे।

मेरे पास जो पत्र हैं, उनमेंसे कुछ विशेष व्यक्तिगत और कुछ विशेष सन्दर्भ की अपेक्षा रखते हैं। आपके स्नेहादेश का सम्मान रखने के लिए तीन पत्रों की सही प्रतिलिपि नमूने के तौर पर भेज रहा हूँ। चाहें तो उपयोग कर सकते हैं। पाप पुण्य आपके सिर पर। यों अब दस्तावेज में लिखने का श्रीगणेश किया है तो शेष सामग्री भी समय पर आपको मिलती ही रहेगी। साहित्य के इतिहास में इसका नाम सार्थक हो यह मेरी हार्दिक कामना है।

परमानन्द जी तो यहाँ छा गये। अभी भी प्रतिध्वनि शेष है। मुझे प्रसन्नता हुई। शिवकुमार बड़ी निष्ठा से कार्य कर रहे हैं। आप सबको उनके अनुष्ठानों में हाथ बँटाना चाहिए। हम लोगों को साल में एकाध बार अवश्य मिलना चाहिए। अभी पिछली 19 अगस्त को द्विवेदी जी के जन्मदिवस पर नामवर ने सप्रू हाउस में श्रद्धांजलि के रूप में विचार गोष्ठी आयोजित की थी। संयोग से मैं भी पहुँच गया था। निर्मल वर्मा, सर्वेश्वर और मैनेजर पाण्डे ने लिखित निबन्ध पढ़े थे। विद्यानिवास, केदारनाथ, त्रिलोचन, और मुझे बोलने का भी सुयोग मिला था। अध्यक्षता उमाशंकर जोशी ने की थी। उनका भी वक्तव्य अच्छा रहा, सब टेप कर लिया गया है। शायद आलोचना के विशेषांक में प्रयोग करेंगे। आयोजन की संयोजिका तो सरला जी थीं।

परमानन्द जो पंडित जी के चार सवैये ले गये हैं, उनमें से दो तो मैंने आलोचना वाले लेख में उद्धृत किये हैं। पर पूरे नहीं छपे हैं। इसलिए आप छाप सकते हैं। है तो यह उनकी आशुकविता पर उसका ऐतिहासिक महत्त्व है। मुक्त छन्द वाली कविता भी आलोचना वाले लेख में मैंने उद्धृत कर दी है। अतएव जैसा ठीक समझें करें। उस लेख वह बाणभट्ट की आत्मकथा की भेंट के रूप में उनका मेरे प्रति व्यक्तिगत सौमनस्य उमड़ पड़ा है।

निबन्ध की अन्य प्रति न होने से रजिस्ट्री द्वारा भेज रहा हूँ।

सस्नेह।

तुम्हारा
शिवमंगल सिंह सुमन

पुनश्चः दूसरी खेप में लम्बे पत्र भेजूँगा। आप घोषणा कर सकते हैं। पत्रों में सिरे नामा, कामा, पूर्णविराम सब ज्यों के त्यों हैं, केवल दो पत्रों के नीचे 'पृष्ठ के पीछे देखिए' मेरी ओर से अंकित है, अतएव उसे उड़ा दीजिये। क्रम संख्या 1, 2, 3, भी मैंने ही आपके सुभीते के लिए लिख दी है, उसका कोई महत्त्व नहीं।

(3)

विक्रम यूनिवर्सिटी
उज्जैन

9-9-79

प्रिय तिवारी जी,

आपके आदेशानुसार आतुरता में एक लेख और तीन पत्रों की प्रतियाँ आपके पास प्रेषित की थीं; आशा है मिल गयी होंगी। कल लखनऊ जा रहा हूँ, साहित्य अकादेमी की हिन्दी परामर्श मण्डल की बैठक सितम्बर 12 क़ो वहीं बुलायी है। नामवर वहीं मिलेंगे। उनसे बात भी कर लूँगा। मैं समझता हूँ जिस पत्र में उल्लेख है उसे Release करना अनुचित नहीं होगा। वह उनके (पंडित जी के) उदारमना व्यक्तित्व का प्रतीक है। नामवर को तो कोई आपत्ति न होनी चाहिए।

जल्दी-जल्दी में मैंने निबन्ध का पिटा पिटाया शीर्षक तुम्हीं सो गये दास्तां कहते-कहते' लिख दिया। आप उसे अपनी इच्छानुसार बदल सकते हैं। चाहें तो उसे 'युग सांस्कृतिक आख्यानक का आख्यान' कर दें। आपके विवेक पर मुझे पूरा भरोसा है। पत्रोत्तर वल्लभ विद्या नगर के पते पर ही दें।

सस्नेह।

आपका

शिवमंगल सिंह सुमन

(4)

हिन्दी विभाग
सरदार पटेल यूनिवर्सिटी
वल्लभ विद्यानगर
गुजरात

20-9-79

प्रिय भाई तिवारी जी,

आपका 10/9 का पत्र प्राप्त कर प्रसन्नता हुई। इस बीच मेरा दूसरा पत्र भी मिल गया होगा। नामवर 12 सितम्बर को हिन्दी परामर्शमंडल (साहित्य अकादेमी) की बैठक में, लखनऊ में मिले थे। साथ-साथ दिल्ली तक गये थे। मेरी फाइल में से हज़ारी प्रसाद जी के 5 पत्र निकाल ले गये, उनमें से दो काफी बड़े थे। स्वयं के उल्लेखवाला पत्र देखकर तो पुलकित हो उठे, जब मैंने बतलाया कि दस्तावेज में शायद प्रकाशित हो तो बड़े प्रसन्न हुए। क्योंकि आलोचना के सम्पादक के नाते उसमें स्वयं के प्रति किसी प्रकार से प्रशंसा के प्रकाशन में संकोच स्वाभाविक ही है। खैर, सन्तोष है कि वह भी अनुमति मिल गयी और वह भी आह्लाद से। उसमें पंडित जी के उदारमना व्यक्तित्व का सर्वाधिक महत्त्व है, जिससे आजकल के संकीर्णमना पंडितों को सबक मिल जाता है।

''नामवर वामपंथी विचारधारा के हैं पर विद्या की दुनिया में विचारों की विविधता और नवीनता स्वागत योग्य समझी जानी चाहिए।''

आशा है अपनी टिप्पणी में आपने इस वाक्य का समुचित उपयोग कर लिया होगा। मानक विशेषांक के रूप में तो इस पावन-यज्ञ में आपने बाज़ी मार ही ली।

बधाई।

आपका
शिवमंगल सिंह सुमन

(5)

हिन्दी भवन
महात्मा गाँधी मार्ग
लखनऊ-226001

5-2-1982

प्रिय तिवारी जी,

आपका 23-1-82 का कृपापत्र प्राप्त कर बड़ी प्रसन्नता हुई। आत्मीयता के प्रति आभारी हूँ। संस्थान में आ तो गया हूँ देखूँ कुछ सेवा के योग्य बन पाऊँगा या नहीं। इस बीच राजकमल प्रकाशन से 'समकालीन हिन्दी कविता' वाली पुस्तक प्राप्त हो गयी। उसमें आपके सौहार्द से अभिषिंचित हुआ। कोरा धन्यवाद देकर स्नेह का मूल्य कम नहीं करना चाहता। 'दस्तावेज' वहाँ तो आता रहा है, अब उसे यहाँ के पते पर निर्देशित कर सकते हैं। 'कविता विशेषांक' के लिए तो आपने मुझसे कविताएँ माँगी

नहीं, अतएव विशेषांक पर ही सम्मति दे पाऊँगा। निकट भविष्य में इधर आएँ तो मिलें अवश्य।

सस्नेह

आपका,

शिवमंगल सिंह 'सुमन'

(6)

17-5-82

प्रिय विश्वनाथ जी,

दस्तावेज का अंक कार्यालय में मिल गया था। आज उसके पन्ने पलटे तो सुख मिला। तुम्हारी अप्रतिहत आराधना का लोहा मानता हूँ। अभी आठवें दशक का कविता विशेषांक हाथ में आते देर नहीं कि आपने आठवें दशक की आलोचना विशेषांक की भी घोषणा कर दी। अभी तो यहाँ सब बिका हुआ है। फिर भी मैंने दोनों अंकों के विज्ञापन की स्वीकृति दे दी। यह आप पर है कि आप पिछले आवरण पृष्ठ वाले अथवा दूसरे या तीसरे आवरण पृष्ठ का। मैं तो इस प्रयत्न में हूँ कि संस्थान का अनुदान इतना तो बढ़वा ही लूँ कि आप लोगों के कुछ काम आ सकूँ। महादेवी को भारत-भारती पुरस्कार से आपको कुछ तो प्रसन्नता हुई ही होगी। मेरी handi cap यही हैकि यहाँ के सचिवालय में अशोक वाजपेयी जैसा कोई व्यक्ति नहीं जिससे मैं अपना सम्बन्ध-सूत्र जोड़ सकूँ। इतना ही सन्तोष है कि मुख्यमन्त्री सहृदय भी हैं और सर्जक भी।

इस अंक के लिए साधुवाद स्वीकार करें।

सस्नेह।

आपका

शिवमंगल सिंह 'सुमन'

(7)

कालिदास अकादेमी
विश्वविद्यालय मार्ग
उज्जैन-456010

6-5-97

प्रिय श्री तिवारी जी,

मैंने 2-4-97 को मैनपुरी में निराला जी के कविता पाठ के सम्बन्ध में आपको एक संस्मरण भेजा था। उसके पृष्ठ पाँच पर मैंने अन्दाज़ से सन् 1954 नवम्बर मास लिख दिया था पर इस सन्दर्भ में कुछ और सामग्री देखी तो बजाय 54 के सन् 53 की बात निकली। मैनपुरी में ब्रजभाषा साहित्य सम्मेलन के इस अधिवेशन के अध्यक्ष मैनपुरी के राजा श्री गोविन्द राय सिंह थे। राजा साहब ने काशी हिन्दु विश्वविद्यालय से संस्कृत में एम.ए. किया था। अधिवेशन का उद्घाटन उत्तर प्रदेश के तत्कालीन राज्यपाल श्री के.एम. मुंशी ने किया था, उसमें निरालाजी, महादेवीजी, गोपाल सिंह नेपाली, सुमित्रा कुमारी

सिन्हा, रमाकान्त अवस्थी, वीरेन्द्र मिश्र और बलबीर सिंह रंग आदि कवियों ने भाग लिया था। ये सब विवरणार्थ आप उसमें सम्मिलित कर लें। अभी ठीक-ठीक तिथि की खोज में हूँ। मैं चाहता हूँ कि किसी भी संस्मरण में किसी प्रकार की ऐतिहासिक भूल न हो जाये। अन्यथा उसकी मौलिकता में सन्देह उत्पन्न हो सकता है। मैं चाहता हूँ कि मुझसे सम्बन्धित संस्मरणों को आप विशेष ध्यान देकर ही प्रकाशित करें क्योंकि यह मेरी प्रतिष्ठा का भी प्रश्न है। इसी संस्मरण के पृष्ठ-2 पर निराला जी की जो रचना उद्‌धृत की गयी है उसे भी शुद्ध कर लें, जो इस प्रकार है—

"दिवसावसान का समय मेघमय आसमान से
उतर रही सन्ध्या सुन्दरी परी सी धीरे-धीरे धीरे।"

मेरे निजी सहायक की असावधानी से उसमें उतर रही के बाद "है" और "वह" मुद्रित हो गया है। यद्यपि बाद में परिमल में यह पाठ भी मिल गया है।

गोस्वामी तुलसीदास वाला लेख भी मैं थोड़ा समय लेकर अलग से भेजूँगा क्योंकि एक ही विशेषांक में दो युगान्तरकारी कवियों के साथ न्याय कर सकना मेरी दृष्टि में सम्भव नहीं हो सकता। स्वर्ण जयन्ती पर लिखित कविता भी इसीलिए मैंने भेज दी है। मेरे दोनों संस्मरणों में उसी में से कुछ पंक्तियाँ उद्‌धृत हो गयी हैं। मेरी दृष्टि में इस रचना का ऐतिहासिक महत्व भी है इसके तीन भाग हैं, पहला "हे चिर विदग्ध" दूसरा "आर्यों के पौरुष मूर्तिमान" तीसरा "हे नूतन छवि के कलाकार"। स्वर्ण जयन्ती के अवसर तक निरालाजी के चार कविता संग्रह ही प्रकाशित हो पाये थे—पहला "परिमल" दूसरी "अनामिका" तीसरी "गीतिका" और चौथी "तुलसीदास"। इसीलिए ये रचना इन्हीं पुस्तकों तक सीमित है। कोई जरूरी नहीं कि इसे आप दस्तावेज में प्रकाशित ही करें क्योंकि एक ही लेख की इतनी सामग्री का प्रकाशन अनुपात विहीन भी माना जा सकता है। इसे अपने पास रख सकते हैं जिससे भविष्य में किसी सन्दर्भ में इसका उपयोग कर सकें।

आशा है स्वस्थ एवं सानन्द होंगे।

सस्नेह एवं साभार—

आपका

शिवमंगल सिंह सुमन

शिवप्रसाद सिंह

(1)

13, गुरुधाम कॉलोनी
वाराणसी—210101

25-11-1988

प्रिय भाई विश्वनाथ जी,

यह पत्र एक ख़ास उद्देश्य से लिख रहा हूँ। मुझे दो-तीन हफ्ते पहले डॉ. नीरन का पत्र मिला था। उन्होंने लिखा था कि वे मुझसे कोई लम्बा इंटरव्यू लेने वाले हैं। उन्होंने तारीखें भी माँगी थीं। पर या तो उन्हें पत्र मिला नहीं, अथवा किसी अन्य कार्य में उलझ गये हैं। कृपया उनसे कहिये कि अब इंटरव्यू 18 दिसम्बर के बाद ही सम्भव है। अपने पत्र में नीरन ने लिखा था कि आप कोई ऐसे अंक का प्रकाशन करना चाहते हैं जिसमें मेरे बारे में कुछ विस्तृत चर्चाएँ, निबन्धादि छापेंगे।

मैं बहुत जल्दी में था। चाहता था दोनों तिवारी डाक्टरों से अपने रोगों का निदान कराने हेतु बेतियाहाते में घूमूँ। पर यह मुराद पूरी नहीं हुई। आपको याद होगा कि गोरखपुर की पहली यात्रा में प्रसिद्ध होम्योपैथ बंगाली मोशाय से मिलने गया था। अब वह रोग तो नहीं है, पर दूसरा है और उसका निदान आप लोगों के साथ मिल-बैठकर करना चाहता हूँ। आपके कुलपति और उनके द्वारा आमन्त्रित एक्सपर्ट न.-1 दोनों ही अद्भुत थे। डीटेल वार्ता कभी मिलने पर ही होगी। डॉ. रामचन्द्र तिवारी जी को मेरा नमस्कार कहें।

शीघ्र ही मिलने की आशा के साथ।

आपका
शिवप्रसाद सिंह

(2)

6-07-1990

प्रिय भाई विश्वनाथ जी,

इधर आपका कोई सुषुमाचार नहीं मिला। सुसमाचार तो मिलते ही रहते हैं। मैंने इधर आपको एक अच्छे संस्थान में नामित किया है। मेरा ख्याल है कि 2-3 महीने में नये सदस्यों की एक वैचारिक

बैठक होगी। इसमें साम्प्रतिक माहौल में हिन्दी को सक्षम शिक्षा-माध्यम के रूप में विकसित करने की आवश्यकताएँ विषय पर सेमिनार होंगे। वैसे सदस्य तो आप तीन वर्षों के लिए होंगे किन्तु हिन्दी की रोटी खाने वालों को जननीभाषा के प्रति अब अर्ध्यदान भी करना पड़ता है। मैं नहीं जानता कि आपके विभाग की आन्तरिक स्थिति क्या है। जो हो, मुझे परवाह नहीं है। पर अधिक से अधिक लोगों से मध्यप्रदेश, राजस्थान, गुजरात, बिहार और उत्तर प्रदेश के मुख्यमन्त्रियों के (दो नाम छूटे, हरियाणा, हिमाचल) पास अपील भिजवाइये कि ये सरकारें अपना अन्तर्प्रदिशिक कार्य हिन्दी में ही करें। इस तरह के कार्यों की उम्मीद लगाये हम वर्षों से बैठे हैं। जो अब हो सकता है। इसलिए—एक धक्का और दो—नमस्कारान्ते—

शिवप्रसाद सिंह

नेशनल वालों ने आपके पास शैलूष और मंजुशिमा समीक्षार्थ भेजी है—मिलीं?

(3)

17-9-90

प्रिय भाई विश्वनाथ जी,

आपसे बाद में मुलाकात नहीं हो पायी। आपने जिस वस्तु पर ध्यान देने को कहा था, उसमें सन्देह की गुंजाइश नहीं है। यद्यपि अनेक चौधरी उसमें घुसने की होड़ लगाये हैं।

आपके लिए सन्तोषप्रद समाचार यह है कि प्रो. विद्यानिवास जी और कृष्णनाथ जी 'नीला चाँद' पर अपना लेख दे रहे हैं। आश्चर्य यह है कि दोनों ने एक स्वर से कहा कि वे 'दस्तावेज' में लिखेंगे। डॉ. रामचन्द्र जी तिवारी यहाँ आये थे। वे निबन्धों पर लेख देने का वचन दे गये हैं। आपको सिर्फ़ करना यह है कि विद्यानिवास जी और कृष्णनाथ जी को एक-एक स्मारक पत्र डाल दें। वह झूठ का पुंजीभूत अरुणेश नीरन कहाँ छिपा है। ज़रा उसे खड़खड़ाइये। मैंने आपकी बात शीतांशु को बता दी है। वे दो-तीन चीज़ें आपको भेज रहे हैं। रामविलास जी ने कीर्तिलता और अवहट्ठ भाषा पर एक निबन्ध लिखा था। बहुत ही महत्वपूर्ण। वह छपा है; पर यदि आप उसे भी सम्मिलित करना चाहें, तो मैं उनसे अनुमति दिलवा दूँगा।

शेष कभी और। मिश्र जी वाला अंक जो छप रहा था, कब तक आयेगा।

आपका स्नेहाधीन
शिवप्रसाद सिंह

(4)

8-1-1991

प्रिय भाई विश्वनाथ जी,

बधाई सन्देश के लिए आभार। मौखिक मात्र।

'नीला चाँद' पर आप भारत भारद्वाज 172 एस, आरामबाग नयी दिल्ली-110055, से विस्तृत निबन्ध प्राप्त कर सकते हैं। उनके निबन्ध का एक टुकड़ा जनसत्ता ने 7 जनवरी वाले अंक में छापा है। उन्होंने

मुझे पत्र लिखा था कि विस्तृत निबन्ध देना है कौन छापेगा। भारत भारद्वाज रूढ़िबद्ध या बद्ध समीक्षक नहीं हैं। वे दिल्ली के बहुत ही अधिक प्रबुद्ध सहृदय साहित्यकार माने जाते हैं।

पंडित जी (विद्यानिवास जी) का निबन्ध लेने के लिए आपको लिख चुका हूँ। कृष्णनाथ जी भी अब तक तैयार हो चुके होंगे। 'अलग-अलग वैतरणी' पर एक बहुत ही शोधपूर्ण निबन्ध जनवादी कुँवरपाल सिंह ने प्रेमचन्द जैन, 4 महाविद्यालय परिसर, नजीमाबाद को भेजा है, उसकी जिरॉक्स कॉपी वे दे सकते हैं। 'मंजुशिमा' पर शीतांशु का लम्बा निबन्ध तैयार है वे आपके अनुरोध पर तुरन्त भेज देंगे। बाकी तो सभी को आप जानते हैं। डॉ. सूर्यप्रसाद दीक्षित ने नीला चाँद और मंजुशिमा की एकत्र समीक्षा तैयार की है—जो चाहें—आप। अपना सम्पादन श्रम मेरे ऊपर क्यों फेंक रहे हैं।

विद्यानिवास जी वाला अंक बहुत जमा नहीं। वैसे कृतित्व तो मात्र ललित निबन्धों में ही है। अतः उसी पर केन्द्रित कुछ और विचारोत्तेजक आना चाहिए था।

आपका स्वास्थ्य ठीकठाक तो होगा ही, इधर कभी आ रहे हैं?

ताकि आभार—मिष्ठान्न समेतम् कृत संकेतम्—बने—

स्नेहाधीन
शिव प्रसाद सिंह

(5)

4-7-1991

प्रिय भाई विश्वनाथ जी,

दस्तावेज 49-50 में एक अधोषित निमन्त्रण था। आपकी कविता कृति 'आखर अनन्त' के लोकार्पण समारोह पर मैं आपको अनेकानेक स्नेहिल और भावसम्पृक्त बधाइयाँ भेज रहा हूँ। यह जानकर कि आपकी इस नवीनतम कृति पर आयोजित गोष्ठी में उड़िया के ख्यात कवि सीताकान्त महापात्र इसका लोकार्पण करेंगे—बड़ी प्रसन्नता हुई। आपके हर कदम समय के साथ ऐसे ही आगे बढ़ें। कहने की आवश्यकता नहीं कि हिन्दी कवि के लिए एक भारतीय कवि का आसन जितना प्रिय लगेगा उतना ही हमारी दूसरी भाषाओं के कवियों को ऐसा अवसर प्रदान करना भी रुचेगा। इससे एक सेतु बनेगा और दूरियाँ घटेंगी। आपको अनेक बधाइयाँ।

आपका स्नेहाधीन,
शिवप्रसाद सिंह

(6)

23-09-1991

प्रिय भाई विश्वनाथ जी,

आपका कृपा पत्र मिला। आपसे विभिन्न विषयों पर प्राप्त निबन्धों की जानकारी भी हुई। आपके पास दीक्षित जी, सत्यदेव जी तथा कृष्णनाथ जी के निबन्ध हैं तो अच्छा रहेगा कि आप सत्यदेव जी

को ड्राप कर दें। आप यदि दो ही निबन्ध नीलाचाँद पर चाहते हैं तो कृष्णनाथ जी को, चाहे उन्होंने जो भी लिखा हो, प्रमुख वरीयता दीजिये। मुझे बम्बई में सत्यदेव त्रिपाठी ने अपना निबन्ध सुनाया था। उसे वे डॉ. प्रेमचन्द जैन, 4 महाविद्यालय परिसर, नजीबाबाद को भेज चुके हैं और उसी क्रम में इधर की रचनाओं पर उनकी थीसिस का दूसरा खंड ''शि. का परवर्ती कथासाहित्य'' नाम से लोकभारती से आ रहा है। और फिर विद्यानिवास जी और कृष्णनाथ जी के निबन्धों के लिए नीरन, राजेन्द्रजी, तथा मैंने भी कहा था। ऐसी हालत में जबकि वे (कृ.) दिल के दौरे से मुक्त हुए हैं, उनके निबन्ध को ड्राप करने की बात तो मेरे वश की नहीं है। आप जो चाहें।

कुँवरपाल ने अलग-अलग वैतरणी वाला लेख लिखकर प्रेमचन्द जैन को दिया है। अरुणेश नीरन के आग्रह पर प्रेमचन्द जैन वैतरणी वाला (के.पी.एस.) तथा शि. के व्यक्तित्व पर डॉ. कृष्णबिहारी मिश्र वाला निबन्ध (दोनों अप्रकाशित हैं) आपको भेजने वाले थे। शायद भूल गये हों। उन्हें उपर्युक्त नजीबाबाद वाले पते पर कार्ड डाल दें, वे जिराक्स भेज देंगे।

आप अपने मित्र भारत भारद्वाज से 'मंजुशिमा' पर क्यों नहीं माँगते। या फिर आपके प्रभावाधीन डॉ. प्रभाकर श्रोत्रिय शायद सबसे ज्यादा न्यायसंगत लिख पायेंगे। मंजुशिमा को अभी 10 साल बाद समझने वाले मिलेंगे। अतः दो एक जो इयहाल मौजूद हैं उनसे क्यों नहीं कहते। प्रभाकर जी से कहिये वे कई बार पढ़ चुके हैं।

मेरा ख्याल है कि उपर्युक्त (लिखित) (भाषाविदों के लिए प्रयोग ग्राह्य) बातों से आपको दिलजयई हो गयी होगी। डॉ. तिवारी तो मोदी जी के यहाँ से आकाशवाणी कर चुके हैं कि निबन्धों पर उनका लेख तैयार है। जगाइये, आपके वरिष्ठ मित्र रहे हैं।

इधर डॉ. राजेन्द्र प्रसाद पाण्डेय का कहना है कि बिना उनके लेख के 'दस्तावेज' अंक निकाल नहीं सकता। उन्होंने निबन्धों के दोनों भाग मँगाये हैं। आज घर की सफाई चल रही है, तो दबी किताबें नज़र आयीं। आज या कल दोनों संग्रह कमिश्नर के हाथ में होंगे–आप पंक्तिपावन तो हैं नहीं, इसलिए पाण्डेय जी और नीरन से निबटिये। अपुन ने तो सुना और लिख भेजा। आगे आप जाने आपका काम जाने।

भई, आप मुझे एकदम से गावदी क्यों समझते हैं? आपने नई कविता-पुस्तक नहीं भेजी। आजकल आपका कवि वर्चस्व छाया है। दर्शन तो कराइये। मैं सीतानाथ या सतीनाथ–भादुरी और महापात्र–दौनों या एक ही–बन नहीं सकता। इसका अर्थ यह तो नहीं कि असीरगढ़ के साथ तुलनित आपकी कविताएँ मेरा दर्श-सुख भी प्राप्त न करें–शिकवा और गिला नहीं महज सिलसिला है। आपके विभाग के सिरमौर इन दिनों जहाँ जाऊँ, नजर आ ही जाते हैं। वे ठहरे प्रगति साम्राजय के युवराज। राजा तो दोनो थोड़े सकते में हैं। आशा है सकुशल सानन्द हैं–

आपका स्नेहाधीन
शिवप्रसाद सिंह

(7)

18-1-1992

प्रिय भाई विश्वनाथ जी,

पत्र मिला था। अभी जो सामग्री है उसकी सूची देखी। चाहता था कोई व्यक्ति परवर्ती कहानियों

पर तेज ढंग से लिखता। खैर, कभी कोई लिखेगा तब तक जो है वही सच है।

'आखर अनन्त' पर मैं लिखना कुछ कारणों से अनिवार्य समझता हूँ। प्रथमतः तो एक ग्रुप है जो अच्छे संग्रहों को चट-जट करने में लगा रहता है, उनकी तो बात सोचनी भी नहीं चाहिए। मुझे लिखना इसलिए ज़रूरी लगा क्योंकि इस वक्त जो तीन-चार नाम हैं अग्रपंक्ति में उसमें वरीयता का रूप उभर नहीं रहा है। एक कवि कथाकार मित्र इधर आये थे। उनका कमेंट था कि "आप" वा. की नकल करते हैं। मुझे आश्चर्य हुआ कि दोनों सिरों को उन्होंने इतना निकट लाकर कैसे जोड़ दिया जबकि फासला स्पष्ट है। वे काफी दुखी लगे। मेरी समझ में यह बात नहीं आती कि 'ऑल ऑफ सडेन' (All of sudden) यह कैसी वृत्ति आ गयी है कि मार्क्सवादी ढहन को लोग गले में विजय की जयमाल का निमन्त्रण मानकर घूम रहे हैं। दिल्ली, भोपाल, लखनऊ—वगैरह।

स्नेहाधीन

शिव प्रसाद सिंह

(8)

24-11-1992

प्रिय तिवारी जी,

कुछ दिन पहले आपको मैंने फोन किया था। आप नहीं थे। आपके चिरंजीव ने बताया कि कहीं बाहर गये हैं। दस्तावेज 53 की मांग इतनी ज्यादा है कि समझ नहीं पाता कैसे-कैसे सबकी फर्मायश पूरी होगी। आप कम से कम एक प्रति तो डॉ. प्रेमचनद जैन को, 4 महाविद्यालय परिसर, नजीबाबाद 246763 पिनकोड के पते पर भिजवा दें। वह ऐसे भी असन्तुष्ट हैं कि उसकी दो महत्त्वपूर्ण निबन्ध रचनाएँ आपने छाप लीं। कृष्णबिहारी और कुँवर पाल वाली। खैर वह इसका आपके प्रति आदरभाव हैं। आपने जिस कार्य के विषय में सँभालने को कहा था वह तो जनवरी से ही शुरू होगा। बहरहाल तो साहित्य अकादमी के सचिव से नजीबाबाद के साहित्य कुम्भ में मुलाकात हुई थी। वे कार्यालय नहीं जाते। इस बार की स्थिति के बारे में कोई स्पष्ट वार्ता है नहीं। अगले वर्ष ही संघर्ष होगा। मुझे भी अंक-53 की दो प्रतियाँ भिजवाइये।

आप शान्त रहें। अन्य लोग तो व्यवधान डालेंगे ही।

आपका सस्नेहाधीन

शिवप्रसाद सिंह

(9)

26-06-1994

प्रिय भाई,

'श्री शारदासम्मान' से आप परिचित होंगे ही। उ.प्र. में जन्मे लेखक को सर्जनात्मक साहित्य पर दिया जाने वाला यह प्रदेश का सबसे बड़ा सम्मान है। सम्मानित लेखक का चयन एक अखिल भारतीय निर्णायक मण्डल के द्वारा किया जाता है। अब तक इस सम्मान से तीन लेखक—श्री श्रीलाल शुक्ल ('91) डॉ. शिवप्रसाद सिह ('92) श्री मनोहरश्याम जोशी ('93) सम्मानित हो चुके हैं।

सन् '94 के लिए 'श्री शारदा सम्मान' की चयन-प्रक्रिया आरम्भ हो चुकी है। हमें आपको यह सूचित

करते हुए प्रसन्नता हो रही है कि इस वर्ष आप निर्णायक-मण्डल के सदस्य मनोनीत किये गये हैं। पूरा निर्णायक-मण्डल इस प्रकार है—डॉ. शिवप्रसाद सिंह (अध्यक्ष), श्री महनोहरश्याम जोशी, डॉ. चन्द्रकान्त वांडिवडेकर, डॉ. वेदप्रताप वैदिक, डॉ. विश्वनाथ प्रसाद तिवारी (सदस्य) एवं डॉ. अरुणेश नीरन (सचिव)।

निर्णायक-मंडल की बैठक आगामी 18 जुलाई '94 को सांय 3 बजे भोपाल में होने जा रही है। आपसे अनुरोध है कि आप अपने आने की स्वीकृति शीघ्र भेजें जिससे भोपाल में आपके आवास आदि की व्यवस्था की जा सके। आपके आने-जाने की सम्पूर्ण व्यवस्था न्यास की ओर से की जायेगी और द्वितीय वातानुकूलित दर्जे का मार्गव्यय दिया जायेगा।

सम्मानित लेखक के नाम की घोषणा होने तक पूरी चयन-प्रक्रिया और निर्णायक-मंडल के सदस्यों के नाम गोपनीय रखे जाते हैं। निर्णय के बाद पत्रकार-सम्मेलन में चयनित लेखक और निर्णायक-मंडल की घोषणा की जाती है।

मुझे विश्वास है कि लौटती डाक या फोन से आपकी स्वीकृति हमें शीघ्र मिलेगी।

सानन्द होंगे।

कृपया यह भी सूचना दें कि आप किस ट्रेन से भोपाल पहुँचेंगे ताकि स्टेशन पर आपको 'रिसीव' करके आवास-स्थल पर ले जाने की व्यववस्था की जा सके।

आपका

शिवप्रसाद सिंह

(10)

22-7-1994

प्रिय भाई विश्वनाथ जी,

आज हमारे यहाँ हिन्दी संस्थान के कार्याध्यक्ष श्री लक्ष्मीकान्त वर्मा आये थे। बहुत पहले हिन्दी संस्थान बारी-बारी से प्रतिष्ठित लेखकों के अपने शहर में लेखक पाठक आमने-सामने गोष्ठी किया करता था। यह उन लोगों का बहुत महत्त्वपूर्ण कार्यक्रम है। वैसे निबन्ध डॉ. बच्चन सिंह जी तैयार करने वाले थे, पर स्वास्थ्य अनुकूल न होने से मौखिक ही बोलेंगे। संस्थान के लोग चाहते हैं कि ऐसी स्थिति में एक लिखित सम्पूर्ण पर्चा होना चाहिए जिसमें मेरे मुकम्मल साहित्य का उसकी अच्छाइयों, कमियों के साथ विश्लेषण हो। मैंने वैसे भी कहा था कि गोरखपुर या देवरिया से बुलाइये किसी को। क्या आप 30 जुलाई को एक अच्छा सा निबन्ध लेकर आ सकेंगे। आपके पर्चे का जिराक्स निकलवाने की प्रक्रिया वहाँ उपस्थित अधिकारी करेंगे—आइये लेकर।

आपका सस्नेहाधीन

शिवप्रसाद सिंह

(11)

23-05-1996

प्रिय भाई बीसनाथ जी,

रउआ के सात गो कवितवन के आज पढ़ लीं। एकदम सवेरे नहा धोके। साँचों माई ना लउकी? साँचों माई के आग लील गइलीं। आप के कवितवा खड़ी बोली के कवितन से जियादा आत्मीय आ अपन सच्ची सोच समझ क साक्षी वानी स। हमरा के भोजपुरी के एगो गजल आ आप क सातो कवितवा पढ़ि के लागल कि काहें नाहीं लउकत हे माई। हमरा के जनात ह कि माई के देखे वदे भोजपुरिया आँख चइहें—माई जब सब कुछ रहल त अपने मन क परेम, दुलार, कनेठी, डॉट कुल भोजपुरिये में न कहे के व लगवत हुये त ऊ खड़ी बोली में कइसे उ लउकत।

जाये दीं—रोवला से माई लउटिहैं थोरो।

आपन क शुभेच्छु
शिवप्रसाद

शिवकुमार मिश्र

(1)

वल्लभ विद्यासागर
गुजरात—388120

10-08-1979

प्रिय भाई,

एक पत्र दे चुका हूँ। मिला होगा। आचार्य हजारी प्रसाद जी पर अपना लेख तो नहीं, लेखनुमा टिप्पणी भेज रहा हूँ। पहले सोचा था कि कोई संस्मरणात्मक लेख लिखूँ। किन्तु बाद में लगा कि यह बड़े आदमियों का काम हैं 'आलोचना' के लिए आचार्य जी पर एक लम्बा लेख लिखने के बाद तुरन्त नहीं समझा कि कौन सा विषय उठाऊँ। अभी ठहरता तो फिर आगे भेज भी नहीं पाता। अतएव सामयिक सवालों के होते हुए—आचार्य जी को उनके साथ जोड़ते हुए—यह लेख नुमा टिप्पणी लिख डाली। बीच-बीच में कुछ पैना किया है ताकि विरोध भी हो और विचार भी सामने आवें।

यदि टिप्पाी सामयिक, असरदार और फिर भी हल्की न लगे तो इसे छापिये! यदि जमे नहीं तो लिखिए कोशिश करूँगा कि कोई नई चीज तैयार करूँ। शेष शुभ—

आपका
शिवकुमार मिश्र

(2)

12-4-82

प्रिय तिवारी जी,

आपका पत्र मिला। इलाहाबाद का जो पता आपने दिया है, मैं सम्पर्क करने का प्रयास करूँगा।

मुश्किलें तो हैं ही, अपना समाज बहुत रूढ़िग्रस्त है खैर,

दस्तावेज का आलोचना अंक आप बढ़िया से बढ़िया निकालिए! मैं पूरी कोशिश करूँगा कि मई महीने तक आपको एक छोटा सा लेख दे दूँ।

मेरी 'यथार्थवाद' किताब तो पुरानी हो गयी है। आप नई किताबों—प्रेमचन्द विरासत का सवाल तथा दर्शन-साहित्य और समाज पर लिखवाएँ तो ज्यादा अच्छा रहे। मैं आपको किताबें भिजवा दूँगा। मधुरेश से सम्पर्क कर सकते हैं। लिखने के लिए। आप अपना निश्चय बताएँ तो मैं किताबें आपके पास भिजवा दूँ।

मेरा एक सुझाव और है। मैं चाहता हूँ कि मैंनेजर पाण्डे की किताब शब्द और कर्म की समीक्षा मैं लिखूँ। आपकी क्या राय है?

जिस मेरी समीक्षा का जिक्र आपने किया है—वह विश्वम्भर नाथ उपाध्याय की किताब पर है—किताब का नाम है। द्वैन्द्वात्मक भौतिकवाद और भारतीय काव्य शास्त्र।

मेरे पास मेरी समीक्षा की कोई प्रति नहीं है। आप पहल की समीक्षा को संक्षिप्त कर लें। छापना चाहें तो छाप लें।

बाकी सब ठीक है।

आपके यहाँ क्या हुआ? डॉ. सत्यनारायण जी त्रिपाठी का हो गया न? बताएँ!

रामदेव जी अब तो पूना से लौट आये होंगे। उन्हें स्मरण दिलाएँ।

परमानन्द जी को भी स्मरण दिलाएँ।

शेष मित्रों को प्रणाम।

रेलवे वाला समारोह यदि मई में हुआ तब तो जरूर आऊँगा। अप्रैल के अन्त में हो तब भी आ सकता हूँ। आप लोगों से मिलने का ही लोभ है।

प्रो. तिवारी जी से प्रणाम कहें। मैंने जो सुझाव दिया है उस पर अपने विचार लिखें।

घर में सबको यथा योग्य।

छोटे बाबुओं को बहुत-बहुत प्यार।

आपका

शिवकुमार मिश्र

(3)

1986

प्रिय बन्धु,

अपने द्वारा सम्पादित एक पुस्तक माला के सम्बन्ध में आपसे मैंने कविता क्या है विषय पर एक पुस्तक लिखने का अनुरोध किया था। आपको सूचित कर रहा हूँ कि पुस्तक की पाण्डुलिपि भेजने की जो तिथि आपको दी गयी थी वह कब की समाप्त हो गयी है। प्रकाशक के दबाव और सम्पादक की अपनी नैतिकता मुझे आपसे पुनः यह अनुरोध करने को विवश कर रही हैं कि अन्तिम रूप से आप अक्टूबर अन्त तक आपकी पाण्डुलिपि मेरे पास भेज दें।

ऐसा न होने पर प्रकाशक के साथ जो मेरा अनुबन्ध है उसके तहत मुझे ब्याज सहित रायल्टी की अग्रिम राशि के वे 500 रुपये वापस करने होंगे जो आपको दिये जा चुके हैं।

अतएव आपसे पुनः दृढ़ अनुरोध है कि अक्टूबर माह के अन्त तक अपनी पाण्डुलिपि मेरे पास भेज दें ताकि मैं प्रकाशक को दिये गये अपने वचन की रक्षा कर सकूँ।

मेरे इस पत्र को अन्यथा न समझें।

आपका

शिवकुमार मिश्र

(4)

13-02-1987

प्रिय भाई,

2 मार्च से 6 मार्च तथा 9 मार्च से 14 मार्च तथा 16 मार्च से 20 मार्च के बीच आप विभाग में विश्वविद्यालय अनुभाग आयोग के तहत होने वाली व्याख्यान माला में एकमात्र वक्ता के रूप में आमन्त्रित हैं। आप निश्चित तिथियों की सूचना दें। मार्च के पहले हफ्ते में आएँ तो अधिक उत्तम होगा।

आपका स्वीकृति पत्र पाते ही मैं कार्यक्रम विज्ञापित कर दूँगा। इसे official पत्र समझें।

व्याख्यान के प्रस्तावित विषय :

1. 'अँधेरे में' और मुक्तिबोध
2. ''असाध्य वीणा'' और अज्ञेय
3. आधुनिक हिन्दी कविता : विस्तार से

प्रमुख सोपानों का विश्लेषणः

आपको वि.वि. अनुदान आयोग के नियमों के तहत मार्ग व्यय तथा व्याख्यानों पर मानदेय अलग से मिलेगा।

तत्काल पत्र दें।

आपका

शिवकुमार मिश्र

(5)

22-12-1988

प्रिय तिवारी जी,

आपका पत्र मिला था। इधर का कार्यक्रम स्थगित हो गया है, सम्भवतः मार्च में हो। तब आप जरूर आएँ।

आपकी किताब को लेकर बहुत शर्मिनदा हूँ। अपराध-बोध के नाते पत्र नहीं लिखता। किताब छपे हुए महिनों हो गया। अन्य मित्रों ने योजना में साथ नहीं दिया। क्या प्रकाशक था—अड़ गया कि 5 पुस्तकें साथ ही लूँगा। अब जाकर 4-5 पुस्तकें हुई हैं। आपकी पुस्तक लगभग 1 वर्ष से छपी पड़ी है। कवर पेज नहीं बना था।

खूब डाँटकर उसे कहा है कि तत्काल कवर पेज नवाकर 10 प्रतियाँ आपको भेज दें तथा एक महीनें

के भीतर पुस्तक आउट कर दें। अन्यथा मैं तिवारी जी को लिख दूँगा कि वे अन्यत्र से वहीं किताब प्रकाशित करा लें।

उम्मीद है कि आपके पास प्रकाशक की प्रतियाँ पहुँच जाएँगी। भाई, मेरे नाते आपको जो कष्ट हुआ उसका खेद है। अब जो सजा दें स्वीकार है।

पुस्तक बहुत शीघ्र आ जाएगी। 500 प्रतिया ही छापी गयी हैं। ये बिक जाएँ तो आप उसे कहीं अन्यत्र से छपा लें। इतनी प्रतियाँ बिकने में देर नहीं होगी। काफी तो गुजरात में निकल जाएँगी।

छपाइ भी इधर अच्छी नहीं होती। नया प्रकाशक था, उत्साही था—गलत हाथ डाल दिया—किन्तु मेरे मित्रों ने निराश किया। कुल तीन लोगों ने लिखकर दिया—वह भी अन्तराल से।

सारी पाण्डुलिपियाँ मिल जातीं तो दिल्ली से छपवाता। अब जो भी हो पुस्तक आप तक 10 दिन के भीतर पहुँच जायेगी। अगला संस्करण आप अन्यत्र से निकलवाएँ।

शेष शुभ और क्या हो रहा है। मेरे यहाँ कब आएँगे। जब भी इधर आने का मन हो लिखियेगा। पहले भी मेरा ही आग्रह था। घर में बच्चों को आशीष। अरुण शशि मजे में हैं।

आपका

शिवकुमार

(6)

28-7-1992

प्रिय भाई तिवारी जी,

सानन्द होंगे। लम्बे समय से समाचार नहीं मिले गो कि दस्तावेज बराबर मिल रहा है। आप पैसे भी नहीं माँगते और हम इतने मुफ्तखोर हैं कि पत्रिका रख लेते हैं। प्राप्ति-सूचना तक नहीं देते। बहरहाल, मैं अब ग्राहक बनवाना चाहूँगा।

और क्या हाल है। नामवर जी वाले अंक में लेख सामान्य हैं! आपके सम्पादकीय में कुछ बातें खुलासा कही गयी हैं। परन्तु तमाम विवादों-मतभेदों के होते हुए भी नामवर जी में ऐसा भी कुछ है जो उन्हें इतना महत्वपूर्ण और मान्य बनाए हुए हैं। उसे भी वैसा ही रेखांकित किया होता तो आपका सम्पादकीय और पुष्ट होता। फिर भी, आपने जो लिखा है पूर्व ग्रह मुक्त है। उसी में शायद अरुणेश की चिट्ठी पसन्द आयी—रांड-लेखक, सांड लेखक वाली, नीरन को मेरी बधाई पहुँचा दें।

शिवप्रसाद जी वाला अंक पढ़ रहा हूँ। लेख समीक्षाओं का स्तर कुछ उठाइये। पुरा कलाओं का ािलसिला ठीक चल रहा है। पटरी पर रखे लिखने वालों को। नया कहते न बैठ जायँ।

कविताएँ भले ही कम छापें अचछी छापें। आपकी निष्ठा धुन तथा साहित्य रसिकता के चलते ही दस्तावेज निकलता चला जा रहा है। बड़ा जीवट है आपमें।

मैं पिछले साल भी से अव्यवस्थित रहा हूँ। पहले स्वास्थ्य को लेकर फिर विस्थापन के नाते। अब नीड़ का निर्माण कर रहा हूँ। स्वास्थ्य ठीक है। 1-2 महीने में एकदम नॉर्मल हो जाऊँगा। तब कुछ आपके लिए लिखूँगा। अवकाश प्राप्त होने में भी समय है। अब छुट्टी ही छुट्टी है। बस Normal होकर मैं भी लिखना पढ़ना शुरू कर दूँ। तभी छुट्टी की सार्थकता है।

बालगोपालों को आशीष! बड़े सुन्दर नाम हैं।

भूल गया हूँ। भाई रामचन्द्र तिवारी जी मिलें तो प्रणाम निवेदित करें।

शेष शुभ।

आपका

शिवकुमार मिश्र

(7)

16-06-1997

प्रिय विश्वनाथ जी,

आशा है सानन्द होंगे। 'दस्तावेज' का नया अंक मिला। मैं पिछले तीन महीने से स्वस्थ नहीं हूँ। बहुत ज्यादा High B.P है—घुटनों में अर्थ-राइट्स का कष्ट है! अब कुछ ठीक हूँ। तीन महीने प्रायः बिस्तर पर आराम ही हुआ।

आपको बता रहा हूँ कि मैं जुलाई के पहले हफ्ते में लखनऊ आ रहा हूँ। 3 साल से माँ मेरे साथ थीं। 92-93 की उम्र है। उनकी इच्छा उधर जाने की हुयी। लखनऊ में भाई हैं—उन्हीं के पास माँ को ला रहा हूँ। मैं भी रुकूँगा। माँ की देखरेख में भाई की मदद करूँगा।

मेरे मन में अब यह बात दृढ़ हो गयी है कि मुझे गुजरात छोड़ देना चाहिए। यहाँ कुछ ऐसे अनुभव हुए विभाग के तथा वि.वि. के कि मेरा मूल्यों से विश्वास ही डगमगा उठा। क्या करना है पराई धरती में रहकर। मेरी दो बेटियाँ यहाँ हैं—एक मेरे पास विद्यानगर में ही, दूसरी बड़ौदा में। यहाँ का मकान उन दोनों को सँभलवाकर मैं उधर ही डेरा बनाना चाहता हूँ। पत्नी अभी यहाँ रहेंगी। उनको गुजरात से कुछ मोह है, किन्तु कुछ समय पश्चात मकान को बेटियों के सुपुर्द कर वे भी आ जाएँगी।

अब समस्या है लखनऊ में बसने की। मेरी लखनऊ में जमीन है। लगभग सारा झगड़ा मिट चुका है। कुछ खुच्चड़ बाकी है। जाऊँगा तो उसे हल करूँगा। उसी जमीन में एक कमरा-बाथरूम, किचन बनवाना है। पैसे की कुछ दिक्कत पड़ेगी, परन्तु कुछ व्यवस्था करूँगा। और कम से कम एक कमरा तो बनवा ही लूँगा। हम दो के हित वह पर्याप्त होगा। आगे-पीछे एक कमरा और दोस्त-मित्रों-मेहमानों के लिए बनवाने का प्रयास करूँगा।

आप लखनऊ में जमने में मेरी मदद करें। आप प्रभावशाली हैं। मुझसे आत्मीयता रखते हैं। आपका बल मेरा बहुत बड़ा बल होगा। मैं गुजरात को पूरी तरह भूलकर अपने को अपनी धरती को देना चाह रहा हूँ। आपका सहयोग चाहिए। अपने प्रभाव से आप मुझे स्थापित होने में बहुत मदद कर सकते हैं। जब आ जाऊँगा तो आप लोगों से जुड़कर नया जीवन पाऊँगा। अभी इतना ही।

बैठे-बैठे एक टिप्पणी लिखी सोचा आपके पास आपकी प्रतिक्रिया जानने को भेजूँ छपने के लिए नहीं भेज रहा हूँ। केवल आपकी राय जाननी है। छपने का निर्णय बाद को।

और सब लोग कैसे हैं? मित्रों को प्रणाम। मेरे दोनों बेटे खूब आगे बढ़ें। दोनों कीर्तियों को मेरा आशीष। श्रीमती त्रिपाठी को हम दोनों के प्रणाम। रामचन्द्र तिवारी जी को सादर नमन! रामदेव जी को प्रणाम।

शेष शुभ।

आपका

शिवकुमार मिश्र

(8)

25-4-2003

प्रिय तिवारी जी,

अभी-अभी 'दस्तावेज' का नया अंक मिला।

'पुश्किन पुरस्कार' के लिए बधाई। बहुत-बहुत बधाइयाँ। बहुत जरूरी था। और बहुत सुपात्र को मिला। अनिल जनविजय से मेरी पुरानी पहचान है। उसके घर ठहर चुका हूँ। जब जाने लगियेगा उसके पहले सूचित कीजियेगा। उसके नाम एक चिट्ठी दूँगा। 3-4 चिट्ठियाँ उसे डाली थीं। मास्को से वापस आने के बाद। सब अनुत्तरित। पता नहीं मिली की नहीं। आपको चिट्ठी दूँगा। ध्यान रखियेगा। अब तो उसकी बिटिया बड़ी हो गयी होगी, मेरे सामने गुड़िया थी। बहुत निश्छल व्यक्ति है। अनिल, प्रबुद्ध और अच्छे रचनाकार। आपको मजा आयेगा। आपकी यायावरी में एक नयी कड़ी। आप यशस्वी हों। मेरा सुख इसी में है। आपके सम्पादकीय परप्रतिक्रियाएँ पढ़कर मन प्रसन्न हुआ। सत्य को यही मान्यता मिलनी चाहिए।

राजेन्द्र यादव पर भी आपने बेवाक लिखा है। बहुत से लोगों ने मुझसे चर्चा की है। छद्म कहीं हो, किसी का हो उसका भंडाफोड़ होना चाहिए।

शेष फिर। बेटों को आशीष।

प्रणाम। बधाइयाँ।

आपका

शिवकुमार मिश्र

श्रवण कुमार गोस्वामी

(1)

आश्रय
नयी नगड़ा टोली,चौथी गली (पूरब)
रांची-834 001

8-7-1991

आदरणीय डॉक्टर साहब,

सादर प्रणाम।

आपका कार्ड मिला। धन्यवाद।

यह जानकर हार्दिक प्रसन्नता हुई कि छह जुलाई को आपके नवीनतम काव्य-संकलन ''आखर अनन्त'' का लोकार्पण उडिया के प्रख्यात कवि श्री सीता कान्त महापात्र के कर-कमलों के द्वारा सम्पन्न हुआ। इसी अवसर पर ''दस्तावेज'' के पचासवें अंक का विमोचन भी किया गया। इसे मैं एक ऐतिहासिक घटना मानता हूँ। साधन-सम्पन्न ''आलोचना'' भी बन्द हो गयी, इस ताजे जख़्म को हम भूल भी नहीं सके हैं, ऐसे अवसर पर ''दस्तावेज'' के पचासवें अंक का लोकार्पण निश्चय ही पर्याप्त आश्वस्तकारी है। इसे आप अन्यथा नहीं मानें तो मैं यह कहने की छूट चाहता हूँ कि ''दस्तावेज'' को जीवित रखना केवल आप जैसे व्यक्ति के लिए ही सम्भव है। इसके लिए न तो मैं आपको बधाई देना चाहूँगा और न किसी भारी-भरकम शब्द का प्रयोग ही करना चाहूँगा। सच तो यह है कि ''दस्तावेज'' ने आपको ही हिन्दी की साहित्यिक पत्रकारिता का एक अनूठा दस्तावेज बना दिया है।

एक अतिरिक्त अनुरोध। पिछले कुछ समय से हमारे विभाग में भी ''दस्तावेज'' के अंक नहीं आ रहे हैं। कृपया सूचित करें कि अब वार्षिक शुल्क क्या है ताकि मैं भिजवा सकूँ।

आशा है, आप सपरिवार स्वस्थ सानन्द हैं। उत्तर की प्रतीक्षा में ।

विनीत
श्रवण कुमार गोस्वामी

(2)

2-8-1991

आदरणीय डाक्टर साहब,

सादर प्रणाम।

इस बीच मेरा एक पत्र आपको मिला होगा। दस्तावेज का 49/50 वां अंक मिला। धन्यवाद।

साहित्यिक अकादेमी द्वारा प्रकाशित आपकी पुस्तक ''हजारी प्रसाद द्विवेदी'' जी को इधर पढ़ने का सुयोग मिला। लगभग एक ही साँस में मैं पुस्तक पढ़ गया। पंडितजी के व्यक्तित्व तथा उनके लेखन को समझने में यह कृति मुझे बहुत सहायक लगीं यदि अनुमति दें तो मैं आपसे एक निवेदन करूँ। क्या यह सम्भव नहीं कि आचार्य द्विवेदी पर आप एक ग्रन्थ लिखें ऐसा अनुरोध करने के पीछे कारण यह है कि आप पंडित जी के व्यक्तित्व एवं साहित्य से ''अभिभूत'' नहीं हैं, फलतः मेरे जानते आप जैसा निस्संग व्यक्ति ही उनके साथ न्याय कर सकता है। चूँकि इसकी झलक मुझे इस पतली-सी पुस्तिका में दिखी है, इसी कारण मेरे मन ने मुझे यह प्रेरित किया कि मैं इस प्रकार का अनुरोध आपसे करूँ।

एक प्रार्थना। क्या दस्तावेज का हजारीप्रसाद द्विवेदी स्मृति अंक की प्रतियाँ उपलब्ध हैं? यदि हाँ तो उसकी एक प्रति मेरे नाम वी.पी. से भिजवाने की कृपा करें।

आशा है, आप सपरिवार स्वस्थ-सानन्द होंगे।

उत्तर की प्रतीक्षा में—

विनीत

श्रवण कुमार गोस्वामी

(3)

15-1-2001

आदरणीय डाक्टर साहब,

सादर प्रणाम।

पिछले वर्ष मैंने आपसे एक अनुरोध किंया था। उस अनुरोध को मैं पुनः दुहरा रहा हूँ। दैनिक राँची एक्सप्रेस के द्वारा प्रत्येक वर्ष झारखंड के एक साहित्यकार को राधाकृष्ण पुरस्कार दिया जाता है। पुरस्कार के रूप में प्रमाण-पत्र के साथ ग्यारह हजार रुपये की राशि भी दी जाती है। बीसवाँ राधाकृष्ण पुरस्कार श्रीमती कनकलता (धनबाद) को दिया जाना है। समारोह फरवरी में आयोजित करने का विचार है। हमारी कामना है कि इस समारोह में आप मुख्य अतिथि के रूप में भाग लेने की कृपा करें।

सामान्यतः यह समारोह रविवार को ही रखा जाता है। फरवरी में मौसम भी अनुकूल रहेगा। विश्वास है, इस बार आप स्वीकृति अवश्य प्रदान करने की कृपा करेंगे। वहाँ से राँची के लिए सीधी ट्रेन है। आप वातानुकूलित डिब्बे में यात्रा कर सकते हैं। यहाँ आपको कोई असुविधा नहीं होगी।

पत्रोत्तर में अपना टेलीफोन नम्बर अवश्य देने की कृपा करेंगे ताकि आपसे सम्पर्क करने में सुविधा हो।

आशा है, आप सपरिवार स्वस्थ-सानन्द हैं।

विनीत

श्रवण कुमार गोस्वामी

(4)

6-2-2001

आदरणीय डाक्टर साहब,

प्रणाम।

आपके कृपा-पत्र दिनांकित 22-1-2001 के साथ ''दस्तावेज'' के दोनों अंक प्राप्त हुए। इनके लिए मैं आपका आभारी हूँ।

यह जानकर हार्दिक प्रसन्न्ता मिली कि इस बार आप राधाकृष्ण पुरस्कार समारोह में सम्मिलित होने की कृपा करेंगे। इस सम्बन्ध में आपकी सहमति से ही कार्यक्रम निर्धारित किया जायेगा। यह समारोह रविवार को ही आयोजित किया जाता है। इसलिए गोरखपुर से आपका प्रस्थन शुक्रवार को होना चाहिए ताकि आप रात्रि को विश्राम कर सकें। आप चाहेंगे तो आप रविवार को ही लौट सकते हैं या फिर सोमवार को। इस सम्बन्ध में आपसे यथासमय फोन पर सम्पर्क कर लिया जायेगा।

''राधाकृष्ण'' पर केन्द्रित अपनी पुस्तक की एक प्रति मैं बुक पोस्ट से भेज रहा हूँ।

यहाँ के श्रोता इस समारोह में लगभग एक घंटे का भाषण मुख्य अतिथि से सुनने के अभ्यस्त हैं। विषय आप पर निर्भर है। राधाकृष्ण के साहित्यिक अवदान पर तो सुनना चाहेंगे ही। आज पुरस्कारों की विश्वसनीयता जिस तेजी से घटती जा रही है, आप चाहें तो उस मुद्दे को प्रमुखता के साथ उठा सकते हैं।

राधाकृष्ण पुरस्कार का प्रारम्भ 1980 में किया गया था। तब पुरस्कार की राशि रुपये 1101/ थी। इस वर्ष 1999 का पुरस्कार कनकलता (धनबाद) को दिया जाना है। ये कहानियाँ लिखती हैं। इस प्रकार यह पुरसकार पिछले बीस वर्षों से निरन्तर दिया जा रहा है। उल्लेखनीय यह है कि मेरे जानते ऐसा किसी अन्य दैनिक के द्वारा अन्यत्र नहीं किया जा रहा है।

राँची एक्सप्रेस के प्रबन्धन का झुकाव भाजपा तथा संघ की ओर है।

''दस्तावेज'' के लिए मैं अपनी टिप्पणी यथा समय अवश्य भेज दूँगा। दिवंगत साहित्यकारों के कुछ पत्र शायद भेज सकूँ। उनहें खोजना होगा।

पुस्तक की प्राप्ति-सूचना भेजने की कृपा करेंगे।

आशा है, आप सपरिवार स्वस्थ-सानन्द होंगे।

विनीत

श्रवण कुमार गोस्वामी

(5)

21-1-2002

आदरणीय डाक्टर साहब,

नमस्कार।

आपका कार्ड मिला। इसके पहले ''दस्तावेज''-91 भी मिल गया था। जिस दिन अंक मिला मैंने आपका सम्पादकीय उसी दिन पढ़ लिया था। इस सम्बन्ध में मैं स्वयं आपको पत्र देने वाला था, पर

पटना, आरा, मऊ तथा बनारस की यात्रा में निकल जाने के कारण यह काम अटक गया।

आपका सम्पादकीय तथ्यों तथा अकाट्य तर्कों पर आधारित है। इसे जो कोई निष्पक्ष वयक्ति पढ़ेगा, उसके सामने यह स्पष्ट हो जायेगा कि डॉ. नामवर सिंह अब खिसियानी बिल्ली खम्बा नोचने वाली कहावत को ही चरितार्थ कर रहे हैं। बेचारे स्वयं तो कोई ऐसा काम नहीं कर पा रहे हैं, जो उन्हें रामविलास के समकक्ष ला दे। ऐसी हताशा में आदमी सूरज पर थूक कर ही सन्तोष कर लेता है। जब से आलोचना का पुनर्प्रकाशन हुआ है, अब उसका काम कुछ ऐसा ही रह गया है। सन्तोष की बात यह है कि अब डॉ. नामवर सिंह का छद्म उतार पर है।

यह जानकर खुशी हुई कि "दस्तावेज" के अगले अंक में मेरे पत्र तथा "केन्द्र और परिधि" की समीक्षा का प्रकाशन भी हो रहा है। अंक मिलने पर आपको पुनः लिखूँगा। "अटल जी के नाम एक धारावाहिक पत्र" की समीक्षा (डॉ. काली किंकर लिखित) भी आपको मिल ही गयी है। अगले किसी अंक में उसकी भी प्रतीक्षा रहेगी।

आशा है, आप सपरिवार स्वस्थ तथा सानन्द होंगे।

विनीत

श्रवण कुमार गोस्वामी

(6)

7-4-2003

माननीय डाक्टर साहब,

नमस्कार।

"दस्तावेज" 96 की प्रति प्राप्त हो गयी। इसके लिए मैं आपका आभारी हूँ।

अंक 91 के सम्पादकीय पर जैसी व्यापक प्रतिक्रिया की अपेक्षा की थी, प्रतिक्रियाएँ उसके अनुरूप ही आयी हैं। यह अत्यन्त सन्तोष की बात है। ऐसे प्रखर सम्पादकीय के लिए आपकी जितनी भी प्रशंसा की जाये वह कम होगी। छद्म वामपंथियों का गढ़ तेजी से ढहने लगा है। इसके कारण भी उधर काफी खलबली है। साहित्य अकादमी के चुनाव ने उनका पारा काफी नीचे उतार दिया है। डॉ. लोहिया की एक बात मुझे याद आ रही है। वह कहा करते थे कि परिवर्तन होते रहना चाहिए। परिवर्तन यदि अनिष्टकारी है तो भी वह काम्य है। वह स्वयं यह स्वीकार करते थे कि यह नेहरू जायेगा तो इसके स्थान पर जो प्रधानमन्त्री आयेगा वह इससे भी बदतर होगा। इसके बावजूद मैं परिवर्तन का समर्थन करूँगा।

"अटल जी के नाम एक धारावाहिक पत्र" के बारे में डॉ. काली किंकर ने जो समीक्षा भेजी थी, वह उसके बारे में पूछते रहते हैं। कृपया उसे अगले अंक में स्थान देने का अनुग्रह करें। आशा है, आप सपरिवार स्वस्थ-सानन्द हैं।

विनीत

श्रवण कुमार गोस्वामी

(7)

25-8-2006

आदरणीय डाक्टर साहब,

नमस्कार।

''दस्तावेज'' के अंक इधर बराबर मिल रहे हैं। इस कृपा के लिए मैं आपका आभार मानता हूँ।

अंक–111 दो दिन पहले मिला।

''सावियत संघ का पतन और मार्क्सवादी चिन्तन'' अंक मिलते ही मैं पढ़ गया। इस सम्पादकीय के लिए मेरी बधाई स्वीकार करें।

आज की दुनिया में दो ही धर्म और दो ही धर्मग्रन्थ हैं, जिनमें संशोधन की कोई सम्भावना नहीं। एक कुरानशरीफ है और दूसरा मार्क्सवाद या द कैपिटल। इनके विरुद्ध कुछ भी बोलना ईशनिन्दा है।

आपने एक प्रकार से यही अपराध किया है। काश आपके खिलाफ भी कोई फतवा जारी कर देता और आपको देशनिकाला दे दिया गया होता तो आप भी अमर हो जाते।

मार्क्सवाद मेरे जानते आज शायद केवल भारत में ही साँसें ले रहा है। मेरी दृष्टि में मार्क्सवाद के लिए भारत सबसे उर्वर देश प्रमाणित हो सकता था यदि मार्क्सवादियों ने इसे भारत के साथ अनुकूलित करने का प्रयास किया होता। लेकिन उन्होंने रूस को यहाँ रोपना चाहा और यही काम नहीं हो सका।

आप इनसे आत्मालोचन की अपेक्षा करते हैं। अपेक्षा की जानी चाहिए। मगर परिवर्तन की आशा कहाँ की जा सकती। आज देश के कई राज्य नक्सलवाद की चपेट में हैं। हमारे ये बन्धु चुप क्यों हैं जबकि उन्हें पता है कि यह सब कुछ मार्क्स और माओ के नाम पर हो रहा है। जिनकी दृष्टि में देश से भी बड़ा मार्क्स और माओ हैं, मुझे नहीं लगता कि वे आत्मालोचन की आवश्यकता भी समझेंगे।

आशा है, आप सपरिवार स्वस्थ-सानन्द हैं।

आपका

श्रवण कुमार गोस्वामी

श्रवण कुमार

(1)

एच-259, डीडीए फ्लेट्स
नारायन विहार, नई दिल्ली—110028

26-12-1978

प्रिय भाई,

अलग रजिस्टर्ड बुकपोस्ट से आपको दोनों पुस्तकों की एक-एक प्रति भेज रहा हूँ। आशा है आप अगले अंक में इन पर कुछ लिख सकेंगे। आपके अपने अभिमत की मुझे अपेक्षा रहेगी।

क्या इससे पहले आपके हाथ मेरा कोई कहानी-संग्रह लगा? डॉ. परमानन्द श्रीवास्तव अब तक मेरे दो संग्रह—'चौपाये' तथा 'ज़हर' की समीक्षा कर चुके हैं। यदि सम्भव हो तो आप भी इन्हें देख जाएँ, क्योंकि तब आपकी समीक्षा एक दूसरा आयाम ले सकेगी। वैसे यह भी सम्भव है कि जनवरी 1979 में मेरी नवीनतम कहानियों का संग्रह 'दाता का शुक्र है!' आ जाये। इन चार संग्रहों में मेरी कहानी यात्रा काफी हद तक पूरी हो जाती है, हालाँकि 1960-68 के दौरान लिखी कई कहानियाँ फिर भी छूट जाती हैं, क्योंकि वे मेरे पहले संग्रह 'अँधेरे की आँखें' में हैं और वह अब अप्राप्य हो चुका है।

'दस्तावेज' का अंक मुझे देखने को मिल गया था। अंक अपनी विशिष्टता लिए हुए है। पत्रिका का अस्तित्व बना रहा तो काफी कुछ कर गुजरेगी। बस, इसकी दीर्घ आयु की कामना करता हूँ। हिन्दी में सार्थक पत्रिकाएँ हैं ही कितनी? काफी नुकसान हिन्दी का गुटबाजी ने किया है। इसके खिलाफ आवाज़ उठाना बहुत जरूरी हो गया है। मेरा सहयोग चाहें तो मैं भी दूँगा। अपने सम्पादकीय में आपने इस ओर संकेत किया ही है।

राजेन्द्र यादव, लगता है, इधर की हिन्दी कहानी के मूल स्वर से एकदम बेखबर हैं, वरना यह न होता कि वह श्रीकान्त वर्मा, महेन्द्र भल्ला, ममता कालिया इत्यादि की घोर व्यक्तिचारी रचनाओं का जिक्र करके चुप रह जाते, और आज की त्रासद स्थितियों से जूझते सच्चिदानन्द धूमकेतू, जवाहर सिंह, मधुकर सिंह, बदीउज्जमा जैसे अनेक लेखकों को नजर-अन्दाज कर जाते। और यदि उन्हें कलात्मकता अधिक प्रिय है तो निश्चित रूप से आलम शाह खाँ की रचनाएँ इसका उत्कृष्ट उदाहरण हैं। इत्तफाक ऐसा भी है कि राजेन्द्र यादव ने जिन कृतियों को गिनाया है, उनमें से अधिकांश के प्रकाशक वह स्वयं, यानी अक्षर प्रकाशन, ही हैं। अच्छा हो वह अब ऐसी चालाकियों से बाज़ आये और हिन्दी रचनाशीलता को गुमराह करने की कोशिश न करें।

पत्रिका के स्तम्भ सभी सूझ-बूझ के परिचायक हैं।

पुस्तकों की पहुँच की सूचना दें।

सस्नेह
श्रवण कुमार

(2)

05-2-1979

प्रिय भाई,

आपके कृपा-पत्र के लिए आभारी हूँ। यह जानकर खुशी हुई कि आप 'दस्तावेज' में कहानी का प्रकाशन भी शुरू कर रहे हैं। लेकिन विशेष खुशी की बात तो यह है कि आप साहित्यिक रचना को गुटों के जंगल से बाहर लाना चाहते हैं। कुछ गुट ऐसे भी हैं जिनका कोई नाम नहीं है लेकिन सक्रिय वे काफी हैं—जैसे 'दिनमान' गुट, 'पूर्वग्रह' गुट इत्यादि। 'पूर्वाग्रह' गुट के एक हिस्सेदार ने एक दिन बड़े फर्ख से कहा था कि गुट हो तो ऐसा जिसमें देश के बेहतरीन 'ब्रेन्स' शामिल हैं। अब ऐसे स्वयंशंसी तथा कथित साहित्यकारों को क्या कहें? भाई, पंजा लेना है तो जमकर लेना होगा। कहीं जनवाद के नाम पर तरह-तरह के बाबेले खड़े किय जाते हैं और कहीं प्रतिबद्धता को निरर्थक साबित किया जाता है। लगता है रचना की परख के लिए फिर से कोई कसौटी तैयार करनी होगी। बहरहाल, आप चाहेंगे तो इस पर कभी जमकर लिखना चाहूँगा।

एक ताजा कहानी संलग्न है। 'शीराज़ा' (जम्मू-कश्मीर अकादेमी) के कहानी-विशेषांक में छपी थी। पर लगता है 'शीराज़ा' बहुत ही सीमित पाठकों तक पहुँच पाती है। मेरी यह एक महत्त्वपूर्ण कहानी है। इसलिए मैं प्रार्थी हूँ कि इसे, यदि आप ठीक समझें, अपनी सम्पादकीय टिप्पणी के साथ फिर प्रकाशित करें। मेरे लिहाज से इसमें गहरी irony है। यह मेरी नवीनतम रचना भी है। इसके बाद अभी तक कुछ नहीं लिख पाया।

दूसरा अंक मिल गया है। इसके बारे में यथाशीघ्र लिखूँगा।

सस्नेह,
श्रवण कुमार

शैलेश मटियानी

(1)

261, अ, मोतीलाल नेहरू नगर
इलाहाबाद-2

18-9-1967

आदरणीय तिवारी जी,

आपके 13/9 के पत्र के लिए, अत्यन्त आभार। 'विकल्प' का प्रवेशांक बुक पोस्ट द्वारा भेज दिया है, प्राप्ति सूचना तथा अपनी प्रतिक्रिया देंगे। मेरा प्रयत्न साधनहीनता के बावजूद श्रेष्ठ पत्रिका के प्रकाशन की चेष्टाहै। यही सम्भव भी होगा। अगर मुझे इसी प्रकार सही येाग मिलता रहेगा।

आप, संभवतः जानते होंगे, हिन्दी में साधनसम्पन्न पत्रिकाओं के मठाधीशों की तानाशाही का रूप क्या है। जो भी इन लोगों की सत्ता को चुनौती दे, उसके मार्ग में हर सम्भव बाधा ये लोग डालते हैं। ऐसे में 'विकल्प' अपने शुभचिन्तकों के बल पर जीवित रहना चाहता है, जो गुटबाजी के दलदल से ऊपर हैं और निस्वार्थ भाव से भी सहयोग दे सकने का सामर्थ्य उनमें है।

मुझे विश्वास है, आपका अपनत्व भरा योगदान भी 'विकल्प' के लिए सम्बल सिद्ध होगा। वैसे मैं तो अनुरोध ही करूँगा कि आप भी सामान्य सदस्य बन जाएँ, यों आप सुविधानुसार ही सहयोग देंगे। जो भी उचित समझें।

'विकल्प' के कुछ वार्षिक ग्राहक बनवा देंगे, यह आश्वासन मेरे लिए इसलिए भी प्रेरणादायी है कि मैंने बिना किसी पूँजी, बिना किसी साधन के ही 'विकल्प' को प्रारम्भ कर दिया था कि आन्तरिक निष्ठा नाम की चीज़ कहीं भी इसमें है, तो सद्‌भावक स्वयमेव मिलेंगे। जो भी वार्षिक ग्राहक बन सकें, उनके नाम-पते भेज देंगे, ताकि प्रवेशांक उनके पास जा सके।

दूसरा अंक दीपावली-विशेषांक होगा—लगभग साढ़े तीन सौ पृष्ठों का। यह नवम्बर में प्रकाश्य है।

आपने शोधग्रन्थ में मेरा जिक्र किया है, उसके लिए भी आभारी हूँ। शोधग्रन्थ छप जाने पर 'विकल्प' में समीक्षार्थ भिजवा देंगे। 'विकल्प' का समालोचना-विशेषांक शीध्र प्रकाश्य है, उसी में समीक्षा जायेगी।

शेष आपका पत्र आने पर।

आप सानन्द होंगे। सस्नेह

आपका
शैलेश मटियानी

(2)

261, अ, मोतीलाल नेहरू नगर
इलाहाबाद-2

7-11-1977

बन्धुवर विश्वनाथ जी,

एक लम्बे अरसे के बाद पत्र लिख रहा हूँ और वह भी असुविधा पहुँचाते हुए। 'जनपक्ष' की प्रतियाँ वी.पी. से भेजी हैं। किस तरह की परिस्थिति के बीच से इसे निकाला है कुछ कह नहीं सकता। मैंने 'विकल्प' में भी यही कोशिश की थी, 'जनपक्ष' में भी की है, कि पत्रिका में मेरा निजी फजीहतें न दिखें।

मैं चाहता हूँ कि आप 'जनपक्ष' में कुछ टिप्पणियाँ लिखें। मुझे लगता है कि इतिहास में अब फिरसे विचारवान व्यक्तियों को अपने विवेक और विचार की लड़ाई के जोखिम उठाने की पहल करनी ही होगी, अन्यथा विचारहीनता और राजनैतिक भ्रष्टाचार की आँधी में हम सब उखड़ जायेंगे।

'जनपक्ष' का तेवर आक्रामक लग सकता है, लेकिन चीजें जहाँ पहुँच गयी हैं, सामान्य कोटि के लेखन का कोई अर्थ रह नहीं गया।

'जनपक्ष' पर आप विस्तृत प्रतिक्रिया जरूर दें—यह मेरा अनुरोध है।

गोरखपुर में कहीं 'जनपक्ष' रखने की व्यवस्था कर नहीं सका हूँ। इसलिए आपको कष्ट दिया है। इसकी प्रतियाँ डॉ. परमानन्द जी व अन्य ऐसे मित्रों में खपा देंगे, जिन तक 'जनपक्ष' पहुँचना चाहिए था।

अंक निकालने तक इस हद तक आर्थिक तनाव में पहुँच चुका हूँ कि सोचने पर बदहवासी महसूस होती है। लेकिन अपने आज तक के जीवन से मैंने यही सबक सीखा है कि कर्म को साधनों के इन्तजार में स्थगित रखना विचार को ही स्थगित करना है।

शेष आपका पत्र पाने पर।

आप सानन्द होंगे।

आपका
शैलेश मटियानी

(3)

24-4-1978

प्रिय तिवारी जी,

आपके पत्र का उत्तर बहुत विलम्ब से दे रहा हूँ। क्षमा करेंगे। जीविका का जुगाड़ करने में कभी-कभी एक लम्बे अरसे तक अव्यवस्थित हो जाता हूँ। लिखने पढ़ने का सारा सिलसिला पूरी तरह टूट जाता है। पहले इस दलदल से थोड़ी राहत मिले, इसी में समय बीतता जाता है। मैं नहीं जानता कि इस सबका अंत कहाँ होना है।

कभी-कभी कोफ्त होती है, लेकिन जब विचार करता हूँ, तो लगता है कि पूरी तरह उजड़ चुकने की जगह सिर्फ परेशानियों से घिरा रहता हूँ यह हरि कृपा ही है। अव्यावहारिक जीवनपद्धति के बावजूद गाड़ी अन्तिम रूप से बिखर नहीं पायी है, यह अफसोस करने की जगह, सन्तोष करने की बात लगती है।

कठिनाइयों के बीच अपने ढंग से लिख-पढ़ पाने का काम कर पाने का सुयोग नहीं जुटा पाता, यह तकलीफदेह स्थिति तो लगती है, लेकिन पश्चाताप या परिताप-जैसी अपने जीवन को लेकर अनुभव नहीं करता और शायद यही कारण है कि जीने की पद्धति को बुद्धि और पुरुषार्थ के बूते बदल सकने की कोशिश कर देखने की जगह, प्रार्थना और प्रतीक्षा के सहारे छोड़े रखना ही अपने लिए शक्य लगता आया है।

आपका लम्बा पत्र मिल गया था। 'जनपक्ष' के इस अंक में जा रहा है। मैं अपनी कृतज्ञता व्यक्त करना चाहता हूँ कि आप मेरा मान रख लेते हैं। जहाँ कहीं भी सदस्यता और संवेदनशीलता है, उसे सुकारना कभी व्यर्थ नहीं जाता, ऐसा मैंने पाया है। इसीलिए चाहता आया कि अपने को इस तरह रखा जाय कि पुकारा जा सके। प्रार्थना कर सकने के लिए भी एक कठिन जीवन को जीना होता है। अच्छे लोगों की अनुकम्पा के योग्य बन पाना भी सामान्य नहीं है और मैं पाता हूँ कि अच्छे लोगों की सदशयता के योग्य बना जा सके, यह अत्यन्त मूल्यवान बात है।

मैं जो बिना साधनों के 'विकल्प' 'जनपक्ष' के अच्छे अंक निकाल पाया हूँ, सिर्फ इसलिए सम्भव हुआ कि आप-जैसे लेखक बन्धुओं ने स्वयं असुविधा उठाकर भी मेरी सहायता की।

मैं आपको पुनः असुविधा में डालना चाहता हूँ। इस वर्ष 'विकल्प' का उपन्यास विशेषांक निकालना चाहता हूँ—कहानी-विशेषांक की तरह। लगभग 500-550 पृष्ठों का। उपन्यासों पर कोई लम्बा लेख देने की कृपा कर सकेंगे? सामाजिकता और सांस्कृतिकता की पड़ताल उपन्यासों में से करते हुए आप लिखें, तो वह एक श्रेष्ठ लेख होगा, यह मुझे विश्वास है। मुझे इस सन्दर्भ में आश्वासन दे सकेंगे?

मेरी ओर से हुए विलम्ब को क्षम्य मानते रहेंगे, यह अनुरोध करता हूँ।

आप सानन्द होंगे।

आपका

शैलेश मटियानी

(4)

21-7-1978

बन्धुवर तिवारी जी,

यह पत्र आपको दिल्ली से लिख रहा हूँ। यहाँ कई दिनों से हूँ। कल वापस चला जाऊँगा—इलाहाबाद।

यह पत्र इसलिए लिख रहा हूँ कि इलाहाबाद पहुँचकर 'जनपक्ष' के तीसरे अंक की तैयारी करनी है। फरवरी में निकालना चाहता हूँ।

आपसे कोई लेख चाहिए। समकालीन परिस्थितियों के सन्दर्भ में आप जो सोचते-विचारते हैं, लेखन और विचार के स्तर पर जो बाधाएँ इस समय आप देखते हों—'जनपक्ष' के लिए भेजने की कृपा करेंगे।

इस अंक में भी काफी अच्छी सामग्री मैं देना चाहता हूँ। यहाँ से राजेन्द्र भाई (यादव) का काफी लम्बा सामयिक और विचारोत्तेजक लेख 'जनपक्ष' के लिए मिल गया है।

व्यक्तिगत रूप से मैं अनुनय करता हूँ कि हम लोगों की मुख्य चिन्ता लेखन और विचार के स्तर पर अपनी भूमिका और अपने दायित्वों को ज्यादा गहराई से अनुभव करने की तथा विचार तथा रचना, दोनों स्तरों पर उत्कृष्ट पत्रिकाएँ निकालने की होनी चाहिए।

मैं जानता हूँ कि यह सिर्फ तभी सम्भव है, जब अविचलित विवेक वाले लेखकों का अन्तरंग सहयोग किसी पत्रिका को मिले।

मेरा अनुरोध टालेंगे नहीं। 'विकल्प' के लिए भी एक लम्बा लेख दे सकेंगे क्या? मुझे आश्वस्त करेंगे।

'जनपक्ष' के लिए 10 फरवरी तक जरूर लेख भेजने की कृपा करेंगे।

शेष पत्र मिलने पर।

आप सानन्द होंगे।

आपका
शैलेश मटियानी

(5)

22-6-1981

प्रिय तिवारी जी,

मैं इधर बहुत परेशान चल रहा हूँ। इतना अधिक लिखना पड़ा है कि थक गया हूँ। एक साथ हम उपन्यास सिलसिलेवार लिखे। उसके अलावा तमाम अन्य कार्य। यह पत्र अत्यन्त संक्षेप में लिख रहा हूँ।

'दस्तावेज' में मधुरेश जी वाला लेख पढ़ा। इस तरह के लेखों को इस दृष्टि से महत्वपूर्ण मानता हूँ कि ये विवेचन में जाने का आधार बनाते हैं।

मधुरेश जी ने खुलकर मार्क्सवाद का नाम नहीं लिया है। नकाबपोश की तरह उसका उपयोग किया है। मुझे कोई शिकायत नहीं होती, यदि उन्होंने मेरे सम्पूर्ण लेखन को विचारशून्य घोषित कर दिया होता। मुझे हैरत है इस बात पर कि वो लगातार लीपापोती करते हैं और आपत्ति है यह कि इस तरह के कठदिमाग आलोचक नये लेखकों को नष्ट करते हैं।

क्या मैं आशा करूँ कि आप मेरी प्रतिक्रिया 'दस्तावेज' के अगले अंक में छाप देंगे? मधुरेश जी के पास भी प्रति भेज दी है। आप उनसे भी प्रतिक्रिया मँगवाकर साथ-साथ छाप दें। इससे वैचारिक बहस को बल मिलेगा।

कदाचित् न छापना चाहें, तो अविलम्ब मुझे वापस लौटा देने की कृपा जरूर करेंगे।

अभी इतना ही। शेष आपका पत्र आने पर।

आप सानन्द होंगे।

आपका
शैलेश मटियानी

(6)

30-7-1981

प्रिय तिवारी जी,

आपका 23/7 का पत्र मिला है। प्रतिक्रिया कुछ लम्बी जरूर है। आपसे सहमत हूँ। फिर भी आप उसे यथावत् दे देंगे, यह विनम्र अनुरोध है।

सामान्यतः अपनी आलोचना पर प्रतिक्रिया व्यक्त करना मैं उचित नहीं समझता चूँकि मधुरेश जी ने आइडियोलॉजी के आधार पर लिखा, सिद्धान्त निरूपण के तेवर में लिखा, इसलिए इस विवेचन में जाने की कोशिश मैंने की कि वस्तुस्थिति क्या है। वैचारिक बहस के मुद्दों पर ही बातें केन्द्रित की जानी चाहिए, ऐसा मैं मानता हूँ और इस सन्दर्भ में मैंने इस बीच कई पत्र लिखे हैं। 'जनपक्ष' के नये अंक में भी एक लम्बा पत्र छपा है। भेजा है अंक। देखेंगे।

मैं अपने जीवन के उस दौर से गुजर रहा हूँ, जहाँ लेखक और व्यक्ति, दोनों स्तरों पर अस्तित्व का संघर्ष है। जीवित लेखक यदि संघर्ष में हो, तो उसके प्रति हिन्दी के अनेकानेक लेखकों का रवैया कितना क्रूरतापूर्ण और काइयापन से भरा हो जाता है, यह भुक्तभोग की ही बात है।

'जनपक्ष' बन्द करवा दिया जाय, इसके लिए क्या नहीं किया है कुछ 'मित्रों' ने। आज मेरा परिवार नष्ट हो जाये, भुखमरी की स्थितियों में जा पहुँचे, तो यह न-जाने कितने साहित्यकारों के लिए परम प्रसन्न्ता की स्थिति होगी। मेरा यह है कि किसी भी स्थिति के प्रति स्वीकार के मनोभाव में रहना चाहता हूँ। हिन्दी के क्रूरकर्मी कुटिल लेखकों के दबावों के प्रति घुटने टेक देने की जगह मैं सम्पूर्णतया नष्ट हो जाना चाहूँगा। अपने अस्तित्व की लड़ाई को स्थगित करके जीने में मेरी कोई आस्था नहीं है।

कमीनगी की हद तक जाकर लोगों ने मुझे डराने-दबाने की कोशिशें की हैं। ये साहित्यकार हैं? अपराधकर्मियों में ऐसी भयंकर कमीनगी आपको न मिलेगी।

हिन्दी साहित्य में आज जो वातावरण है, इसके प्रति हम सभी लोग जिम्मेदार हैं। कैसे भी दुष्कर्म और गलीज काम करके साहित्यकार बाकायदे बने रहा जा सकता है, यह इतमीनान ही लेखकों को निरंकुश बनाये हुए है। साहित्य में से नैतिकता की चिन्ता जाती रहे, यह अत्यन्त भयावह स्थिति है।

आपको मेरी टिप्पणी छापने में जो असुविधा हो रही है, के लिए क्षमा माँगते हुए, आपकी सदाशयता के प्रति आभार व्यक्त करता हूँ। हिन्दी में किसी तरह की वैचारिक-नैतिक ईमानदारी की अपेक्षा करना अपनी मूर्खता प्रकट करना होता जा रहा है—ऐसे में आपके प्रति साधुवाद व्यक्त करना जरूरी लग रहा है।

मधुरेश भाई को मैंने भी पत्र लिखा था। अभी उनका कोई उत्तर मेरे पास नहीं आया है। उन्हें आप पुनः स्मरण करा दें। उनका उत्तर भी छपे, यह अच्छा होगा। मैं भी आज ही उन्हें लिख रहा हूँ। वैचारिक बहस को मैं व्यक्तिगत अप्रियता के रूप में लेने को बुरा मानता हूँ।

आपको शायद पहले मैंने लिखा था। टाइम्स ऑफ इण्डिया और रविन्द्र कालिया के विरुद्ध मुझे सुप्रीम कोर्ट में जाना पड़ा था। वहाँ अपील विचारार्थ स्वीकार हो गयी थी—मार्च '81 में। अगले महीने ही शायद फैसला हो जायेगा। दर-दर भटककर, लगातार चक्कर काटते हुए जो विज्ञापन इकट्ठा करके मैं परिवार चलाता था, पिछली बार सुप्रीम कोर्ट में ही इतना खर्च लग गया कि दमफूल कर्म मुहावरा याद आ गया।

बस, एक लेखक होने की प्रतीति है, जो इस विवेक में रखती है कि संघर्ष ही परिष्कार करता है।

शेष कृपा है। आप अब स्वस्थ होंगे। कभी इलाहाबाद की तरफ आना हो, तो मिलेंगे जरूर। मैं तब से उस ओर नहीं आया। आप सानन्द होंगे।

आपका

शैलेश मटियानी

(7)

22-9-1981

प्रियवर तिवारी जी,

आपका 13/9 का पत्र। 'दस्तावेज' जैसी साफ-सुथरी, साहित्यिक और प्रभूत सामग्री वाली पत्रिकाएँ निकालना यदि आसान और सुविधाप्रदायी होता तो सैंकड़ों हजारों 'दस्तावेज' निकल रहे होते। हिन्दी में साहित्यिक पत्रिकाओं का इतना अकाल न होता। कठिन संघर्ष करके ही 'दस्तावेज' जैसी पत्रिका निकालना सम्भव है और आपको, बस, सिर्फ इसी बात के प्रति दुखी नहीं होना चाहिए कि यह कठिन कर्म है। सत्कार्य के प्रति किया गया परिश्रम ही उसका प्राप्य है।

अन्य भाषाओं को मैं नहीं जानता, लेकिन हिन्दी में असहिष्णु ईर्ष्यालू और प्रतिशोधी वृत्ति के लेखकों का पूरा तन्त्र है। होना यह चाहिए कि वैचारिक असहमतियों को व्यक्तिगत वैमनस्य तक न पहुँचने दिया जाय। लेकिन यहाँ तो लोग जड़ें काटने पर उतर आते हैं। यदि कोई लेखक किसी लेखक या सहित्यिक पत्रिका को आर्थिक स्तर पर ध्वस्त करने पर उतर आये, तो यह सिर्फ अधमता का सूचक होगा। हम लेखकों से इतनी सदाशयता की आशा तो की ही जानी चाहिए कि हममें अपने धुरविरोधी लेखक अथवा सम्पादक के प्रति भी पूरी-पूरी सहिष्णुता होनी चाहिए, जो हमसे असहमत हो। हमारा आलोचक हो। विचार के स्तर के विरोध को व्यक्तिगत वैमनस्य और प्रतिशोध तक खींच ले जाना किसी भी लेखक के लिए अशोभनीय ही हो सकता है।

यदि कुछ लोग 'दस्तावेज' के पीछे, मान लीजिये पड़ भी जाएँ, तो आपको विचलित न होना चाहिए। विचलित होना अपने गलत या संकल्पहीन होने की सनद देता है। 'दस्तावेज' के जितने अंक आपने निकाले हैं उनके लिए आप श्रेय और साधुवाद के ही अधिकारी हैं, यदि कुछ लोगों के द्वारा तुच्छ आरोप लगाये जाएँ, तो उनहें नजरअन्दाज करके आपको चलना चाहिए।

विद्याधर जी से मैंने प्रारम्भ में ही आपत्ति व्यक्त कर दी थी कि आपको इस तरह की आरोपात्मक टिप्पणी छापने से पहले 'दस्तावेज' के लेखकों से सम्पर्क करना चाहिए था और जब लेखक आरोप लगाते कि पारिश्रमिक देने का वायदा करके, या माँगे जाने पर भी तिवारी ने पारिश्रमिक नहीं दिया, तभी आपको इस तरह की टिप्पणी छापनी चाहिए थी। मैंने 'विकल्प' या 'जनपक्ष' के कुछ लोगों को पारिश्रमिक स्वेच्छया दिया था। कुछ को माँगने पर दिया। माँगे जाने पर यह तर्क कभी नही उठाया जाना चाहिए कि पत्रिका साधनों के अभाव में है। जैसे कागज-प्रेस, वैसे ही लेखक के पारिश्रमिक का भी भुगतान किया जाना चाहिए। लेकिन हम लेखक जहाँ पारिश्रमिक को अपना नैतिक अधिकार मानते है, वहीं यह भी देखते हैं कि साहित्यिक पत्रिकाओं का प्रकाशन कितना कठिन है। जिस पत्रिका को मैं समझूँ कि इसे निकलना चाहिए, इसकी एक साहित्यिक भूमिका है, या कि इसे मेरा लेखक मित्र साधनों के बिना निकाल रहा है—उसे न सिर्फ यह कि बिना पारिश्रमिक के मैं रचनाएँ दूँगा, बल्कि सम्पर्क हो जाने पर आर्थिक सहयोग भी दूँगा और यह मेरे निजी विवेक का प्रश्न है। और ऐसा मैंने भी किया है और मेरे मित्रों ने भी मेरे लिए किया है। और इसे मैं दूसरों की आपत्ति का विषय नहीं मानता कि लेखक निजी विवेक से क्या तय करता है।

'दस्तावेज' में यदि आपने लेखकों को पारिश्रमिक देने का वायदा करके न दिया होता, तो आप आलोचना के पात्र हो सकते थे। लेखकों के स्वेच्छा से दिये गये सहयोग पर विद्याधर जी को आपत्ति

करने की जरूरत नहीं थी।

अन्त में इतना ही कहूँगा कि विचलित और विक्षुब्ध होने से काम नहीं चलता। अपने कर्म के प्रति स्वयं जवाबदेह होना ही पर्याप्त होता है।

मेरी टिप्पणी आप यथावत दे रहे हैं, आभारी हूँ।

मधुरेश जी का पत्र आया था। पत्र भी बहुत संतुलित है, लेकिन जिन मुद्दों पर मैंने बहस करनी चाही है, उनका कोई उल्लेख नहीं है। सम्भवतः टिप्पणी में हो।

मैं जानता हूँ कि यदि हम कुछ मुद्दे उठाते हैं तो उनके विवेचन से हमें कतराना नहीं चाहिए। आलोचक को इस मुद्रा में कभी नहीं रहना चाहिए कि वह बाबा वाक्य सिरज रहा है। रचना के मर्म और संघर्ष को जो लेखक आलोचकों से कम समझता है, उसे ही आलोचकों के विवेचन के प्रति निर्विरोध स्वीकार भाव हो सकता है। मैं आलोचकों का विरोध इस आधार पर नहीं करता कि उसने मेरा विरोध किया है। मैं उसके द्वारा उठाये गये गलत मुद्दों और निष्कर्षों पर बहस करने के भाव में असहमति व्यक्त करता हूँ। वैचारिक बहस से कतराने का स्वभाव मेरा नहीं है। और जब मैं देखता हूँ कि जीवन और रचना, दोनों स्तरों पर मुझसे कम जिम्मेदार और अनुभवी आलोचक सिद्धान्तशास्त्री के तर्क से निष्कर्ष झाड़ता चला जा रहा है, तो मेरे मन में भी यही आता है कि जरा इन्हें छेड़ लिया जाय, तो हर्ज नहीं।

मधुरेश वाले प्रसंग को लेकर हृषीकेश जी ने मुझे लिखा कि आप अपनी आलोचना का निषेध करते हैं। मैंने पूछा कि बहस करना निषेध करना कैसे हुआ, तो कुछ जवाब नहीं दिया उन्होंने।

आप अपने समाचार देंगे।

'जनपक्ष' का छठा अंक मिला होगा।

सातवाँ नवम्बर तक छपेगा। इस बार 'विकल्प' भी निकाल रहा हूँ। कुछ भेजेंगे।

इलाहाबाद की ओर का प्रोग्राम करें, तो मिलेंगे जरूर।

शेष कृपा है।

आप सानन्द होंगे।

आपका

शैलेश मटियानी

पुनः 'दस्तावेज' की दो प्रतियाँ भेज सकें, तो कृपा होगी।

(8)

25, आवास विकास कालोनी,
हल्द्वानी-263139, नैनीताल—उत्तर प्रदेश

27-12-1984

प्रिय विश्वनाथ जी,

'दस्तावेज' का नया अंक भी मिल गया। अभी देख नहीं पाया। चक्रवात में फँसे वाणविंधा पंछी की सी दशा है। क्षमा चाहता हूँ और आप क्षमा मान लेंगे, यह विश्वास है।

पिछले कई वर्षों से पत्राचार बुरी तरह बाधित हो चला। बहुत ग्लानि होती है, लेकिन स्थितियाँ विकट हैं।

आपको अभी अधिक कुछ नहीं लिख रहा। कभी भेंट हुई तो बातें होंगी। फिलहाल एक हास्यास्पद कार्य और कर रहा हूँ। 'योग' पर एक पुस्तक शीघ्र ही आयेगी, जबकि मुझे न कोई आसन ही आता है, यम-दम-नियम-प्रत्याहार आदि से कोई दूर का सम्बन्ध भी नहीं, और अध्ययन शून्यता के छोर पर ही है, लेकिन फिर भी पुस्तक आ रही है।

पत्र शीघ्रता में घसीट रहा हूँ। वक्तव्य तैयार किये महीना भर हो गया, भेज नहीं सका। लिखावट ठीक नहीं, सो टंकित करवाना पड़ा। यात्राओं में समय बीत जाता है।

क्षमा करेंगे और क्षमा कर दिया गया यह आपका पत्र आने पर ही अनुभव कर सकूँगा।

सानन्द होंगे।

आपका
शैलेश मटियानी

(9)

28-2-1987

प्रिय विश्वनाथ जी,

सादर नमस्कार स्वीकार करेंगे। वर्षों बाद सत्यप्रकाश जी की बिटिया के विवाह में आपको देखना बहुत अच्छा लगा। मैं पिछली अगस्त में जीवन की आशा बिल्कुल छोड़ चुका था। इससे पहले भी कई बार सिर की व्याधि असाध्य हो चली है और अभी भी सिर के भीतर की घुमन और मँडराव का कोई निदान हो नहीं पाया है, लेकिन थोड़ा सुधार है, स्वास्थ्य में, और कुछ लिखने भी लगा हूँ।

आपको एक असुविधा दे रहा हूँ। कई वर्ष पहले आपने 'दस्तावेज' में मेरी कहानियों पर मधुरेश का लेख छापा था और फिर प्रतिक्रिया में मेरा लेख। इन दो लेखों की कतरनें या फोटोस्टेट प्रतियाँ इस पते पर भिजवा दें, तो आभार मानूँगा।

'श्री अभय मित्रा आशु प्रकाशन, 53, करनपुर, प्रयाग इलाहाबाद-2' मेरे कहानी संम्बन्धी लेखों का संग्रह अभय छाप रहे हैं और प्रेस में दे चुके हैं। आपको असुधिा होगी, लेकिन कृपा करेंगे।

शेष कृपा है। सानन्द होंगे।

आपका
शैलेश मटियानी

(10)

13-3-97

प्रिय विश्वनाथ जी,

सादर नमस्कार स्वीकार करें।

आपका पत्र मिला आभारी हूँ। 'दस्तावेज' मिलता रहता है। पिछले दो वर्षों में सिर की व्याधि की चपेट इतनी भीषण रही है कि लिखना-पढ़ना सब अव्यवस्थित हो गया। एक अबूझ तिलिस्मी किस्म की है यह व्याधि। यह परलोकगमन में भी ले जा चुकी है। डॉक्टरों ने स्मृति जा चुके होने की बात भी कह दी थी। लकिन अभी हूँ और जब भी सम्भव हुआ है, कुछ लिखता भी रहा हूँ।

इधर पुरानी फाइलें पलटते में कई लेख मिले हैं, जो कहीं छपे नहीं। एक आपके पास भेज रहा हूँ। कुछ ठीक लगे, तो 'दस्तावेज' में दे देंगे। अन्यथा, निसंकोच वापस कर देंगे। गोरखपुर पहुँचना छूट गया। कभी कोई बड़ी संगोष्ठी में स्मरण रखेंगे। इधर थोड़ा स्वास्थ्य सुधरा है और मैं आगे चलकर फिर

कुछ भटकना चाहता हूँ।

परमानन्द जी को मेरा सादर नमस्कार कह देंगे।

शेष कृपा है। सानन्द होंगे।

आपका
शैलेश मटियानी

(11)

उत्तर प्रदेश

10-10-1999

प्रिय विश्वनाथ जी,

'दस्तावेज' के दो अंक पुराने पते पर भिजवाये हुए मिले। आप स्मरण रखे हुए हैं, आभारी हूँ। अन्यथा अब मैं लेखक की हैसियत से समाप्त हो चुका हूँ। इलाहाबाद से उजड़कर इस शुद्ध व्यापारिक शहर में डेरा ढूँढ़ना पड़ा और अन्ततः 1995 में कलकत्ता में अचानक भीषण मनोविक्षिप्ति का जो दौरा पड़ा, उससे उबरना फिर सम्भव नहीं हो पाया। लिखना लगभग पूरी तरह बन्द हो चुका है। निरन्तर सिर की व्याधि की चपेट में रहता हूँ। स्मृति क्षीण होती जा रही है। जीविका उपार्जन के रास्ते बन्द हो चुके। अब जीविका के लिए यात्राएँ करना समाप्त हो गया।

जब सोचता था कि 1992 के मर्मान्तक आघात से कुछ उबरकर फिर से साहित्य की मुख्यधारा में पहुँचना शायद सम्भव हो जाय, तभी मनोविक्षिप्त की चपेट में आ गया और अब जीवन में हताशा, विषाद और अँधेरे के सिवा कुछ बाकी नहीं बचा। कुटुम्ब विच्छिन्न हो गया। कोई आर्थिक व्यवस्था नहीं कर पाया परिवार के लिए। जीवन जीवन नहीं रह गया है।

कदाचित् कुछ समय और जीवित रह गया, तो और भीषण स्थितियों से गुजरना पड़ेगा। जब लिखता रहा, तब भागमभाग ज्यादा रही और अब समय व्यतीत करना कठिन हो गया है।

दस्तावेज आप अभी भी बहुत अच्छा निकाल रहे हैं। यह सामान्य बात नहीं। सानन्द होंगे।

विनीत
शैलेश मटियानी

श्यामनन्दन किशोर

(1)

हरिसभा रोड, मुजफ्फरपुर

16-9-1968

प्रियवर,

आपका तार मिला। आप 29 को सुबह 4 बजे 90 डाउन एक्सप्रेस से कृपया पहुँच जाएँ। मैं स्टेशन आ जाऊँगा। किसी भी क्लास में आ सकते हैं—आराम रहेगा। विश्वविद्यालय को 29/9 के लिए आशाजी ने लिख दिया है। विश्वविद्यालय ने इन्हें तारीख निश्चित करने के लिए लिखा था। तार विश्वविद्यालय से जायेगा ही। पर आपको सूचना मिले या न मिले, समय पर पहुँच जाइयेगा। समय 29/9 ही है। कोई स्थगित होने का तार यदि भेजें तो विश्वास नहीं कीजियेगा। कभी-कभी कुछ हितैषी ऐसा भी करते हैं। यद्यपि इससे कुछ होता जाता नहीं है।

मुझे प्रसन्नता है कि मैं अपने मुकाम पर आपका स्वागत करूँगा। सम्भव हो तो यात्रा-क्रम तार द्वारा सूचित करेंगे।

आशा जी शुभकामना निवेदित कर रही हैं। जिनकी ओर से पत्र लिख रहा हूँ।

सस्नेह

श्यामनन्दन किशोर

(2)

23-6-79

सममान्य भाई तिवारी जी,

मुझे यह जानकर सन्तोष हुआ कि आप पूज्य द्विवेदी जी की स्मृति में 'दस्तावेज' का विशेषांक निकाल रहे हैं। रचना के लिए आमन्त्रण पाकर प्रसन्नता हुई। वस्तुतः कई पत्र-पत्रिकाओं में उनके सम्बन्ध में लिखने को कहा है और इतना हतप्रभ हूँ कि भावावेश में लेखनी सँभल नहीं पा रही है। सन् 50 से 79 तक प्रायः तीन दशकों के अनेक संस्मरण मुझे कातर बना रहे हैं। पंडित जी महा मानव थे। वे मेरे सम्पूर्ण परिवार पर कृपालु थे और जीवन के अन्तिम दिनों तक उनका अटूट विश्वास मुझे प्राप्त था। मैं उन्हें 20वीं शताब्दी की मनीषा का साहित्यिक चमत्कार मानता हूँ।

आप मेरे अन्तरंग हैं। आपकी साधना-पत्रिका के लिए मैं शीघ्र ही रचना भेजूँगा। सही शीर्षक की तलाश है, फिर भी अभी उसका नाम रख रहा हूँ—डॉ. हजारी प्रसाद द्विवेदीः सृष्टि और दृष्टि।

आशा है, मेरी सेवा से सन्तुष्ट होंगे। आपने 'आंजनेय' पर अब तक लिखने की कृपा नहीं की है। आशा जी नमन कर रही हैं।

सस्नेह

श्यामनन्दन किशोर

श्रीकान्त वर्मा

(1)

222, नार्थ एवेन्यू
नयी दिल्ली-110001

14-12-1978

प्रिय तिवारी जी

मैं अमेरिका से अभी कुछ दिन हुए वापस आया। मैं शीघ्र ही लिखना पढ़ना आरम्भ करने जा रहा हूँ। मैं 'दस्तावेज' के लिए अवश्य ही कुछ भेजूँगा। आपका प्रयत्न निश्चय ही महत्त्वपूर्ण होगा। प्रकाशन/सम्पादन की कठिनाइयाँ स्वाभाविक, कुछ हद तक जरूरी है। आप अपना हौसला बनाये रखें। इससे दूसरों का भी मनोबल बढ़ेगा। वैसे भी साहित्यिक पत्रिकाओं का अकाल है।

मुझे 'दस्तावेज' का पहला अंक नहीं मिला है। शायद मेरी अनुपस्थिति में खो गया हो। मैं अपना चन्दा आपको भेजूँगा। साहित्यिक पत्रिकाएँ मुफ्त नहीं पढ़नी चाहिए। अगर लेखक एकदम ही कंगाल हो तो बात और है। मनोरंजन पत्रिकाएँ हम खरीदते हैं, साहित्यिक पत्रिकाएँ मुफ्त चाहते हैं। क्या न्याय है।

शुभ कामनाओं सहित।

आपका
श्रीकान्त वर्मा

(2)

4-6-1979

प्रिय तिवारी जी

दस्तावेज 3 भी मुझे मिल गया है। जैसा कि पहले ही आपको लिख चुका हूँ आपने एक महत्त्वपूर्ण भूमिका प्रारम्भ की है। अब वह जारी रहनी चाहिए।

मैं जिस कार्य से पिछले साल आयोवा विश्वविद्यालय गया था उसका अग्रिम थोड़ा सा काम रह गया है। जैसे लेखक परिचय, ग्रन्थ की प्रस्तावना इत्यादि। संसद में जैसा आप देखते ही होंगे। भरसक करता ही रहता हूँ। फिर भी अपने लेखन को तीसरा दर्जा नहीं दिया है। मैंने एक नये सिरे से कविताएँ लिखनी शुरू की हैं। माना वे सब एक सीरिज की कविताएँ हैं। तीस चालीस लिखकर छपवाऊँगा और जाहिर है कि 'दस्तावेज' और 'पूर्वग्रह' ही इसका माध्यम होंगे। इसलिए थोड़ा सा सब्र रखें। जल्दी में बात बन नहीं पायेगी। न दस्तावेज की न मेरी।

लेकिन मैं यह जरूर महसूस करता हूँ कि आपके लिए मुझे जल्दी ही कुछ लिखना चाहिए। वैसे आप

कर्मठ व्यक्ति हैं। मगर सम्पादक को सहयोग, सही किस्म का बराबर मिलते रहना चाहिए। अतः मैं आपको रूसी कवि आन्द्रे वोज्नेसेंस्की का इण्टरव्यू या आयोवा अन्तरराष्ट्रीय लेखन प्रोग्राम के अन्तर्गत आये लेखकों से बातचीत, जो भी जन्दी बन गया, भेजूँगा। उनके साथ कुछ कविताओं के अनुवाद तो होंगे ही।

आपके शोध विद्यार्थी अरविन्द कुमार त्रिपाठी का एक और पत्र आया है। उत्तर दे रहा हूँ।

दिल्ली आप अवश्य आइये गरमी कम होते ही, जुलाई या अगस्त में। या तब छुट्टियाँ न हों तो अब।

परमानन्द जी मजे में होंगे।

आपका
श्रीकान्त वर्मा

(3)

34, नार्थ एवेन्यू
नयी दिल्ली-110001

13-2-1980

प्रिय तिवारी जी

आपकी शुभकामनाओं के लिए आभारी हूँ। हाल के चुनावों में भारतीय जनता ने श्रीमती गांधी के सुयोग्य नेतृत्व के प्रति आस्था व्यक्त कर लोकतन्त्र की अटूट परम्परा को और आगे बढ़ाया है।

मुझे आशा है कि भविष्य में भी आपका सहयोग कांग्रेस पार्टी को मिलता रहेगा।

शुभकामनाओं सहित।

लिखना फिर आरम्भ किया है। सबसे पहले और शीघ्र ही 'दस्तावेज' में ही लिखूँगा। अरविन्द त्रिपाठी अपने शोध प्रबन्ध का प्रकाशन चाहते हैं। उसकी एक प्रति शीघ्र ही मुझे भिजवा दें। यहाँ प्रकाशक से व्यवस्था कराऊँगा। मगर छपने के पहले एक बार आपको उनकी पांडुलिपि देखनी होगी।

रचनाएँ शीघ्र भेज रहा हूँ।

आपका
श्रीकान्त वर्मा

(4)

4, सफदरजंग लेन,
नई दिल्ली-110011

3-1-1984

प्रिय विश्वनाथ जी,

नव वर्ष की शुभकामनाएँ स्वीकार करें। 15 जनवरी को, आपकी अनुवाद गोष्ठी में, मैं अवश्य शामिल होऊँगा।

गोष्ठी तो सिर्फ एक बहाना है। असल प्रयोजन है आप मित्रों से भेंट और उस क्षेत्र की यात्रा।

मैंने एक बार केदार जी से जिक्र किया था, मैं गोरखपुर के आसपास के ऐतिहासिक स्थल देखना चाहता हूँ। कविताएँ, बिना देखे लिखी जा सकती हैं। मगर इतिहास के पुर्नसंधान के बाद उन खंडहरों को देखने की इच्छा तीव्र हो जाती है, जिनमें न जाने किन महान आत्माओं ने प्रवास किया है। प्राचीन, जीर्ण, भूतहा, विस्मृत कुछ भी नहीं होता। सब काल के अनन्त प्रवाह का अंश है, कहीं स्वच्छ, कहीं मटमैला।

मगर कार्यक्रम ऐसा बनाएँ कि एक तो थकान न हो—हम गिनी चुनी जगहों पर चलें—दूसरे 19 तारीख तक दिल्ली आ सकें, वजह यह कि 20 फरवरी को मुझे एक कार्यक्रम में यहाँ उपस्थित रहना है।। अब मैं स्वस्थ अनुभव कर रहा हूँ। कविताएँ भी लिख रहा हूँ। लिखी भी हैं। आपको भेजूँगा, जरा सँवार-सुधार लूँ। मैं इसी वर्ष 2-3 पुस्तकें तैयार करूँगा।

बहुत वर्षों से मैंने नहीं लिखा। अब इतने लम्बे अन्तराल के पश्चात् लिखने में/रचने में सुख का अनुभव कर रहा है। सम्भवतः रचना और रचनाकारों पर यह बात लागू होती ही है। यह अन्तराल भाषा को एक नया संस्कार दे जाती है।

इधर मैंने पत्र-पत्रिकाओं तथा संग्रहों में समालीन साहित्य का वह हिस्सा पढ़ा जो युवा लेखकों द्वारा लिखा जा रहा है। कुछेक को छोड़कर बाकी सब निराशाजनक है। मगर यह हर युग/हर दौर में हुआ है। लेखन थोड़ा-सा हुआ है, शेष ने सिर्फ 'शोभा बढ़ायी' है।

अब भी वही कवि-कथाकार आलोचक प्रासंगिक हैं, जो कल तक थे। घूम-फिर कर बात फिर अज्ञेय, नागार्जुन, नामवर, निर्मल वर्मा, केदार, कुँवर नारायण पर टिक जाती है। साहित्य तो आगे बढ़ा, वंशबेल नहीं बढ़ी। मगर यह मानना ग़लत होगा कि पौध समाप्त हो गयी। यह्र भी एक अन्तराल है। और जैसा मैंने कहा अन्तराल भी रचना को समर्पित होता है।

आपका

श्रीकान्त वर्मा

(5)

26-8-1985

प्रिय तिवारी जी,

मैं विदेश जाकर फिर विदेश चला गया था। इस कारण आपके 22 जुलाई, 85 के पत्र का उत्तर अब दे पा रहा हूँ। मेरी प्रतिनिधि कविताओं की सूची आप तत्काल स्वयं तैयार कर लें। आप निश्चय ही तटस्थ रूप से चुनाव करने में कामयाब होंगे। फिर मैं कुछ घटाना-बढ़ाना रहा, तो वैसा कर दूँगा—सूची प्राप्त होने पर।

आप जानते ही हैं मेरे 5 संग्रह अब तक प्रकाशित हुए हैं। मेरे विचार में आपको उन सभी में से संकलन करना चाहिए : 1. भटका मेघ, 2. दिनारम्भ, 3. मायादर्पण, 4. जलसाधर, 5. मगध।

आप अगर तुरन्त मुझे सूची देंगे तो मैं उसे आवश्यक संशोधन के साथ आपको तुरन्त वापस कर दूँगा।

पंजाब में चुनाव होने के बाद मैं फिर से कविताएँ और अन्य चीजें लिखूँगा। जाहिर है कि सबसे पहले 'दस्तावेज' में ही लिखूँगा। अब तक मेरी जो भी समीक्षाएँ लिखी गयी हैं, उनमें आपकी समीक्षाओं

को मैं अत्यधिक जिम्मेवार समीक्षा मानता हूँ। आपने अन्य कवियों के बारे में भी गम्भीरता और समझदारी के साथ लिखा है। यह गुण दुर्लभ होता जा रहा है, क्योंकि ईमानदारी दुर्लभ होती जा रही है। आसान हो गयी है चरित्र हत्या और अगर चरित्र हत्या से जी भर जाय तो हत्या। मैं दोनों को अलग-अलग नहीं मानता। गाँधी से लेकर इंदिरा गाँधी तक जो भी हत्याएँ हुईं—पहले चरित्र हत्या की गयी, बाद में हत्या। जितने हत्यारे, हत्यारे हैं उतने ही हत्यारे वे बुद्धिजीवी हैं, चरित्र हत्या जिनका प्रिय व्यसन है या कहना चाहिए पेशा।

शुभकामनाओं सहित,

आपका

श्रीकान्त वर्मा

(6)

12-11-1985

प्रिय तिवारी जी,

आप दिल्ली आये, तब मैं विदेश गया था। इस कारण आपसे भेंट नहीं हो सकी। अब मैं यहीं हूँ। और लिखने-पढ़ने में लग गया हूँ। शायद यह आवश्यक था। और मेरे चाहे-अनचाहे नियति ने एक बार फिर साहित्य-रचना के लिए परिस्थितियाँ जुटा दीं।

राजनीति पूरी तरह छोड़ सकना तो कठिन है—छोड़ना वांछनीय भी नहीं—मैंने उसे हमेशा परिवर्तन का अस्त्र माना।

मैं कविताओं की सूची तो संलग्न कर रहा हूँ। पर आप अपना निर्णय अंतिम मानें। राजकमल मेरा संग्रह छापना चाहता है, तो कब तक छापेगा। पता कीजियेगा। आपका संग्रह मुझे मिल गया है। मैं उस पर अपनी राय लिखकर आपको शीघ्र भेजूँगा।

शुभकामनाओं सहित

आपका

श्रीकान्त वर्मा

श्रीकान्त जोशी

(1)

ज्वाहरगंज
खण्डवा-450001

28-3-1982

प्रिय तिवारी जी,

इधर समकालीन हिन्दी कविता 'अज्ञेय से धूमिल' पढ़ रहा हूँ। इस पुस्तक पर आपको बधाई देने का मन है। प्रत्येक कवि पर आपने बड़े मनोयोग से लिखा है, उसका कृती-व्यक्तित्व इन थोड़े-से पृष्ठों में ही प्रत्यक्ष हो उठा है। इन दिनों समीक्षा में कृतित्व के धन एवं ऋण पक्ष को इस तरह गड्डमड्ड कर दिया जाता है कि कोई बिम्ब नहीं बन पाता। इस पुस्तक की समीक्षा धन पक्ष को गहरे रंगों से उकेरती है और ऋण पक्ष की तरफ उपयुक्त संकेत दे देती है। गहन अध्ययन और स्वस्थ दृष्टि से ही यह संभव है।

मुझे प्रसन्नता है कि इसमें आपने डॉ. सुमन को लिया है। उनकी ज्यादातर उपेक्षा की जाती है—पर आपने माखनलाल चतुर्वेदी को कहीं लिया या नहीं यह जानने की उत्सुकता है। आप उनकी तरफ भी ध्यान देंगे।

सानन्द होंगे।

आपका
श्रीकान्त जोशी

(2)

16-1-1989

भाई तिवारी जी,

मंगलमय नववर्ष।

क्या आप मुझे दस्तावेज़ का अंक 35-36 (अज्ञेय अंक) एवं अंक 31-32 (श्रीकान्त वर्मा अंक) वी.पी. से भिजवाने का अनुग्रह कर सकेंगे। प्रतीक्षा रहेगी।

दस्तावेज हमारे महा विद्यालय में आने लगा है। आपका अगला अंक 37, 38 से प्रारम्भ हुआ है। उपर्युक्त दोनों अंक रह गये हैं। यदि आपने सर्वश्री रामविलास जी शर्मा, नामवर सिंह जी, नागार्जुन जी एवं शमशेर जी पर भी अंक निकाले हों और उपलब्ध हो तो उनहें भी साथ वी.पी. से भेज दें।

क्या आप माखनलाल जी चतुर्वेदी पर विशेषांक नहीं निकालना चाहेंगे। मुझ पर, आपसे जो थोड़ी सी भेंट हुई थी उसका यह असर है कि आप उनकी बाबत गम्भीर नहीं हो सके हैं। पर मेरा अनुरोध ही है कि आप कम से कम एकाध बार माखनलाल रचनावली की चलती-उड़ती शब्द यात्रा ही करें। शायद आप चकित हो उठें। उसकी अभूतपूर्व समृद्धि से।

सानन्द होंगे।

आपका

श्रीकान्त जोशी

(3)

29-4-1989

प्रिय श्री तिवारी जी,

कृपा-पत्र मिला। मुझे दस्तावेज का अंक 42 तो मिला है शेष अंक आज तक तो नहीं मिले। पर शायद सोमवार को मिलें। अंक 42 में कृष्णदत्त जी पालीवाल का मनोयोग पूर्वक लिखा गया लेख पढ़ा तो आपने भी पू. दादा को अपनाना स्वीकार किया है।

आभारी हूँ मैं अपना एक लेख भेज रहा हूँ 'पुष्प' की अभिलाषा के बहाने, शायद आप पसन्द करें। माखनलाल जी पर अभी काम कम ही है। यदि आप जैसे मनस्वीगण इस दिशा में बढ़ेंगे तो प्रथम तो स्वयं प्रसन्नतापूर्वक चकित होंगे। बाद में प्राप्त उपलब्धियाँ की शब्द विश्व को दे कर माखनलाल जी के प्रति ऋण-शोध स्वतः करना चाहेंगे। आप श्री केदारनाथ सिंह जी का आलेख कानपुर में पठित अवश्य प्राप्त कर प्रकाशित करें। यह महत्वपूर्ण है।

सानन्द होंगे।

स्मरण करते रहें। आपकी पुस्तकों को हम यहाँ मँगा रहे हैं, माँगते रहेंगे।

अभिन्न

श्रीकान्त जोशी

(4)

12-12-1989

भाई तिवारी जी,

आपका 10/10 का पत्र सामने है। आप मेरा लेख प्रसाद अंक में दे रहे हैं जानकर आश्वस्त हुआ हूँ। प्रसाद अंक तो आने ही को होगा। प्रतीक्षा में हूँ। दस्तावेज के अज्ञेय अंक में आपका स्मरण लेख पढ़कर विशेष सुख मिला। आशा है नामवर जी आपके सुझाव पर विचार कर रहे होंगे। समय के साथ जितना समयवादी चिन्तन है यह अपना आतंक समाप्त होता हुआ पायेगा—समय का सदा ही शाश्वत के

सन्दर्भ में महत्व है। वह प्ले है शाश्वत के लिए—याने मनुष्य के लिए, सौन्दर्य के लिए, सन्धान के लिए। अज्ञेय की आने वाले समय में गहरी पहचान अनिवार्य होगी। कोई अन्य चारा नहीं है। इधर रचना के सरोकार भी पढ़ रहा हूँ। 'राष्ट्रीयता—साहित्यकार' शीर्षक लेख में मेरी विशेष रुचि है। 'राष्ट्रीयता' शब्द हमारे यहाँ 'स्वधीनता' के विकल्प के रूप में इस्तेमाल होता रहा है। 'राष्ट्रीयता' कहकर हम जिम्मेदारी से बच जाते हैं और 'व्यक्ति' को अवमूल्यन करने का लायसेंस भी पा लेते हैं—स्वाधीनता कहने से हमारी जिम्मेदारी बढ़ जाती है। हम बच नहीं सकते। यह एक तरह का पराधीन भारत के प्रथम श्रेणी के रचनाकारों का षड्यन्त्र ही है। आत्मरक्षा के निमित्त इधर ध्यान जाना चाहिए।

सानन्द होंगे।

आपका
श्रीकान्त जोशी

(5)

22-1-1991

प्रियवर श्री तिवारी जी,

आज दस्तावेज 46 प्राप्त हुआ। विधानिवासजी पर जो मेरे बड़े भाई साहब ही हैं इस अंक के प्रकाशन के लिए मेरा हार्दिक आभार स्वीकार करें। उन पर मैं एक संस्मरणात्मक रूप से कुछ लिखना चाहता हूँ। गत अगस्त में मैं अवकाश प्राप्त हो गया हूँ। अतः यदि सब ठीक रहा तो सम्भव है मैं समीक्षा क्षेत्र में भी कुछ कार्य करूँ। गत सितम्बर में मुझे अचानक ही हृदयघात सहना पड़ा। इससे कुछ परेशानियाँ अवश्य पैदा हो गयी हैं। कुछ दिनों के लिए। मेरा पत्र भी इसी मध्य मिला होगा। मैंने दस्तावेज के कुछ अंकों की संख्या लिख भेजी है। शायद उन्हें दस्तावेज 31-32 के साथ जल्दी भिजवा दें।

क्या आप दस्तावेज का माखनलाल अंक निकालने की प्रेरणा नहीं पा सके हैं। प्रेरणा आवश्यक है—जो आपको तभी मिल सकेगी जब आप माखनलाल चतुर्वेदी रचनावली के पृष्ठों में से जो करीबन 3500-3800 हैं से गुजरें। एक बड़े समीक्षक के नाते यह अपेक्षा न्यायोचित ही है आपसे।

सानन्द होंगे।

श्रीकान्त जोशी

(6)

8-4-1996

प्रिय भाई नमन!

आपका 31-1-96 का मूल्यवान पत्र मेरे पास है। इस बीच दस्तावेज का अंक 68 भी प्राप्त हुआ हैं। पत्र में आपने आश्वस्त किया है कि डॉ. शिवमंगल सिंह सुमन की पत्र-समीक्षा आप दस्तावेज में ज्यों की त्यों प्रकाशित करेंगे व 'स्वयं भी संग्रह पढ़कर आपको लिखूँगा' मुझे लगता है फिर शायद आप अंक

69 में यह प्रेरक कार्य सम्पन्न कर रहे हैं। मैं आपकी व्यक्तिगत सम्मति जानने को बहुत उत्सुक हूँ। मैं 65 का हूँ पर पाता हूँ कि ठीक जगह से आये हुए ठीक शब्द सदा ही सुख देते हैं।

गत दिनों बहुत अस्वस्थ होने पर भी जगदीशगुप्त ने मेरे इसी संग्रह पर चन्द पंक्तियाँ भेजी हैं जो संलग्न हैं। दस्तावेज 68 में आलोचना के हाथिए पर के अन्तर्गत गाँधीजी का जो आकलन आपने किया है वह बहुत-बहुत महत्त्वपूर्ण और वस्तुपरक है। गाँधीजी मेरे भी प्रिय विषय रहे हैं। गाँधीजी की यह दृष्टि वैश्विक ही थी जिसके अन्तर्गत वे निजी और सामाजिक जीवन में (राजनैतिक जीवन में भी) कोई अन्तर नहीं मानते थे। 1946 में जब क्रिप्स मिशन (ऐलेक्जेंडर और लारेंस) के साथ भारत की आजादी का एक कूट-प्रस्ताव लेकर आया था तो गाँधी जी बहुत क्षुब्ध हुए थे। उन्होंने कहा था क्रिप्स जवाहरलाल के क्लासफेलो हैं—फिर भी फेलहुड प्रस्ताव लेकर आये हैं—आश्चर्य है। राजनीति में इस तरह का धिक्कार केवल गाँधी ही दे सकते थे। आपका लेख पढ़कर मैंने अन्त में लिखा है great.

गाँधीजी के सन्दर्भ में आपका लेख पढ़कर मुझे वर्ष 1950-51 में लिखी माखनलाल जी की बोध कथा का स्मरण हो आया। आप कहें तो भेजूँ। आज के चुनाव युग में उसे पढ़कर आश्चर्यचकित हो जाएँगे।

स्वस्थ सानन्द होंगे।

आपका

श्रीकान्त जोशी

(7)

3-2-2000

प्रिय भाई नमन!

श्री शतानन्द जी श्रोत्रिय ने आज दस्तावेज 84 में प्रकाशित मेरी काव्यकृति 'सत्य वहाँ सुरक्षित' है में प्रकाशित अपनी समीक्षा पढ़कर सुनायी तो मन आपके प्रति आभार मय हो उठा। पर इसमें भाई साहब विद्यानिवास जी मिश्र पर मेरा लेख न देखकर निराशा भी हुई। उक्त लेख डेढ़ वर्ष पूर्व नवम्बर 1998 में भेजा गया था और आपने लिखा था कि आगामी अंक में आ जायेगा। मैंने मिश्रजी को भी सूचना दे दी थी। इस बीच मेरे पत्र भी मिले होंगे। यह मुझे आपके व मिश्र जी के परस्पर गहन प्रीतिमय सम्मान भाव का बोध न होता तो शायद मैं उक्त महत्त्वपूर्ण लेख नहीं भिजवाता। यदि आपके मन में रिजर्वेशन हो तो उक्त लेख निसंकोच लौटा दें। यह अनुग्रह ही होगा। कृपया मुझे अंक 84 (जुलाई-सितम्बर 1999) से वर्ष भर का ग्राहक भी वी.पी. द्वारा बना लें।

सानन्द होंगे।

श्रीकान्त जोशी

श्री नरेश मेहता

प्रेमचन्द सृजनपीठ
विक्रम विश्वविद्यालय परिसर
उज्जैन (मध्यप्रदेश)

8-7-86

प्रिय तिवारी जी,

आज की डाक से दस्तावेज 27 मिला आभारी हूँ। अंक 29/30 की प्रतीक्षा है। आप अवश्य ही इलाहाबाद के पते पर अंक भेजते होंगे पर अच्छा हो कि जब तक मैं यहाँ हूँ कृपया दस्तावेज यहीं भिजवाया करें।

आपने अपने जिस प्रस्तावित अंक के लिए मुझसे रचना माँगी है वह शायद सम्भवतः नहीं हो सकेगा। किन्हीं कारणों से गत दो वर्ष में कुछ भी लेखन नहीं हो सका अतः काम का भार कुछ ज्यादा ही है उसमें कोई भी नया दायित्व ले सकना सम्भवः नहीं हो सकेगा। अतः क्षमा प्रार्थी हूँ।
सस्नेह

आपका
श्री नरेश मेहता

(2)

16-3-89

प्रिय तिवारी जी,

भोपाल में आपसे भेंट एक सुखद आश्चर्य थी। आशा है ''दस्तावेज'' वाली आपकी योजना स्वरूप ग्रहण कर रही होगी। यहाँ भी अभी श्री प्रमोद त्रिवेदी मेरे नये काव्य-संग्रह का आलेख तैयार कर रहे हैं तथा डॉ. पवन कुमार मिश्र मेरी दोनों आलोचनात्मक पुस्तकों पर लिख रहे हैं। ये दोनों आलेख जैसे ही तैयार होंगे आपको मिल जाएँगे ताकि आप इन्हें भी सम्मिलित कर सकें। आशा है आपने श्री प्रभाकर श्रोत्रीय को लिखने के लिए पत्र भेज दिया होगा। मैं दो-चार दिनों के लिए अप्रैल के प्रथम सप्ताह में इलाहाबाद रहूँगा। शेष फिर, पत्र दें।

सस्नेह आपका
श्री नरेश मेहता

(3)

1-5-89

प्रिय भाई,

लगभग एक माह के बाद जब यहाँ 26 अप्रैल को लौटा तो आपका 2 अप्रैल का पत्र मिला। पिछले दिनों कानपुर आई.आई.टी. में साहित्य अकादेमी ने माखनलाल चतुर्वेदी पर जो आयोजन किया था उसमें आशा थी आपसे भेंट होगी। बहरहाल आपका पत्र मिलने के बाद श्री प्रमोद त्रिवेदी से पूछा तो मालूम हुआ कि उनका लेख आपको मिला चुका है। श्री पवनकुमार मिश्र एक माह के लिए अमृतसर विश्वविद्यालय गए हुए हैं और सम्भवतः मई के पहले सप्ताह के बाद ही लौटेंगे। नहीं जानता कि उनका लेख किस स्थिति में है, अस्तु।

आपने मेरे साहित्यिक पत्राचार को भी प्रकाशित करने की जो बात लिखी है वह रूचिकर तो अवश्य है परन्तु थोड़ी समयसाध्य है। चूँकि आजकल स्वास्थ्य काफी गड़बड़ चल रहा है। दूसरे यह कि यदि ऐसा कोई पत्राचार है तो वह इलाहाबाद और उज्जैन दो भिन्न स्थानों में होने के कारण काफी मेहनत माँगता है। तीसरे यह कि चूँकि मुझे यूरोप के प्रवास पर जाना है अतः उसी की दुष्कर प्रक्रिया में से गुजरना पड़ रहा है इसलिए समय का ही सबसे बड़ा अभाव है अतः यही कह सकता हूँ कि इस योजना को किसी अन्य अवसर के लिए स्थगित कर सकें तो अच्छा है।

वैसे भाई परमानन्द श्रीवास्तव से कुछ तो आपके बारे में कुशल समाचार मिले ही थे। उन्हें स्मरण करें।

आपका

नरेश मेहता

(4)

105-बी, संगम नगर

इन्दौर-452006

6-93

प्रिय तिवारी जी,

लगभग 2 माह की यात्राओं, व्यस्तताओं के बाद पूरी तरह अस्वस्थ होकर अब जाकर लौटा हूँ और स्वस्थ होने की प्रक्रिया में हूँ। कारण विशेष तो था ही इसलिए भी काफी तनाव रहा इसलिए पत्रोत्तर में विलम्ब हुआ। आपका काव्य संग्रह मिल गया था और मैंने उसे तभी पढ़ लिया था। किसी से उस संग्रह की मैंने प्रशंसा की थी तो वह महाशय उसे माँग ले गए किन्तु लौटाने का कष्ट नहीं किया। अब यह भी याद नहीं पड़ता कि वो सज्जन कौन थे। बहरहाल आपका संग्रह मुझे काफी अच्छा लगा था।

कारणोवश पिछले दिनों कुछ भी लिखना न हो सका, लेकिन बहुत जल्द ही फिर लेखन शुरु करना चाहता हूँ। इस बार अवश्य ही दस्तावेज के लिए कुछ लिखूँगा।

दस्तावेज निश्चित ही विशिष्ट है साथ ही सन्तुलित भी है। आज के इस माहौल में सन्तुलित और निष्पक्ष बना रहना ही सबसे कठिन समस्या है लेकिन आप उसका निर्वाह अपने लेखन और सम्पादन दोनों में बखूबी कर पा रहे हैं यही सन्तोष है। योग्य सेवा लें।

सस्नेह आपका

श्री नरेश मेहता

श्री निवास उद्गाता

(1)

कवि कुटीर, बलंगीर-767001

11-6-2012

प्रिय भाई श्री विश्वनाथ जी,

सादर अभिवादन।

आप 33 वाँ शारळा सारस्वत पुरस्कार समर्पण समारोह के मुख्य अतिथि के रूप में सम्मिलित होंगे, जानकर अपार आनन्द मिला, 2011 से हम सबकी यही इच्छा थी। अन्ततः नाम से ही सही आप मुझे पहचानते हैं। मैंने आपकी कुछेक कविताओं के ओड़िआ अनुवाद प्रकाशित करवाए थे। पत्राचार था। अब तो मैं यह भी जानता नहीं हूँ की दस्तावेज की क्या स्थिति है।

मैं लिखता-पढ़ता हूँ। अवसर मिले तो चित्रांकन। अब तक 207 पुस्तकें प्रकाशित हो चुकी हैं। आगे श्यामसखा की इच्छा।

प्रकाशित ग्रन्थों में कविता, कथा संग्रह, उपन्यास, नाटक, निबन्ध, सम्पादन तथा अनुवाद हैं। मेरी प्रिय सर्जना भूमि है कविता। अनुवाद को मैंने एक तरह से मिशन के रूप में स्वीकारा है। बहु लावण्यवती भाषाओं का विशाल देश है भारत। भावनात्मक एकात्मकता कि प्रतिष्ठा हेतु आदान-प्रदान के सूत्र से अनुवाद जरूरी है। अनुवाद एक गौण कर्म नहीं है, महत्वपूर्ण है। यह मेरा विचार है और यह भी कि उस सर्जना प्रक्रिया को वह मान्यता मिली नहीं है जिसका खेद है मुझ में।

आप जिस समारोह के लिए आएँगे, उसमें सम्मिलित होने वाले हिन्दी के अनेक हैं। सत् सारस्वत पुरुष भाई प्रभाकर श्रोत्रिय जी से आपको विस्तृत जानकारी मिल जाएगी।

मुझे आपका वायो-डाटा चाहिए। ताकि उसी के आधार पर समारोह के अवसर पर मैं एक राइट-आप तैयार कर पाऊँगा। कुछ चुनी हुई कविताएँ भी भेजेंगे। अनुदित रूप में उन्हें कुछेक समीचीन पत्रिकाओं में भी दे पाएँगे।

और सब ठीक है। आशा है आप स्वस्थ व प्रसन्न होंगे। पत्र देंगे।

शुभार्थी

श्री निवास उद्गाता

श्री प्रकाश शुक्ल

(1)

109, बी, नया कटरा,
दिलकुशा पार्क, इलाहाबाद-2

14-5-96

आदरणीय,

आपके जाने के बाद अब तक पत्र न लिख सका। कुछ तो अपनी व्यस्ततायें रही है और बहुत कुछ तो 'कथ्य' के न होने के कारण। अन्तिम शायद पूर्ण तथ्य ही है। आज 'सहचर' का अंक हाथ लगा परमानन्द जी से पिछले एक वर्ष में बातचीत के कई अवसर आए जिससे मुझे काफी कुछ सीखने को मिला और इस प्रक्रिया में बहुत कुछ लिखा भी। तब स्वाभाविक ही था कि 'सहचर' के बारे में भी कुछ लिखता और लिख भी दिया है। जो ''अमृत प्रभात'' के साप्ताहिकी में अगले रविवार को प्रकाशित भी हो रहा है। डॉ. लाल को एक प्रति जाएगी, शायद वे आपको दिखाएँ।

बात जो कहनी है वह यही कि आपका लेख एक नाव के यात्री' इस पूरे अंक की जान है। और परमानन्द जी के व्यक्तित्व को समग्रता में व्यक्त करने के लिए इससे अच्छी और कोई भाषा भी नहीं हो सकती थी। कुछ अनछुए पहलुओं को आपने इतनी बारीकी से स्पर्श किया है कि कहे बगैर रहा नहीं जाता। अपनी समीक्षा में तो मैंने वह अंश पूरा उधृत ही किया है—''सिपाहियों ने अब तक अपना नहीं माना''। भाषाई द्वन्द्व से रिश्तों और परिवेश के सम्पूर्ण द्वन्द्वात्मक चरित्र को उभारने की कोशिश करती लेखक की लेखनी ने इस अंक में जो प्राण फूँकी है, वह शायद ही किसी पाठक की निगाह से बची रह जाए। शायद इसी ने मुझ जैसे अकिंचन को यह लिखने के बाध्य किया है। और लेखक का अपने पर ही किया गया व्यंग्य 'दुर्भाग्य से अभी भी हाशिए पर ही हूँ' मुझे सहसा हजारी प्रसाद द्विवेदी की याद दिलाता है और याद दिलाता है उस परिवेश की भी जिसने उसे स्वीकार नहीं दिया। हालाँकि बाद में वहीं स्वीकृत हुआ।

विश्वास है आप स्वस्थ और सानन्द होंगे। जब कभी आवें दर्शन दें।

स्नेहाकांक्षी
श्री प्रकाश शुक्ल

(2)

19-9-96

आदरणीय,

यदि भाई गिरीश जी के यहाँ से अंक 70, न मार लिया होता, तो केरल की यात्रा से वंचित रह

गया होता। सचमुच जिस तरह से आपने नारियल प्रदेश के स्मृति चित्रों को विस्मृत होने से बचाने के लिए शब्दों में बाँधने की कोशिश की है, वह विरल है किन्तु आश्चर्य है कि यह इतने देर से क्यों सामने आया। केरल जो कभी न गया हो, वह केवल इससे केरल का आनन्द ले सकता है और यदि केरल गया, तो निश्चय ही उसे किसी 'निर्देशक' की जरूरत न होगी। बहुत-बहुत धन्यवाद। अंक में टी.एस. इलियट और एजरा पाउण्ड का प्रसंग बहुत ही रोचक है और विश्वास है आप प्रत्येक अंक में अब ऐसे ही रोचक प्रसंग दिया करेंगे जिसे विदेशी लेखकों के बारे में कुछ जानकारी मिलती रहेगी जिसका हमारी हिन्दी पत्रिकाओं में अभाव है। मैं क्यों लिखता हूँ कालम निश्चय ही अपने आपमें विशिष्ट है और आपकी सोच का परिचायक है किन्तु एक बात तो कहना ही है कि विस्तार से लिखने के बावजूद किसी ने भी केन्द्र को स्पर्श नहीं किया है। सभी परिधि पर ही टहलाते रहे हैं जिससे लिखने का कारण तो स्पष्ट नहीं हो सका, हाँ कुछ प्रभाव, तो कुछ आत्मालाप अवश्य ही आ गया है।

और अंत में एक अनुरोध। क्या लेखकों के पते देना उचित नहीं है? और यह भी कि पुस्तक समीक्षा में 'पुस्तक-विवरण' गायब है?

आपका

श्री प्रकाश शुक्ल

(4)

8-9-95

आदरणीय,

दस्तावेज-74 अंक आज ही मिला। ढ़ेर सारी कठिनाईयों व तनाओं के बीच अंक का नियमित निकलते रहना कम महत्वपूर्ण उपलब्धि नहीं है। अभी केवल रवीन्द्रनाथ ठाकुर की चिट्ठियाँ पढ़ी है। दस्तावेज में कभी-कभी इस तरह की unorthodox सामग्री का प्रकाशन हिन्दी साहित्य की पत्रिकाओं को अपनी परम्परा से जोड़ता है। जिसकी जड़ें सरस्वती या फिर इस जैसी इसके पहले की पत्रिकाओं तक जाती हैं। बधाई।

पिछली बार जब आप शहर में थे, तो उसकी सूचना मुझे डॉ. मिश्र के द्वारा मिली थी और उनके बताए कार्यक्रम के अनुसार मैंने आपकी प्रतीक्षा दूसरे दिन दोपहर 11 बजे तक श्री मार्कण्डेय के घर पर की थीं। सम्भव है उन्होंने यह आपको बताया भी हो। हर्ष का विषय यह भी कि उस दिन मेरे साथ शिवकुमार मिश्र जी भी थे। जो आपके पुराने दिनों की याद ताजा करने हेतु बड़ी ही उत्सुकता से प्रतीक्षा करते रहे थे। खैर! स्वराज द्वारा प्रदत्त 200 मेरे पास रखा है। शेष वह आपके ''दर्शन लाभ'' (जो उचित ही है) के पश्चात देना चाहता है। यदि ''पद'' इस कार्य में आड़े न आता हो, जो कि नहीं ही आना चाहिए तो अगली बार आप मुझे पूर्व सूचित करके मेरे साथ ही सही उस दुकान तक हो लें। उसे अच्छा लगेगा। सम्भव है सम्पादक को भी।

आपका

श्री प्रकाश शुक्ल

श्री भगवान सिंह

(1)

164, प्रेमचन्द पथ, तिलकामाँझी,
भागलपुर-812061

1-4-2008

आदरणीय भाई तिवारी जी,

सारद नमस्कार।

'दस्तावेज' के 116 एवं 117 अंक प्राप्त हुए। उन्हें भेजने के लिए बहुत-बहुत धन्यवाद। ऐसी महत्वपूर्ण पत्रिका नियमित रूप से मिल ही रहे। इसके लिए मैं दो वर्षों का शुल्क 200रु/- मनी आर्डर कर दे रहा हूँ।

आप एक वरिष्ठ प्राध्यापक, आलोचक, कवि एवं सम्पादक हैं। आपके मतवाद मुक्त लेखन से मेरे जैसे व्यक्ति को बहुत कुछ सीखने को मिलता रहा है। मार्क्सवादी धुँध से छुटकारा मिलने पर आप जैसों के लेखन का महत्व मेरी दृष्टि में और उजागर हुआ।

अंक 117 में आपने सुधीश पचौरी की अच्छी खबर ली है। यह व्यक्ति भाषा और साहित्य दोनों को ही विकृत कर रहा है। आपको कोई परामर्श देने के लायक मैं अपने को नहीं समझता, किन्तु अंक 116 में मार्क्सवाद पर लल्लनराय का इतना लम्बा लेख छापने का अब कोई औचित्य नहीं। भारतीय साहित्य, संस्कृति एवं परम्परा की सही समझ विकसित करने में मार्क्सवादी शास्त्र बहुत बड़ा अवरोध रहा है। अब इसकी चर्चा से जितना बचा जाए, उतना ही अच्छा।

एक बात कहने की धृष्टता करुँगा, क्षमा याचना सहित। 'दस्तावेज' में नुक्ता का प्रयोग मुझे ठीक नहीं लगता। जब हर भाषा दूसरी भाषा के शब्द अपनी प्रकृति के अनुरूप ग्रहण करने को स्वतंत्र है, फिर हिन्दी को क्यों नुक्ता की बेड़ी में कैद किया जाए। वैसे हिन्दी में मात्राओं की अधिकता को लेकर पहले से ही शिकायत रही है, ऐसे मे नुक्ता के रूप में क्यों एक और मात्रा की वृद्धि की जाए? आशा है इस अनुरोध पर विचार करेंगे।

शुभकामनाओं सहित।

आपका
श्री भगवान सिंह

(2)

23-3-2009

मान्यवर तिवारी जी,

सादर प्रणाम।

'दस्तावेज' का अंक 121 मिला। इसमें मेरा लेख 'रामराज्य के रूपक में ढला हिन्दस्वराज्य' छापकर आपने सचमुच मेरे श्रम को कृतार्थ किया। मेरा सादर आभार निवेदित है।

आपकी अनुमति पाकर पुनः हिन्दी आलोचना के परिदृश्य को लेकर लिखा गया एक आलेख भेज रहा हूँ। आशा है, इसे भी 'दस्तावेज' में स्थान देकर अनुगृहीत करेंगे। एक विनम्र निवेदन है प्रूफ सम्बन्धी भूलों पर थोड़ा ध्यान देने की जरूरत है।

साहित्य अकादमी द्वारा आचार्य नन्ददुलारे वाजपेयी पर होने वाली संगोष्ठी के लिए मैं तो अपनी तैयारी कर चुका था, इसलिए उसके स्थगित हो जाने से कलेश पहुँचा। जब भी यह संगोष्ठी हो, मुझे अवश्य इसके लिए याद करने की कृपा करेंगे। आशा है, आपके आशीर्वाद और सहयोग मुझे हमेशा सुलभ रहेंगे।

'दस्तावेज' के सारस्वत अभियान में मेरा सहयोग बना रहेगा।

शेष शुभकामनाओं के साथ

आपका

श्री भगवान सिंह

श्रीराम वर्मा

(1)

ए-9, पन्नालाल कॉलोनी, सिविल लाइन,
आजमगढ़-216001

9-6-1982

बाबा पाँव लागी,

आप सठियाय गये हैं का। हम कहित है कुछ, आप करत हौ कुछ। रचि के सुनौः मलयज वाली कितबिया हियाँ होते तौ का हम आपसे कहित। अरे गुरु, कहीं से लेइके भेजौ। कहवो तो हम कितबियो लौटाइ देबै, समीक्षाओ भेजि देबै। जान्यो। हमरे बस में का है। तुमरा अंक 17 निकरिगा अगले जनम में तब तक हमहूँ तुमरी दुनिया में रहबै कि नै 'कलावार्ता' तो मलयज पर जल्दिए विशेषांक निकालत हैगी और बाबा तो खाली छापि के छुट्टी पाइ जइहीं। ऊ जौन पारिश्रमिक बनी, हमरे कहे से उनके परिवार का भेजिहैं। ई तो है नै ना कि हम बाबा कै कहा नै करते तौ एक ठो हमरी अरदास बाबा नै सुनिहैं तौ हम कावकरी, बाबै बतावैं। ओलेख के 'दस्तावेज' में छपे की वैलू अब कॉव है? कविता विशेषांक तो निकली गवा, मलयज गयेन, अब का चाहत हौ, हमहू......

आपका
श्रीराम वर्मा

(2)

30-3-86

प्रिय डॉ. विश्वनाथ प्रसाद तिवारी जी,

आशा है सपरिवार स्वस्थ-सानन्द होंगे। अज्ञेय जी की पुस्तक 'संवत्सर' डॉ. नरेन्द्रनाथ वर्मा के हाथ भिजवायी थी, मिल चुकी होगी। 'पूर्वग्रह' में काल-चिन्तन की दृष्टि से डॉ. विद्यानिवास मिश्र का व्याख्यान अवश्य पढ़ें, उसमें कुछ शब्दों की व्याख्या भी है—आप्टे की डिक्शनरी की फिर जरूरत नहीं पड़ेगी—कम से कम 'संवत्सर' आदि के लिए।

'बेहतर दुनिया के लिए' की समीक्षा बड़े मन से काफी सोच-समझकर लिखकर भेज रहा हूँ। आपके पिछले संग्रह मेरे पास थे नहीं, उनकी जरूरत भी नहीं महसूस हुई। कविता के व्यक्तित्व को कवि के व्यक्तित्व के भीतर भिदकर पूरी प्रक्रिया में घुसकर देखने-परखने की यह विनम्र कोशिश है। कैसी बन

पड़ी है। यह आप ही बताएँ, पर बताएँ जरूर।

कहीं-कहीं लिखी पंक्ति के ऊपर छोटा-छोटा लिखना पड़ गया है— इसलिए छपते समय अतिरिक्त सावधानी अनिवार्य है।

सम्पादन आवश्यक समझें, करें। 16 पृष्ठ शायद ज्यादा नहीं है। अंत में एक कविता बन रही थी आपके ही शब्दों से। पर उसे इस समीक्षा के साथ छापना असंगत, अप्रासंगिक यहाँ तक कि निरर्थक है। मेरे नाम में 'डॉ.' शब्द बेकार लगे तो काट दें। छपाना आपको है पर सम्भव हो तो टंकित कराकर 'आलोचना' को भेज दें। मैं 16 अप्रैल को आ रहा हूँ।

आपका

श्रीराम वर्मा

(3)

7-12-87

प्रियवर विश्वनाथ जी,

अज्ञेय विशेषांक मिलते ही पहले पत्र पढ़ गया—अज्ञेय जी के पत्र। आपने मेरे नाम अज्ञेय जी का तार नहीं छापा, क्यों? क्या इसलिए कि वह अँग्रेजी में या अनावश्यक लगा। फिलवक्त वे पत्र सचमुच मूल्यवान हैं— अनेक प्रकार से। फिर एक यात्रा में सारे संस्मरण पढ़े और वे भी मेरे लिए अनेक दृष्टियों से मूल्यवान् हैं। मैं आज तक नहीं जानता था कि लीला वांदिवडेकर लिखती भी हैं। और वह भी इतना अच्छा! शेष सबको जानता हूँ, कई तरह से पसन्द करता हूँ। पर अब चन्द्रकान्त वांदिवडेकर दम्पत्ति से एक बार-कम से कम एक बार मिलने की इच्छा तीव्र हो उठी है। इस अंक के लिए हृदय भर बधाईयाँ। अज्ञेय जी इस अंक को पढ़कर लगता है—'लीला पुरुष' थे सच्चे अर्थों में 'लीला पुरुष'। इस अंक से कई नयी जानकारियाँ भी मिलीं। इसके लिए श्री शंकर दयाल सिंह, लीला वांदिवडेकर और शाह साहब का बहुत आभारी हूँ। और आपने यह सामग्री जुटायी, पाठक की है सियत से आपको कितना और कैसे आभार दूँ।

आपका

श्रीराम वर्मा

उपर्युक्त अंश प्रकाशन के लिए है। अब अपनी बात। मेरी बड़ी भाभी नहीं रहीं। उनके अन्तिम दर्शन हो गए। दवाएँ व्यर्थ हो गयीं। मलयज के पिता स्वरूपरानी नेहरु अस्पताल, इलाहाबाद में भर्ती हैं। गाल ब्लैडर में ऑपरेशन से स्टोन्स निकाले गए हैं। सपत्नीक देख आया। फिर सपुत्र देख आया। डॉक्टर आयु विज्ञान संस्थान में जाने को कह रहे हैं। शायद कैंसर है। देखिए उम्र तो बहुत है।

श्रीकान्त प्रसंग में चल रहे है न? जल्दी सूचित कीजिए। इसमें तो चलिए ही। मुझे भी साथ ले चलिए। और मेरा भी रिजर्वेशन करा लीजिए। मेरी बर्थ नीचे की रहेगी।

श्रीकान्त जी पर आपने जो प्रतिनिधि कविताएँ सम्पादित की हैं, कृपया श्रीशमणि त्रिपाठी के हाथ भिजवा दें और 'अपोलो का रथ' भी। अपोलो का रथ पढ़कर लौटा दूँगा—जैसे कहें, जब कहें, पर उसे भी श्रीशमणि त्रिपाठी के हाथ भिजवा दें। प्रतिनिधि कविताएँ पर तो मेरा हक है। आपके पास कई प्रतियाँ होगी।

गुड्डी के डिसर्टेशन के नम्बर का पता करके लिखने का कष्ट करें। यदि यह नम्बर आ गया हो तो मौखिकी और डिसर्टेशन के सही अंक सहित सही टोटल और प्रथम श्रेणी का साइक्लोस्टाइल कागज भिजवा दें। अब चित्तरंजन जी उपलब्ध होंगे।

नाक बह रही है। लगता है सदानीरा होकर ही दम लेगी। तो चलूँ सोने। अच्छा, शुभ रात्रि।

आपका

श्रीराम वर्मा

(4)

3-8-88

प्रियवर सम्पादक 'दस्तावेज',

अभिव्यक्ति, रचना या सर्जना मेरी दृष्टि में पर्याय हैं और इन सबका सम्बन्ध राग-बन्ध और उसके बदलते रूपों से है, संस्कारों और सरोकारों से है। रचता व्यक्ति है, लेकिन व्यक्ति रचते समय व्यक्ति नहीं होता। उसके भीतर परम्परा लोक, निजी बोध और दर्शन, पुराण, विज्ञान और दिक्कालव्यापी लय के प्रभाव होते हैं। वह वर्तमान में हो भी केवल वर्तमान में नहीं होता। वह काल, दिक और चेतना भीतर से तथ्य और सत्य को निचोड़ता है या कहें कि तथ्य और सत्य उसमें से शब्द-शब्द रिसते हैं। वह शब्द में हजार-हजार वर्षों का रक्त निचोड़ता है। यही उसकी मौलिकता है। उसे इसके लिए स्वयं का समूहन में विलयन, आविष्करण और तन्मयभिवन करना पड़ता है। इससे भिन्न कोई प्रतिबद्धता सम्भव नहीं है। प्रतिबद्धता को समझने के लिए नागार्जुन की 'प्रतिबद्ध हूँ' (शायद यही शीर्षक है।) कविता उदाहृत की जा सकती है। मैं प्रतिबद्धता को अनुभव, अनुभूति, अभिव्यक्ति, इयत्ता, समूहन, लय, आस्था और ईश्वर (निर्गुण या सगुण) से पृथक् नहीं मानता। यानि रचना स्वयं प्रतिबद्धता है यदि वह रचना है, सर्जना है। प्रकृति और जगत, परिवार और संसार, प्रेम, सौन्दर्य और अहिंसा, न्याय, समता और सन्तुलन मेरी रचना के सरोकार हैं जिसे आप मेरा फैलता हुआ वह ब्रह्माण्ड कह सकते हैं जिसमें मैं कण की तरह घुल जाता हूँ। पार्टी एक निश्चित सरोकार, निश्चित विचारधारा और निश्चित अनुशासन में हमें घटित करती है। उसकी प्रतिबद्धता एक सीमा बनाती है। वह या तो परतन्त्र करती है या रचनाकार को दलाल में बनाती है या रचना और रचनाकार को खरीदकर दोनों को जिन्स बना देती है। अवसरललोलुप और सत्तालोलुप भी बनाती है। स्वयं पार्टी रचना के लिए खतरनाक नहीं होती। स्वयं विचारधारा खतरनाक नहीं होती। लेकिन रचनाकार की निर्बन्ध वह सर्जनात्मक क्षमता छीन लेती है, जिसमें सर्जना के चिदणु सक्रिय सम्पूर्ण काल-प्रवाह में से छनकर अपनी मंदाकिनी बनाते हैं। रचना का अनुशासन पार्टी के अनुशासन से सर्वथा पृथक है। साही जी नेता भी थे और कवि भी। लेकिन वे कवि से कभी अपनी पार्टी की बात तक नहीं करते थे। रघुवीर सहाय की वह कविता आपको याद होगी, जिसमें कवि अपनी मूर्ति तोड़ने और रचने से कभी फुर्सत नहीं पाता। यह बात निरन्तर सक्रिय सर्जक के लिए अनिवार्य है, किन्तु पार्टी-कार्यकर्त्ता के लिए नहीं। रचनाकार के लिए पार्टी और पार्टी कार्यकर्त्ता भी, उनकी प्रतिबद्धता भी तभी सार्थक है, जब वे उसकी रचना के स्फुरण बन सकें, अन्यथा वे स्वयं चाहे जितने सार्थक हों, रचनाकार उनसे कटा रहे, उसे सारी पार्टियों और सारे राजनीतिक वैज्ञानिक व्यावसायिक तन्त्र के प्रति जागरूक रहकर रचना है। सर्जक का दायित्व दरअसल बहुत बढ़ गया है। इसीलिए सर्जन जटिल, कठिन और कभी-कभी तो

स्वयं के लिए खतरनाक हो गयी है। जो घर फँकू अपना, सो आवे हमारे पास इस सच्चाई को नेल्सन मांडेला से जोड़कर देखिए तो रचना सार्वभौम स्वतन्त्रता का पर्याय जान पड़ेगी। वहीं मैं खड़ा हूँ जहाँ न रंग-भेद है, न जाति-भेद, न आर्थिक भेद और एक आस्था है जिसके प्रति सब अडिग हैं—समत्व में लयमान सब और एक मैं भी अद्वैत स्थिति में।

आपका

श्रीराम वर्मा

पुनश्चः महादेवी जी वाला अंक कब मिलेगा, जल्दी बतायें और यह पत्र रचनात्मकता और प्रतिबद्धता अंक में छापें।

श्रीराम शुक्ल

(1)

कंचना, अमीना बाद, लखनऊ

15 -9-70

तिवारी जी,

आपका 12-2-70 का कृपा पत्र यथा समय प्राप्त हो गया था। आपकी सहानुभूति से बल अर्जित किया।

आप द्वारा 29-6-70 (मेरी 25 वीं वर्ष समाप्ति) को हस्ताक्षरित 'चीजों को देखकर' की एक प्रति कल ही प्राप्त हुई। स्मरण हेतु आभारी हूँ। इस संकलन का उपयोग 'किसी रूप में' मेरे लिए अवश्य सम्भव होगा।

पुस्तक का आवरण चित्र आकर्षक और सार्थक है। फ्लैप पर लिखी हुई गद्य-सामग्री पर लेखक का नाम होता तो अधिक प्रामाणिकता होती। कविताओं के पहले 'कवि का वक्तव्य' भी होना आवश्यक था (तभी तो इस दशक की औपचारिकता पूरी होती)।

कविताओं में चिकनापन है, खुरदरापन नहीं। क्या यही बात आपको सातवें दशक का विशिष्ट कवि बनाती है? आज की कविताओं में बेलाग, सपाट और प्रहारात्मक भाषा का प्रवेश हो गया है। आपने भाषा की पारम्परिकता से तो छुट्टी पा ली है, किन्तु उसमें 'तेजाब की जलन' लगभग नहीं ला पाए हैं। आपकी कविताओं में समन्वय, सन्तुलन, सधाव और ठण्डापन है और ये किसी काव्य-मोह में कहीं बीच में ही अटक कर रह गयी हैं।

'इतिहास के अँधेरे में' बढ़ने से अच्छा है अपने शरीर में आग लगा लेना और धू-धू करती हुई उन लपटों से दूसरे सहधर्मियों का रास्ता प्रकाशित करना। 'मेरे साथियों को लड़ने दो' और 'उन्हें आहिस्ते-आहिस्ते इतिहास के अँधेरे में बढ़ने दो', इन दो बातों में क्या कोई विरोधाभास नहीं? क्या हमारी लड़ाई सिर्फ अँधेरे से अँधेरे तक जाने के लिए है? क्या हम इतिहास बनाने के लिए ही जीवित है?

और 'किसी के लिए' कोई कविता लिखने का क्या तात्पर्य हो सकता है? कुछ स्पष्ट नहीं हो सका। इतने नामों को देने का क्या प्रयोजन?

अन्य कविताओं की अपेक्षा लम्बी कविताएँ अधिक प्रभावी और सशक्त हैं। आपकी शीघ्र प्रकाश्य लम्बी कविता बहुत जोरदार होगी, इसका अनुमान अभी से लगाया जा सकता है।

कुल मिलाकर आपका यह 'संकलन' प्यार करने के काबिल है, आपके स्वभाव के अनुरूप 'मधुर' और गम्भीर है और आपके गहन स्वाध्यायी होने का प्रमाण देता है। सरसरी तौर पर देखने से ऐसा ही लगा।

'चीजों को देखकर' फिर देखकर अर्थात पढ़कर कभी विस्तार से अपनी प्रतिक्रिया व्यक्त करूँगा,

तभी मेरी बातों पर विश्वास कीजिएगा।

यह संग्रह इतना सधा हुआ और सुरुचिपूर्ण है कि आसानी से किसी पाठ्यक्रम में लग सकता है।

इधर कभी श्री बालकृष्ण राव से भेंट हुई क्या? परमानन्द जी, केदार नाथ जी और अतृप्त जी को मेरा प्रणाम कहिएगा, धन्यवाद।

मेरे किसी वाक्य का बुरा न मानिएगा, अपने को आपका आत्मीय समझकर ही यह सब लिखा। और? क्या समचार है?

आपका स्नेहाधिकारी
श्रीराम शुक्ल

(2)

24- 5-72

तिवारी जी,

'परिस्थिति-1' और 'परिस्थिति-2' की प्राप्ति हुई थी, दोनों को मैंने 'कंचना' की दीवाल पर चिपका दिया, यही उसका सदुपयोग समझा। लोग पढ़ते हैं, प्रेरित होते हैं और प्रशंसा करते हैं।

आपके इस प्रयास के लिए बधाई और शुभकामनाएँ। प्रति भेजने के लिए आभारी हूँ।

कृपया 'परिस्थिति-2' की एक प्रति निम्नलिखित पते पर भेज दीजिए ताकि उसका पुनर्मुद्रण किया जा सके–

श्री कृष्ण पुरवार,
अभिव्यक्ति प्रकाशन,
847, विश्वविद्यालय, इलाहाबाद

आपका
श्रीराम शुक्ल

श्रीराम परिहर

(1)

16, आजाद नगर, खण्डवा

26-2-97

श्रद्धेय डॉ. तिवारी जी,
प्रणाम।

आपकी पुस्तक 'रचना के सरोकार' पढ़कर हिन्दी साहित्य और समीक्षा के विषय में बहुत कुछ जाना-समझा।

दो वर्ष पूर्व 'पावस व्याख्यानमाला' भोपाल में आपको सुनने, मिलने का अवसर मिला। उस दिन मैंने आपकी मेधा और भारतीयता को हृदय से प्रणाम किया।

पिछले दिनों साहित्य अमृत में गोवा पर यात्रा वृत्तान्त पढ़ा। दस्तावेज के विद्वत्तापूर्ण सम्पादन और निष्पक्ष रूप से श्रेष्ठ साहित्य को पाठकों तक पहुँचाने की हार्दिक बधाई। धन्यवाद।

'दस्तावेज' हेतु अपना एक निबन्ध भेज रहा हूँ। मैं आप जैसे विद्वानों द्वारा बनायी गयी राह पर चलने वाला छोटा-सा रचनाकार हूँ।

आपका आशीर्वाद मिले, तो सौभाग्य समझूँगा।

कृपाकांक्षी
श्रीराम परिहार

(2)

16-10-2002

श्रद्धेय डॉ. तिवारी जी,
प्रणाम।

भारतीय हिन्दी परिषद् का अधिवेशन मुझे इसलिए आकर्षिक रहा कि गोरखंपुर में आप हैं। डॉ. परमानन्द जी हैं। कबीर बुद्ध की भूमि है। गोरखनाथ की तपोभूमि है। आपकी भारतीय चिन्तन दृष्टि मुझे अच्छी लगती है। लगभग पाँच छह वर्ष पहले भक्तिकाल पर आपका एक व्याख्यान हिन्दी भवन भोपाल में सुना था, और फिर रचना के सरोकार पढ़कर आपके प्रति मन बँध-सा गया। जब कभी आपसे मिलने या आपको सुनने का अवसर होता है, मैं उत्साहित रहता हूँ। गोरखपुर में आपसे जितनी देर सही, मिला। अच्छा लगा। कृपा बनाये रखिये।

कृपाकांक्षी
श्रीराम परिहार

सत्यप्रकाश मिश्र

(1)

143ए, अलोपीबाग,
इलाहाबाद

प्रिय भाई,

नमस्कार!

दस्तावेज के पिछले दो अंक मिल चुके हैं। आभार स्वीकार करें। श्रीकान्त वर्मा पर नई और विशिष्ट सामग्री देने के लिए बधाई। आलोचना और आप के इस अंक से श्रीकान्त पर कुछ सही समाग्री आयी है। राजनीति से जुड़कर लेखक की हैसियत केवल लेखकों में ही रहती है। व्यक्ति के मरने से राजनीति के लिए लेखक मर जाता है और यदि उसका प्रचार राजनीति द्वारा किया जा रहा है तो वह भी इसी तरह जैसे गाँवों में शादी के वक्त पर अदावती चाचा का इस्तेमाल किया जाता है। बहरहाल श्रीकान्त इस बात के प्रमाण हैं कि यदि राजनीति का ही तर्क चुनना हो तो जनता का ही पक्ष चुनना होगा क्योंकि जनपक्ष या लोकपक्ष लेखक को मारता नहीं बल्कि मरने वाले से संघर्ष करता है। वह उसे जीवन्तरूप सनातनत्व प्रदान करता है।

रामस्वरूप चतुर्वेदी की पुस्तक पर मेरी एक समीक्षा है। यदि अनुमति दें तो भेज दूँ। पुनः अपनी तरफ से मैं पुस्तक की पद्धति और बोल्डनेस का कायल हूँ।

शेष कुशल है।

सत्यप्रकाश मिश्र

पुनश्चः वात्स्यायन जी की मौत की रिक्तता भरेगी क्या?

(2)

5-6-1992

प्रिय भाई विश्वनाथ जी,

नमस्कार

'वर्तमान साहित्य' के आलोचना विशेषांक का अतिथि सम्पादक हूँ। आपकी मदद चाहिए। मैं आप से हिन्दी आलोचना की समस्याओं, कमियों, असफलताओं, विशेषताओं और प्रवाहों अथवा प्रकार्यों में से किसी एक पर अथवा इनके अतिरिक्त जो आप उचित समझें एक लेख चाहते हैं। किसी कविता का

नये सिरे से मूल्यांकन किया हो तो वही भेज दीजिये—कृपा होगी।

विशेषांक जुलाई के अन्त तक प्रेस में जायेगा। कामायनी पर मैंने एक लेख लिखा है—जे.एन.यू. में पढ़ा था—अनुमति हो तो भेजूँ।

भवदीय

सत्यप्रकाश मिश्र

(3)

14-10-92

प्रिय भाई,

नमस्कार!

'आखर अनन्त' मिल गया। पढ़ गया। पहले संकलन से निश्चय ही अचछा संकलन है। इस भेडिया धसान में कविता को गम्भीर विधा और असहज कलावस्तु के रूप में प्रतिष्ठित करने में यह संकलन योगदान देगा। मैं इस पर विस्तृत समीक्षा कहीं लिखूँगा।

मैं बेबाकी से यह बात कहना चाहता हूँ कि इस संकलन के पहले आप की लगभग सभी छपी कविताएँ पढ़ने के बाद मुझे आपको कवि (गम्भीर अर्थ में) मानने में संकोच था। इस संकलन के बाद मैं अब आपको कवि विश्वनाथ ही मानूँगा। मैंने अभी साही के जन्म दिवस पर आपके इस संकलन के बारे में उनके निवास पर ही आलोचना विषयक गोष्ठी (7 अक्टूबर) में इस बात को कहा भी कि कैसे प्रत्यक्ष से अप्रत्यक्ष का, गम्भीरता का होना सरल है। यह बिना परिपक्वता और सिंसियरिटी के सम्भव नहीं है। लोक सामान्य को अलोक सामान्य में बदलना प्रतिभा और अनुभव से ही सम्भव है। सांख्य के अनुसार बुद्धि और चेतना से रामस्वरूप अध्यक्ष थे। रामकमल लक्ष्मीकान्त आदि भी थे। बहरहाल बधाई।

भाषा की अपारदर्शिता ही नहीं संरचना की लंचिंग कैपासिटी भी कविता का महत्वपूर्ण गुण होती है। प्राचीन काव्य शास्त्री तो इस संकलन को लक्षणा पर आधारित ध्वनि के रूप में स्वीकार करेगा जो काव्य का महत्त्वपूर्ण गुण है। इसके अलावा ये कविताएँ हमें अपने अड़ोस-पड़ोस, आसपास घर परिवार, दुनिया जहान से जोड़ती हैं। लोकदृश्य की पहचान कवि की पहचान को प्रमाणित करती है और पाठक को भावना और बुद्धि के संश्लेष के योग के कारण पाठक के आदती पहचान से भिन्न यथार्थ की पहचान की ओर से ले जाती हैं। विभावीकरण का यह तरीका इस आखर अनन्त का महत्वपूर्ण गुण है।

मेरे लेख का क्या हुआ। कृपया शीघ्रता कीजिये। पत्र की बातें कहीं छपने में मुझे आपत्ति नहीं है। गाँव में था पत्र में देरी हुई।

भवदीय

सत्यप्रकाश मिश्र

(4)

प्रिय भाई,

नमस्कार!

पत्र मिला। आपके लेख का इन्तजार रहेगा। दस्तावेज के एक अंक में किसी से आपने विरचना

(Deconstruction) पर लेख लिखवाया था। मैं उनसे उत्तर आधुनिकतावाद पर लिखवाना चाहता हूँ। पता दे दें तो अच्छा रहेगा।

आप आलोचना के किसी महत्त्वपूर्ण पहलू पर—मसलन आलोचना के प्रकार्य पर लिखें समस्याओं के विषय में आपसे अधिक कौन अवगत है।

अंक अच्छा निकले कोशिश है। वांछित लेखों और लेखकों का संकट आप जानते ही हैं। रामस्वरूप जी रघुवंशी जी, साहीजी आदि के लेख मिल गये हैं। काफी लोगों का आश्वासन है।

मैं अपना लेख टाइप कराकर भेज रहा हूँ—शीघ्र।

आपको इस लेख को यथास्थान प्रयोग करने का यथा इच्छा अधिकार है—रहेगा।

आशा है सब कुशल ही होगा।

सत्यप्रकाश मिश्र

(5)

13-2-1998

मान्यवर,

नमस्कार!

मान और मूल्य विषय पर संग्रहालय जो गोष्ठी आयोजित कर रहा है, उसमें हमारा विश्वास है कि आप सब लोग इस जटिल विषय पर अनेक दृष्टियों से विचार करेंगे। हम चाहते हैं कि इसपर विचार हो कि क्या सभी सर्जनात्मक विधाओं का मूल्य परक दृष्टि से कोई मान निर्धारित किया जा सकता है। सर्जनात्मकता यदि अपने आप में ही एक मूल्य है तो क्या वह मान भी बन सकती है। मूल्य किस प्रकार से मानों को निर्धारित करते हैं और मान किसी प्रकार से रूढ़ होकर जड़ीभूत सौन्दर्याभिरूचि का कारण बनते हैं यह भी एक विवेच्य प्रश्न है। सर्जनात्मक विधाओं के इतिहास में काल निर्धारण किस प्रकार से कृतियों को प्रतिमानीकृत करता है और कैसे बहुत सा मूल्यवान नवाचार इस प्रतिमानीकरण के बाहर पड़ जाता है, यह गहरे विवेचना का विषय है। यह भी विवेच्य है कि संगीत-चित्रकला आदि ललित कलाओं में मूल्य और मान का कैसा रिश्ता बनता है। भारतीय कला में विद्यमान मूल्यपरक दृष्टि कैसे मान में परिणत होती है या कैसे कलात्मक रूढ़ियाँ या अभिप्राय स्वयं मान बनकर कला विश्लेषण में बाधा या सहायता पहुँचाते हैं। हमारी आकांक्षा है कि इस समस्या पर आप सबके माध्यम से हमारा प्रदीपन सम्भव हो। इस उत्तर आधुनिक युग में जहाँ मान और मूल्यों मात्र पर प्रश्न चिन्ह लग रहा हो, हर प्रकार कर सीमाएँ ढहाये जाने को ही मूल्य माना जा रहा हो, उस समय यह और भी विवेच्य है कि अमूल्यता और निर्मूल्यता के रिश्ते को परिभाषित किया जाए तथा यह भी देखा जाय कि कैसे समय के प्रवाह में कुछ कृतियाँ या कलाकृतियाँ पुनर्मूल्यांकित होकर पूरे मान प्रक्रिया में उलटफेर कर देती है। इन सारे प्रश्नों का गहरा मूल्य परक संवाद हो यही हमारी आकांक्षा है। आप सब इस विषय के विद्वान हैं, इसलिए हमारा विश्वास है कि हमारी यह विचार गोष्ठी सफल होगी।

भवदीय

सत्यप्रकाश मिश्र

सन्हैयालाल ओझा

(1)

36, शेक्सपीयर सरणी
कलकत्ता-700017

8-2-79

प्रिय बन्धुवर तिवारी जी,

कृपापूर्वक प्रेषित 'दस्तावेज दो' की प्रति मिली। एक नजर देखने से ही लगा कि सचमुच यह पत्रिका हिन्दी साहित्य का दस्तावेज प्रमाणित हो सकेगी।

आपकी अणुवीक्षक दृष्टि श्लाध्य है। हिन्दी के अतिरिक्त इसमें जो समकालीन भारतीय लेखन का स्तम्भ है, वह हिन्दी के दृश्य-पट को विस्तृत पृष्ठभूमि देकर अपने को नापने-जोखने का सुअवसर दे सकता है। चयन सुरुचिपूर्ण और सामग्री ठोस तथा चिन्तन के लिये प्रेरित करनेवाली है। मेरा हार्दिक अभिनन्दन स्वीकार करें।

पत्रों को पढ़कर तथा एकाध पत्र पर आकी टिप्पणी पढ़कर लगा कि आप स्वतन्त्र चिन्तन के पक्षधर हैं, और यह आज की, मैं समझता हूँ, सुलझे हुए व्यक्ति की गहरी उपलब्धि और समाज की बड़ी आवश्यकता है। दस्तावेज के प्रवेशांक के लिये भी मन में एक हूक पैदा हुई है। यदि वह उपलब्ध हो तो एक प्रति क्या भिजवाने का अनुग्रह कर सकेंगे?

अलग डाक से 'सन्दर्भ-भारती' के कश्मीर साहित्यांक की एक प्रति सेवा में भेज रहा हूँ। अगला अंक शीघ्र प्रकाश्य है। यथा समय सेवा में पहुँचेगा।

पुनः धन्यवाद और अभिवादन के साथ।

विनयानत
सन्हैयालाल ओझा

(2)

8ए, नन्दन रोड, भवानीपुर
कलकत्ता-700025

18-5-79

सम्मान्य बन्धुवर,

'दस्तावेज' 3 प्राप्त हुआ। कृतज्ञ हूँ। दस्तावेज 2 देखकर जो आशा बँधी थी, वह विकसित प्रस्फुरित

हुई है। समकालीन बंगला-साहित्य पर्याप्त प्रतिनिधिक है। नेरूदा की कविताएँ हिन्दी के पाठकों को अवश्य एक नयी अनुभूति देंगी। अरुणेश नीरन द्वारा प्रस्तुत रमेशचन्द्र शाह के उपन्यास 'गोबर गणेश' का विश्लेषण अच्छा बन पड़ा है, यद्यपि सब जगह उनके मत से इत्तिफाक सहज न हो। उनका यह मन्तव्य 'विनायक और जगन के अलावा कोई पात्र अनहोना नहीं लगता!'—जगन के विषय में ठीक उतरता हो, किन्तु यदि चरित्र नायक विनायक के विषय में भी ठीक हो तो क्या सारी रचना अनहोनी नहीं हो जाती? विनायक की त्रासदी आज के मध्यवित्त शिक्षित नवयुवक की त्रासदी है चाहे इसमे आज का क्रूर यथार्थ पूरी समग्र अर्थवत्ता के साथ अभिव्यक्त न हुआ हो। विशिष्ट कृतियों पर इस तरह विश्लेषण प्रस्तुत करना दस्तावेज की एक उपलब्धि है, यह तो स्वीकार करना ही होगा।

भुट्टो की फाँसी पर आपका सम्पादकीय भी पढ़ा। आपके इस मन्तव्य से मैं सहमत हूँ कि फाँसी दण्ड देने का एक बर्बर तरीका है। 'न्याय', 'कानून', 'अन्तःकरण', 'राज्य' शब्दों पर भी आपका अभिमत मान्य है। इसके बावजूद जब हम व्यक्ति भुट्टो को लेते हैं तो क्या यह सारी आलोचना इसी तथ्य पर केन्द्रित नहीं हो जाती कि वह एक देश का प्रधानमन्त्री था जहाँ उन्होंने बहुतेरे अच्छे कार्य किये थे, और इसीलिये उनके किसी एक गार्हित कृत्य के लिये उन्हें दण्डित करना उचित नहीं था? मैं यहाँ यह प्रश्न भी नहीं उठा रहा हूँ कि उनके साथ कानून के अनुसार न्याय किया गया या नहीं, क्योंकि आपने प्रश्न अन्तःकरण का भी उठाया है। कुछ तथ्य स्पष्ट हैंः कसूरी के पिता की हत्या हुई है, और उसके मूल में जो व्यक्ति है, उसे हमें परखना है! ईरान में हुवेदा की हत्या की गयी, उसके खिलाफ तो किसी व्यक्ति-विशेष की हत्या का जुर्म भी नहीं था। फिर भी हम उसे अहमियत क्यों नहीं देते? कानून के अनुसार अपराध साबित न हो पाता हो, आखिर सधा हुआ और साधन-सम्पन्न व्यक्ति इतनी सतर्कता तो बरत ही सकता है कि वह कानून के पंजे में न आये, तब आपके ही मन्तव्य से क्या 'अन्तःकरण' की आवाज नहीं सुनी जानी चाहिये?—मैं फाँसी देने वालों की न्यायनिष्ठा का पक्ष नहीं ले रहा हूँ। मृत व्यक्ति के पुत्र कसूरी की भावना भी मुझसे दूर है! क्या इसमें कुछ भी तथ्य नहीं है कि सारे संसार में भुट्टो के प्राणदान के लिये तो आवाजें उठीं, पर उन चार व्यक्तियों के लिए, जो इस हत्याकाण्ड में भुट्टों के निर्देश से ही आगे बढ़े थे, किसी ने कुछ भी नहीं कहा? और वकालत करने वाले भी स्पष्टतः क्या वे राजनेता ही नहीं थे जो स्वयं भी इस प्रकार के कार्य करने की स्थिति में होते हैं? यदि आप यह मान लें कि भुट्टो को सजा मिलनी चाहिये थी प्राण दण्ड नहीं, तो मैं आपसे पूरी तरह सहमत हूँ। मैंने तो स्वयं ही कहीं लिखा है कि किसी को मृत्यु-दण्ड देकर किसी हत्या का परिशोध क्या उस हत्या से अधिक अन्यायपूर्ण नहीं है? हत्या में फिर भी कुछ उद्देश्य होता है, विवशता होती है हत्यारे की, किन्तु हत्यारे को मृत्यु दण्ड देने में न्याय के नाटक का क्या उद्देश्य रह जाता है?

पत्रिका की अन्य सामग्री भी बड़ी विचारोत्तेजक है। मेरी हार्दिक बधाई लें। इस सुरुचिपूर्ण प्रकाशन के लिये, और शुभ कामनाएँ भी।

हाँ, एक बात—इस सप्ताह से ही मैंने भारतीय भाषा परिषद से अपना सम्बन्ध विच्छेद कर लिया है। कृपया पत्र घर के पते से ही दें, जो ऊपर दिया गया है।

29 अप्रैल 1979 के धर्मयुग में शायद मेरे उपन्यास 'सर्वनाम' पर डॉ. बन्दिवडेकर की चर्चा आपकी दृष्टि से गुजरी हो।

आशा है प्रसन्न और स्वस्थ हैं। योग्य सेवा से सूचित करें।

साभिवादन और सस्नेह

विनीत सेवक

सन्हैयालाल ओझा'

(3)

23-12-79

बन्धुवर,

आपका 15/12 का पत्र यथासमय मिल गया था, उत्तर देने में विलम्ब हुआ इसके लिये क्षमाप्रार्थी हूँ।

दस्तावेज़ के प्रस्तावित प्रेमचन्द विशेषांक की सूचना मुझे मिली थी और शायद इस सम्बन्ध में मैंने आपको अपने किसी पत्र में अभिनन्दन भी दिया था। इस विशेषांक में आप सन्दर्भ-भारती में प्रकाशित सामग्री का उपयोग करना चाहते हैं, यह जान कर प्रसन्नत हुई। आप उन लेखों को अविकल तो उद्धृत करेंगे नहीं, केवल उनके आधार पर एक संक्षिप्त विवरण प्रस्तुत करना चाहते हैं, मेरे ख्याल में इसमें किसी को आपत्ति नहीं होनी चाहिये। हाँ, यदि अपने विवरण में सन्दर्भ-भारती का उल्लेख कर सकें तो परिषद प्रसन्नता अनुभव करेगी। सन्दर्भ-भारती में जो यह सामग्री प्रस्तुत की गयी है, उसका उद्देश्य ही अनुसन्धित्सुओं को लाभान्वित करना है।

मुझे पूरा विश्वास है कि आपके सुयोग्य सम्पादन में 'दस्तावेज' का प्रेमचन्द विशेषांक सचमुच एक दस्तावेज प्रमाणित होगा, और उसमें प्रेमचनद के व्यक्तित्व और कृतित्व के नये आयाम उद्घाटित होंगे। इधर सन्दर्भ-भारती के बाद के अंकों में भी पाठकों की प्रतिक्रिया से उत्पन्न नये तथ्यों को दिये जाने का प्रयत्न किया जा रहा है, आशा है वे आपकी दृष्टि से गुजर रहे हैं। आपके इस अंक की उदग्र प्रतीक्षा रहेगी! यदि एक प्रति मेरे व्यक्तिगत उपयोग के लिये उपरोक्त पते पर भेज सकें तो अनुगृहीत होऊँगा।

आशा है, सपरिवार प्रसन्न एवं स्वस्थ हैं। कभी कलकत्ता पधारना हो तो दर्शन दें।

नववर्ष की शुभकामनाओं और आदर के साथ।

आपका भाई

सन्हैयालाल ओझा

(4)

परम आदरणीय डॉ. तिवारी जी,

सादर प्रणाम। पहले से परिचय न होने पर भी, आपकी सारस्वत साधना से प्रभावित होकर अपने पहले ही पत्र में अपनी गरज़ से एक कष्ट देने की धृष्टता कर रहा हूँ। इसके लिये क्षमा याचना ही कर सकता हूँ। आपकी साहित्यिकता और उदारता पर विश्वास है कि आप सहज ही क्षमा कर देंगे।

वर्षों पूर्व गोरखपुर के एक युवक अतुल पुष्पार्थी ने मुझसे सम्पर्क कर अपने शैवाल प्रकाशन के लिये किसी उपन्यास के प्रकाशन की माँग की थी। उस समय मैंने एक नया उपन्यास 'उत्तरायण' समाप्त किया ही था और चाहता भी था कि उसके प्रकाशन के लिये किसी योग्य प्रकाशक से सम्पर्क करूँ। इस युवक ने अपने शैवाल प्रकाशन से प्रकाशित कुछ सामग्री भी दिखायी। मेरे यह कहने पर कि मैं इस उपन्यास को टंकित करवाकर तथा एक प्रति अपने पास सुरक्षित रख कर टंकित प्रति उसे भेज दूँगा उसने मुझे विश्वास दिलाया कि वह स्वयं प्रेस कॉपी तैयार करवाने के लिये उसे टाइप करवाकर एक प्रति मुझे भिजवा देगा। और इस तरह वह उस उपन्यास की मूल प्रति मुझसे लेकर तथा अग्रिम एक हजार रुपये का चैक देकर वह गोरखपुर लौट गया। बाद में गोरखपुर से उसके साथ पत्र-व्यवहार बराबर होता

रहा। उसने सूचित किया कि 'उत्तरायण' छपने के लिये प्रेस को दे दिया गया है और कि छपाई प्रारम्भ भी हो गयी है। जैसा कि उसने वादा किया था, उस उपन्यास की प्रतिलिपि टंकित करवाकर उसने मुझे नहीं भेजी।

कुछ समय बाद उसने मुझे लिखा कि वह पारिवारिक कारणों से आर्थिक दबाव में आ गया है। और चाहता है कि यदि मैं वह अग्रिम राशि उसे लौटा दूँ तो वह प्रेस का हिसाब चुकाकर उपन्यास की छपाई पूरी करवा लेगा। मैं स्वयं भी उस समय आर्थिक कठिनाई में था किन्तु उपन्यास के शीघ्र प्रकाशन के लिये किसी तरह उसे 251/- का चैक भेज दिया। इस सम्बन्ध में उसके 6 सितम्बर 1986 के पत्र की मैं जीरोक्स प्रति संलग्न कर रहा हूँ।

इस पत्र के बाद मैं बराबर उसे पत्र लिखकर अपने उपन्यास के बारे में जिज्ञासा करता रहा हूँ। पर उसने मेरे किसी भी पत्र का आज तक कोई उत्तर नहीं दिया। मैंने यह भी प्रस्ताव किया था कि यदि वह मुझे उस प्रेस का पता बता दे, जहाँ उसने उस उपन्यास को मुद्रण के लिये दिया है तो मैं स्वयं उससे सम्पर्क करूँ और उसका बकाया उसे चुकाकर उपन्यास को प्रकाशित करने की व्यवस्था करूँ, किन्तु उसका भी कोई उत्तर नहीं मिला। मैं एक तरह से इस प्रसंग में निराश हो गया हूँ। स्वयं गोरखपुर जाकर पता लगाता किन्तु सन् 1992 में अपनी पत्नी के स्वर्गवास के बाद अब तक चार बार दिल के दौरों का और दो वर्ष पूर्व एक प्राणांतक बस दुर्घटना में हाथ-पैर की हड्डियाँ तुड़वा बैठने का शिकार हो जाने के कारण अब एकाकी लम्बी यात्रा के लिये असमर्थ हो गया हूँ। उम्र भी 83 हो गयी है, यद्यपि लिखना पढ़ना अवश्य जारी है। निराशा के इसी आलम में मेरे मित्र डॉ. पृथ्वीनाथ शास्त्री ने मुझे आपको इस सम्बन्ध में पत्र लिखने का सत्परामर्श दिया और मैं आशा के साथ आपको कष्ट देने की धृष्टता कर रहा हूँ।

मैं श्री अतुल पुष्पार्थी से प्राप्त अन्तिम 6 सितम्बर 1986 के पत्र की छाया-प्रति संलग्न कर रहा हूँ; जिसमें उसका पता और टेलीफोन नम्बर भी (जो अब तो शायद बदल ही गया हो) दिया गया है। आपसे विनम्र प्रार्थना है कि आप स्वयं टेलीफोन पर या अपने किसी कार्मिक को इस व्यक्ति 'अतुल पुष्पार्थी' से मिलकर तथा उस प्रेस से भी, जहाँ इस उपन्यास के छपने की बात लिखी है, मिलकर सम्पूर्ण परिस्थिति की सूचना देने का अनुग्रह करें। इस उपन्यास का उद्धार कैसे हो इस विषय में भी प्रकाश डाल सकें तो मैं उपकृत होऊँगा। यदि कभी इस उपन्यास का उद्धार सम्भव हुआ तो उसका समस्तश्रेय आपको होगा। जैसी भी स्थिति हो, मैं आशा करूँगा कि आप मुझे सूचित करेंगे।

जब मैं भारतीय भाषा परिषद में था, तब आपके द्वारा सम्पादित 'दस्तावेज' को देखने का बराबर अवसर मिलता था। मैंने 'बात सामयिकी' के कुछ अंक भी आपकी सेवा में भिजवाये थे। मैंने अपने प्रकाशक नेशनल पब्लिशिंग हाऊस, नयी दिल्ली को लिखा है कि वह आपकी सेवा में मेरा सद्य-प्रकाशित उपन्यास 'कसौटी' भिजवाये।

आशा है, आप सपरिवार स्वस्थ-सानन्द हैं। कष्ट दे रहा हूँ। इसके लिये पुनः क्षमा-याचना और आदर के साथ।

आपका स्नेहाधीन भाई

सन्हैयालाल ओझा

पुनश्चः अभी मेरी दो और कृतियाँ प्रकाशित हुई हैं

1. उर नगर के अन्तिम दिन— उपन्यास और
2. कल्पवृक्ष की छाँह में— कहानी संग्रह।

इनके प्रकाशकों को भी निवेदन कर रहा हूँ कि एक-एक प्रति मेरी ओर से आपको भेजें।

एस. एन. गणेशन

(1)

University of Madras
Marina, Madras-600 005

18-11-1980

प्रिय बन्धुवर,

आपका 4-11-80 का पत्र प्राप्त हुआ। दिनांक 6-11-80 से चार दिन विश्व विद्यालय की छुट्टी होने से और मेरे कोच्चिन की प्रेमचन्द विचार गोष्ठी (12-11-80-17-11-80) में चले जाने के कारण, पत्र अत्यधिक विलम्ब से मिला। इसीलिये उत्तर में विलम्ब हो गया।

आप और श्री मधुरेश जी आ रहे है, यह जानकर बड़ा हर्ष है। विश्वविद्यालय में वर्ग नहीं चलते इसलिये मेरे छात्र भी नहीं हैं। एम.फिल में दो छात्राएँ हैं, जिनके घर काफी दूर हैं। अतः उन्हें स्टेशन भेजने में सुविधा नहीं होगी। आपको कोई कष्ट न हो, इसे ध्यान में रखकर मैं स्वयं स्टेशन पर प्रस्तुत रहूँगा। गंगा कावेरी एक्सप्रेस मद्रास बीच (Beach) स्टेशन पर ही आती है। (सेन्ट्रल स्टेशन पर नहीं) अतः आपको वहीं उतरना होगा। मैं प्लेटफार्म पर मिलूँगा, मेरे हाथ में काला हैंड बैग होगा, जिससे आप पहचान सकेंगे। अगर प्लेटफॉर्म पर मुलाकात न हो सके तो कृपया Exit gate पर आकर तनिक रुक जाइये, जिससे मैं आकर भेंट कर सकूँ। मद्रास बीच स्टेशन में शायद रिटायरिंग रूम भी नहीं है। और कहीं व्यवस्था करनी होगी।

कृपया यह सूचित करें कि 26 नवम्बर के दिन मद्रास में ही रहेंगे या महाबलीपुरम् या तिरुपति जाना चाहेंगे। अगर मद्रास में ही रहेंगे तो उस दिन मेरे निवास में कुछ हिन्दी प्रेमी मित्रों के साथ चाय का प्रबन्ध होगा। और कहीं जाना हो तो, यह नहीं हो सकेगा। बंगलौर मैं भी जा रहा हूँ। यहाँ से 28-11-80 शाम की मेल ट्रेन से जाऊँगा। सम्भवतः आप भी इसी गाड़ी से जायेंगे।

घर का पता

44, Shanti Nagar Arunachalam Road

Shaligramam, Madras - 93

मैं अवश्य स्टेशन पर आऊँगा, अतः आपको पते की जरूरत नहीं पड़ेगी। पर किसी कारणवश मुलाकात न हो सके तो पते का उपयोग हो सकता है। अन्य विवरण भी दे रहा हूँ। बीच स्टेशन से तनिक दूर पर (Parry's Corner) पारीस कार्नर में बस न. 17 E मिलेगी। इससे आप मेरे घर पर आ सकते हैं। शालिग्रामम प्रसाद लेबोरेटरी (Prasad Laboratory) स्टॉप पर उतरना होगा। शान्ति नगर, लेबोरेटरी के ठीक सामने है। सड़क से अन्दर आवें तो दाहिनी ओर पहला घर (No. 44) हमारा निवास

है। बस नम्बर 17E नहीं मिले तो बस नम्बर 17 से वडपलनी (Vadapalani) टेर्मिनस तक आ सकते हैं और वहाँ से बस न. 17E या 17K से प्रसाद लैब आ सकते हैं। रिक्सा भी मिलता है। पर इन सबकी जरूरत शायद ही पड़े। मैं स्टेशन पर जरूर मिलूँगा।

आशा है कि आप सानन्द हैं। शेष मिलने पर। पत्रोत्तर दें।

आपका
एस.एन. गणेशन

(2)

1-12-1980

आदरणीय डॉ. तिवारी जी,

सादर नमस्कार।

मेरे 17 नवम्बर और 21 नवम्बर के पत्र मिले होंगे। 26 नवम्बर शाम को मैंने बीच रेलवे स्टेशन पर आपकी प्रतीक्षा की। गाड़ी काफी विलम्ब से आयी, और आने पर आप और श्री मधुरेश जी को न देखकर बड़ी परेशानी हुयी। काफी देर तक प्रतीक्षा की थी, और अग्रवाल भवन में आपके रहने का भी प्रबन्ध कर दिया था। आपके न आने से बड़ी चिन्ता हुई। आपने लिखा था कि आपका स्वास्थ्य कुछ ठीक नहीं है। इसीलिये विशेष चिन्ता हुई। स्वास्थ्य अधिक बिगड़ तो नहीं गया? या और कोई आकस्मिक कारण हुआ।

बंगलौर जाने पर मालूम हुआ कि आप और किसी राह से वहाँ भी नहीं आये। कृपया शीघ्र अपने स्वास्थ्य के बारे में लिखने की कृपा करें।

बंगलौर का कार्यक्रम अच्छा रहा। आप भी आ जाते तो अच्छा होता।

पत्रोत्तर की प्रतीक्षा में।

आपका
एस.एन. गणेशन

सदाशिव श्रोत्रिय

(1)

38, नयी हवेली
नाथद्वारा - 313301
जिला - राजसमन्द (राजस्थान)

3-12-2009

आदरणीय तिवारी जी,

सादर नमस्कार। अक्टूबर में जयपुर में आपसे मुलाकात हुई थी। अकादमी के आयोजन में। तब आपके मुँह से आपकी कविताएँ सुनने का सौभाग्य भी प्राप्त हुआ।

आपने कृपा कर मुझे बेहतर दुनिया के लिये की एक प्रति भी दी थी जिसमें से दो कविताएँ 'आरा मशीन' व 'कसौटियाँ' आपने जयपुर में सुनायी थीं। वे दो तो तब मुझे खूब भायी ही थीं, बाद में इस संग्रह की अन्य कविताएँ पढ़कर भी बहुत आनन्दित हुआ। जो कविताएँ मुझे खास तौर से अच्छी लगीं वे थीं 'बीमारी के दौरान लिखी दो कविताएँ' (इन्हें पढ़ने के दौरान मैं श्री रमेश थानवी और अपने एक साढ़ू के साथ किये मेरे व्यवहार के बारे में सोचता रहा जब इन दोनों को हार्ड अटैक हो चुका था; एक अच्छी कविता कभी पुरानी नहीं होती), 'बैरागी', 'हंसा' (मैं सोचता रहा कि हमारी काव्य परम्परा कैसे एक संवेदनशील कवि के मन में बसी रह कर उसकी रचना-प्रक्रिया को प्रभावित करती है।), 'केंचुल' (व्यक्तिगत स्तर पर नये के स्वीकार और पारम्परिक के अस्वीकार को कवि कैसे गहराई से देखने में समर्थ होता है), 'एक मध्यवर्गीय व्यक्ति का बयान', 'काफी दिनों बाद घर लौटकर', 'और समय भागा जा रहा है' (समय के बीतते जाने की एक युवती की फिक्र कैसे कविता में एक हृदयस्पर्शी रूप ले लेती हैं।)

आपने इतनी अच्छी कविताएँ पढ़ने के लिए दीं इसके लिये मैं आपका बहुत-बहुत आभारी हूँ।

मुझे पता नहीं आप कभी राजस्थान के इस हिस्से तक भी आये हैं अथवा नहीं। नाथद्वारा उदयपुर से मात्र 50 किलोमीटर दूर है। कभी उदयपुर-नाथद्वारा आने का मन बनाएँ तो हमें खुशी होगी।

पिछले कुछ समय से मैंने उन कुछ कविताओं पर कुछ लिखने की कोशिश की है जिसमें मुझे कोई नया अर्थ दिखायी देता है। 'वागर्थ' के लिये 'भूल गलती' पर मैंने ऐसा ही कुछ लिखने की कोशिश की थी। बाद में मुक्तिबोध की ही एक अन्य कविता 'रात, चलते हैं अकेले ही सितारे' पर कुछ लिखा जिसे हेतु भारद्वाज ने उनके 'अक्सर' में छापा। रघुवीर सहाय की 'पानी, पानी' पर एक लेख मैंने कमर मेवाड़ी द्वारा सम्पादित 'सम्बोधन' को दिया जो कांकरोली (नाथ द्वारा से 15 किमी दूर) से निकला है। राजेश जोशी की 'बिजली सुधारने वाले' पर एक छोटी सी टिप्पणी मैंने चन्द्रभानु भारद्वाज को उनके 'सम्प्रेषण' के लिए दे रखी है। पहले शमशेर जी की एक आध रचना पर मैंने 'अनौपचारिका' में भी लिखा था

जिसका सम्पादन रमेश थानवी जयपुर में करते हैं।

क्या आप 'दस्तावेज' के लिये भी मेरा इसी तरह किसी कविता पर कुछ लिखना पसन्द करेंगे? यदि उसके लिये आपकी पत्रिका में जगह हो तो कृपया बताएँ।

एक बार पुनः आपको बहुत-बहुत धन्यवाद और शुभकामनाओं के साथ।

आपका

सदाशिव श्रोत्रिय

पुनश्चः कृपया अपना फोन नम्बर भिजवाएँ।

सिद्धनाथ कुमार

(1)

आलोक
अरविन्द नगर, हेसल
राँची-834005

23-1-2002

बन्धुवर तिवारी जी,

नमस्कार।

दस्तावेज-91 की प्रति मिली। आपने 'रामविलास शर्मा की बरसी पर आलोचना का कट्टरतावाद' सम्पादकीय पढ़ने का अवसर दिया, आभारी हूँ। आपने एक सामयिक प्रासंगिक विषय पर बड़ी जीवन्त टिप्पणी की है। मुझे बहुत अच्छी लगी। कहीं भी कोई पाखण्ड हो उस पर आघात होना चाहिये, और आपने यह किया है। आप बधाई के पात्र हैं। आपने समीक्षा एवं मूल्यांकन में नीयत का महत्त्वपूर्ण प्रश्न उठाया है। मैं तो सोच रहा था कि बढ़ती उम्र के कारण नये चश्मे लग जाते हैं जिससे चीज़ों के रंग बदल जाते हैं—कभी-कभी उजली चीज़ भी काली दिखाई पड़ने लगती है। आपने उद्धरणों (तथ्यों) के साथ तर्कसंगत रूप में दिखलाया है कि डॉ. रामविलास शर्मा के अवमूल्यन का प्रयत्न बदनीयती के कारण हुआ है। यह निंद्य है। क्या कीजियेगा? मुझे अपनी एक पुरानी कविता की पंक्तियाँ याद आ रही हैं: 'अखबार नंगा करता है,/आदमी खुली सड़क पर बेतहासा हँसता है/उसका नंगापन उसे नहीं, दूसरों को डंसता है।' और इसके बाद भी 'बेहया ज़माने का बेहया आदमी बहुत खुश है, अब वह कभी मरेगा नहीं।' खैर, आपने बहुत अच्छा सम्पादकीय लिखा। बधाई।

आपको जानकर प्रसन्नता होगी कि 'हिन्दी एकांकी' (राधाकृष्ण द्वारा) पिछले महीने प्रकाशित हुआ।

गद 47 वर्षों से लगातार टाइपराइटर चलता रहा—उसके अक्षर घिस गये थे। अब कम्प्यूटर पर शुरू किया है। हाथ से लिखना तो छूट ही गया है।

सानन्द होंगे।

मैं ठीक हूँ। काम में लगा हूँ।

आपका
सिद्धनाथ कुमार

पुनश्चः 'दस्तावेज-91' में प्रकाशित पत्रों में से मैंने अभी कुछ ही पढ़े हैं—इनसे बहुत जानकारी मिलती है, लेखक और उनके परिवेश के बारे में, समाज और समय के बारे में। मुझे तो लग रहा है कि सही समीक्षा की आधार-भूमि ऐसे पत्रों से ही बन सकती है। आप इन्हें प्रकाशित कर बहुत अच्छा काम कर रहे हैं।

(2)

27-3-2002

बन्धुवर तिवारी जी,

'दस्तावेज'-92 मिला। बहुत-बहुत धन्यवाद। इधर आप साहित्यकारों के पत्र छाप रहे हैं। वे मुझे बहुत उपयोगी लगते हैं, रचनाओं और उनके साहित्य को समझने के लिये। निजी पत्रों में बाहरी मुखौटा हटा रहता है। असली चेहरा साफ दिखायी पड़ता है। मेरे पास बहुत सारे पत्र हैं। कहिये तो राधाकृष्ण जी के कुछ पत्र भेजूँ। प्रतिलिपि करना तो कठिन लगता है। फोटोकॉपी कराकर भेज सकता हूँ। क्रमबद्ध करके यथोचित टिप्पणी के साथ। अभी जिस काम में लगा हूँ उसे पूरा करने के बाद अन्य साहित्यकारों के पत्र निकालूँगा। आशा है सानन्द हैं। होली की शुभकामनाओं के साथ।

आपका

सिद्धनाथ कुमार

(3)

9-12-2002

बन्धुवर तिवारी जी,

दस्तावेज 95 मिला। बहुत-बहुत धन्यवाद।

'छलात्कार' (सम्पादकीय) के लिये बधाई। सबसे पहले वही पढ़ गया, पूरा। बहुत अच्छा लगा। 'हंस'-सम्पादक जैसे लेखकों के पाखंड का पर्दाफाश होना चाहिये, और यह आपने जोरदार ढंग से किया है। अच्छा लगा कि सबकुछ उन्हीं के शब्दों का आधार लेकर। मैंने कहा था कि कुछ साहित्यकारों के पत्र भेजूँगा। अनेक बँडल बँधे हुए पड़े हैं—डर से नहीं खोल रहा हूँ कि उनमें उलझ जाऊँगा। राधाकृष्ण जी के पत्र ऊपर ही मिल गये। उन्हें ही भेज रहा हूँ। आशा है, 'दस्तावेज' के काम आएँगे। प्राप्ति सूचना दीजियेगा।

कल बाईसवाँ पुरस्कार समारोह सम्पन्न हुआ। पुरस्कार यहीं कि क़थालेखिका रमा सिंह को दिया गया। मुख्य अतिथि के रूप में डॉ. गोपाल राय आये थे। 'दस्तावेज' के नये अंक की चर्चा कर रहे थे।

आशा है सानन्द हैं।

आपका

सिद्धनाथ कुमार

(4

11-2-2005

बन्धुवर नमस्कार।

दस्तावेज 105 मिला। विवेचनात्मक और संस्मरणात्मक, दोनों तरह के लेख अच्छे लगे। डॉ. रामचनद्र

तिवारी पर लिखित आलेख मेरे मन के निकट लगा—उनसे कुछ ही महीने पीछे चल रहा हूँ। आपकी रूस-यात्रा का वृत्तान्त रुचिकर लगा। वहाँ के स्वच्छन्द जीवन ने आपको प्रभावित किया, देखकर आनन्द आया। कुल मिलाकर अंक प्रशंसनीय है।

दस्तावेज़ के किसी पिछले अंक पर मैंने एक बड़ी-सी टिप्पणी लिखी थी। शायद आपको रास नहीं आयी। खैर, कोई बात नहीं। मैंने तो इसलिए लिखा था, किसी का नामोल्लेख किये बिना, कि प्रतिष्ठाप्राप्त लेखक भी अपने लेखन में थोड़ी सावधानी बरतें। बहुत सारे उदाहरण उपलब्ध हैं, उन्हें आधार बनाकर लेख ही लिखूँगा। अभी तो नाटक से ही छुट्टी नहीं मिल रही है।
और सब ठीक हैं। आशा है, आप सानन्द हैं।

शुभकामनाओं के साथ।

आपका

सिद्धनाथ कुमार

(5)

24-8-2006

बन्धुवर,

'दस्तावेज' 111 मिला है। आप नियमित रूप से भिजवाते हैं—बहुत आभारी हूँ आपका। कभी-कभी मन में होता है—और कुछ नहीं हो पाता, तो कम-से-कम डाक-खर्च तो भेज दूँ। मिले, तो स्वीकार कर लीजियेगा।

सम्पादकीय (सो. संघ. चिन्तन) पढ़ गया। आपका सुलझा हुआ स्पष्ट चिन्तन, 'वाद' मुक्त, मुझे अच्छा लगता है। 'वाद' से बँध जाने पर तो सबकुछ एक ही रंग का दिखायी देता है—बुद्धि और तर्क की जगह नहीं रह जाती। मार्क्सवादी चिन्तन की सीमाएँ आपने तर्कपूर्ण ढंग से स्पष्ट कर दी हैं।

मेरी पुस्तक 'नाटकालोचन के सिद्धान्त' (वाणी प्रकाशन) आपके यहाँ पहुँची होगी। नहीं पहुँची हो तो अरुण महेश्वरी को सूचित कर दीजियेगा। उसकी समीक्षा 'दस्तावेज' में ही जाये तो अच्छा हो।

स्वास्थ्य ठीक है। सही-सही इक्यासी पार कर चुका। काम में लगा हूँ। कई काम बाकी हैं। शुभकामना देते रहिये।

आपका

सिद्धनाथ कुमार

सिद्धेश्वर प्रसाद

(1)

राजभवन
अगरतला-799 006

2-4-1996

प्रिय विश्वनाथ जी

दस्तावेज 68 पाकर बड़ी प्रसन्नता हुई, धन्यवाद।

सम्पादकीय में 'आलोचना के हाशिये पर' शीर्षक के अन्तर्गत आपने जिस स्पष्टता के साथ गाँधी जी की प्रासंगिकता को रेखांकित किया है वह सराहनीय है। वत्सल निधि के अन्तर्गत डॉ. विद्यानिवास मिश्र जी ने पिछले दिनों इस विषय पर जिस विचार गोष्ठी का आयोजन आपके ही निकट किया था उस अवसर पर उस गोष्ठी में मैंने इन बातों की ओर संकेत किया था। आपने ठीक ही लिखा है कि ''इतिहास के अज्ञात अँधेरे में ऐसे लोग होंगे जिनकी तुलना गाँधी से की जा सके, मगर ज्ञात इतिहास के पन्नों में पिछले दो हजार वर्षों में ऐसा महान व्यक्तित्व नहीं हुआ।'' फिर भी न यह देश गाँधी जी को समझने का प्रयास कर रहा है, न यह दुनिया ही कर रही है। उनके बताये मार्ग पर चलने का तो प्रश्न ही नहीं उठता।

अन्त में आपने लिखा है कि ''आज गाँधी जी नहीं रहे, न उनके मूल्य ही'', बात ठीक है। इसीलिये गाँधी-युग का तेज, ओज और आशा की किरणें भी बुझ-सी गयी हैं। इस देश को ही नहीं, पूरे मानव-समाज को अपने सर्वनाश से बचाने के लिये गाँधी जी के निकट जाना ही होगा।

'दस्तावेज-68' के इस अंक में अनेक अन्य अच्छी रचनाएँ हैं। पुस्तकों की समीक्षा भी हैं।

ऐसी सुन्दर साहित्यिक त्रैमासिक पत्रिका के प्रकाशन-सम्पादन के लिये हार्दिक धन्यवाद।

शुभकामनाओं सहित।

आपका
सिद्धेश्वर प्रसाद

(2)

13-5-1996

प्रियवर,

आपका 19 अप्रैल, 1996 का पत्र और साथ में दस्तावेज-64, 65, 66 और 67 की प्रतियाँ मिलीं,

धन्यवाद।

'दस्तावेज' के इन अंकों को पढ़कर मुझे प्रसन्नता हुई। श्री उमाशंकर जोशी का 'उपन्यासकार द्वारा भारतीयता की खोज', स्वर्गीय ठाकुर प्रसाद सिंह द्वारा 'मेरे, फिर आपके नन्ददुलारे जी' एवं श्रीमती आशापूर्णा देवी का "जो घटित होता है वहीं मैं लिखती हूँ", जैसे लेख अपनी मौलिकता के कारण विशेष उल्लेखनीय हैं। "आलोचना के हाशिये पर" शीर्षक आपका सम्पादकीय भी मुझे मौलिक और विचारोत्तेजक लगा। इसी प्रकार से "रचना और आलोचना : एक परिचर्चा", "श्री ठाकुर प्रसाद सिंह पर संस्मरण", "मर्ढेकर का काव्य : एक मूल्यांकन" एवं भोजपुरी साहित्य पर दी गयी सामग्री तथा भोजपुरी कविताएँ, ये सब "दस्तावेज" को सचमुच सही अर्थ में दस्तावेज़ का रूप प्रदान करते हैं।

"दस्तावेज" के लिये मैं साथ में "मानव-मन और साहित्य" शीर्षक एक लेख भेज रहा हूँ।

आशा है, आप स्वस्थ-सानन्द हैं।

हार्दिक शुभकामनाओं सहित,

आपका

सिद्धेश्वर प्रसाद

पुनश्चः कुशीनगर के लेखक शिविर में मैंने जो उद्घाटन भाषण दिया था, भाई विद्यानिवास जी ने उसको संशोधित, संवर्धित रूप में 'साहित्य अमृत' में प्रकाशित करने के लिये भेजने के लिये कहा था। उसकी एक प्रति मैं साथ में भेज रहा हूँ।

(3)

20-6-1996

प्रियवर,

"दस्तावेज-96" मिला, धन्यवाद।

"आलोचना के हाशिये पर" शीर्षक के अन्तर्गत जो सम्पादकीय आपने लिखा है उसने मेरे मन को छू दिया। आपने आलोचना के व्युत्पत्ति मूलक अर्थ को ध्यान में रखकर उसके वास्तवकि स्वरूप का वर्तमान परिप्रेक्ष्य में सही रूप में उद्घाटन किया है। इससे व्याप्त धुँध को दूर करने में मदद मिलेगी, ऐसी आशा है।

श्रीचन्द्रकान्त बांदिवडेकर के "नाटककार विजय तेंडुलकर" शीर्षक लेख में विजय तेंडुलकर के नाटकों पर समग्रता में विचार किया गया है। समकालीन भारतीय साहित्य के सन्दर्भ में ऐसे लेख की आज बड़ी आवश्यकता है।

ऐसा लगता है कि 'दस्तावेज' की मुझे निरन्तर व्यग्रतापूर्वक प्रतीक्षा करनी पड़ेगी क्योंकि इसमें प्रकाशित लेख, कविताएँ एवं पुस्तक समीक्षा, सभी अपने उच्च स्तर के कारण पठनीय होती हैं।

हार्दिक शुभकामनाओं सहित।

आपका

सिद्धेश्वर प्रसाद

(4)

30-8-1996

प्रियवर,

''दस्तावेज-70'' पाकर बड़ी प्रसन्नता हुई। इसमें 'समकालीन भारतीय साहित्य' शीर्षक के अन्तर्गत अरुण मित्र, सुभाष मुखोपाध्याय, नीरेन्द्र चक्रवर्ती और जय गोस्वामी जैसे विशिष्ट व्यक्तियों ने एक ही विषय—मैं क्यों लिखता हूँ—के अन्तर्गत विचार देकर अपने लेखन के विविध पक्षों को जिस रूप में सामान्य पाठकों के लिए प्रस्तुत किया है वह स्वागत योग्य है। सर्जनात्मकता के इतने पहलू हैं कि कोई एक ही लेखक उसके सभी पक्षों पर प्रकाश नहीं डाल सकता। अतः उसका वैविध्य इस प्रकार के प्रयास से ही उजागर होता है।

गोस्वामी तुलसीदास पर लेख तो वैसे एक विवादित विषय पर है, लेकिन फिर भी इसलिये प्रासंगिक है कि सामान्य पाठक इसका विस्मरण न करे। 'टी.एस. इलियट की एजरा पाउंड से भेंट' पर कृष्णदत्त शर्मा का लेख इसलिये विशेष महत्व का है कि इस विषय पर हिन्दी में बहुत कम जानकारी प्राप्त है, बंगला, मराठी, कन्नड़, मलयालम आदि में इससे अधिक है।

आप 'दस्तावेज' के माध्यम से पाठकों को जो सामग्री दे रहे हैं वह सर्वथा स्वागत-योग्य है। कविताओं का आपका चयन भी अपनी विशिष्टता रखता है और इसमें प्रकाशित पुस्तक-समीक्षाएँ भी आम तौर पर गहराई में जाकर लिखी जाती हैं।

स्वस्थ सानन्द होंगे।

आपका

सिद्धेश्वर प्रसाद

(5)

19-11-1996

प्रिय तिवारी जी

नमस्कार।

''दस्तावेज-71'' अंक आज मिला। इसमें आपने मेरा लेख तो छापा ही है, पर ''समकालीनता की अवधारणा'' पर डॉ. रघुवंश का लेख एवं श्री नन्दकिशोर नवल का ''दिनकर-काव्य का एक अलक्षित स्वरः व्यंगय'' तथा ''रघुवीर सहाय की काव्यानुभूति और काव्य-भाषा'' पर श्री अनन्तकीर्ति तिवारी के लेख सराहनीय हैं। पर इन सब से अधिक सराहनीय है श्री शीर्षेन्दु मुखोपाध्याय का ''शक्ति चट्टोपाध्याय बरक्स सुनील गंगोपाध्याय'' शीर्षक लेख जो समकालीन भारतीय साहित्य के कुछ पक्षों से जुड़ी समस्याओं पर गम्भीर चिन्तन को अभिव्यक्त करता है।

इस अंक में पुस्तक-समीक्षा और कविताएँ भी मुझे अच्छी लगीं।

यदि सम्भव हो तो ''दस्तावोज-71'' के कुछ और अंक भिजवाने की कृपा करें।

आशा है, आप स्वस्थ सानन्द हैं।

स्नेहाधीन

आपका,

सिद्धेश्वर प्रसाद

(6)

9-6-1997

प्रियवर,

''दस्तावेज-73'' मिला, धन्यवाद।

''आलोचना के हाशिये पर'' शीर्षक सम्पादकीय में आपने धुआँधार प्रचार की धुँध में ढँकती जाती अपनी परम्परा, विशेष रूप से साहित्य और आलोचना की परम्परा, के सम्बन्ध में जो चिन्ता प्रकट की है वह स्वाभाविक है, पर इतना ही पर्याप्त नहीं है। धुँध को दूर करने में अध्यापकों, लेखकों और पत्रकारों की भूमिका अत्यन्त महत्वपूर्ण होने वाली है क्योंकि बुद्धिजीवियों का यही वर्ग न केवल विशेष रूप से सक्रिय है, बल्कि सजग और रचनात्मक दृष्टि-सम्पन्न भी है।

श्री शक्ति चट्टोपाध्याय पर आपने इसमें जो विशेष सामग्री दी है वह उन जैसे रचनात्मक प्रतिभासम्पन्न साहित्यकार के प्रति एक सहृदय की सच्ची श्रद्धांजलि है।

कुछ आलोचकों पर विशेष लेख के अन्तर्गत आपने कई आलोचकों की समीक्षा-दृष्टि को एक साथ प्रस्तुत कर साहित्य के विद्यार्थियों के लिये जो उपकार किया है वह सराहनीय है।

आशा है, आप सपरिवार स्वस्थ-सानन्द हैं

स्नेहाधीन

आपका

सिद्धेश्वर प्रसाद

(7)

19-9-1997

प्रियवर,

''दस्तावेज'' का 74वां अंक मिला। इस अंक में रवीन्द्रनाथ ठाकुर और सुनीति कुमार चटर्जी, पत्रावली के आलोक में, श्री वारिद वरन् घोष ने जो कुछ लिखा है उससे इस बात का पता चलता है कि नयी पीढ़ी को पुरानी पीढ़ी किस रूप में प्रोत्साहन प्रदान करती थी। समानता यह है कि नयी और पुरानी, दोनों पीढ़ियाँ, उच्चतर आदर्शों की भावना से प्रेरित थीं। बंग्ला साहित्य के इतिहासकार श्री सुकुमार सेन को इसीलिये अपने पत्रों में सुनीति बाबू ने आदरपूर्वक स्मरण किया है। मतभेद हों, पर ऐसे विचार-भेद को रागद्वेष से कलुषित न किया जाय, इस पत्रावली से यह स्पष्ट है।

''भारत, भारतीय भाषाएँ और पश्चिमी विचाराकान्त दृष्टिकोण'' शीर्षक श्री महेन्द्रनाथ दुबे का लेख एक अच्छा आलेख है।

स्वस्थ-सानन्द होंगे।

आपका

सिद्धेश्वर प्रसाद

(8)

19-2-1998

प्रियवर,

"दस्तावेज-76" की प्रति मिली, धन्यवाद। श्री अन्नदाशंकर राय का लेख बांग्ला साहित्य में जो परिवर्तन आया है उसका सराहनीय रूप प्रस्तुत करता है। इस प्रकार का अनतरावलम्बन राष्ट्रीय एकता की भावना को सुदृढ़ करता है तथा एक भाषा के पाठकों को दूसरी भाषा की अन्तर्धारा के निकट भी लाता है। भाषा के सवाल को इधर विभिन्न रूपों में उठाया जा रहा है। राष्ट्रीयता के स्थान पर अचानक अन्तर्राष्ट्रीयता की लहर आती जा रही है या फिर स्थानीयता से ही लगाव बढ़ता प्रतीत होता है। विष्णु पुराण की भारतीयता या कालिदास के हिमालय को पृथ्वी का मानदण्ड मानने की मूलधारा किसी बालुका राशि में कैसे कहाँ क्यों लुप्त हो जाती है, इस ओर भी ध्यान देने की आवश्यकता है।

"निराला : महानता के सन्दर्भ में" पर उनके जन्मशती वर्ष में विचार और पुनर्विचार स्वाभाविक है। पर इसके लिये "निराला रचनावली" की पूर्णता को ध्यान में रखने की जरूरत है।

आशा है, आप स्वस्थ-सानन्द हैं।

आपका
सिद्धेश्वर प्रसाद

(9)

ए-1/51, पंचशील एंक्लेव
नयी दिल्ली-110017

प्रियवर,

दस्तावेज 90, की प्रति मिली। धन्यवाद।

इस अंक में आपने वात्स्यायन जी, शिवप्रसाद जी और वियोगी जी के पत्रों को छापकर साहित्य के एक महत्वपूर्ण स्त्रोत को लुप्त होने से बचाया है। आलोचना इतनी एकांगी होती जा रही है कि साहित्य व आस्वादन में ऐसी सामग्री के उपयोग की ओर ध्यान ही नहीं जाता है। सामान्य आलोचना की बात तो जाने दीजिये। कितने शोध प्रबन्धों में ऐसी सामग्री का उपयोग किया जा रहा है।

जयशंकर प्रसाद जैसे कुछ महान् साहित्यकार अपनी प्रकृति के कारण यदा-कदा ही पत्र लिखते थे परन्तु प्रेमचन्द, निराला, शिवपूजन सहाय, रामवृक्ष बेनीपुरी आदि के पत्रों के प्रकाशन की ओर भी ध्यान नहीं गया है। आचार्य हजारीप्रसाद द्विवेदी, पंत जी, बच्चन जी आदि के पत्र भी छपे हैं। परन्तु उनका आलोचनात्मक उपयोग कहाँ किया जा रहा है? जो लोग विद्यालयों-विश्वविद्यालयों में अध्ययन-अध्यापन से जुड़े हैं वे जब इस ओर ध्यान देंगे तभी स्थिति में परिवर्तन सम्भव है।

शायद आपका ध्यान इस ओर नहीं गया है कि सूचना क्रांति के माध्यमों का भी—ई-मेल और फैक्स के रूप में—आदान-प्रदान और प्रेमालाप के लिये, छिपे-छिपे ही सही, खूब प्रयोग किया जा रहा है। अभी तक उनके प्रकाशित किये जाने की कोई सूचना कहीं से नहीं प्राप्त हुई है। पर अभिव्यक्ति के प्रकाशन की भावना आगे प्रबल रूप ले सकती है।

रस-बोध और ज्ञान-बोध मात्र सूचना नहीं है। वाचिक परम्परा की भी अपनी सीमा है। अतः

सांस्कृतिक स्तर के उन्नयन के लिये लिखित साहित्य का महत्व आगे फिर बढ़ेगा। विदेशों में जब पुस्तकें लाखों की संख्या में बिकती हैं जो क्या बिना पाठक के?

निवेदन इतना ही है कि साहित्य के धुरंधर अध्यापकों और आलोचकों को इन दृष्टियों की ओर भी ध्यान देना चाहिये।

अभी अमेरिका जाने का कार्यक्रम बन गया है। वहाँ का पता–

Cè0 Anand Prasad
9072 E. Harmora Drive
Temple City, C.A. 91780 U.S.A.
Ph: 001-626-286-3934
Home Fax: 001-626-2865324
e-mail: Anand Prasad@Hotmail.com

सपरिवार स्वस्थ-सानन्द होंगे।

स्नेहाधीन
सिद्धेश्वर प्रसाद

(10)

सेक्टर 7, 1/23, एच.आई.जी.
बहारदुरपुर हाउसिंग कालोनी
कंकड़बाग, पटना

12-3-2002

प्रियवर, नमस्कार,

दस्तावेज 91 पाप्त हुआ। धन्यवाद।

अभी केवल सम्पादकीय पढ़ पाया हूँ और पत्र लिख रहा हूँ। इधर बाहर ही बाहर रहा। इसलिये अंक देर से हाथ में आया।

बात केवल डॉ. रामविलास शर्मा के विरोध या समर्थन की नहीं है, न नामवर सिंह के पक्ष-विपक्ष की, न कट्टरतावाद का कट्टरतावाद से विरोध या समर्थन की। बात उस मनोवृत्ति की है जिसमें ये चीजें पनपती हैं। फूलती-फलती हैं। चूँकि कट्टरतावाद से कट्टरतावाद का विरोध किया जा रहा है, इसीलिये उसकी जड़ सूखती नहीं है।

आचार्य रामचन्द्र शुक्ल को उखाड़-फेंकने की सारी कोशिशों के बावजूद उनका व्यक्तित्व अब अखिल भारतीय रूप लेता जा रहा है। उनके बाद की पीढ़ी के आलोचकों में कौन टिक पायेंगे, इसका निर्णय आज की पैंतरेबाजी से नहीं बल्कि उनके कृतित्व से होगा।

जिस रूप में सोल्झे नित्सीन ने मार्क्सवाद का, अध्यात्म का, विरोध और समर्थन किया है, उस ओर भी हमारा ध्यान जाना चाहिये। अगर दुनिया वेद-उपनिषद्-वेदान्त-योग की ओर खिंचती है, तो हमें इसे समझने का भी प्रयत्न करना चाहिये। भारतीय इतिहास और परम्परा की जिस शक्ति का उल्लेख बिल ड्रांट ने 'आवर ओरियन्टेल हेरिटेज' में किया है, उसकी ओर भी हमारा ध्यान जाना चाहिये।

आज सारे संसार में मार्क्स और गाँधी को नये सिरे से समझने की कोशिश हो रही है। गाँधीजी के 'हिन्द स्वराज' को एंथनी परेल ने अपनी विस्तृत भूमिका के साथ कैंब्रिज टेक्सट्स इन 'माडर्न पॉलिटिक्स' में नयी व्यवस्था के साथ प्रस्तुत किया है। इसी प्रकार से जापान के टाकुशोकु विश्वविद्यालय के प्रो. टाकाहिसा ओइशी ने द अननोन मार्क्स में नये रूप में मार्क्स को प्रस्तुत किया है। ये सब इस बात के प्रमाण हैं कि कट्टरता से पीछे की नासमझी को ज्ञान के प्रकाश से दूर किया जाय।

आचार्य शुक्ल ने हिन्दी आलोचना को विश्व-आलोचना के धरातल पर ला खड़ा किया । इसके मूल में उसकी बहुश्रुतता और अत्यन्त परिष्कृत आस्वादन-क्षमता है। 'विश्व-आलोचना को आचार्य शुक्ल की देन' में मैंने इसकी ओर संकेत किया है।

राजनीति की ही तरह जीवन के अन्य क्षेत्रों में कट्टरता का जोर बढ़ता जा रहा है क्योंकि साहित्य के क्षेत्र में अध्ययन-अध्यापन का स्तर गिरता जा रहा है। विशेषज्ञता के इस युग में अज्ञता के कारण जाने-अनजाने जीवन अपनी गरिमा खोने लगता है।

अपने सम्पादकीय के अन्त में आपने एक मुहावरे का प्रयोग किया है—'सोने में सुहागा'। यदि जँचे तो उसके स्थान पर 'कोढ़ में खाज' का प्रयोग करके देखिये।

सपरिवार स्वस्थ सानन्द होंगे।

स्नेहाधीन।

आपका

सिद्धेश्वर प्रसाद

(11)

1-11-2006

प्रियवर,

दस्तावेज (111) मिला। उसके बाद आपका पत्र भी मिला। बीच के कई अंक लापता हैं।

इस अंक में आपका सम्पादकीय पढ़ा। आपका विवेचन मार्क्स को उसकी सम्पूर्णता में देखने-समझने की आपकी दृष्टि संतुलित है। मार्क्स और उसके सहयोगियोंने भौतिक विज्ञान के जिस यथार्थ को अपना आधार बनाया था वह तो $E=mc^2$ के बाद आमूलतः बदल गया। परन्तु मार्क्सवादी और उनके विरोधी दोनों इसकी दार्शनिक परिणतियों को स्वीकार नहीं कर पा रहे हैं। विचार की यह दरिद्रता वर्तमान संकट को बढ़ा रही है। भारत में भी भौतिक विज्ञान के इस यथार्थ को स्वीकार नहीं किया जा रहा है। यह मानव-समाज का दुर्भाग्य है।

मैं पिछले साल कुछ महीनों के लिए अमेरिका चला गया था। लौटा तो गुड़गाँव में रह गया। अब पटना आ गया हूँ। 'कामायनी' पर लिख रहा हूँ।

स्वस्थ सानन्द होंगे।

स्नेहाधीन

सिद्धेश्वर प्रसाद

सीताकान्त महापात्र

(1)

VIIIè1, Forest Park-
Bhubaneswar - 751009

27-5-1989

Dear Viswanath Prasad Ji

I had been regularly recieving copies of Dastavez, the latest number being 42, Dr. R.P Mishra, a very fine translator, is now working on a complete anthology of my poems in Hindi translation. He has written to me saying that he is sending four poems to be published in a bunch in your esteemed journal. I will be glad if you consider them for publication.

When the complete anthology is published by National Publishing House, I will be sending a copy to you.

Kind regards.

Your sincerely,
S.K. Mahapatra

(2)

Adviser, Planning Commission
Yojana Bhawan
Parliament Street
New Delhi -110001

25-11-1989

Dear Viswanath Prasad Ji

This is only to tell you that I have now moved to Delhi working in the planning commission. It will take a little longer to get a house. I am still staying in Orissa Bhavan.

I would have to set journal at the above address. And if any time you are coming to Delhi it will be a great pleasure to meet you here.

When are those 3 poems being included in Dastavez? It would also look forward to a comprehensive review of my poems in Hindi translation that would take stock of all the published anthologies. As you know there are so far 5 anthologies of my poems in Hindi the latest being the Pratinidhi Kavitayen from Rajkamal. One from National Publishing House and one from Jnanpith are expected by March '90.

With profound personal regards and Choicest wishes.

Coordially
Sitakant Mahapatra

(3)

26-2-1992

Dear Viswanath Prasad Ji

It is after a long time Prof. Tiwari. I am writing to you. I was myself sorry I had to miss in function when you had invited me.

Jnanpith have sent Samayaka shesh Name to you. I am still awaiting natinal publishing house to bring out. 'Chirai Re Tu Kya Jane'. Hopefully it will come out in 15 days and 1 would ask them to send it on to you.

And so as you have kindly promised earlier an overview and summerising kind of aticle from you is expected by me in Dastavez.

mean while let us be in touch

with best wishes.

Sincerely
Sitakant Mahapatra

(4)

ClÈ37 Pandara Park
New Delhi -110003

1993

Dear Tewari Ji

The national Publishig House delayed the publication of Chirai Re Tu Kya Jane very badly. they have just sent a copy to you as advised by me. You had mentioned about doing at comprehansive article on my poetry including this and the earlier books. I would now look forward to see it in the next number of Dastavej.

Kindly note my changed residence address.

With regard

and choicest wishes in 1993 and hoping to hear from you.

Cordially
Sitakant Mahapatra

(5)

21, satya nagar
Bhubaneswar - 751007

11-10-1993

Dear Tewari Ji

It is awfully nice of you to send me Dastavez regularly. I know not only your status and competence as the Lit jurnal's editor but more importance of your poetry.

My only problem is while I speak Hindi language well reading is rather slow. Besides so much other reading–and other work make demands on time.

However as soon as number comes I read and glance to contents.

I have a request to make, Shankarlal Purohit, an able translator has done my latest anthology into Hindi. **Sara Jivan lokata** (All his life the man). I would be happy if you give in a look and mark in pesnil wherever you feel it does not come out well in motion Hindi idiom.

Then he will redo on computers before thinking of a publisher. Once you tell me it will be sent to you by courier.

Regard & Choicest wishes

Cordially
Sitakant Mahapatra

(6)

17-4-2004

Dear Shri Tewari,

It has been nice of you to send me Dastavez regularly. It is a literary Journal that has carved out a name in itself as also has been your own distinguished poetry.

Purohit has sent you the Manucript. Please spare some time to touch it up in fact feel free to do it so that it emerges as right product and then so a preface in it.

I have told Rajkamal the anthology will go to them.

perhaps it can come back to Purohit. before being sent to Mahesvari.

Meanwhile with request and awaiting a reply.

Sitakant Mahapatra

(7)

4-6-2004

Dear Viswanath Prasad Ji

I have received your letter in time and waited for Purohit to tell me he has received the manuscript. I was also away from Bhubanesvar for a while.

You will pardon my writing to you in English—a language which belongs to neither of us. The pity is while I understand Hindi very well, can read reasonalby well, when it comes to writing I am worse than a beginners.

Both Shankarlal Purohit and myself are grateful to you in sparing your valuable time to go through the manuscript and make stright changes.

What is required now is "Two words" from you–a fellow-poet and critic whose sensibility I deeply admire.

Meanwhile with warm personal request and choicest wishes,

Cordially
Sitakant Mahapatra

(8)

2-8-2004

Dear Viswanath Prasad Ji

It is awfully a miss of one not to have responded yet to your gracious letter. Reasons are twofold. Purohit brought your lovely prefatory note somewhat late. Then I waited for it to be typed out and I mailed the manscript to Rajkamal only 4 days back.

I am indeed gratful to you for the few words you have written by way of introducing the book to Hindi readers, In that you have gone to the heart of poetry which only a sensitive poet like you can do.

I had seen your poetry and admired it. Now my admiration for your prose-style and critical acumen has become one more thing to be treasured.

Regard and best wishes

Cordially
Sitakant Mahapatra

(9)

26-5-2007

Dear Viswanath Prasad Ji,

It is a long time after I am writing this letter to you. The other day the gorakhpur blast put me in mind where we are going.

Dr. Martin Allwood the very eminent swedish writer and critic has done a piece on my poetry which Dr. parichaya Das (Pen name of Dr. R.K Srivastave) has translated in to Hindi.

I am enclosing that article and three of my poems done by shanker Lal purohit. If possible they could be featured in Dastavez.

Dr. Parichaya Das is a well know poet and critic in both Hindi and Bhojpuri. He works in the council for cultural Rosources and training (CCRT) at Delhi.

I hope you are doing fine. with warm regards and best wishes,

Sitakant Mahapatra

(10)

1-5-2009

Esteemed friend,

I have been for a long years an admirer of yours as a seminal critic and equally as a discriminating editior.

Any new feather on your gives me pleaser.

Purefy in your Knowing I enclose a small note of what my work has done for expansion of Hindi as language and literature outside Hindi speaking area. Strangely no where (Hindi Akademis etc) this seems who even woried, let alone recognised.

Hope you are doing fine. Dastavez remains a dastavez of significant writing for me. Hindi gavrav, V.P. Tiwari with warm regards.

Sitakant Mahapatra

सुधा अरोड़ा

1702, सॉल्टियर,
पवई, मुम्बई—400076

5-5-2005

आदरणीय भाई विश्वनाथ जी,

अभी मेरे सामने आपकी सम्पादित पुस्तक 'बीसवीं सदी का हिन्दी साहित्य' है, जो ज्ञानपीठ से छपकर आई है। आपको बहुत-बहुत बधाई।

आपसे भोपाल में चलने के दिन मुलाकात हुई थी। आपने वायदा किया था कि 'दस्तावेज' के अंक मुझे भिजवाएँगे। और मैंने आपको स्पैरो द्वारा प्रकाशित दो पुस्तकें 'दहलीज को लाँघते हुए' और 'पंखों की उड़ान' दी थीं, आपने कहा था पढ़कर अपनी राय देंगे। क्या आपने किताबें पढ़ीं? आपकी प्रतिक्रिया जानकर बेहद प्रसन्नता होगी।

यह पत्र एक विशेष प्रयोजन से लिख रही हूँ। 'दस्तावेज' के किसी पिछले अंक में आपने मन्नू भंडारी राजेन्द्र यादव पर एक लम्बा सम्पादकीय लिखा था। इसकी चर्चा मैं कई लोगों से सुन चुकी हूँ। क्या आप मुझे इसकी जीरॉक्स प्रति या अंक भेज सकेंगे?

आशा है, आप स्वस्थ सकुशल हैं। कृपया पत्र शीघ्र दें।

सादर,

सुधा अरोड़ा

(2)

1-6-2005

आदरणीय दादा जी,

आपका पत्र पाकर बहुत खुशी हुई। दरअसल इससे पहले मुझे आपका कोई पत्र नहीं मिला। हाँ, दस्तावेज के अंक बराबद मिलते रहे हैं—वसुन्धरा, 602, गेटवे प्लाजा के पते पर। अभी-अभी एक नया अंक कल ही मिला है।

यह पत्र एक विशेष प्रयोजन से लिख रही हूँ। सम्भवतः आपने 'कथादेश' में मेरा स्तम्भ 'औरत की दुनिया' देखा होगा, उसमें एक समानान्तर शृंखला चल रही है—"हमारी विरासत पिछली पीढ़ी की औरतें" इस शृंखला में ममता कालिया, मृदुला गर्ग, सूर्यबाला, लता शर्मा आदि के संस्मरण आ चुके हैं। कुछ पुरुष रचनाकारों के संस्मरण भी आ रहे हैं। आपने तो अपनी माँ पर कुछ अद्भुत

अविस्मरणीय कविताओं के टुकड़े लिखे हैं। मैं चाहती हूँ कि आप माँ की पीढ़ी की कुछ और स्त्रियों को लेते हुए माँ पर एक यादगार संस्मरण लिखें जो पिछली पीढ़ी का प्रतिनिधित्व करती हैं। आप मुझे जुलाई पहले हफ्ते तक अवश्य भेज दें—अगर आप लिखना चाहें तो। लिखेगे तो मुझे बहुत अच्छा लगेगा। उम्मीद है, निराश नहीं करेंगे।

यह पत्र जल्दी में एयरपोर्ट के लाउंज में बैठकर लिख रही हूँ। हस्तलिपि इसलिए बिगड़ रही है।

आशा है, स्वस्थ-सकुशल हैं।

सादर आपकी

सुधा अरोड़ा

सुदर्शन नारंग

(1)

112, रेवती कुन्ज,
रेलवे रोड, हापुड़

29-10-1973

प्रिय भाई तिवारी,

'समीक्षा' में 'हमशक्ल' की समीक्षा पढ़ने के बाद से निरन्तर आप को पत्र लिखने की बात सोचता रहा हूँ। इसलिए नहीं कि आप ने मेरी प्रशन्सा की है। गुटबन्दियों के इस युग में किसी भी लेखक की अवहेलना हो जाना कोई आश्चर्य की बात नहीं होती। मेरे जैसा आदमी स्थिति के प्रति धीरे-धीरे उदासीन भी हो ही जाता है। पर जब कोई मित्र, पाठक अथवा समीक्षक लेखक के अन्तर्तम को पकड़ कर रख देता है तो लेखक को प्रसन्नता मिलना स्वभाविक है। आपने मेरी कहानियों के सही बिन्दु को अंकित किया इसके लिए मेरे मन में आप के प्रति विशेष स्थान बन गया है।

मैं अपनी अन्य कुछ पुस्तकें भी आपको भेजना चाहता हूँ।

मेरा एक उपन्यास 'उस पार का अँधेरा' राधाकृष्ण प्रकाशन से तथा कहानी संग्रह सिर्फ एक आकाश लोकभारती से छपें हैं। कुछ दिन बाद प्रतियाँ उपलब्ध होते ही भेजने की सोच में हूँ।

मेरे लिए कोई भी काम।

सस्नेह,

सुदर्शन नारंग

(2)

5-11-73

प्रिय भाई तिवारी,

आपका। तारीख का पत्र मिला। याद के लिए आभारी हूँ। पटना के बाद कभी अवसर ही नहीं मिला। कभी हापुड़ आइए।

इस पत्र के साथ उपन्यास 'उस पार का अँधेरा' और 'सिर्फ एक आकाश' (कहानी संग्रह जो अभी विधिवत out नहीं हुआ तथा जिसकी एक ही रफ प्रति आयी थी) भेज रहा हूँ। 'सिर्फ एक आकाश' में मेरी कुछ महत्त्वपूर्ण तथा चुनी हुई कहानियाँ दी गई हैं। उम्मीद है आप इन्हें पढ़ेंगे।

समीक्षक अन्ततः रचनाकार ही होता है। तो, अपनी पहली कहानी कहाँ प्रकाशित करवा रहें हैं। टंकित हो तो पढ़ने का अवसर दें।

मेरे लिए कोई भी काम।

सस्नेह

सुदर्शन नारंग

सुमन राजे

(1)

111/98-22
अशोक नगर, कानपुर

आदरणीय डॉ. तिवारी जी,

बहुत दिनों से आपके समाचार नहीं हैं, 'दस्तावेज' भी नहीं। कोई संवाद नहीं। आशा है 'दस्तावेज' निकल रहा होगा। मेरी नयी पुस्तक, हिन्दी साहित्य का आधा इतिहास, ज्ञानपीठ से प्रकाशित है एवं समीक्षा के लिए दस्तावेज में भेजी गई है।

यह पुस्तक मेरे पिछले दस वर्षों का परिश्रम है और यह हिन्दी साहित्येतिहास को फिर से लिखे जाने का प्रस्ताव करती है। एक ऐसे समय में जब लोगों ने 'साहित्येतिहास' पर बात तक करना बन्द कर दिया है, यह एक नयी शुरुआत है। मेरा मानना है कि इतिहास से लड़ने के लिए इतिहास में लड़ना जरूरी है। मेरा अनुरोध है कि आप इसे अवश्य पढ़े।

आपने पिछले दिनों आलोचना की उदासीनता पर दस्तावेज में काफी कुछ प्रकाशित किया था। आपको नहीं लगता कि इसका एक कारण यह भी है कि आलोचना पर विद्वानों का ध्यान कम जाता है। एक ऐसे समय में जब साहित्येतिहास पर लोगों ने बात तक करना बन्द कर दिया है, यह पुस्तक आपके ध्यान की माँग करती है। आशा है आपका सहयोग मिलेगा।

साभार
सुमन राजे

(2)

6-3-97

श्री विश्वनाथ तिवारी जी,

मैंने अक्षरा का 33वाँ अंक देखा जिसमें श्री त्रिभुवन राय का आलेख "9 वें दशक की हिन्दी कविता" छपा है। आलेख को पढ़ते हुए मेरा ध्यान लेखक द्वारा उद्धृत इन पंक्तियों पर गया।

"कैसे घट गया अचानक यह/कि मेरा दर्द अचानक मुझसे बड़ा हो गया/ और रू-ब-रू आदम कद/ मेरे ही सामने खड़ा हो गया/जवाब तलबी की मुद्रा में/और मैं हूँ कि अपनी भाषा किसी आले में रखकर भूल गया हूँ।"

लेखन ने इन पंक्तियों को विश्वनाथ प्रसाद तिवारी का बताया है यद्यपि उन्होंने न तो कविता संग्रह का उल्लेख किया है और न ही सन्दर्भ दिया है। वस्तुतः यह कविता मेरी है जो मेरे काव्य संकलन "उगे हुए हाथों के जंगल" वर्ष 1987 में प्रकाशित हो चुकी है। केवल भूल गयी के स्थान पर गया हूँ कर दिया

है। इसे केवल त्रुटि की संज्ञा नहीं दी जा सकती। डॉ. विश्वनाथ तिवारी को भी इसमें आपत्ति होगी। आलोचना का कार्य एक बहुत ही जिम्मेदारी का कार्य है और इसीलिए सन्दर्भ दे देना जरूरी होता है। मेरा आपसे अनुरोध है कि आप अपने प्रतिष्ठा पत्रिका अक्षरा में यह पत्र प्रकाशित करें। इसकी एक प्रति मैं लेखक को भी भेज रही हूँ।

भवदीया
सुमन राजे

(3)

1-4-08

आदरणीय तिवारी जी,

आपके पत्र ने संजीवनी का कार्य किया। अपने में यह बात बहुत महत्वपूर्ण है कि जो मैंने कहना चाहा है वह सही जगह तक पहुँचा है। दरअसल पिछले तीन वर्षों से काफी अस्वस्थ चल रही हूँ। तुलसी के माध्यम से अपने भीतर और बाहर की लड़ाई लड़ी है, और इतना तो निश्चित रूप से कह सकती हूँ कि अभी हारी नहीं हूँ। यह जरूर है कि बाहर जाने की यात्राएँ निःशेष हो गई हैं। शायद इसके मूल में भी कोई तर्क छिपा हो। बाहर की यात्राएँ जब समाप्त होती तो भीतर की यात्राएँ शुरु होती है। इसके पहले भी कुछ आलेख 'महिला-कला शास्त्र'- पर भी तैयार किए हैं। भारतीय ज्ञानपीठ भेजे हैं, कहीं और छपाने से पहले उनसे पूछना आवश्यक है। इधर 'इतिहास और लोकेतिहास' पर भी काम करना चाहती हूँ।

यात्राओं का प्रसंग आया तो बता दूँ सन् 1962-64 के दौरान हम दोनों ने लोकवार्त्ता-अध्ययन के सिलसिले में साधन-रहित यात्राएँ की थी। यद्यपि उसका लक्ष्य समाजशास्त्रीय अध्ययन था, जो कि डॉ. सिंह के शोध का विषय था। परन्तु मैंने उन यात्राओं को स्मृति में लिख लिया था। अब उन्हें कागज पर उतारने की कोशिश है। देखिए क्या कुछ कर पाती हूँ।

आपने साहित्य अकादमी में सेमिनार में मेरा नाम संस्तुत किया उसके लिए आभारी हूँ। भले ही अपने नाम की चिट्ठी न हो, पर डाकिया का आना उल्लास जगा जाता है। अभी कविता संग्रह 'युद्ध' भी प्रकाशित हुआ है।

'दस्तावेज' में आपके सम्पादकीय निरन्तर पढ़ती रहती हूँ। बहुत ही साहसिक और बेलाग वैचारिक प्रस्तुतियाँ हैं बिना किसी सरकारी या सेठ-साहूकारी सहायता के इतने वर्षों से उसका सतत् प्रकाशन अपने में एक दस्तावेज है।

आशा करती हूँ अनन्त कीर्त्ति भी आपके क्रम को आगे बढ़ाएगें। मेरी शुभकामनाएँ। कभी कानपुर आएँ तो घर भी आएँ। उसी पुराने मकान में हूँ। आपसे मिलकर खुशी होगी। सादर,

आपकी
सुमन राजे

(4)

16-5-08

आदरणीय तिवारी जी,

आपको मेरा पत्र मिला होगा। 'नया ज्ञानोदय' में मेरा आलेख शायद देखा हो। उसी सन्दर्भ में मैंने

इधर 'वेश्याओं की रचनाओं पर एक लेख लिखा है। क्या आप उसे छापना उचित समझेंगे?

अपने शोध-काल में मैंने और डॉ. सिंह ने बहुत सी यात्राएँ की थी। उस समय जो डायरी लिखी थी वह सिर्फ जानकारी के लिए। अब वे बीज पूरी यात्राओं के रूप में उग रहे हैं। आजकल जो यात्रा-विवरण छप रहें हैं, ये उनसे पूर्णतः भिन्न हैं। समानता केवल इतनी है कि दोनों यात्राएँ हैं। हफ्तों सिर्फ गुड़ और सतुआ खाकर बस से या पैदल यात्रा करना अब जीवन्त हो उठा है। शोधकार्य तो तभी पूरा हो गया था। प्रशन्सा भी बहुत मिली थी। लेकिन ये यात्राएँ स्मृति में गहरी जड़ जमाएँ थी, अब कागज पर पसर रही हैं। यदि आप स्वाद लेना चाहें तो भेजूँ?

हाँ, 'आत्मकथाः आत्मकथाओं से बाहर' पर सुशील सिद्धार्थ लिख रहे हैं। मैंने उन्हें पुस्तक भिजवा दी है। आजकल लगता है साहित्य के समक्ष कोई गम्भीर चुनौती रह नहीं गई है। 'विवाद युग' चल रहा है। पहले राजेन्द्र यादव बनाम मन्नू भंडारी, फिर राजेन्द्र यादव बनाम मैत्रेयी पुष्पा', अब नासिरा शर्मा बनाम रवीन्द्र कालिया। 'आखिर इस दर्द की दवा क्या है? सादर,

सुमन राजे

सुनीता जैन

(1)

Indian Institute of Technology, Delhi

3-3-96

प्रिय विश्वनाथ जी,

कहीं पढ़ा था कि सबसे अच्छी या अच्छी रचना वह होती है जिसे पढ़-सुनकर लगे, काश हमने इसे लिखा होता या हमने इसे क्यों नहीं लिखा।

अपनी माँ के देहान्त के पश्चात् पिछले डेढ़ वर्ष में मैंने लगभग 100 कविताएँ उनको लेकर लिखी किन्तु कल दस्तावेज का 49/50 अंक अक्टू-मार्च 89 हाथ आ गया। अचानक और आपकी कविता "कैसे जाएगी माँ" पढ़ी तो आँसू आ गए—यह मैंने क्यों नहीं सोचा, मैंने क्यों नहीं लिखा।

इस समानव्यथा के भागीदार आप इन कविताओं के नाते मेरे भाई हुए। मैं नहीं जानती मेरे भाईयों ने माँ को याद किया हो ऐसे जैसे आपने या मैंने।

दस्तावेज का चन्दा भेज रही हूँ। अद्भुत बात है कि यह अंक मेरे घर आया उन दिनों जब मैंने एकाएक मौन साध लिया। और विना पढ़ा कहीं पड़ा रहा। अब जब लिखने लगी हूँ अचानक हाथ आ गया—पढ़ा भी गया। जैसे ये कविताएँ मेरे 'पात्र' होने की प्रतीक्षा में चुपचाप इतने वर्ष इसमें पड़ी रहीं।

याद आपकी दो ही दिन पहले आई थी क्योंकि कुशीनगर वाले चित्र परसों ही धुल आए। एक भेज रही हूँ। शेष रील लगभग खराब हो गई किसी मूर्ख छात्र की wrong handling के कारण।

मार्च 1994 से अब तक मेरे 13 संग्रह छप गए हैं, एक नया हाथ में हैं। एक संग्रह माँ की सभी कविताएँ लेकर 'जाने लड़की पगली' प्रेस में गया है। प्रतिनिधि कविताओं का एक 250 पृष्ठ का भी हाथ में है। देखें कौन छापेगा। आपके पास समीक्षार्थ कुछ संग्रह पहुँचे क्या? या भेज दूँ।

कवि के नाते, भाई के नाते, सम्पर्क रखें। आज जाने मन बहुत उदास था। नहीं तो पत्र लिखने में मुझ सा संकोची शायद ही कोई हो।

स्वस्थ सानन्द होंगे। नया क्या लिख रहे हैं। कुछ कविताएँ भेजें या कहाँ से मिलेंगे आपके संग्रह?

सस्नेह आपकी

सुनीता जैन

(2)

प्रिय भाई साहब,

कितना समय चला गया मारीशस व कुशीनगर की यात्राओं को। किन्तु वहाँ के चित्र कभी-कभी दिख जाते हैं मुझे आपके साथ। और याद कर लेती हूँ।

इन वर्षों में न मैंने सम्पर्क किया न आपने। कारण शायद कुछ भी नहीं। अपनी-अपनी बदहवासी।

पंडित जी का जाना बहुत खला। मेरे लिए वहीं हिन्दी जगत थे। और सबसे तो डरती ही रही। न उन्हें कभी मैं अच्छी लगी, न वे लोग मुझे। सच में यह दुखद ही है। बाबू जी के न रहने से आप और निकट लगते हैं। कभी इधर आना हो तो सूचना अवश्य दें। आप जहाँ होंगे मैं ही आ जाऊँगी या आप आयें।

दस्तावेज 110 तक पहुँच गया इसके लिए तो परमवीर चक्र मिलना चाहिए। सच में बड़ा जिगरदार काम है।

कुछ कविताएँ भेज रही हूँ। अपनी नई पुस्तक भी। 15 जून को दो महीने के लिए अपने परिवार के पास पा रही हूँ अमरीका, उससे पहले पत्र की पहुँच देंगे तो अच्छा लगेगा।

सादर आपकी

सुनीता जैन

सुधांशु कुमार मालवीय

(1)

28, हैमिल्टन रोड
इलाहाबाद-211002

12-12-91

प्रिय तिवारी जी,

आपका 28-11-91 का लिखा पत्र मिला। कविताएँ आपको अच्छी लगीं, यह जानकर खुशी हुई। जो पंक्तियाँ आपको कविताओं में अतिरिक्त प्रतीत हो रही हैं उन्हें कविता की मूल आत्मा को ध्यान में रखते हुए निकाल दें। आप सम्पादक ही नहीं सुकवि भी हैं, इसलिए आप पर मुझे विश्वास है। इससे मुझे भी अपनी कमजारी को भी समझने का अवसर मिलेगा क्योंकि कविता पर 'दूसरी दृष्टि' की भी अहमियत होती है। अगर वक्त निकाल सकें तो अपनी राय भी लिखिए, मुझे सहायता मिलेगी। मैं आपका आभार मानूँगा।

सूचना न मिलने के कारण मैंने अपनी तीन और कविताएँ आपके पास, कुछ ही दिनों पूर्व, भेजी हैं। अतिरिक्त या अनपेक्षित हों तो वापस कर दीजिएगा। टिकट लगा लिफाफा साथ में है।

कुशलता की कामना के साथ,

आपका
सुधांशु कुमार मालवीय

(2)

19-12-91

प्रिय बन्धु,

आपका पत्र और मेरी कविताएँ मुझे मिलीं। मैंने तीनों कविताओं को फिर से देखा। मुझे यह कहने में सन्तोष है कि आपकी इस सम्पादन योग्यता के बारे में मेरा विश्वास, अधिकांश में सही साबित हुआ। अपने मित्रों से भी कभी-कभी मुझे स्फीति की शिकायत सुनने को मिल चुकी है। यह मेरी एक कमजोरी सी रही है। लेकिन यह समीक्षा इसे बहुत स्पष्ट और मूर्त्त नहीं करती थी। आपने 'अनुभव को ज्यादा तानने' की बात कहकर मेरी इस प्रवृत्ति को निश्चय ही मेरे अनुभव के लिए मूर्त्त कर दिया है। आपके लगाए गए सभी निशानों से मैं सहमत हूँ सिवा एक स्थान के। और वह है 'किताब और जिन्दगी' कविता

के दूसरे पृष्ठ पर दूसरा निशान—'इस हद तक......सोना चाहिए?' मैं समझता हूँ एक कथन की व्याख्या करने के बावजूद ये पंक्तियाँ अर्थ-विस्तार भी करती हैं। आप विचार कीजिएगा, अगर न सहमत हों तो इसे निकाल दें।

आपने अपनी जो अमूल्य राय दी है उसके लिए मैं आभारी हूँ।

आपका

सुधांशु कुमार मालवीय

(3)

20-9-95

आदरणीय भाई,

आपका पत्र मिला। मुझे भी इस बात की आशंका थी कि शायद आप कोई परेशानी में उलझें हों और पत्रोत्तर के लिए अवसर न निकल पाया हो।

अपनी कविताओं पर आपकी प्रतिक्रिया पाकर मुझे बहुत प्रसन्नता हुई। इसके पूर्व भी आपने अपनी प्रतिक्रया में यही कमजोरी 'अनुभव की स्फीति की' रेखांकित की थी। और मैंने इसे स्वीकार भी किया था। इस कमजोरी को समझने और दूर करने के लिए निरन्तर प्रयास भी कर रहा हूँ। लेकिन इधर जो ढेरों कविताएँ लिखी हैं और बराबर लिखता रहा हूँ उनसे ऐसा लगता है कि इसका 'अनुशासन' पकड़ में नहीं आ पा रहा है। उनमें से कुछ पाँच-सात कविताएँ, अपने तईं सबसे अधिक अच्छी चुनकर आपके पास भेजना चाहूँगा, और स्पष्ट कह दूँ— कि सिर्फ इसी दृष्टिकोण से यानी आपकी प्रतिक्रिया और समीक्षात्मक-रचनात्मक सहयोग के लिए, जो कि आज बहुत दुर्लभ हो रहा है। इससे आपको मेरी 'लेटेस्ट पोजीशन' का कुछ अन्दाज भी हो पाएगा। और तब मैं चाहूँगा कि आप थोड़ा-सा और वक्त निकाल कर थोड़ा-सा विस्तार और विश्लेषण करें। इससे शायद इस कमजोरी की प्रकृति को ठीक से पकड़ने में मुझे मदद मिल सके। हालाँकि मैं यह अच्छी तरह जानता हूँ कि कविता या रचना के मोर्चे पर कवि एकदम अकेला होता है—अकेला ही होना होता है निर्विकल्प रूप से। हाँ, यदि आपको मेरा यह विचार औचित्यपूर्ण न लगे तो आप निस्संकोच लिखिएगा। मैं आपको व्यर्थ कष्ट नहीं दूँ। और यह भी स्पष्ट कर दूँ कि मैं ऐसा करके आप के ऊपर या 'दस्तावेज' में प्रकाशन के उद्देश्य से कविताएँ कतई लादना नहीं चाहता। अतः यदि मेरा सोचना ठीक लगे तो कृपया अपनी सहमति से सूचित करें।

जो कविताएँ आपने 'दस्तावेज' के लिए रखी हैं उनमें से जो कुछ पंक्तियाँ या शब्द आप निकालना चाहें निकाल दें, इससे भी शायद कुछ समझने का मौका मिल सकेगा।

वास्तव में, अपनी कमजोरी को ठीक से न पकड़ पाने की तकलीफ और उससे उबरने की बेचैनी, इन्हीं कारणों से यह सब आपको लिख रहा हूँ। आशा करता हूँ, अन्यथा नहीं लेंगे।

पत्रोत्तर की प्रतीक्षा रहेगी।

आपका

सुधांशु कुमार मालवीय

(4)

28, अमरनाथ झाँ मार्ग
इलाहाबाद-211002

18-1-98

आदरणीय भाई,

आपका भेजा हुआ 'दस्तावेज' का अंक-76 प्राप्त हुआ। इसके अतिरिक्त, जैसा कि मैंने आपसे इलाहाबाद में मुलाकात के दौरान कहा था, मैं 'दस्तावेज' का निराला-अंक प्राप्त करने के लिए बहुत इच्छुक हूँ, आपने इसे उपलब्ध कराने के लिए भी कहा था। आपसे पुनः अनुरोध है कि इसकी एक प्रति किसी प्रकार मुझे उपलब्ध कराएँ, मैं आपका कृतज्ञ हूँगा।

इधर काफी लिखा है। सबसे ज्यादा कविताएँ। आपने कई बार अपने पत्रों में मेरी कविताओं की जिस कमजारी की ओर संकेत किया है, उनसे उबरने की बहुत अधिक कोशिश की है। इसलिए ये अपने नये दौर की कविताएँ, आपकी राय के लिए आपके पास भेजने का भी बहुत मन था। क्योंकि इससे मुझे अपने इस प्रयास की सफलता के बारे में कुछ अन्दाज मिलता। परन्तु आपके पास कई कविताएँ पहले से ही पड़ी हैं और फिर पता नहीं आपके पास फिलहाल वक्त भी है या नहीं, इसी के ख्याल से भेजने का विचार नहीं बना सका। नरेन्द्र जैन के काव्य-पाठ पर आपका वक्तव्य बहुत अच्छा लगा। पत्रोत्तर की प्रतीक्षा रहेगी।

आपका
सुधांशु कुमार मालवीय

(5)

10-3-98

आदरणीय भाई,

पहले आपका भेजा 'दस्तावेज' का निराला अंक मिला, फिर आपका पत्र भी। आपने मेरे आग्रह का मान करते हुए मेरे लिए इस अंक को उपलब्ध कराया। इसके लिए मैं सचमुच बहुत आभारी हूँ। इतना अच्छा अंक यदि मुझे न मिल पाता तो मुझे निश्चय ही बहुत अफसोस होता।

'दस्तावेज' के अंक प्राप्त करने के लिए भविष्य में क्या व्यवस्था होगी। लिखिएगा।

कविताएँ तो मैं भेजना ही चाहता हूँ पर आपके पास कई काफी पहले से ही पड़ी हैं इसलिए संकोचवश नहीं भेज रहा था। लेकिन अब आपके भेजूँगा, खासकर आपकी प्रतिक्रिया के लिए।

यहाँ आजकल मार्कण्डेय के भाजपा समर्थन को लेकर काफी कचाकच मची है। ऐसे ही वामपन्थी आज जनवाद के नेता है, साहित्य में सम्मानित प्रतिष्ठित हैं। यह एक व्यक्ति का महज मामला नहीं है, यह उसकी आम स्थिति को भी कहीं न कहीं दर्शाता है। यह वामपंथ साहित्य को क्या देगा? और क्या मूल्यांकन करेगा?

आशा है आप कुशल से है।

आपका
सुधांशु कुमार मालवीय

सूर्यबाला

(1)

3, नरेन्द्र भवन
51, भूलाभाई देसाई मार्ग
बम्बई- 400026

2-10-96

आदरणीय विश्वनाथ जी,

आज, अभी- अचानक डॉ. बांदिवडेकर ने बातों के बीच (फोन पर) आपकी जिक्र चलने पर जिन शब्दों में आपको पारदर्शी व्यक्तित्व का धनी बताया, मुझे अति सहज शब्दों में कहूँ तो बहुत अच्छा लगा। आज के समय मैं पारदर्शी हो पाना पारदर्शिता निभा ले जाना अपने आप में बड़ी बात। इस तरह की निष्पाप, सहज बातें बड़ी अच्छी लगती हैं। बाकी तो मैं आपकी कविताएँ बड़े ध्यान, मनोयोग से पढ़ती हूँ। माँ सदृश कविताएँ पढ़कर संग्रह कर चुकी हूँ। अभी के लिए इतना ही। शुभकामनाओं सहित।

साथ ही बांदिवडेकर जी ने मेरा आपसे व्यक्तिगत सम्पर्क अधिक न होने पर विस्मय और दुःख भी व्यक्त किया।

सूर्य बाला

(2)

14-11-96

आदरणीय विश्वनाथ जी,

'दस्तावेज' समय से मिल गई थी। बीच-बीच में पहले भी दिखी थी। एक बेशक अच्छी, सादगी की गरिमा से भरपूर पत्रिका।

आपके यात्रा-संस्मरण में भी वही सादगी और दूरस्थान को भरपूर समझने जानने की त्वरा नहीं, धैर्यपूर्वक कोशिश बड़े मनायोग से पढ़ा।

'लिखना क्यों?' मुझे अपने इधर ही आये कथा संग्रह है 'साँझवाती' की भूमिका से जोड़ गया। प्रकाशक से पुस्तक आपके पास भेजने के लिए लिख दिया है।

डॉ. त्रिभुवन राय और डॉ. वेद प्रताप अमिताभ ने मुझे काफी पढ़ा है।

महाराष्ट्र एकेडमी एवं कुछ अन्य संस्थाओं तक भी यह पत्रिका अनिवार्य रूप से पहुँचनी चाहिए। मुझ तक नियमित भेजने का कष्ट करें। वार्षिक शुल्क सिर्फ संस्थाओं का लिखा है। आपके स्वास्थ्य की

शुभकामनाओं सहित।

सूर्यबाला

(3)

ए/5, गार्डन अपार्टमेन्ट,
वागळे इस्टेट, ठाणे—400604

28-8-98

आदरणीय विश्वनाथ जी,

पिछले पूरे वर्ष एक तरह का निर्वासन ही भोगा। पूरी तरह अस्त व्यस्त व्यवस्थित ढंग से पठन-पाठन भी न हो पाया। पत्रिकाएँ जिसमें 'दस्तावेज' भी शामिल है नहीं देख सकी।

अभी आपकी भेजी दस्तावेज (78) मिली। उलट-पुलट कर जिस भी लेख रचना पर दृष्टि टिकी पूरी तल्लीनता से पढ़ ले जाने का मन हो आया। इतनी सादी सी दिखती पत्रिका में यह वैशिष्ट्य कहूँ या सादगी में सुन्दरता लाने का श्रेय आपको ही।

सम्पादकीय तो मुझे किसी निरभिमानी मित्र के साथ के होता वार्तालाप सा लगा—साहित्य से जुड़े आप्तवाक्यों को सही अर्थ में लेने समझने की परिपक्वता सचमुच विरल हो रही है। नागार्जुन की पंक्तियाँ कभी-कभी प्रतिहिंसा स्थायीभाव है। आपने कवि से ज्यादा काव्य का मर्म समझा है कि प्रतिहिंसा की मनःस्थिति कविता नहीं हो सकती।

एक जरूरी बात 'दस्तावेज' 73 मुझे भेजिए।

आप अस्वस्थ हो इस कामना के साथ।

सूर्यबाला

पुनश्चः 1. मेरी पुस्तक साँझबती (किताब घर) कथा संग्रह।

2. क्या मैंने वार्षिक शुल्क भेजा था? प्रतियाँ मुझे एकाध ही मिलीं। इस नये स्थान पर पत्रिकाएँ मिलनी असम्भव सी। अतः आप दस्तावेज नियमित भेंजे।

(4)

23-9-99

आदरणीय विश्वनाथ जी,

'दस्तावेज' का 82 वाँ अंक मिला। हृदय से आभार, बधाई विंशेषकर आपके अत्यन्त सन्तुष्टि और निष्पक्ष विश्लेषण वाले सम्पादकीय के लिए। अनर्गल उठा पटकों और अहोरूपं अहोध्वनि के बीच साहित्य की अस्मिता और सरोकारों की बात केवल एक शगल बन गया है।

आपका एक वाक्य, 'तटस्थ होना उदासीन या निरपेक्ष होना नहीं बल्कि वस्तुपरक होना है, मुझे तृप्त कर गया। शायद इसलिए कि यही मेरी भी दुखती रग है, विशेषकर साहित्य और राजनीति की चक्की के पाटों के सन्दर्भ में। शेष सामग्री और पुस्तक समीक्षाएँ भी स्तरीय हैं। शुभकानाओं सहित।

सूर्यबाला

पुनश्चः मेरे कथा संग्रह, 'कात्यायनी संवाद, अथवा 'साँझवाती' की समीक्षाएँ दस्तावेज में अभी नहीं आई न? डॉ. श्रीर राम परिहार, की समीक्षाएँ अच्छी लगीं। उन्हें या जिन्हें भी आप उचित समझें।

(5)

बी-504 रुनवाल सेन्टर,
गोवकी स्टेशन रोड, देवनार चेम्बूर
मुम्बई-400088

12-1-2003

आदरणीय तिवारी जी,

सबसे पहले नये वर्ष की शुभकामनाएँ। आप सतत् ऊर्जावान और स्वस्थ रहें और।

मैं विदेश वनवास भी अवधि पूरी कर लौट आई। पत्रों की डाक तो वहाँ पहुँच जाती थी पत्रिकाएँ नहीं देख पाती थी अतः लौटने पर पूरे तीन सप्ताह से पत्रिकाओं के नये पुराने अंकों पर जुटी थी। अचानक 'दस्तावेज 95' का सम्पादकीय हाथ लगा और साँस रोक कर पढ़ गई। पढ़ने के बाद 'नार्मल' होने में समय लगा। उड़ी-उड़ी बातें कानों में पड़ती रही थी, (दूसरे पिछले पूरे वर्ष अधिकांशतः विदेश प्रवास पर थी) किन्तु किसी व्यक्ति का घमंड, पाखण्ड, दुस्साहस की सारी सीमाएँ पा कर सकता है, यह अकल्पनीय है। आप शायद 'हिन्दी के पहले सम्पादक हैं जिसने इतनी निष्पक्षता से कलम चलाई। वरना सभी तो ऐसे व्यक्यिों को महिमा मंडित करने में लगे हैं। मन की बात आपसे शेयर कर ली।

पुनः शुभेच्छाओं सहित

सूर्यबाला

पुनश्चः विदेश जाने से पहले सम्भवतः आपसे अपनी पुस्तकों की समीक्षा पर बात हुई थी और आपने शशिकला राय का नाम सुझाया था।

(6)

17-3-04

आदरणीय तिवारी जी,

'दस्तावेज' का सौवाँ अंक। एक बेशकीमती सौगात दी है। आपने हम सब पढ़ने वालों को। मुझे बड़ी बेचैनी होती हे, यह सोच कर कि अपने समय की सबसे ज्यादा प्रासंगिक, 'गाँधी भाव' को ही हम नहीं सहेज पाये। मुझे गाँधीवाद' से ज्यादा 'गाँधीभाव, कहने में सन्तुष्टि मिलती है। इसी सन्दर्भ में एक बार अपनी तड़फड़ाहट उतार डाली थी। नवभारत टाइम्स में छपी थी। भेज रही हूँ।

एकदम अभी अंक 102 मिला। आभार, शायद दस्तावेज में मेरी पहली पुस्तक की समीक्षा (अब तक आये 7-8 कथा संग्रहों में)

आपके पास मेरे सद्यः प्रकाशित कथा संग्रह (किताबघर) मांनुष गंध की दो प्रतियाँ पहुँच चुकी है। समीक्षार्थ प्रति डॉ. चन्द्रकला त्रिपाठी वाराणसी को दें तो कैसा? पिछले दिनों एक दो बार मिलना हुआ। अद्भुत पैठ है उनकी कहानी कविता में। नीरा नाहटा किसी अन्य पत्र में कर देंगी।

शुभेच्छा सहित
सूर्यबाला

(7)

25-5-2004

आदरणीय भाई तिवारी जी,

अपरिमित बधाइयों के साथ एक तात्कालिक प्रतिक्रिया, आदरणीय विष्णुकान्त जी पर आपका लेख कविता की तरह बार-बार पढ़ा। लेख के प्रारम्भ में ही लिखी पंक्तियाँ, सन्त मिलन सम सुख जग नाहीं चरितार्थ हो आईं। लगा, मन सहज, निर्मल और ऊर्जावान हो गया है। ऐसे सहज निष्कलुष, अभिनन्दन इन दिनों दिखते कहाँ हैं। निश्चित रूप से इसका श्रेय आपके आलम्बन को भी जाता ही है। आपके लेख ने शास्त्री जी का सहज, सस्मित चेहरा साकार कर दिया।

शुभेच्छा सहित

सूर्यबाला

पुनश्चः 1. मेरे फ्लैट का नम्बर, बी-504 है। पते में सुधार लें।

2. मानुष गंध की समीक्षा।

(8)

17-6-2008

आदरणीय तिवारी जी,

सन्दर्भ 'दस्तावेज' 116'। आपके सम्पादकीय का पहला ही वाक्य भाषा को भ्रष्ट मत करो..हम सब इसके कारणों और (भयावह) परिणामों से अवगत हैं लेकिन विरोध में हमारी आपकी अलग-अलग अकेली आवाजें नक्कारखानें में तूती की तरह गूँज कर रह जाती हैं। 'अन्यथा' में तथा अन्य कई पत्रिकाओं में प्रभु जोशी ने अत्यन्त विचारोत्तेजक लेख लिखा था, इन साजिशों के खिलाफ। न्यूयॉर्क सम्मेलन में मैंने खुद सुधीश पचौरी को घेरा था किन्तु जहाँ व्यापार थोक के भाव चल रहा हो वहाँ सीधी सच्ची सलाहियतें क्या करेंगी।

यह लिखकर भी मात्र उद्वेलित मन ही तो शांत करना है। अस्तु आप स्वस्थ हों इस शुभेच्छा के साथ।

सूर्यबाला

पुनश्चः नया व्यंग्य संग्रह भगवान ने कहा था समीक्षार्थ पहुँचा क्या?

(9)

आदरणीय तिवारी जी,

पिछले दिनों मिले आपके पुरस्कारों, सम्मानों की सूचना हृदय से प्रसन्न कर गई...फोन पर आपके पुत्र अनन्त कीर्ति जी से बातें हुई थी। अस्तु लेकिन सबसे बड़ा पुरस्कार तो आप 'दस्तावेज' के पाठकों को दे रहे हैं—व्यावसायिकता के इस घटाटोप के बीच निरन्तर जीवन और साहित्य का श्रेयस बाँटतें हुए—इस अंक 112 में भी 'बच्चे और हम' से लेकर 'जनसंख्या' तक हर मुद्दा आपकी कलम से पूर्ण, निष्पक्ष पारदर्शी होकर निथरता है। विशेषकर विचारधारात्मक चौहद्दियों को तोड़ने और हठवादिता को चुनौती देने वाले आपके लेखों ने मुझे हमेशा अभिभूत किया है।

दिनों बाद अपनी बात आप तक पहुँचाने का सन्तोष।

शुभेच्छा सहित

सूर्यबाला

सूर्यकान्त नागर

(1)

81, बैराठी कॉलोनी, नं-2
इंदौर-452014

2-3-2002

आदरणीय तिवारी जी,
नमस्कार!

दस्तावेज-91 पढ़ गया।

सम्पादकीय में आपने नामवरजी की जो कलाई खोली है, वे इसी के पात्र हैं। इसी लायक। वे अक्सर अपने बयान बदलते रहे हैं। ठीक उसका उलट कहा है जो पूर्व में भरी सभा में कह या पुस्तक में लिख चुके होते हैं। पिछले दिनों म.प्र. साहित्य परिषद् द्वारा दलित-साहित्य पर इंदौर में आयोजित गोष्ठी में वे अपने पूर्व कथन से मुकर गये कि यह जरूरी नहीं कि सच्चे दलित-साहित्य का सृजन दलित द्वारा ही हो। यहाँ उन्होंने स्वीकार किया कि प्रामाणिक और विश्वसनीय दलित लेखन एक दलित द्वारा ही किया जा सकता है।

बहरहाल, स्व. डॉ. रामविलास शर्मा की मृत्यु के पश्चात उनके लेखन और दर्शन की आलोचना करना उचित नहीं है; खास तौर पर जब कि वे, और जैसा कि आपने अपने सम्पादकीय में लिखा भी है, सन् 1982 में आलोचना के अंक 60-61 में रामविलास जी के विचारों के प्रति न केवल अपनी सहमति जता चुके थे, बल्कि उनकी प्रशंसा भी कर चुके थे। उनकी इतिहास दृष्टि और परम्परा-दृष्टि का समर्थन कर चुके थे। नामवर सिंह जी अब मार्क्सवाद का चश्मा चढ़ाकर चीजों को देखते हैं, यह भूलकर कि मार्क्सवाद का विकास पहले जो लिखा गया था, उसी के आगे का है। सच्चा मार्क्सवादी जैसा कि रामविलास जी ने आपसे अपने साक्षात्कार में कहा था, अपनी सांस्कृतिक विरासत को पहचानता है। संस्कृति और परम्परा ऐसी चीजें नहीं कि आप उन्हें सिरे से नकार दें। वर्तमान और भविष्य तथा प्रगति और परम्परा के परस्पर सम्बन्धों को पहचानने की जरूरत है। जरूरी नहीं कि हम हमारी हर समस्या का समाधान अतीत में, इतिहास में, धर्म-ग्रन्थों या परम्पराओं में तलाशें। कुछ मामलों में वह हमारे मार्ग-दर्शक हो सकते हैं। दुनिया में कोई ऐसा देश नहीं है जिसकी संस्कृति सर्वथा निर्दोष हो। समय के साथ उसमें विकृतियाँ आती हैं और एक प्रति संस्कृति खड़ी होती है।

ऋषि और साधक के सम्बन्ध में आपके द्वारा व्यक्त विचार महत्वपूर्ण हैं। आखरी दिनों में रामविलास जी जिस तरह निर्लिप्त और विरक्त से हो गये थे, यश और धन के मोह से मुक्त थे तथा जिस प्रकार से संस्कृति, इतिहास तथा वेद-पुराण के अन्वेषण में लग गये थे, उसके मद्देनजर वे निश्चित ही किसी साधक, सन्त या ऋषि से कमतर नहीं थे। यहाँ भी 1982 के अपने सम्पादकीय से विपरीत जाना, नामवर सिंह जी के सोच/छद्म को ही उजागर करता है।

समय के साथ चिन्तन और ज्ञानार्जन करते हुए हर प्रज्ञावान लेखक की अवधारणाएँ बदलती हैं। वह अपनी विवेक-बुद्धि से स्थितियों पर पुनर्विचार करता है। स्व. श्री नरेश मेहता कभी कम्युनिस्ट रहे, प्रगतिशील खेमें में रहे, सेना में रहे और अन्ततः प्रेम, करुणा, वनस्पति, वैषणवत्व, वेद उपनिषद् की बातें अपने काव्य में करने लगे। लेकिन इस स्थिति में भी रामविलास जी अपने मूल सोच में मार्क्स के खिलाफ नहीं थे। वे अपनी सांस्कृतिक ऐतिहासिक जड़ों की तलाश में जुट गए थे। यह ऐसा अपराध नहीं है जिसके लिए उनकी निन्दा की जाए।

दस्तावेज में प्रकाशित वरिष्ठ साहित्यकारों के पत्र महत्वपूर्ण हैं। इनसे तत्कालीन साहित्यिक माहौल और गतिविधियों का पता चलता है। वस्तुतः पत्र दर्पण हैं जिनमें पत्र लिखने वाले और पत्र पाने वाले दोनों के अक्स दिखायी देते हैं। पहले साहित्यकारों के बीच कितना सौहार्द था। आज स्थिति भिन्न है। एक साहित्यकार दूसरे को बर्दाश्त नहीं करता। बल्कि टाँग खींचने में लगा रहता है। मुझे सर्वाधिक प्रभावित किया अज्ञेय के पत्रों ने। बातचीत में वे भले ही अन्तर्मुखी रहे हों, पत्रों में वे मुखर, सहज और पारदर्शी हैं।

जैसा कि दूरभाष पर चर्चा हुई थी, मैं स्व. अमृतलाल जी नागर, भारती जी और कथाकार-उपन्यासकार दामोदर सदन के पत्रों की छाया प्रतियाँ संलग्न कर रहा हूँ। आशा है, दस्तावेज के आगामी अंक के लिए उपयोगी हो सकेंगे। जैसा भी हो, कृपया देखिएगा।

मेरा नया उपन्यास पिछले दिनों आया है। उसकी समीक्षा वागर्थ, साक्षात्कार, नई दुनिया, वीणा आदि में अभी-अभी आयी हैं। अक्षरा आदि में आने की सम्भावना है। यदि आप अनुमति दें तो उपन्यास 'यह जग काली कूकरी' की प्रतियाँ समीक्षार्थ भेजूँ। आप उपयुक्त समझें तो साथ में किसी प्रतिष्ठित/समझदार समीक्षक द्वारा लिखी गयी स्वतन्त्रत, निष्पक्ष और स्तरीय समीक्षा भेजूँ! आप जैसा आदेश सुझाव दें।

स्व. दामोदर सदन का उपन्यास 'काला हीरा' विवादों के घेरे में था। सन् 1982 से 1984 तक मैं 'आदमी' नामक साहित्यिक त्रैमासिकी का सम्पादन करता था। उसमें श्री धर्मपाल अकेला (हापुड़) ने 'काला हीरा' में विदेशी उपन्यास से ली गयी सामग्री का उल्लेख किया था। उसी सारे विषाद के सिलसिले में सदन जी ने मुझे पत्र लिखे थे। उनके एक पत्र में उन्होंने मुझे परिचित कहा है, पर वस्तुतः हम मित्रवत ही रहे थे। वे इंदौर के आसपास भोपाल, शाजापुर, कुक्षी, धार में पदस्थ रहे। वर्षों पूर्व मेरी कहानियों पर आयोजित चर्चा-गोष्ठी की सदारत इंदौर में उन्होंने ही की थी।

शेष शुभ/स्नेह बना रहे।

आपका

सूर्यकान्त नागर

(2)

30-3-2002

आदरणीय तिवारी जी,

नमस्कार!

दस्तावेज 92 भेजकर आपने मुझ पर बड़ी कृपा की है। 'दस्तावेज' के सम्बन्ध में लम्बे समय से काफी-कुछ सुनता आया हूँ लेकिन कतिपय अंक यहाँ-वहाँ देखे भर थे। दस्तावेज 91-92 पढ़कर बड़ा सन्तोष मिला।

नरेन्द्र मोहन की डायरी के पन्नों के जरिए निर्मल वर्मा और कृष्ण बलदेव वैद के लेखक मन

और उनकी रचना प्रक्रिया को जानने का अवसर तो मिला ही, कृष्णा सोबती के तेवर और उनकी विश्लेषणात्मक क्षमता के दर्शन भी हुए। उनकी व्यंग्य व्यंजना और सोच से बहुत प्रभावित हुआ। वैसे मित्रो मर जानी और जिन्दगी नामा से उनकी सामर्थ्य का पता पहले ही चल चुका था।

पत्रों में श्री अमृतराय और श्रीनरेश मेहता के पत्र आत्मीय, साफ-सुथरे लगे। दोनों में स्पष्टवादिता है, खुलापन है! श्री नरेश मेहता के पत्र तो इसलिए उत्साह से पढ़ गया कि वे काफी समय इंदौर रहे, फिर भोपाल भी! तुर्रा यह कि उनका और मेरा दोनों का जन्म-स्थान शाजापुर है। उत्तरकथा तथा यह पथ-बंधुथा के बहुत से पात्र और स्थान मेरे जाने-पहचाने हैं। आपके नाम अमृतराय जी के पत्र परस्पर सम्बन्धों को रेखांकित करते हैं।

समीक्षाओं में 'दीवार में एक खिड़की रहती थी' (विनोद कुमार शुक्ल), फूल, इमारतें और बन्दर (गोविन्द मिश्र), हमारा शहर उस बरस (गीतांजलि श्री) पहले पढ़ गया, क्योंकि ये उपन्यास पढ़े हुए थे और इनको लेकर मन में कई सवाल भी थे, विशेषतः दीवार में एक खिड़की रहती थी को लेकर! श्री राम जी तिवारी की समीक्षा से बहुत-सी चीजें स्पष्ट हुई।

शेष शुभ!

नियमित पाठक बन रहा हूँ।

आपका

सूर्यकान्त नागर

(3)

24-4-2003

आदरणीय तिवारी जी,

सादर नमस्कार!

दस्तावेज-96 प्राप्त हुआ। धन्यवाद।

अंक-91 की व्यापक प्रतिक्रिया हुई। स्वाभाविक था। महाआलोचक की कथनी-करनी के भेद से अनके साहित्यकार परिचित हैं। पहल-73 में मधुरेश जी के नाम शिवदान सिंह जी चौहान के पत्र छपे हैं। उनमें भी नामवर सिंह जी को लेकर ऐसी टिप्पणियाँ हैं। एक पत्र में उन्होंने लिखा है—'बनारस के डॉ. सुखदेव सिंह जी का आग्रह है कि मैं नामवर सिंह के साहित्यिक अवसरवाद और वैचारिक दुरंगेपन पर लिखूँ, लेकिन मैं इस दलदल में फँसना नहीं चाहता।' खैर! वैसे सम्पादकीय के सम्बन्ध में प्राप्त प्रतिक्रियाओं को न छापने का आपका निर्णय गरिमा व स्तर के अनुकूल ही था, किन्तु जब दबाव बढ़ ही गया तो.....। लेकन इससे एक व्यापक व सर्वसम्मत राय का पता तो चलता ही है जो उन्हें सोचने-विचारने पर शायद विवश करे।

पत्रों में इस बार मुझे सियारामशरण जी के पत्रों ने खूब प्रभावित किया। सादगी, आत्मीयता और भाषा पर पकड़। सन् 1939 में भी उनकी भाषा आधुनिक हिन्दी के करीब थी, जानकर अच्छा लगा।

शेष शुभ।

सम्भवतः मेरा शुल्क समाप्त हो गया होगा। शुल्क के लिए रुपए सौ का ड्राफ्ट भेज रहा हूँ। व्यस्तता के बीच पहुँच की दो पंक्तियाँ लिख सकें तो आश्वस्त रहूँगा।

आपका

सूर्यकान्त नागर

(4)

4-9-2006

आदरणीय तिवारी जी,

सादर नमस्कार!

पावस व्याख्यान माला की यादें ताजा बनी हुई हैं। स्त्री-विमर्श पर आपके विचार भी! भूलता नहीं हूँ तो स्त्री अस्मिता पर आपकी सम्पादकीय टिप्पणी भी आयी थी—विस्तृत और विचारोत्तेजक दो-तीन अंक पूर्व! आपके व्याख्यान में स्त्री के बंदिनी होने की चर्चा सुन, 'बंदिनी' शब्द से मुझे आपके सम्पादकीय का तब हल्का-सा स्मरण हो आया था। मेरी राय में भी स्त्री होकर ही स्त्री की संवेदना को, उसके दर्द को, उससे संघर्ष को, स्तन से शिशु के मुख में उतरते दूध के सुख को अनुभव किया जा सकता है।

अंक 110, स्व. विद्यानिवास जी और विष्णुकान्त जी के बारे में बहुत कुछ दे गया। पत्रों और आलेखों के माध्यम से। सर्वाधिक आकर्षित किया विनय मिश्र और राधेश्याम शुक्ल के दोहों और सुरेश कुमार शेष की गजल ने। काव्य की इन दोनों विधाओं की शक्ति का पता इन रचनाओं से मिलता। कितनी महीन और महत्वपूर्ण बात सहज किन्तु प्रभावी ढंग से कही जा सकती है, ये दोहे और गजल इस बात के प्रमाण हैं। 'नवम्बर की बारिश' में ममता जी की अनुभूति निराली है।

अब थोड़ा-सा स्वार्थ! भोपाल में आपसे हुई चर्चानुसार किताब घरसे हाल ही में आए मेरे लघुकथा संग्रह 'विष-बीज' की प्रति संलग्न है। साथ में प्रो. महेश दुबे द्वारा की गई समीक्षा भी। दुबे हमारे इधर के बहुत पढ़ने-लिखने वाले प्रबुद्ध समीक्षक है। समीक्षा सर्वथा अप्रकाशित अप्रसारित है। आशा है, आप इसे उपयुक्त पाएँगे।

शेष शुभ!

आपका

सूर्यकान्त नागर

से.रा. यात्री

(1)

एफ/ई 7, नया कवि नगर
गाजियाबाद-201002

21-2-85

आदरणीय तिवारी जी,

सप्रेम स्मरण।

आशा है सपरिवार स्वस्थ सानन्द होंगे। आपका 20 फरवरी का कृपा पत्र मिला। हृदय से आभारी हूँ। मैं पिछले पन्द्रह दिनों से आपको पत्र लिखने के विषय में सोच रहा था। मेरा पत्र जाने से पहले ही आपका पत्र आ गया—आशा है इस विलम्ब के लिए क्षमा करेंगे।

पांडिचेरी में एक सप्ताह जिस आनन्द से गुजरा वह भाग्य से ही सम्भव हो पाता है। सरकारी सेमिनारों में सारा कार्यक्रम जड़ता से ही हो चलता यह एक अलग ढंग का अनुभव हुआ। शिविरार्थी नवलेखकों में जितना उत्साह और जानने की इच्छा थी तथा जिस सौजन्यता पूर्ण वातावरण में अनेक सत्र चलते रहे वह हम सबके लिए मूल्यवान उपलब्धि रही। आपके साथ इतने समय तक निरन्तर रह सकने की सुविधा मेरे लिए एक परम सुगन्धित स्मृति हैं आपने लेखन की सभी विधाओं को लेकर समय-समय पर जो सारगर्भित टिप्पणियाँ प्रस्तुत की वह हम सबके लिए परम लाभकारी है। पांडिचेरी अपने आप में एक आकर्षक स्थान है और समुद्र ने उसे महान गरिमा प्रदान की है। प्रकृति का तो वह महान वरदान ही है। मन करता है कि वहाँ कभी फुरसत से जाकर रहा जाय। आप तो दक्षिण की पूरी परिक्रमा ही कर आये। पूरे परिवार को इससे जो दैहिक और मानसिक स्वास्थ्य तथा शान्ति प्राप्त हुई होगी उसकी मैं सहज ही कल्पना कर सकता हूँ। सारा कुछ इतना लयात्मक और संगीतधर्मी रहा कि मैं स्वयं को बहुत ही सम्पन्न अनुभव कर रहा हूँ। आगे की कोशिश यही रहेगी कि जब भी जैसे भी जहाँ भी सम्भव हो सकेगा हम मिलते रहेंगे।

आप जब भी दिल्ली आयें गाजियाबाद बहुत ही करीब है—कृपाकर इधर ही चले आयें। दिल्ली आते समय सूचना भेज देंगे तो मैं 'राजकमल' प्रकाशन में अथवा अन्य किसी भी स्थान पर सत्वर पहुँच जाऊँगा।

घर के सभी लोगों को मेरे प्रणाम तथा स्नेह देने की कृपा करें। परिवार के सभी लोगों से मिलकर मुझे सात्विक प्रसन्नता मिली है।

आपका
से.रा.यात्री

पुनश्चः कथा संग्रह मैं निश्चय ही भेज दूँगा। समीक्षा भी करें। मैं चाहता हूँ कि मेरी कहानियाँ यदि आपकी दृष्टि में आयें तो मेरा सौभाग्य ही होगा।

(2)

14-3-91

प्रिय तिवारी जी,

सस्नेह स्मरण!

आज्ञा है सपरिवार मजे में होंगे। दस्तावेज 47 मिला। सर्वप्रथम आपका यात्रा-संस्मरण पढ़ा, मानसिक नेत्रों से वहाँ सब कहीं हो आया जहाँ-जहाँ आप गए थे। बदरी-केदार देखने की बड़ी पुरानी साध है सारा दक्षिण कई कई बार देख आया पर बदरी-केदार जो अपेक्षाकृत अधिक निकट है कभी नहीं देख सुन पाया। मेरे ही क्षेत्र के धामों से आप परिचय करा रहे है—उल्टी गंगा बह रही है। जो भी हो मैंने गहरे मनोयोग से देवात्मा का साक्षात्कार किया—आपका हृदय और आत्मा से आभारी हूँ। पांडिचेरी में बिताये दिनों की याद कभी भूलती नहीं है। कभी इधर दिल्ली का चक्कर लगें तो गाजियाबाद जरूर आयें। बच्चों को मेरा अमित प्यार दें।

आपका ही

से.रा.यात्री

(3)

15-3-2000

प्रिय तिवारी जी,

सप्रेम स्मरण!

आशा है सपरिवार स्वस्थ सानन्द होंगे। 'दस्तावेज 84' अभी मिला है। मैं इसी को लेकर बैठा पढ़ रहा हूँ। श्री निर्मल वर्मा के कथाकार एवं चिन्तक व्यक्तित्व पर जिन लेखकों ने अपने विश्लेषण प्रस्तुत किए है वह सभी उनकी बहुआयामी रचनाशीलता को रेखांकित करने वाले हैं। निर्मलवर्मा के साथ बातचीत के जो मुद्दे उभरकर आए हैं उनसे निश्चय ही वर्मा जी के कृतिजन्य विराटत्व का परिचय मिलता है। यह अंक निर्मल वर्मा के ध्येताओं के लिए परम उपादेय और संग्रहणीय है।

इस अंक की सर्वोपरि उपलब्धि आपका यात्रा संस्मरण 'लन्दन से लौटकर' है जिसे मैं समझिए एक सांस में ही पढ़ गया हूँ। जैसा कुछ आपने देखा समझा उसका जस का तस लेखा जोखा ही प्रस्तुत नहीं कर दिया बल्कि आपने उस ऐतिहासिकता और सामाजिकता को भी केन्द्र में रखा जो पश्चिम का अन्तर्बाह्य सभी कुछ है। पश्चिम का जीवन दर्शन, शिक्षा संस्कार राजनीति और रहन-सहन का इतने कम पृष्ठों में रोचक और साथ ही विराट विवेचन दुर्लभ है। मुझे यह देखकर खुशी हुई कि आपने लन्दन में आयोजित छठे विश्व हिन्दी सम्मेलन को अफसाने का विस्तार न देकर मात्र दो-तीन पैराग्राफ मे समेट लिया और वहाँ की हाय तौबा को गैर जरूरी मानकर निरस्त कर दिया।

स्नेहाधीन

से.रा.यात्री

(4)

17-10-2001

मान्य तिवारी जी,

सादर स्मरण!

आशा है सपरिवार स्वस्थ सानन्द होंगे। 'दस्तावेज' 90 मिला। इस बार आपने पूरा अंक-पत्र साहित्य को समर्पित करके वास्तव में प्रशन्सनीय कार्य किया है। पत्र साहित्य सच्चे मर्मज्ञ साहित्य की आधारशिला है। साहित्य में रचनाकार स्वयं को लपेटने के लिए कई मायाओं का आविष्कार कर लेता है किन्तु पत्र साहित्य तो शैलशिखरों से फूटते प्रवाहित होते प्रकृत झरने हैं जिनमें अवगाहन करके आत्मिक प्रक्षालन की अनुभूति होती है। वर्ष में एक अंक आप इसी विधा पर केन्द्रित करते रहें तो माँ भारती के चरणों में इससे सुन्दर स्तबक और क्या होंगे?

लगभग पैंतीस वर्ष 1960-1995, तक मेरा अशक जी से घरोपा रहा। जीवित रहते उन्होंने अनेक बार पत्र छाँटने को उकसाया पर मैं यही सोचकर टालता रहा कि अश्क जी शतायु होंगे और मैं पत्राचार को कभी व्यवस्थित कर ही लूँगा—पर वह हो नहीं सका। लगभग एक हजार पत्र हम दोनों के मध्य हैं। पत्र सब मैंने नीलाभ प्रकाशन को ही भेज दियें हैं। यदि आप इस दिशा में कोई निर्णय ले सकें तो मैं लगभग पचास पत्र चुनकर कभी आपको भिजवाऊँ। पत्र साहित्यिक धारा में प्रतिबिम्बित होते समय का साक्ष्य है।

सभी पत्र अनन्यता का भाव जगाते हैं पर महतो वियोगी के पत्र तो दुर्लभ स्थितियों के साक्ष्य प्रस्तुत करते हैं।

आपका

से.रा.यात्री

सोमदत्त

(1)

मध्य प्रदेश साहित्य परिषद् डी-1/1
प्रोफेसर कॉलोनी, भोपाल

2-5-84

आदरणीय विश्वनाथ प्रसाद जी,

आप जानते ही हैं कि यह आचार्य रामचन्द्र शुक्ल की जन्मशती का वर्ष है। आचार्य शुक्ल के अवदान का मात्र ऐतिहासिक महत्व नहीं है, पिछले पचास वर्षों का आलोचनात्मक चिन्तन और व्यवहार उनकी अवधारणाओं और मूल्यदृष्टि से आक्रान्त सा रहा है। हमारा इरादा इस अवसर पर इन अवधारणाओं में से कुछ की स्थिति का वर्तमान सन्दर्भ में आकलन करने का है। हमारी समझ से यह देखना-समझना सार्थक होगा कि इन अवधारणाओं का शुक्ल जी के यहाँ क्या रूप था और उनका पिछले पचास वर्षों में कैसा विकास या अवसान हुआ। हिन्दी आलोचना का यह सौभाग्य था कि उसके लगभग आदिकाल में ही आचार्य शुक्ल जैसा क्रान्तिदर्शी विचारक और सिद्धान्तकार उपस्थित हुआ। उनकी जन्मशती निश्चय ही ऐसा अवसर है जब हम समकालीन आलोचना की स्थिति और सम्भावनओं पर इस निश्चित ऐतिहासिक सन्दर्भ में विचार कर सकते हैं। इस विचार विमर्श के लिए हमने तीन विषय चुने हैं। 1. साहित्य और लोकमंगल, 2. साहित्य-इतिहास दृष्टि, और 3. रागात्मक सम्बन्ध, साधारणीकरण और रसदृष्टि। इस सम्वांद में आलोचक और लेखक दोनों ही शामिल होंगे। हरेक विषय पर एक या दो निबन्ध प्रस्तुत होंगे और कुछ नोट्स भी।

आपसे आग्रह है कि कृपया इन विषयों पर होने वाली चर्चाओं में भाग लें। चर्चाएँ सार्थक और बहुआयामी हों इसी दृष्टि से बहुत पहले यह सूचना दी जा रही है।

कार्यक्रम 6-7 और 8 जुलाई 84 को भोपाल में होगा। परिषद कार्यक्रम में भाग लेने के लिए प्रथम श्रेणी का रेल यात्रा व्यय और स्थानीय आतिथ्य वहन करेगी।

आपकी स्वीकृति समय पर मिल जाय तो हमें व्यवस्था करने में मदद मिलेगी। सादर

आपका
सोमदत्त

(2)

11-6-84

आदरणीय विश्वनाथ जी,

आचार्य रामचन्द्र शुक्ल जन्मशती कार्यक्रम में भाग लेने की स्वीकृति मिली आभार। कार्यक्रम की रूप रेखा और विचारार्थ विषयों में थोड़ा संशोधन किया गया है।

समारोह अब 7-8 जुलाई 84 को होगा 6 को नहीं। हर रोज दो गोष्ठियाँ।

इनमें से 7 जुलाई 84 की 'समकालीन रचना और आलोचना की द्वंद्वात्मकता' विषयक संगोष्ठी में विषय प्रवर्तन श्री केदारनाथ सिंह करेंगे। प्रयत्न यह होगा कि इस विषय पर शुक्ल जी की स्थापनाओं

को केन्द्र में रखकर हम आलोचना की वर्तमान स्थिति तक पहुँचे। बहस सार्थक और उत्तेजक हो सके इसलिए हमारा निवेदन है कि आप इस विषय पर होने वाली गोष्ठी में विशेष रूप से हस्तक्षेप करें। अन्य गोष्ठियों में तो आप भाग लेंगे ही। आप चाहें तो 4-5 टंकित पृष्ठों की टिप्पणी भी तैयार कर सकते हैं।

हमें विश्वास है आप हमें अपनी स्वीकृति तत्काल भेजेंगे।

कृपया अपने आने की तारीख एवं ट्रेन की सूचना भी वापसी डाक से दें। सादर

आपका
सोमदत्त

(3)

14-8-87

आदरणीय विश्वनाथ जी,

सम्भवतः आप परिषद की गतिविधियों से परिचित हैं। साहित्य से सम्बन्धित अन्य कार्यकलापों के साथ परिषद प्रतिवर्ष श्रेष्ठ कृतियों पर पुरस्कारों की घोषणा भी करती है। इस वर्ष पुरस्कार योजना के अन्तर्गत। जनवरी से 31 दिसम्बर 1984 की अवधि में प्रकाशित कृतियों पर पुरस्कार दिया जाना है।

बेहतर और श्रेष्ठ साहित्य को पुरस्कृत करने की अपनी नीति के तहत परिषद् पिछले वर्ष से पुरस्कार योजना को तर्क-संगत और व्यावहारिक बनाने की दिशा में प्रयत्नशील है। नई नीति के अनुसार परिषद् पुरस्कार विषयों के साथ-साथ परीक्षकों के नामों की घोषणा भी करेगी। प्रतियोगी लेखक अथवा प्रकाशक पुस्तक की एक प्रति सीधे परीक्षक को भेजते हुए एक और प्रति पूरी जानकारी सहित परिषद कार्यालय में भी बतौर प्रविष्टि भेजेंगे। परीक्षकों से अपेक्षा है कि निश्चित तिथि तक प्राप्त पुस्तकों का परीक्षण कर प्रत्येक पुस्तक पर अंक देंगे और श्रेष्ठता क्रम की सिर्फ तीन पुस्तकों की संक्षिप्त समीक्षा करेंगे। परीक्षक, सीधे प्राप्त अथवा परिषद् कार्यालय द्वारा भेजी गई पुस्तकों के अतिरिक्त सम्बन्धित वर्ष में प्रकाशित विषय के अनुरूप अन्य किसी पुस्तक को भी परीक्षण के लिए शामिल कर सकेंगे।

परिषद आपको अखिल भारतीय वीरसिंह देव पुरस्कार के उपन्यास विषय के लिए परीक्षक मनोनीत करती है। कृपया अपनी सहमति भेजने का कष्ट करें। परीक्षण सम्बन्धी नियमों की जानकारी सन्दर्भ के लिए संलग्न है। सादर

आपका
सोमदत्त

(4)

30-11-87

प्रिय विश्वनाथ जी,

राष्ट्रीय नवजागरण के प्रमुख कवि पं. लोचन प्रसाद पाण्डेय जन्म-शताब्दी के अवसर पर आगामी 26-27 दिसम्बर-87 को परिषद् रायगढ़ में प. लोचन प्रसाद पाण्डेय जन्म शताब्दी समारोह आयोजित कर रही है। आयोजन में पाण्डेय जी के रचनात्मक अवदान पर व्याख्यान, परिचर्चा के साथ-साथ आत्मीय संस्मरणों का भी एक सत्र अयोजित है।

आयोजन में बातचीत के लिए जो विषय रखे गए हैं वे हैं—''काव्य भाषा का संस्कार और लोचनप्रसाद पाण्डेय'' और ''लोचन प्रसाद पाण्डेय की गवेषणाओं का महत्व''। हम चाहते हैं कि आप समारोह में शामिल होकर दोनों सत्रों की बातचीत में सक्रिय हिस्सेदारी करें।

स्वीकृति की अवस्था में आने-जाने के प्रथम श्रेणी के मार्गव्यय के अतिरिक्त परिषद रायगढ़ में आपके आतिथ्य और सत्कार की व्यवस्था करेगी।

आशा है समारोह में शामिल होने की स्वीकृति हमें लौटती डाक से मिल सकेगी। सादर

भवदीय

सोमदत्त

(5)

29-2-88

प्रिय विश्वनाथ जी,

रीतिकाल के प्रथम आचार्य एवं महाकवि केशव की स्मृति में परिषद् आगामी 26-27 मार्च-88 को ओरछा में केशव जयन्ती समारोह का आयोजन कर रही है। समारोह में आचार्य केशव की रचनात्मकता तथा उनके काव्यशास्त्र निर्माण सम्बन्धी अवधारणाओं पर विचार विमर्श प्रस्तावित है।

दो दिवसीय इस आयोजन में बातचीत के लिए जो विषय निर्धारित किए गए हैं, वे इस प्रकार हैं—केशव की कविता और 2. शास्त्र निर्माण और केशव।

परिषद चाहती है कि आप न केवल इस समारोह में शामिल रहें बल्कि चर्चा गोष्ठियों में सक्रिय हिस्सेदारी भी करें।

स्वीकृति की अवस्था में आने जाने के प्रथम श्रेणी के मार्ग-व्यय के अतिरिक्त परिषद ओरछा टीकमगढ़ में आपके आतिथ्य और सत्कार की व्यवस्था भी करेगी।

कृपा होगी अगर समारोह में शामिल होने की अपनी सहमति आप हमें लौटती डाक से भिजवाने की व्यवस्था करा सकें। साभार

भवदीय

सोमदत्त

(6)

2-7-88

प्रियविश्वनाथ जी,

पिछले वर्ष की तरह इस वर्ष भी परिषद् रीतिकाल के प्रसिद्ध कवि पद्माकर के स्मृति में आगामी 6-7 अगस्त 88 को सागर में पद्माकर समारोह का आयोजन कर रही है। आयोजन का उद्देश्य पदमाकर जी के साहित्य पर चर्चा के साथ ''पद्माकर'' का बुन्देलखण्ड'' तथा ''प्रकृति और कविता'' विषय पर बातचीत करना है।

पद्माकर की कविता में बुन्देलखण्ड क्षेत्र की व्यापक भौगोलिक और मानवीय छवियाँ, गूँजें, बोली, जीवन प्रकट हुआ है। इसी प्रकार प्रकृति से गहरा लगाव उनकी कविता की एक अन्य विशेषता भी है। अतः यह उचित ही होगा कि पद्माकर के बुन्देलखण्ड पर चर्चा के साथ-साथ देश और काल विशेष ''प्रकृति और कविता'' के व्यापक रिश्तों, प्रतिफलनों पर भी इस आयोजन में बातचीत की जाए।

इन्हीं मुद्दों को ध्यान में रखते हुए इस वर्ष परिषद् ने बातचीत के उपरोक्त दो विषय निर्धारित किए हैं।

हमारा आपसे अनुरोध है कि आप इस आयोजन में न केवल शामिल हों बल्कि चर्चा गोष्ठियों में सक्रिय हिस्सेदारी भी करें।

स्वीकृति की अवस्था में परिषद् आपको प्रथम श्रेणी का यात्रा व्यय, देने के साथ-साथ सागर में आपके आतिथ्य और सत्कार की व्यवस्था भी करेगी।

विश्वास है कि आप अपने व्यस्त समय में से उक्त तिथियाँ पद्माकर जी की स्मृति में आयोजित इस कार्यक्रम के लिए देंगे। सस्नेह

भवदीय

सोमदत्त

स्वदेश भारती

(1)

22 बी, प्रतापादित्य रोड
कलकत्ता-700026

22-11-78

सामान्य भाई,

आपका 12 सितम्बर का पत्र मिला। आभारी हूँ।

दस्तावेज का प्रवेशांक बहुत खुशी हुई। आपने बेहतर ढंग से उसका सम्पादन किया है और यह महसूस करता हूँ कि साम्प्रतिक हिन्दी साहित्य में वैचारिक साहित्य, मौलिक साहित्य से अच्छा लिखा जा रहा है। भले ही कहानियों पर, उपन्यासों पर, भले ही कविताओं पर या आलोचना की आलोचना पर हो। मौलिक साहित्य सृजन का यह संक्रमण काल भयावह है। हिन्दी के लेखक जरूरत से अधिक असाध्य विचारवान होते जा रहे हैं फिर लेखन का क्या होगा। वर्ष में इतना कुछ छपा-छपाया जाता है। साहित्यिक राजनीति और श्रेत्रीय प्रभावों में खण्ड खण्ड हुए दिमाग कितना सर्जनात्मक साहित्य दे पाते हैं, सम्भवतः इस पर तटस्थ होकर सोचा जाय तो पता चलेगा कि वैचारिक चेतना मौलिक साहित्य सृजन की सबल पृष्ठभूमि निर्मित करती है। लेकिन आज स्थिति इससे भिन्न है। लोग वैचारिक चेतना को अपने का दूसरों के लेखन के तईं बैसाखी के रूप में अपना लेते हैं और देखा जाता है कि जब तक वे बैसाखी के सहारे खड़े हों, दूसरे लोग बहुत आगे निकल जाते हैं। इसलिए आज जितना रचनात्मक 'केआंस' है उस पर आप लोग निर्णय लें और एक ऐसा रास्ता तैयार करने में मदद करें जिससे वैचारिक चेतना मौलिक साहित्य की पूरक बन सके। इसके लिए दस्तावेज के प्रति पूरी आस्था है।

आदेशानुसार मैं आपको अपनी एक लम्बी कविता भेज रहा हूँ। आशा है आप पसन्द करेंगे। आपकी पुस्तकें पढ़ने की इच्छा है। यदि मिल सकें तो कृपया भेज देंगे।

मेरी दो कविता पुस्तकें 'आवाजों के कठघरे' में तथा 'तपिश् मिटती नहीं' आपको भेजी थी। 'दस्तावेज' में आलोचनार्थ और प्रतियों की आवश्यकता हो तो लिखेंगे।

आशा है आप गोरखपुर को सबल साहित्यिक मंच देंगे। शुभकामनाएँ।

आपका
स्वदेश भारती

(2)

16-3-79

प्रिय भाई,

आपका 19-2 का पत्र मिला। इसके पूर्व 15 प्रतियाँ 'दस्तावेज-2' की मिल गयी थीं। कलकत्ता पुस्तक मेला में इस बार विशेष रूप से मैंने हिन्दी मंडप का प्रयोजन किया था। 'दस्तावेज' की प्रतियाँ भी सम्मान के साथ विशेष पैनेल में प्रदर्शन/विक्रय के लिए लगाया था। पुस्तक मेला 11 मार्च को समाप्त हुआ। अत्यधिक तनाव, थकन से अभी भी ठीक नहीं हो पाया हूँ। 2-4 दिनों में ही हिसाब करके आपको लिखूँगा। बिकी प्रतियों के मूल्य एम.ओ. द्वारा भेज दूँगा। अन बिकी प्रतियाँ भी। कुछ व्यक्ति और संस्थाएँ ग्राहक बनने के लिए भी आश्वासन दे चुके हैं। उनकी लिस्ट भी भेजूँगा।

दस्तावेज की 15 प्रतिया विक्रयार्थ आपने भेजी। उसमें मेरी प्रति नहीं थी। मेरी 'पाँच सवार' कविता छापने के लिए कृतज्ञ हूँ। कविता के सम्बन्ध में आप इतने अधिक एकनिष्ट हैं—यह बड़ी बात है। 'नया प्रतीक' के बाद 'दस्तावेज' की ओर लोगों की आँखें टिकी हैं। क्योंकि तथाकथित 'वामपक्षधर'—पत्रिकाएँ अपनी गम्भीरता से पीछे हट गई हैं यहाँ तक कि उनके सम्पादकों के लिए भी उन्हीं की पत्रिका का अस्तित्व 'कोई खास' अहमियत नहीं रखता। अब दस्तावेज में उपन्यास अंश, बेहतर कथा साहित्य भी छापें सम्भवतः आप जानते ही होंगे, 'नया प्रतीक' का प्रकाशन बन्द प्राय है। 'कल्पना', 'लहर', 'पश्यन्ती', 'पहल' आदि पत्रिकाओं के ऊपर भी आर्थिक बोझ हैं और अनियमित सी हैं। इस अर्थ में 'दस्तावेज'का सफल सम्पादन हिन्दी पत्रकारिता के इस संकटग्रस्त समय में अत्यधिक महत्वपूर्ण है। आपको मेरी हार्दिक बधाई।

आपके पास मेरे दो काव्य संकलन हैं—तपिस् मिटती नहीं तथा आवाजों के कठघरे में उन पर क्या समीक्षात्मक टिप्पणी देने की कृपा करेंगे। यह इसलिए भी कि 'चौथा सप्तक' में मैं शामिल हूँ और इस वर्ष कविताओं को लेकर कुछ और ठोस काम करना चाहता हूँ। आपके सहयोग की कामना है।

'दस्तावेज' के लिए मैं बंगला कविताओं के अनुवाद भेज दूँगा। लेकिन देरी लगेगी। आप मेरे अनुवाद दस्तावेज-8 में प्रकाशित करें तो अच्छा रहेगा। बंगला कविताओं पर एक लेख भी लिख दूँगा।

आशा है आप स्वस्थ एवम् सानन्द होंगे।

सप्रेम

स्वदेश भारती

(3)

25-8-79

सम्मान्य भाई,

दस्तावेज-4 मिला।

इस बार आपने एक ही भेजा। नये कवियों की कविताओं के तेवर अच्छे लगे। साहित्य की शोध प्रविधि पर डॉ. विश्वम्भरनाथ उपाध्याय का लेख पांडित्यपूर्ण और रोचक लगा। पर मेरे मन में यह प्रश्न बार-बार उठता रहता है कि आलोचक का दायित्व सिर्फ आलोचना के लिए अथवा साहित्य को नई दिशा

देने के लिए होनी चाहिए। मौलिक लेखन राजनीति की बपौती नहीं होती। इसी सन्दर्भ में यशपाल, मुक्तिबोध और धूमिल को एक खास नजरिए वाले आलोचक वर्ग द्वारा हीरो बनाना निम्नस्तरीय तथा हास्यास्पद लगता है विशेषकर मौलिक लेखन के सन्दर्भ में। इस अंक में भी राजेन्द्र प्रसाद पाण्डेय द्वारा आलोचित 'धूमिल की काव्यभाषा' का विवेचन कवि के स्तर का नहीं लगता। बहुत सारी कविताओं के चयन तथा उद्धरण सटीक नहीं। फिर भी आलोचक का अपना नजरिया होता है। क्योंकि वह अपने को महान समझता है। जैसे कि आजकल के नेतागण।

आप कृपया तटस्थ और निर्भय होकर सामग्री का चुनाव करें, यही विनती है। मेरी शुभकामनाएँ लें।

सप्रेम

स्वदेश भारती

(4)

19-2-2001

मान्यवर श्री तिवारी जी,

सादर नमन।

दस्तावेज-88 प्राप्त हुआ। श्री प्रकाश मनु का शताब्दी के अन्त में उपन्यास एक पाठक के नोट्स तथा श्री ज्योतिष जोशी का आलेख सन्तुलन के विवेक की जरूरत कई स्तर पर अवयक्त की अभिव्यक्ति कथा उजागर करते हैं। पाठक यदि बहुत सारे अच्छे स्तरीय उपन्यासों को पढ़ नहीं पाता और जो कुछ पढ़ता है, उन्हीं पर अपना मन्तव्य देता है तो लगता है सन्तुलन के विवेक की जरूरत उसे है। विवेक सम्पादक का भी होना चाहिए। मनु जी ने बहुत सारे उपन्यासों, लेखकों को जाने या अनजाने ही छोड़ दिया। हिन्दी की परम्परा बढ़ाने में अब भी बहुत सारे चिन्तक हैं। भाई ज्योतिष जोशी ने हिन्दुत्व-इस्लाम के आडम्बर भरी राजनीति में हमारी खोई, हारी, खण्ड-खण्ड हुई मानसिकता की चर्चा गम्भीरता के साथ की। इसे और भी बढ़ाना चाहिए। हिन्दी ही नहीं भारतीय भाषाओं में ऐसे अनगिनत लेखक, बुद्धिजीवी हैं जो पाखण्ड ओढ़ते हैं और साहित्य की वैसाखियों पर चलते हैं। निर्मल वर्मा ने ''दूसरो शब्दों में' जो कुछ कहना चाहा है उसकी विवेचना वस्तुनिष्ठ भाव से होना चाहिए। किसी खास पैराग्राफ को मुद्दा बनाकर कुछ भी कहना कहाँ तक सार्थक है।

छठा विश्व हिन्दी सम्मेलन, लन्दन में भेंट कई बार, कई सत्रों के बीच हुई। आप और हम सभी व्यस्त थे। साक्षात्कार नहीं हो पाया। बैठकी नहीं लगी। कभी समय निकालें, कलकत्ता आएँ।

आशा है आप सानन्द होंगे। कृपाभाव बनाए रखें, यही विनती है। सादर

आपका

स्वदेश भारती

स्वप्निल श्रीवास्तव

(1)

शंकर ताकीज
पिलखुआः गाजियाबाद

15-12-78

आदरणीय डॉ. साहब,

आपका पत्र मिला, आपके पत्र न आने से मैं जान गया था कि आप सम्पादकीय दायित्व में फँसे होंगे क्योंकि सम्पादन अपने आप में हर तरह से जोखिम का काम है, 'दस्तावेज' चर्चित हो रहा है। डॉ. महीप सिंह ने 'आकाश वाणी' के साहित्यिकी प्रोग्राम में दस्तावेज की काफी प्रशंसा की है, श्री प्रभात मित्तल पश्यन्ती, भाई अशोक अग्रवाल (सम्भावना प्रकाशन, हापुड़) हमारे दोस्तों में से हैं, इन लोगों ने भी दर्स्तावेज को सहारा है।

मैंने जगदीश से बात कर ली है, वे राजीं है आप 5 प्रतियाँ सीधे उनके पास भेजे, जगदीश का एक पत्र भी आपके पास जाएगा। इस बार पृष्ठभूमि पाक्षिक लखनऊ का लघुकथा विशेषांक जो सम्भवतः समग्र से भी ज्यादा महत्वपूर्ण होगा हम लोगों के सम्पादन से आएगा हो सकता है सम्पादक मंडल में मैं भी रहूँ, आपसे विशेष अनुरोध है कि आप लघुकथा पर कोई लेख टिप्पणी या लघुकथाएँ भिजवा दें, कुछ विशिष्ट लेखकों की जैसी श्री विष्णु प्रभाकर की लघुकथाएँ हम लोगों के पास आयी है, इधर कई लघु पत्रिकाओं ने एकाएक लघुकथा की घोषणा कर दी है।

दस्तावेज के लिए तीन कविताएँ भेज रहा हूँ ताकि आपको चयन में सुविधा हो, इसके चयन में आप परिचय को परे रखें पूरी निर्ममता बरतें हाँ राय अवश्य दें, वैसे इधर लिखी कुछ अपनी कविताओं से कुछ सन्तुष्ट हूँ। कुछ कविताएँ 'लहर' 'निष्कर्ष' 'सम्भावना' आदि में आ रही हैं, कुछ समीक्षा भी आनी है।

सम्भव है कि जनवरी, 79 तक मैं गोरखपुर के समीप स्थानातंरित होकर आ जाऊँ।

डॉ. परमानन्द जी तथा रामदेव शुक्ल को मेरा नमस्कार दें। शेष फिर। सप्रणाम

आपका स्नेह भाजन
स्वप्निल श्रीवास्तव

(2)

23-7-80

आदरणीय डॉ. साहब,

बहुत दिन हुए हम निष्पत्र रहे, दरअसल पिछले कई महीनों से बहुत तनाव में रहा हूँ और किसी स्तर वह सब कुछ अब भी मौजूद हैं, आपको इसकी सूचना तो मिल ही गई होगी कि मैंने यहाँ हापुड़ में तमाम साहित्यिक मित्रों के बीच बहुत ही अनौपचारिक रूप से सुमन से विवाह कर लिया है, अब हापुड़ में गढ़ मुक्तेश्वर नौकरी करते हुए रह रहा हूँ, और अब जब कभी दिल्ली आय तो आपका मेरे यहाँ हापुड़ में रूकना अनिवार्य रहेगा। हापुड़ छोटी जगह है लेकिन यहाँ का अलग साहित्यिक माहौल है।

दस्तावेज के अंक मैं पढ़ता रहा हूँ, हजारी प्र. द्वि. और प्रेमचन्द पर निकाले अंक बहुत ही सग्रहणीय बन गई है, उसको आपने बहुत परिश्रम किया है और वे प्रेमचन्द की समूची रचना प्रक्रिया और उनकी प्रासंगिता के बारे में सम्पूर्ण जाँच पड़ताल करते है। दस्तावेज यहाँ हमेशा चर्चा में रहा है।

मैं दस्तावेज के लिए 'तीन कविताएँ' भेज रहा हूँ आशा है आपको पसन्द, 'इसलिए' में एक लम्बी कविता तथा साक्षात्कार में कुछ कविताएँ आ रही है।

सुमन अभी यहाँ नहीं है, इस माह के अन्त तक आएगी।

आपका
स्वप्निल श्रीवास्तव

(3)

तुलसी चित्र मन्दिर
गोरीगंज-221303

20-11-83

आदरणीय डॉ. साहब,

आशा करता हूँ स्वस्थ होंगे। गोपी गंज पहुँचने पर आपको पत्र नहीं लिख सका। आपसे मुलाकात भी विधिवत नहीं हो पायी, मैं स्वयं इतने हबड़ा-धपड़ी में था, नौकरी के यही तो दबाव है, कि चाहकर चीजें अपने पक्ष में नहीं हो पाती है। 'दस्तावेज का अंक-20' बहुत महत्वपूर्ण है, उससे ज्यादा महत्वपूर्ण आपकी इससे जुड़ी हुई निष्ठा और संघर्ष आज के समय पत्रिकाएँ नियमित निकालना आग से गुजरना है।

देवेन्द्र कुमार जी स्वस्थ होंगे, इधर आप लोग अच्छी कविताएँ लिख रहे है, ताजगी से भरी हुई कविताएँ। मेरे लिए यह सोचना कम सुखद नहीं है कि यह कार्य मेरे अपने शहर, गोरखपुर से हो रहा है, आप लोगों ने उसे साहित्यिक नक्शे पर प्रतिष्ठित किया। भाई राजेन्द्र रंजन, अरविन्द कुमार त्रिपाठी एवं चित्तरंजन जी से स्मरण और अभिवादन कहें। वे मुझे पत्र भेजेंगे तो और अच्छा लगेगा। इधर क्या लिख रहे हैं, कविताएँ कहाँ आ रही हैं। शेष फिर।

आपका स्नेह भाजन
स्वप्निल श्रीवास्तव

हजारी प्रसाद द्विवेदी

(1)

काशी हिन्दू विश्वविद्यालय
वाराणसी-5

25-9-69

प्रिय तिवारी जी,

आपका 23 सितम्बर, 69 का कृपा पत्र मिला है। ज्ञानोदय में आपके प्रकाशित लेख को भी देख लिया है। अत्यन्त अनुगृहीत हूँ। इस समय मैं गोरखपुर जाने लायक समय निकाल नहीं सकूँगा। यह जानकर बड़ा कष्ट हुआ कि आप भी ट्रेन दुर्घटना की चपेट में आ गए थे। परमात्मा की कृपा है कि आपको उन्होंने बचा लिया। मैं उन्हीं के प्रति उनकी कृपा के लिए अपनी कृतज्ञता प्रकट करता हूँ। दशहरे में जब आएँ तो दर्शन देने की कृपा करें।

आशा है स्वस्थ और प्रसन्न हैं।

आपका
हजारी प्रसाद द्विवेदी

(2)

बलरामपुर क्वार्टर्स, नाका हिंडोला
लखनऊ—4

22-3-1976

प्रियवर तिवारी जी,

4 मार्च का पत्र तो काफी पहले मिल गया था परन्तु मैं इधर-उधर चक्कर लगा रहा था और आज भी यह पत्र लखनऊ से लिख रहा हूँ, समय से उत्तर न दे पाया। अतिवादी विचारधाराएँ या हमेशा रही हैं और रहेंगी। सन्तुलन का प्रयत्न नहीं करना चाहिए, स्वयं सन्तुलित हो जाना चाहिए। हमने सुना है कि आजकल सन्तुलनवादी शब्द एक प्रकार की कुत्सा का द्योतक हो गया है। मैं समझता हूँ कि पुरानी कहावत ही ठीक है—"सुनना सबकी, करना मन की"। अपने को विचारों से अस्पृष्ट नहीं रहने देना चाहिए। लेकिन सब पढ़ने-सुनने के बाद अपनी स्वकीयता को ही अभिव्यक्त करना चाहिए। मेरा व्यक्तिगत रूप से अनुभव है कि स्वकीयता की खोज करने वाला बहुत अकेला महसूस करने लगता है। किसी के

भी साथ थोड़ी दूर चलकर अनुभव करता है कि उसके गन्तव्य का रास्ता मुड़ गया है। रवीन्द्रनाथ जी की एक कविता में कहा गया है कि "विदाय दै हो भाई"। अर्थात हे भाई, विदाई दो। स्वतन्त्र विचारक के मन में यह पंक्ति अवश्य उठती रहती है, सो इसकी परवाह किस बिना अपनी स्वकीयता पर ही दृढ़ रहना चाहिए।

आशा है स्वस्थ और सानन्द हैं।

शुभेच्छु
हजारी प्रसाद द्विवेदी

हरदयाल

(1)

जे-4, नवीन शाहदरा,
दिल्ली-110032

26-1-80

भाई तिवारी जी,

नमस्कार! रामदरश जी से 'दस्तावेज' का हजारी प्रसाद द्विवेदी स्मृति अंक मिला। आभारी हूँ। अंक बहुत सुन्दर निकाला है और महत्वपूर्ण भी। यदि अंक के अन्त में द्विवेदी जी के सभी ग्रन्थों की प्रथम संस्करण के वर्ष के साथ सूची भी दे दी होती तो सोने में सुहागा हो जाता। मैंने 27 जनवरी को आकाशवाणी दिल्ली 'क' से प्रसारित होने वाली अपनी एक वार्ता में इसकी चर्चा की है और इसका एक अंश उद्धृत किया है।

रामदरश जी कह रहे थे कि आपने मुझे कोई पत्र लिखा था जिसका मैंने कोई उत्तर नहीं दिया। ऐसा नहीं हो सकता। वस्तुतः मुझे आपका कोई पत्र नहीं मिला। लगता है, वह मुझ तक पहुँचने से पहले ही कहीं खो गया। यदि आप प्रेमचन्द अंक के लिए मुझसे कोई लेख चाहते हों तो कृपया सूचित करें। मैंने 'निर्मला' के अगले संस्करण के लिए भूमिका लिखी है। यदि आप 'निर्मला' पर लेख चाहें तो मैं सुविधापूर्वक दे सकता हूँ। या फिर आप जो आदेश दें।

सकुशल हूँ।

सानन्द होंगे!

आपका
हरदयाल

(2)

6-4-83

बन्धुवर,

नमस्कार! 'दस्तावेज' का 18 वाँ अंक मिला। इससे पहले 17वाँ अंक मिला था। आभारी हूँ। आठवें दशक की आलोचना पर जो विशेषांक आपने निकाला है, वह नहीं मिला है। लगता है, डाक-विभाग की कृपा से बीच में गायब हो गया।

18 वें अंक में विजयदेवनारायण साही पर सामग्री देकर आपने बहुत अच्छा कार्य किया है। उनकी आलोचना और कविता को लेकर दो लेख और होते तो सामग्री में एक प्रकार की पूर्णता आ जाती। इस अंक में एक कमी और अखरी। जिन पुस्तकों की समीक्षा आपने प्रकाशित की है, उनके प्रकाशक,

प्रकाशन-वर्ष इत्यादि का कोई उल्लेख नहीं है। मेरे विचार से यह आवश्यक है। कविताओं का चयन अच्छा है। सानन्द होंगे।

आपका

हरदयाल

(3)

24-1-05

बन्धुवर,

नमस्कार! 'दस्तावेज' 105 मिला। आभार।

एक बात मुझे अखरती रही है। आप जो 'पुस्तकें' स्तम्भ के अन्तर्गत जो समीक्षाएँ देते है, उनमें पुस्तकों से सम्बन्धित सूचनाएँ प्रकाशक, प्रकाशन-वर्ष, संस्करण, मूल्य आदि नहीं देते; जिससे अधूरेपन का अनुभव होता है और पुस्तक को प्राप्त करने की आकांक्षा जाग्रत होने पर पाठक को भटकना ही पड़ेगा। इन सूचनाओं का शोध और आलोचना दोनों की दृष्टि से महत्व है। ये सूचनाएँ देना कोई कठिन काम भी नहीं है। भविष्य में ये सूचनाएँ देकर आप 'दस्तावेज' की दस्तावेजियत को पूर्णता ही प्रदान करेंगे और उपयोगिता बढ़ायेंगे।

सानन्द होंगे।

नए वर्ष की शुभकामनाएँ स्वीकार करें।

आपका

हरदयाल

(4)

2-4-2008

बन्धुवर,

नमस्कार! शनिवार, 29.3.08 को जब साहित्य अकादमी से लौटकर घर आया तो डॉ. गोपाल राय जी से बात हुई। उन्होंने 'दस्तावेज-117 में प्रकाशित आपके सम्पादकीय की चर्चा की। मैंने देखा कि मेरे पास 'दस्तावेज-116' तो आया है, 117 नहीं। डॉ. गोपाल राय जी से हुई बातचीत ने उत्सुकता जगा दी है। और उसका शमन आवश्यक है। इसलिए यदि सम्भव हो तो 'दस्तावेज'-117 भिजवा दीजिए।

आपके साहित्य अकादमी में आ जाने मुझे अब यह लाभ होगा कि आप अब दिल्ली आते रहेंगे और आपसे मुलाकात होती रहेगी।

शेष सामान्य है।

सानन्द होंगे।

आपका

हरदयाल

हसन जमाल

(1)

शोहारपुरा, जोधपुर-342002

18-2-2008

प्रिय महोदय,

दस्तावेज-116 के सम्पादकीय में आपकी तमाम चिन्ताएँ वाजिब हैं और आपने बेलाग तरीके से अपनी बात रखी है जो कि आपकी विशेषता है, सम्पादकीय हमेशा सम्प्रेषणीय ही होना चाहिए। हिन्दी के कुछ नामचीन सम्पादक क्या लिखते हैं, खुद उनको नहीं मालूम। जो भाषा पढ़ते समय झटके मारती हो, उसमें विचार को हृदयंगम करना दुष्कर होता है।

हिन्दी साहित्य के मठाधीशों पर आपकी टिप्पणी सटीक है। यह कई उपेक्षितों की आवाज है, उन्हें 'दिल्ली के दादा' कहना सही होगा।

तस्लीमा नसरीन के पक्ष में कोई भी टिप्पणी मेरे गले नहीं उतरती, इसलिए कि तस्लीमा ने जानकर या अनजाने में मुसलमानों के सेंटीमेंट को डिस्टर्ब किया है। अभिव्यक्ति की स्वतन्त्रता की वकालत करते हुए हमें यह भी सोचना होगा कि उसकी सीमा क्या हो? जब संसार की हर चीज की सीमा है तो लिखने की क्यों नहीं? 1400 वर्ष पहले हजरत मुहम्मद साहब ने निजी जीवन में क्या किया, वो प्रासांगिक है या उनकी शिक्षा? प्रश्न आस्था से ज्यादा एक पैगम्बर के सम्मान का है। उन्हें गलियाने व अपमानित करने से समुदाय विशिष्ट में रोष तो भड़केगा ही। (हालाँकि समय सहिष्णुता दिखाने का है। मुसलमानों में सहिष्णुता की कमी अशिक्षा के कारण है) मुसलमान यह कैसे स्वीकार कर सकते हैं कि उनके आधार स्तम्भ को ही गिरा दिया जाए। स्त्रियों पर अत्याचार तो पुरुष प्रधान समाज की देन है, इसलिए युद्ध का क्षेत्र कहीं और होना चाहिए और वो भी शालीन तरीके से। धर्मों की परवा न करते हुए निरन्तर रूढ़ समाज को बदलने की लड़ाई जारी रखनी चाहिए।

आपका

हसन जमाल

हरिवंश राय बच्चन

(1)

'प्रतीक्षा'
14, उत्तर दक्षिण रास्ता दसवाँ
बम्बई-400049

23-4-79

सम्मान्य बन्धु,

कृपा पत्र और दस्तावेज के अंक के लिए धन्यवाद। धुआँ मैंने पिछले जून में पढ़ा था। तब वे कहते तो उस पर कुछ लिख देता। अब तो दिमाग से बहुत कुछ उतर चुका है। वृद्धावस्था की स्मृति चीजों को ज्यादा देर दिमाग में टिकने नहीं देती। अब 5 सप्ताह के लिए दार्जिलिंग जा रहा हूँ। लौटने पर 'दस्तावेज' ध्यान से देखूँगा। शेष सामान्य। अपने मंगल के लिए मेरी शुभकामनाएँ स्वीकार करें।

आपका
बच्चन

(2)

9-1-80

सम्मान्य बन्धु,

आपके 1-1-80 के पत्र के लिए धन्यवाद।

'दस्तावेज' के अगले वर्ष का शुल्क मनिमार्डर से भेज रहा हूँ।

लेखन सहयोग शायद ही सम्भव हो सके। 73 वें में पहुँच गया हूँ। वृद्धावस्था के अनेक रोग लगे हैं। कुछ पढ़-वढ़ लेता हूँ। यही गनीमत है।

'दस्तावेज' जिस भव्य रूप में आप निकाल रहे हैं उसके लिए आपकी जितनी प्रशंसा की जाय कम है।

अपने मंगल कल्याण के लिए मेरी शुभकामना स्वीकार करें।

आपका
बच्चन

हरिशंकर परसाई

(1)

1527, नेपियर टाउन,
जबलपुर

6-4-88

प्रिय विश्वनाथ जी,

मुझे मालूम हुआ है, आपने श्रीकान्त वर्मा पर 'दस्तावेज' का एक अंक निकाला था। उसमें श्रीकान्त द्वारा मुझे लिखी गई, एक चिट्ठी भी छपी है। वह अंक आपने भेजी होगी, पर डाक की गड़बड़ी के कारण मुझे नहीं मिला। क्या आप उसकी एक प्रति मुझे भेजने की कृपा करेंगे?
under certificate of Posting भेजें।

आपका
हरिशंकर परसाई

(2)

21-5-88

प्रिय विश्वनाथ जी,

'दस्तावेज' के दोनों अंक मिल गए। धन्यवाद। श्री कान्त के पत्र के कारण तकलीफ दी। श्रीकान्त पर मैंने अभी तक सिर्फ रेडियो वार्त्ता दी। लिखूँगा आगे उन पर।

आपने पत्र माँगे हैं। आप शायद विश्वास न करें—मेरा पत्र व्यवहार तो बहुत लेखकों से है, पर साहित्य चर्चा उन पत्रों में नहीं है। घरू बातें है। अपनी समीक्षाओं का जिक्र है। ये निजी जीवन के पत्र हैं सार्वजनिक जीवन के नहीं। इनका क्या महत्व होगा? फिर भी आपने कहा है, तो देखूँगा, कुछ पत्र काम के निकले तो।

दस्तावेज में लिखना चाहता हूँ। पर एक तो तबियत ठीक नहीं रहती। दूसरे जो लिखने का बोझ ले रखा है, वही बहुत है। किसी खास विषय पर आप चाहें तो लिखूँगा।

सस्नेह
हरिशंकर परसाई

हरिनारायण व्यास

(1)

पूना

2-1981

आदरणीय भाई,

दस्तावेज का ताजा अंक मिला। सुखद आश्चर्य हुआ। आपकी स्मृति में इस नाचीज की याद कहीं चस्पा है। यह मेरे लिए सुख की बात है।

कविताएँ और कविता में बहस के शीर्षक भाई देवेन्द्र कुमार की कविता पुस्तक को लेकर कविता के दायित्व की महत्वपूर्ण बात इस अंक में उभरी है। भागवत रावत की लम्बी सुलझी हुई एक सरलता में उलझी हुई जटिलता की कविता पढ़कर सुख हुआ।

दस्तावेज सचमुच एक प्रेरक और प्रोवोक करने वाला दस्तावेज है। बधाई।

आप कैसे हैं।

आपके सरल व्यक्तित्त्व का स्मरण हो आता है। मेरे योग्य सेवा लिखें। गाहे बगाहे याद कर लिया करें।

आपका

हरिनारायण व्यांस

(2)

16-2-1988

आदरणीय प्यारे भाई,

आपका प्यारा आदेश भरा कृपा पत्र और दस्तावेज का अंक मिला।

'दस्तावेज' का यह अंक ला मिसाल है। अज्ञेय पर उनके देहान्त के बाद हिन्दी और अँग्रेजी में ढेरों लिखा गया है। किन्तु जिस आत्मीयता के दर्शन आपके इस अंक में होता है वह अन्यत्र दुर्लभ है। यदि उनके निधन के बाद भी हम अज्ञेय का पुर्नमूल्यांकन कर उनको उचित स्थान पर स्थापित नहीं कर सके तो इतिहास हमको बेईमान कहेगा। खैर।

भाई कमला प्रसाद की किताब पर मैं अवश्य ही लिखना चाहता हूँ। मेरा एक और सुझाव है। पिछले वर्ष तो (शायद) डॉ. धनंजय वर्मा की आधुनिकता पर एक किताब प्रकाशित हुई है। इस किताब में आधुनिकता के इतिहास का देशी विदेशी विश्लेषण किया गया है। कमला प्रसाद हिन्दी कविता के विकास पर विस्तार से लिखते हैं लेकिन आधुनिकता का इतिहास अत्यन्त संक्षिप्त रूप से देते हैं। यदि

दोनों किताबों को मिलाकर लिखा जाये तो दो किताबों पर चर्चा हो सकेगी। दोनों एक दूसरे की पूरक हैं।

आप अपना सुझाव भेजें–

कविता या जो भी लिखूँगा भेजूँगा। दस्तावेज़ का उस पर हक है और आपके स्नेह पर मेरा।

सस्नेह

हरिनारायण व्यास

हरिराम मीणा

(1)

कार्यालय पुलिस अधीक्षक,
नागौर (राजस्थान)

21-5-1999

श्रद्धेय तिवारी जी,

नमस्कार।

दस्तावेज 81 (वर्ष 1998 का अन्तिम अंक) मिल गया। इधर-उधर व्यस्त रहने के कारण कुछ नहीं लिख पाया।

श्री केशवप्रसाद का लेख समझ सकने में थोड़ा जटिल किन्तु अच्छा लगा। साहित्य में आधुनिकता से उत्तर आधुनिकता तक की यात्रा का अच्छा लेखा-जोखा। किन्तु एक बात कहने का मन कर रहा है। (वैसे समीक्षा और परम्परागत सूचना-परक ज्ञान मेरा अत्यल्प ही है) वह यह कि सारे सन्दर्भ क्या पश्चिमी दुनिया ही में मिलते है? क्या किसी विषय का हम पूर्वी दुनिया यथा हमारे देश के परिप्रेक्ष्य में विश्लेषण और चिन्तन नहीं कर सकते? यहाँ भी तो कोई दौर (कोई क्यों वैसा ही जैसा पश्चिम में हुआ) रहा है साहित्य का और अंक क्षेत्रो का भी।

'साइकिल के डण्डे पर बैठी लड़की' शक्ल से और प्रारम्भ से लद्धड़ गद्य जान पड़ी (जैसी कि कुछ प्रयोगात्मक दौर सा 'हंस' और 'वागर्थ' के माध्यम से अंकुरित हो रहा है) मगर अन्त में हिला गई मन और मस्तिष्क को कुछ यूँ—"जितने भी लड़के लड़कियाँ शामिल होते हैं वे सब। उनके हाथों को सहज ही मिल जाती है रोटी फ्रिज में भरी होती है ठण्डे....... इन्हें बिना भूख के ही मिल जाती है खाने को रोटियाँ....." और

"अब्बू खाँ की बकरी" भी तो "कायदे की बात यह है कि जब पेट/ भरा होता है तो आजाद होने की बात ख्याल आती है"।

इन्हें बधाई।

पत्र विधा के माध्यम से मिली जानकारी प्रभावी। बहतरीन 'दस्तावेज' के लिए बधाई।

(मेरे साथ कई बार ऐसा घटित होता है कि लिखने लगता हूँ और भागना पड़ता है) ऐसा ही कुछ इस वक्त...... क्षमा करें। फिर कभी।

आपका
हरिराम मीणा

हरीशचन्द्र पाण्डेय

(1)

अ/114, गोविन्द पुर कालोनी
इलाहाबाद

31-5-91

आदरणीय डॉ. साहब,

भाई श्रीप्रकाश मिश्र जी से मालूम हुआ कि दस्तावेज में कविताएँ प्रकाशित हो गई है। बहुत आभारी हूँ। आज अपने कार्यालय में ही सहकर्मी श्री त्रियुगी नारायण घर द्विवेदी जी यहाँ अपने घर आ रहे है। यदि दस्तावेज इनके मार्फत भिजवा सकें तो कृपा होगी।

इस बीच पिछले माहों कई पत्र-पत्रिकाओं में आपकी कविताएँ पढ़ी। रूप कुंवरि तो अनूठी है। बेहतर दुनिया के लिए भी इस बीच पढ़ी। अलग से पत्र डालना चाह रहा था। बहरहाल भाई द्विवेदी जी आ रहे हैं। सो इस अवसर का लाभ उठा रहा हूँ। आशा है स्वस्थ हैं।

आपका
हरीश

(2)

6-7-93

आदरणीय डॉ. साहब,

कुछ कविताएँ 'दस्तावेज' हेतु आपके विचारार्थ प्रेषित कर रहा हूँ। आशा है स्थान पा सकेंगी।

दस्तावेज-58 प्राप्त हुआ। राहुल जी पर वीरेन्द्र सिंह जी का लेख, राहुल जी में बहुआयामी लेखन और उनकी अवधारणाओं को गम्भीरता से विश्लेषित करता है। केदार जी से साक्षात्कार में महत्वपूर्ण प्रश्न उठाए गए हैं। भाषागत अवरोधों को छोड़कर वे काफी साफ और दो टूक है। हाँ, अपने समकालीनों के प्रति उनकी राय/अवधारणा कुल मिलाकर अपने को ही स्थापित करती है, अन्य की निषेध की कीमत पर। आलोचना को लेकर उनकी उग्रता भी समझी जा सकती है।

निराला सम्बन्धी काव्यालोचन निश्चय ही दिलचस्प है। निराला पर सामाजिकता का अत्यन्त पक्षधर अथवा उन्हें क्रान्तिकारी सिद्ध करने में रामविलास जी के तर्क प्रयास कहीं-कहीं बढ़चढ़ कर हैं। लेकिन लेख में दिए कुछ उद्धरण उल्टे महेश्वर सिंह जी के तर्कों को ही काटते हैं। 'धारा कविता' को निराला की मुक्ति और पूर्णता के चिदानन्द की साध वाली रचना कहना तथा 'जल्दी पैर बढ़ाओं जैसी स्पष्ट आशय वाली कविता को, केवल एक पंक्ति (जनता जगतीय वेश की हो) के आधार पर बेदांती या आत्मवादी

कवि सिद्ध करके छोड़ना, संगत नहीं लगती।

कुमार अम्बुज की कविताएँ अच्छी है, 'उजाड़' विशेष रूप से।

आशा है स्वस्थ है।

सादर, आपका
हरीश

(3)

28-11-95

सम्मानीय डॉ. साहब,

दस्तावेज का गीत गजल का अंक मिला। गीत-गजल को स्थापित पत्रिकाओं में गमीरता से न लिए जाने की लम्बी शिकायत का सिलसिला दस्तावेज ने तोड़ा। यद्यपि दस्तावेज पहले भी गजले छाप चुका है।

गीतों में रवीन्द्र भ्रमर, शलभ श्री राम सिंह, कैलाश गौतम, देवेन्द्र कुमार आर्य, अमरनाथ श्रीवास्तव, गुलाब सिंह व यश मालवीय के गीत तथा गजलों में उर्मिलेश, सूर्य भानुगुप्त, महेश अश्क, बल्ली सिंह, एहतराम इस्लाम व जहीर कुरेशी विशेष रूप से अच्छे लगे।

राजेन्द्र गौतम का लेख कहीं-2 आग्रहों से ग्रस्त लगा जबकि ज्ञान प्रकाश विवेक का लेख चौकन्नी निगाहों का सर्वेक्षण है। ज्ञान प्रकाश की गजलें भी अच्छी है।

गीत में शिव बहादुर सिंह भदौरिया, कौशलेन्द्र तथा गजल में अदम गौंडवी जैसे नाम रह गये है। दस्तावेज की यह पहल बहुत महत्वपूर्ण है।

आशा है स्वस्थ हैं।

सादर, आपका
हरीश

(4)

16-6-2000

आदरणीय डॉ. साहब,

दस्तावेज का 85वाँ अंक मिला। आभारी हूँ। रेणु पर अपारम्परिक सामग्री देखने को मिली। नयापन लिए। महादेवी एक पुनिर्विचार में यह याद दिलाना महत्वपूर्ण है कि उनके रेखाचित्र संस्मरणों के पात्र कौन से धरातल और किस वर्ग से आए है। दलित विमर्शों के इन पात्रों को अभी तक नजर अन्दाज ही किया गया है। पद्मासिंह व राजेन्द्र प्रसाद पाण्डे की कविताएँ अच्छी लगीं।

मेरा कविता संग्रह एक बुरुँश कहीं खिलता है सम्भवतः श्री रंग जी के माध्यम से आपको मिल गया होगा। प्राप्ति और अपनी सम्मति से अवगत कराने की कृपा करेंगे।

सादर, आपका
हरीश

हृदयेश

(1)

सदर बाजार
शाहजहाँपुर-242001

21-3-77

प्रिय भाई,

'प्रतिमान' पर आपसे मिली प्रतिक्रिया ने बड़ा बल दिया। दूसरे अंक के लिए तैयारी चल रही है। मई में इसे निकाल देने का विचार है।

विशिष्ट कथाकार के रूप में ज्ञानरंजन को ले रहा हूँ। मैं चाहता हूँ कि इन पर समीक्षात्मक लेख आपका जाए। आप अपनी सहमति देक निश्‍चित करें।

'ज्ञान रंजन का इधर एक नया कहानी-संग्रह निकला है। इसमें इनकी प्रकाशित-अप्रकाशित सभी कहानियाँ संकलित है। जो इनके कहानीकार का प्रतिनिधित्व करती हैं आपको इस संग्रह को आधार बनाकर ही लिखना है। लेख मुझे अप्रैल के अंत तक अवश्य मिल जाना चाहिए।

कृपया यह लिखें कि ज्ञानरंजन वाला यह संग्रह आपके पास है या नहीं! न होने पर यहाँ से भिजवा दिया जाएगा।

कृपया अपना उत्तर लौटती डाक से दें। आपका सहयोग कहने की आवश्यकता नहीं, 'प्रतिमान' के लिए मायने रखेगा।

आशा है, सानन्द होंगे।

सस्नेह
हृदयेश

(2)

28-5-77

भाई तिवारी जी,

आपका लेख मिल गया है। पढ़ भी गया हूँ। लेख काफी गठा हुआ और सन्तुलित है। किन्तु लेख के प्रथम पृष्ठ पर आपने फुटनोट में कहानी-संग्रह का नाम दे दिया है। जिसे मैं निकाल रहा हूँ। फुटनोट में संग्रह का नाम रहने पर लगेगा कि यह लेख उक्त संग्रह की मात्र समीक्षा है। जबकि मैं चाहता हूँ कि

लेख ज्ञान की कहानियों पर एक स्वतन्त्र निबन्ध की प्रतीति दे। इस संग्रह में चूँकि ज्ञान की अब तक प्रकाशित लगभग सभी कहानियाँ संग्रहीत हैं इसलिए इसे मूल्यांकन का आधार बनाया गया था।

लेख दूसरे अंक में ही दूँगा बशर्ते ज्ञान का अपनी लेखकीय वक्तव्य समय पर मिल जाती है। ज्ञान को इस सम्बन्ध में फिर एक स्मरण-पत्र भेजा है। अंक के साथ आपको लेख की दो आफ-प्रिन्टस भी भिजवाऊँगा।

लेख भिजवाने के लिए आभार प्रकट करना महज औपचारिकता होगी, जिसे आप भी पसन्द नहीं करेंगे।

सानन्द होंगे।

सस्नेह

हृदयेश

(3)

136, बक्सरियाँ
शाहजहाँपुर—242001

19-8-78

प्रिय भाई,

आपका 12/8 का पत्र कल साँय मिला। सबसे पहले पुरस्कृत होने के लिए आप मेरी भी बधाई लीजिए। हिन्दी संस्थान से मुझे अभी तक कोई आधिकारिक सूचना नहीं आयी है। क्या आपके पास आ गयी? सुना है, पुरस्कार इस बार आगरा में दिया जाएगा। खैर जो भी स्थान हो इस बहाने आपसे भेंट हो सकेगी, जो सम्बन्धों में निश्चय ही प्रगाढ़ता लाएगी।

'दस्तावेज' के प्रकाशन की खबर ने प्रसन्नता दी। आपके सम्पादन में निश्चय ही वह दृष्टि और व्यक्तित्व सम्पन्न होगी। गोरखपुर से आने वाली पत्रिकाएँ भंगिमा एक पत्रिका प्रोडक्शन की दृष्टि से काफी पिछड़ी हुई होती हैं। आप इस ओर भी समुचित ध्यान दें।

इधर मैं एक उपन्यास लिखने में व्यस्त हूँ। पिछले महीने से इसमें लगा हुआ हूँ और इतना ही समय और लग जाएगा। इसलिए इधर कुछ भेज सकना संभव नहीं ही लगता। आप इसे सही सन्दर्भ में ही लें। आपके सम्पादन में निकलने वाली पत्रिका के 'प्रवेशांक' में मेरी रचना का जाना मेरे अपने लिए ही मायने रखने वाली बात होती। किन्तु उपन्यास की व्यस्तता के कारण विवश हूँ।

'प्रतिमान' से कुछ कारणों से मैं अलग हो गया हूँ। पत्र इसलिए घर के पते पर ही कृपया दें।

सानन्द होंगे।

आपका

हृदयेश

(4)

26-5-1979

भाई तिवारी जी,

''दस्तावेज'' के प्रथम अंक ने अपनी पहचान बनायी थी, दूसरी ने उसे गहरी की और तीसरी से वह आत्मीय बन गयी है। निश्चय ही आपने इसे परिश्रम और समझ से निकाला है।

यों पत्रिका में अन्य विधाओं पर भी कुछ सामग्री है, किन्तु मुख्यता यह कविता की चिन्ता से ही जुड़ी दीखती है। तीनों अंकों में सर्जनात्मक साहित्य के नाम पर इसमें केवल कवितायें ही हैं। इसका एक कारण आपका इस विधा से स्वयं जुड़ा होना भी हो सकता है। या इसलिए भी कि आपको अच्छी कवितायें कहानी, नाटक की अपेक्षा अधिक सहजता से मिल जाती हैं।

तीसरे अंक में रणजीत की टिप्पणी ''स्वाधीनता, मार्क्सवाद और लेनिनवाद'' बहुत ही सामयिक और सार्थक है। मार्क्सवाद को अधिक उपयोगी बनाने के लिए इसका कठमुल्लापन टूटना ही चाहिए। मेरा आशय है कठमुल्लापन मार्क्सवाद में नहीं उसके पक्षधरों में है जो अत्यधिक उत्साह में उसे संकीर्ण औ जड़ बना रहे हैं।

दूसरे अंक की बजाय तीसरे अंक में कवितायें उन्नीस हैं। बंगला कविताओं में कुछ बहुत अच्छी हैं।

अचल वाजपेयी की कविता प्रकाशित कर आपने इस नये कवि के साथ निश्चय ही न्याय किया है। साहित्य की राजधानियों से दूर-दराज रहने वाले कृतिकारों को व्यक्तिगत सम्बन्धों के अभाव में प्रकाशन में बहुत ही कठिनाइयाँ आती हैं। भले ही उनका लेख अन्य कारणों से ढ़ेर-सा छपने वाले तथा कथित साहित्यकारों से गुणता में कहीं अधिक श्रेष्ठ हो। इन कठिनाइयों और उपेक्षाओं के कारण महत्ती सम्भावनाओं वाले अनेक बीजों की हत्यायें हो जाती हैं। कचोट यह है कि इन हत्यायों का साहित्य के मठाधीशों को कतई अहसास नहीं है।

आपका

हृदयेश

(5)

17-5-04

भाई तिवारी जी,

'दस्तावेज' का अंक 103 मिला। विष्णुकान्त शास्त्री जी पर आपका संस्मरण पढ़ा। शास्त्री जी पर लिखने का कारण आपने उनका अमृत महोत्सव सुअवसर बताया है। इस बनाए गए कारण से मुझे भी पचहत्तरवें वर्ष में अपने प्रवेश की याद आ गयी है। और इस तथ्य को आपके ध्यान में इसलिए ला रहा हूँ कि वाग्देवी प्रकाशन से सद्यः प्रकाशित मेरा कहानी संग्रह 'उसी जंगल समय में' आपकी पत्रिका को समीक्षार्थ भेजा गया है। संग्रह की समीक्षा 'दस्तावेज' में देने के लिए इस आधार पर मैं कुछ अतिरिक्त बल तो अब दे ही सकता हूँ। क्या नहीं?

स्वस्थ एवं सानन्द होंगे।

आपका

हृदयेश

त्रिलोचन शास्त्री

(1)

मुक्तिबोध सृजन पीठ
डॉक्टर हरीसिंह गौर विश्वविद्यालय,
सागर (म.प्र.)

20-11-1989

प्रिय भाई,

मुक्तिबोध सृजन पीठ का आगामी समारोह 20-21 जनवरी 1990 को निर्धारित है। 20 को सायंकाल 6 से 9 बजे तक काव्यपाठ और 21 को प्रातः 10:30 से 1:30 तक विचार गोष्ठी है। विचार गोष्ठी का विषय है—नई कविता साहित्य की अन्य विधाओं के प्रभाव में।

आपको दोनों गोष्ठियों में भाग लेना है। विचार गोष्ठी के लिए विषय को ध्यान में रखते हुए आलेख तैयार करें और दिसम्बर के अन्त तक भेज दें जिस से साइक्लोस्टाइल कॉपियाँ तैयार करायी जा सकें।

स्वीकृति तत्काल दें।

आपका
त्रिलोचन शास्त्री

(2)

30-11-1989

प्रिय भाई,

आपका 26-11-1989 का पत्र मिला।

लेख न लिखना चाहें तो न लिखे। आएँ जरूर।

आपके विषय में डॉ. परमानन्द को भी लिखा है। गोरखपुर से आप और डॉ. परमानन्द, बरहज से मोती बी.ए. को भी निमंत्रित किया है। मोती बी.ए. को आप गोरखपुर ही बुलवा लें और तीनों ही, एक ट्रेन से, साथ आएँ। मोती बी.ए. का पता डॉ. परमानन्द को लिख दिया है। उनसे मालूम करके उन्हें पत्र लिख के सारी बातें साफ कर लें।

काव्यपाठ तो करें ही विचारविमर्श में भाग लें।

आपका
त्रिलोचन शास्त्री

(3)

27-1-1990

प्रिय भाई,

आपका 20-1-1990 का पत्र मिला।

जब आपकी तबीयत पिछले 10-12 दिनों से खराब थी ठंड के कारण तब आप आ ही कैसे सकते थे। ऐसे में स्वास्थ्य की दृष्टि से आप को कहीं भी आने जाने से बचना था—शरीरमाद्यम खलु धर्मसाधनम्।

मौका रहा तो मैं फिर कभी आप को कष्ट दूँगा। उस समय अपनी तबीयत को बिगड़ने मत दीजिएगा नहीं तो आपकी तबीयत से मेरा झगड़ा हो जाएगा।

आपका

त्रिलोचन शास्त्री

(4)

6-11-1996

प्रिय भाई,

आपका 28-11-1996 का पत्र मिला।

''राम चरित मानस'' को मैं बाल्यकाल से ही पढ़ता रहा हूँ। गाँव में मानस का नाम ''रामायण'' प्रचलित है। बहुतों के लिए कोई भी मोटी किताब ''रामायण'' जान पड़ती है। तुलसीदास को पढ़ते-पढ़ते मैं ने उनकी भाषा और वाक्य रचना पर ध्यान दिया। भाषा के विविध रूप मानस में दिखाई देते हैं औरे छन्द भी अनेक रूपों में हैं। छन्दों की अनेकता पर मेरा ध्यान वहीं से केन्द्रित हुआ। तुलसी की रचनाओं के माध्यम से मैंने रचना क्षेत्र में पैर रखना सीखा। इस कारण मैं रचना से परिचित होकर गोस्वामी तुलसीदास को ही अपना काव्य गुरु मानता हूँ। मेरी कविताओं को ध्यान से देखने पर सतर्क पाठक समझ जाएँगें कि मैं भिन्न भाव भूमि पर चलते हुए भी गोस्वामी तुलसीदास को कभी नहीं भूलता·। तुलसीदास ने लिखा है। मनह सिखिन सुनि बारिद बानी। मेरी किसी कविता में यहीं ''बारिद बानी'' वारिद वाणी हो गई है।

आपका

त्रिलोचन शास्त्री

ज्ञानरंजन

(1)

763 अग्रवाल कालोनी
जबलपुर

4-11-74

प्रिय भाई,

'पहल' के अंक आपको पसन्द आए, इसके लिए आभारी हूँ। सम्भव है चार छै दिन में जो ताजा अंक आपको देखने को मिलेगा, वह अधिक सन्तुष्ट कर सकेगा।

आपकी कविता के कारण ज्यादा खुशी हुई—हम उसे छापेंगे लेकिन जल्दी से जल्दी सुविधानुसार —कृपया उसे कहीं भी अन्यत्र नहीं भेजें। निश्चित रूप से वह पहल 4 चार में छपेगी।

प्रसन्न होंगे।

कृपया 'पहल' का अंक डॉ. लाल बहादुर वर्मा (भंगिमा सम्पादक) से सहयोग राशि देकर प्राप्त करें। कविता मुझे बहुत अच्छी लगी है।

आपका
ज्ञानरंजन

(2)

21-12-78

प्रिय बन्धु,

मैं लगभग 2 महीने यात्रा पर रहा। दस्तावेज भी उसी दौरान देखाथा। लौटने पर मिला। फिर 15 दिन टायफाइड में पड़ गया। काम पहाड़ की तरह ऊँचा हो गया है। आप स्वयं समझ सकते हैं।

कहानी तो अभी समय लेगी। बाद में। 'दस्तावेज' के लिए हमारा अभिवादन स्वीकार करें। आपके हाथ में वह गरिमा युक्त रहेगी। यह हमें पता है।

विज्ञापन जरूर देंगे। नया अंक तैयार हो रहा है।

स्वस्थ होंगे।

आपका
ज्ञानरंजन

ज्ञानेन्द्र पति

(1)

माडेल इंग्लिश एकेडमी के पास,
चौहट्टा, पटना-4

6-12-78

प्रिय भाई,

आपके पत्र।

'दस्तावेज' के आयोजन में मैं बहुत उम्मीद लगाए हूँ। आपके इस संकल्प से आश्वस्त हूँ कि यह किसी गुटविशेष का कवच-कुण्डल नहीं बनेगा, बल्कि अपने समय की सार्थक रचनाशीलता का समर्थक होगा।

आदेशानुसार कविताएँ भेज रहा हूँ। दोः 'ट्राम में एक याद' और 'शहर की रात में आग'। इसी क्रम में छपें तो बेहतर।

लेकिन पहले यह बताइये, मेरे कवि-मित्र, कि कविताएँ कैसी लगीं? मेरा अपना फायदा तो यह पहली सच्ची प्रतिक्रिया जानने का ही होगा।

पत्र तत्काल दें। लिफाफा पाने की खबर।

आपको सुनने के लिए चुप होता हूँ।

सस्नेह

ज्ञानेन्द्र पति

(2)

11-11

प्रिय भाई,

'दस्तावेज' का प्रवेशांक और आपका पत्र।

सुसम्पादित, अन्तदृष्टिपूर्ण प्रथमांक के लिए मेरी हार्दिक बधाईयाँ लीजिए। अपने समय के सृजन के प्रति आपका दृष्टिकोण रचनात्मक है, बँधा-बँधाया, यांत्रिक, जड़ नहीं—यह पहले अंक में ही खूब-खूब परिलक्षित होता है। एक दो अपवादों को छोड़ दें, तो पिछले दिनों में साहित्यिक पत्रकारिता संसार रचना के प्रति करीब-करीब शत्रुतापूर्ण उदासीनता और अराजकता का संसार रहा है। ऐसे परिप्रेक्ष्य में आपका प्रयत्न अतिरिक्त सार्थक हो उठता है और अगले अंकों के प्रति उत्सुक बनाता है।

मेरी अशेष शुभकामनाएँ।

सस्नेह आपका

ज्ञानेन्द्र पति

(3)

5-2-79

प्रिय भाई,

दस्तावेज का प्रतीक्षित अंक मिला है।

अंक देखकर जो प्रसन्नता हुई, उसे खोल कर वह कम हो गई। कविता के प्रूफ देखने पर आपने पर्याप्त ध्यान नहीं दिया। कविता के प्रकाशन में आप ऐसी लापरवाही दिखाएँगें यदि अपेक्षा के अनुकूल है। स्पेस की चूकें अत्यधिक हैं, मूल से मिलाकर देखेंगे। दूसरी कविता में तो इस कारण, एक जगह अर्थ का अनर्थ हो गया है। उसके अन्तिम खण्ड को देखें। 'करती हुई भयभीत'—यह पंक्ति इसके पहले के खण्ड की अन्तिम पंक्ति है, अन्तिम खण्ड की पहली पंक्ति नहीं जैसी कि वह छपी है। अर्थ का अनर्थ होता है न यहाँ? कब से जल रही यह आग, रात का रहस्य जानने वाली पशु की लोलुप आँख को निस्तेज निष्प्रभ और भयभीत कर रही है। यह है कविता में मेरा आशय। जबकि छपित रूप में 'करती हुई भयभीत में अन्तिम खण्ड शुरू होता है और यह मेरे आशय को अवरुद्ध ही नहीं करता, उसके विरुद्ध भी पड़ता है। इसी कविता में 'हठी आदमी को लपेटकर समर्पण के आलिंगन में/कब दिया प्रकृति ने पहली बार आग का चुम्बन,—ये दो पंक्तिया मात्र साथ छपनी थी। 'कब से जल रही है यह आग'—अगले खण्ड की पहली पंक्ति है। इसके ऊपर 'जंगलों को ठेलते'—में 'ठेलते की जगह' 'हेलते' छप गया है। इससे तस्वीर ही दूसरी बनती है।

एक रचना केन्द्रित पत्रिका रचना के शुद्ध प्रकाशन पर पर्याप्त ध्यान दे, यह अपेक्षित है। आप इस ओर कुछ अंधिक जागरूक हों। पूरे अंक पर अपनी प्रतिक्रिया बाद में लिखूँगा। तनिक इतमीनान से।

स्वस्थ सानन्द होंगे। शुभकामनाओं के साथ।

आपका

ज्ञानेन्द्र पति

पुनश्चः क्या इन अशुद्धियों के परिमार्जन की गुंजाइश है? स्याही से, या किसी और विधि से, यदि सम्भव हो तो कृपया करें।

(4)

श्री इन्द्रदेव सिंह का मकान,
वेस्ट बोरिंग कैनाल रोड,
पटना-1

14-11-83

प्रिय भाई,

पत्र मुझे लिखना था। कविता के साथ, इसलिए आज से पहले आपको लिख नहीं पाया। आपके पत्र ने, दस्तावेज में आपकी समीक्षा ने, ऐसे समय 'एक साथ जब शत घातघूर्ण आते थे मुझ पर तुले तूर्ण', मुझे बहुत बल दिया है।

यह कविता अनन्य समव्यथी को ही भेजी जा सकती थी। तीन टुकड़े हैं इसके। शीर्षक के ऊपर जो दो पंक्तियाँ हैं, वे अच्छा होगा, 'इटैलिक्स' में छपें।

यह कविता आपको कैसी लगी, अवश्य बताइए। उत्सुकता वही जानने की है।

दस्तावेज के क्या हाल हैं? अगला अंक कब तक आ रहा है?

अपने पढ़ने-लिखने की बात बताइए। आपके पत्र की प्रतीक्षा है।

स्नेहाधीन

ज्ञानेन्द्र पति

(5)

8, आनन्दपुरी, पश्चिम
बोरिंग कैनाल रोड,
पटना-1

6-2-88

प्रिय भाई,

वर्षारम्भ से ही आपको लिखने की सोचता रहा। शुभकामनाएँ और इस बीच आपकी जो रचनाएँ पढ़ता रहा हूँ उनके लिए साधुवाद देने।

गंगा के उस पार (मुजफ्फरपुर) आकर भी पटना के लिए टपना आपको गवारा नहीं होता, क्यों भाई? देखें, आपके इस मुरीद की मुराद कब पूरी होती है।

दस्तावेज के अंक अनियमित ढंग से मिलते रहे हैं।

राजा, वैद्य और गुरुजन के यहाँ खाली हाथ नहीं जाया जाता और न सम्पादक के यहाँ। टेलिविजन से जुड़ी तीन कविताओं की एक शृंखला साथ कर रहा हूँ।

यदि ये कविताएँ न भाएँ तो दूसरी भेजूँगा। आपकी नई रचनाएँ पढ़ने की उत्सुकता है। आपके पत्र की प्रतीक्षा है।

सस्नेह आपका

ज्ञानेन्द्र पति

(6)

25-2-88

प्रिय भाई,

आपका कृपा पत्र।

मेरी कविताएँ आपको अच्छी लगती हैं यह जानना मुझे तोषाह्लाद से भरता है।

यह भी अच्छा है कि ये कविताएँ दस्तावेज के अगले किसी अंक में आएँगी। नहीं तो जायज और जरूरी यह परिवर्द्धन जुड़ने से रह जाता है।

तीसरी कविता 'टेलिविजन को देखो' शीर्षक में शुरु से तेरहवीं पंक्ति के बाद, अर्थात् दूसरे पैराग्राफ

से छठी पंक्ति के बाद, अर्थात् पंक्ति 'बारुद की गंध की तरह उठने लगती हैं' के बाद, अगली पंक्ति होगी—रक्त संचार में घुलने लगती हैं।

कृपया इस पंक्ति-परिवर्द्धन को पाण्डुलिपि में यथा स्थान लिख जोड़े, मेरी ओर से, और मुझे समाश्वस्त करें कि आपने यह कर दिया है।

पिछले पत्र में यह कहने से रह गया था। साक्षात्कार में पढ़ा विपाशा का यात्रा वृत्त, बहुत अच्छा लगा था—सहज और सरित्‌गतिलययुक्त।

स्नेहाधीन

ज्ञानेन्द्र पति

'रक्त संचार में घुलने लगती हैं।'

(7)

बी-3/12, अन्नपूर्णा नगर कालोनी
विद्यापीठ रोड, वाराणसी—221002

23-3-91

प्रियवर,

आपका पत्र। इसके पूर्व दस्तावेज का 47वाँ अंक भी।

आप सरीखे मित्र का सहजस्नेह ही तो मेरे कवि का शुभकामी समर्थक है।

आपकी इच्छानुसार दस्तावेज 48-50 के लिए अपनी एक नवीनतम कविता भेज रहा हूँ। युद्ध के विरुद्ध। कविता सात छोटे-छोटे खण्डों में हैः पृष्ठों पर जो संख्या अंकित है वह पृष्ठों की नहीं खण्डों की सूचक है। आशा करता हूँ कि कविता आपकी अपेक्षाओं के निकष पर खरी उतरेगी। अपनी तटस्थ प्रतिक्रिया से अवश्य परिचित कराइएगा। जहाँ तक प्रकाशन की बात है, इसकी प्रदीर्घता अथवा किसी अन्य कारण से यदि यह दस्तावेज के आगामी अंक के अनुकूल न लगे तो कृपया अविलम्ब साथ के लिफाफे में भर कर इसे लौटा देने की कृपा कीजिएगा।

नववर्षारम्भ पर इस और पिछले वर्ष भी आपको शुभकामना कार्ड भेजे थे, यदि आपके यहाँ कार्डों की भीड़ में खो गए तो कोई हर्ज नहीं, स्तवक-सुरभि में कहीं उनकी मद्धिम गंध भी शामिल होगी; पर यदि डाक में गुम हुए तो जानकर खेद होगा।

आपके नए संग्रह को पढ़ने की प्रतीक्षा रहेगी।... मेरी कविताएँ तो संग्रहातीत हुई जा रही हैं, कोई संग्रह तैयार भी नहीं कर रहा। बनारस के पते पर ही लिखिए। इसे पाते ही। मेरी शुभकामनाएँ, मेरा स्नेह।

आपका

ज्ञानेन्द्र पति

(8)

14-4-91

प्रियवर,

2-4 का आपका पत्र। इसके पूर्व, मेरी कविता की पीठ पर ही, मेरा एक कार्ड मिला होगा, कविता में एकाधिक स्थलों पर किंचित् परिवर्द्धन की सूचना देता हुआ। अब जबकि कविता दस्तावेज 49-50 में आनी है, उन परिवर्द्धनों को पाण्डुलिपि में जोड़ लेने की कृपा करें।

1. खण्ड (3) में पाँचवी अर्द्धपंक्ति है—अंतहीन है गिनती.... वह अब निम्नतः पूरी होगी और छठी पंक्ति के रूप में एक नई पंक्ति होगी।

अंतहीन है गिनती इन हथियारों की। इक्कीसवीं शताब्दी के प्रवेश-द्वार पर लटक रहे हैं जो बन्दनवारों की तरह। शेष यथावत्।

2. खण्ड (4) में चार पंक्तियों के पहले (अभी तक एकमात्र) पैराग्राफ के बाद अब पाँच पंक्तियों का दूसरा पैराग्राफ होगा, निम्वतः

देख सको तो देखो यहाँ से
हमारे समय का यह अनलंकृत सच
हाथ में मशाल उठाए उस महाकाय लिबर्टी प्रतिमा के गालों पर
वह शाम की नहीं शर्म की लाली है
और वह पुत रही कालिख केवल रात की नहीं है

3. अन्तिम खण्ड (6) में एक पंक्ति का चौथा पैराग्राफ है—

और कोई चेहरा नहीं उस रक्त का जो बहा असिधारा जल बन धारासार। इसके बाद के पैराग्राफ की चौथी पंक्ति में एक शब्द बढ़ेगा—सत्वर। जो था, वह पंक्ति अब इस तरह होगीः

कि वह अपने केंकड़ों को रौंदे जाने से बचाने में लगी है
अपनी रेत-रेत सजल आत्मा में विवर देती सत्वर। शेष यथावत्।

इत्यलम्।

यह पत्र आपको प्राप्त हुआ और इन परिवर्द्धनों को आपने मूल में अंकित कर लिया यह कृपया शीघ्र बताकर समाश्वस्त करेंगे।

दसतावेज 47 में आपका यात्रा-वृत्तान्त आया। इसके पूर्व साक्षात्कार की भी विपशा- यात्रा वृत्त बहुत अच्छा लगा था। इधर आपकी अनेक अच्छी कविताएँ भी पढ़ने को मिली हैं। पत्र देंगे।

यथाशीघ्र। वंशवर्ती

आपका
ज्ञानेन्द्र पति

(9)

24-7-91

प्रियवर,

आत्मीयता से ओत-प्रोत आपका पत्र। बड़भागी हूँ कि आप सरीखे मित्र का स्नेहाधिकारी बन बैठा

हूँ। बिना कुछ किये-दिये।

आप यह क्या कहते हैं कि दस्तावेज के इस अंक की छपाई को लेकर कोई व्यक्तिगत खेद मुझे न हो! भला क्यों हो? यह अलग बात है कि दस्तावेज को बेहतर छपा देखकर प्रसन्नता होगी और यदि वैसा वहाँ सम्भव न हो तो चाहे बनारस में ही मेरे लिए तो इसमें अतिरिक्त आकर्षण है, तब आपसे होने वाली मुलाकातों का। याद रखिये कि मेरा घर यानी आपका घर स्टेसन के बिल्कुल पास ही है। दस्तावेज के 50 वें अंक का निकलना कोई मामूली बात नहीं है। अकेले हाथों आपने इसे सम्भव किया है। मरुता के विरुद्ध आपने एक तरु खड़ा किया है। प्रदूषित साहित्यिक वातावरण को स्वच्छ ओषजन से यथाशक्ति भरता हुआ। ऐसे मौके पर आपने मुझे याद किया यह मेरे लिए आनन्द और गौरव की बात है। आपके साथ-साथ दस्तावेज दीर्घायु हो।

विमोचनोत्सव का निमन्त्रण भी मिला था। रेवती रमण जी मेरे प्रति कुछ इतने स्नेहातुर रहते हैं कि न पूछिये। और चिन्तातुर भी। वैसे उनकी इस बात से मैं असहमत नहीं कि अब मेरा संग्रह आना चाहिए। विशेषकर इसलिए भी कि उसके बाद मैं एक गद्य दौर शुरु करना चाहता हूँ, गद्य-पथ पर चलने को पाँव अकुला रहे हैं जैसे। गम्भीरता से वह इसलिए नहीं शुरु कर पा रहा कि चाहता हूँ कि कम-से-कम इधर की कविताओं को समेट लूँ। पिछले दिनों में अनेक कविताएँ पूरी की हैं। कुछ में लगा हूँ। पर संग्रह की प्रस्तुति तो वर्षान्त तक ही सम्भव हो सकेगी।

दस्तावेज के इस अंक में आपकी माँ के लिए लिखी गयी कविताएँ अद्‌भुत मार्मिक बन पड़ी हैं। व्यक्तिगत शोक को इतना संवेद्‌य बना देना हमेशा सम्भव नहीं होता—कहना चाहिए प्रायः सम्भव नहीं होता। निराला ने बनवेला से कहा था—कहाँ खुले कविता में ऐसे दल दुग्ध-धवल? आपकी इन कविताओं में माँ के अमृत पयोधर दिखते हैं—सजल मेघ की तरह आश्वस्तिदायी। क्षेमेन्द्र का एक शब्द लेकर कहूँ तो आपकी ये कविताएँ 'हृदयसंवादी' बन पड़ी हैं। हृदयसंवादिता ही कविता की निष्कलुष प्रामाणिकता की विश्वसनीय कसौटी है। इन कविताओं को पढ़कर जैसे आत्मा ही सद्यःस्नात सी महसूस करती है।

लिखियेगा, मित्र। सम्भव हो तो दस्तावेज 49-50 की एक और प्रति भिजवाने की कृपा कीजियेगा।

सस्नेह आपका

ज्ञानेन्द्र पति

(10)

27-4-92

प्रियवर,

दस्तावेज का 52 वाँ अंक प्राप्त हुआ है। इस अंक में आपका लेख पसन्द आया। उससे असहमत होना मुश्किल है। नामवर जी की आलोचना के मुख्य अंतर्विरोध को आपने बहुत संयत ढंग से रेखांकित किया है। 53वाँ अंक कब तक आयेगा?

इधर, लखनऊ दूरदर्शन का एक आमन्त्रण प्राप्त हुआ है; 5-6 को 'सरस्वती' के लिए, काव्यगोष्ठी में शिरकत करने का। उसमें आपका भी नाम है। आपके साथ की सम्भावना मुझे जाने के लिए उत्साहित कर रही है। वहाँ भेंट हो तो मुद मंगलमय संत समाजू हो।

स्वस्थ सानन्द होंगे।

सस्नेह आपका

ज्ञानेन्द्र पति

ज्ञानप्रकाश विवेक

(1)

9/508, निकट सिविल अस्पताल
बहादुर गढ़—124507
हरियाणा

7-8-91

आदरणीय तिवारी जी,

दस्तावेज के पचासवें अंक निकालने पर बधाई स्वीकारें। लघु पत्रिका के पचास अंक निकाल लेना मखौल नहीं होता, उसके पीछे दृढ़ इच्छा शक्ति, संकल्प और कठिन वक्त से पंजा लड़ाने की कुव्वत भी होती है। महज बधाई देकर आपके अथक प्रयास को हम कम नहीं करना चाहते। मन करता है आपसे हाथ मिलाऊँ और उन हाथों का आशीर्वाद भी प्राप्त करुँ।

पचासवाँ अंक हम नहीं देख पाए क्योंकि श्रीराम सेन्टर के बुक काउंटर पर रखा ही नहीं गया रवीन्द्र भवन की लाइब्रेरी में भी यह पढ़ने को उपलब्ध नहीं हो सका..... खैर।

मैंने आँखों में आसमान की दो प्रतियाँ भेजी थीं। उनकी समीक्षा शायद आप नहीं करा पाए। इधर मेरी अन्य दो किताबें—एक चेहरा विलोम उपन्यास तथा पिताजी चुप रहते हैं कहानी संग्रह प्रकाशित हुए हैं। क्या इनमें से किसी एक पुस्तक की आप समीक्षा करा पायेंगे—दस्तावेज के लिए। मैं दोनों किताबों की प्रतियाँ आपको भेज दूँगा।

मेरी एक कविता 'युद्धवीर सिंह' भी आपके पास स्वीकृत है। सादर

आपका
ज्ञानप्रकाश विवेक

(2)

9-11-94

आदरणीय विश्वनाथ प्रसाद जी,

दस्तावेज के अंक मुतवातिर मिल रहे हैं। आप जिस ताप, तपिश संवेदना और संज्ञान के साथ पत्रिका निकाल रहे हैं वह यकीनन हिन्दी अदब के लिए महत्वपूर्ण है, उससे ज्यादा महत्वपूर्ण यह है कि आप बिना शोर-शराबे के गम्भीर काम में जुटे हैं।

इस अंक में अश्क जी पर महत्वपूर्ण सामग्री दी है। खतो-किताबत और कवितायें अपनी उपस्थिति दर्ज कराती हैं।

मैं वर्ष 1994 (जो लगभग बीत चुका है) तथा 1995 का वार्षिक शुल्क भेज रहा हूँ। कृपया स्वीकार करें।

क्या आप गजलें छापना चाहेंगे? मैंने इधर कुछ गजलें लिखी हैं और वे ताजा गजलें भेजना चाहता हूँ। सादर,

आपका

ज्ञानप्रकाश विवेक

(3)

15-5-95

आदरणीय विश्वनाथ तिवारी जी,

अंक की प्रति मिल गयी है। सम्पादकीय तथा आलोचना केन्द्रित दूसरी चीजें महत्वपूर्ण हैं। सम्पादकीय में आपकी सोच और शऊर का पुख्तापन हमें ऊर्जा देता है। आप विचारवान लेखक कवि हैं। दार्शनिकता की झलक भी मिलती है।

मेरी गजलें आपने शायद कुछ कारणों से इस अंक में नहीं छापीं। क्या अगले अंक में दे रहे हैं? राजेन्द्र जी ने कहा था कि आप दिल्ली आ रहे हैं। फिर आपके घर पर कुछ परेशानी हो गयी। इधर कब आयेंगे? मेरा गजल संग्रह इस मुश्किल वक्त में छपना है। यदि आप अगले अंक में गजले दस्तावेज मैं छापें तो अच्छा रहेगा। सानन्द होंगे।

आपका

ज्ञानप्रकाश विवेक

(4)

1-6-95

आदरणीय विश्वनाथ तिवारी जी,

आपका पत्र मिला। धन्यवाद।

गीत गजल अंक निकलाने का विचार बहुत भाया। यह साहित्यिक खुलापन कम ही लोगों में है। दस्तावेज जैसी गम्भीर वैचारिक पत्रिका गजल गीत केन्द्रित अंक निकाले यह यकीनन महत्वपूर्ण और साहसपूर्ण प्रयास होगा। समय-समय लघु प्रत्रिकायें गजल विशेषांक निकालती रही हैं। लेकिन होता क्या है कि बहुत अधिक भरती के गजलकारों के कारण चीजें साफ नहीं हो पातीं। अच्छी गजल चाहें नये गजलकारों की हों, छपनी चाहिये। लेकिन एक अरसे से लिखने वाले गजलकार भी गड़बड़ियाँ कर रहे हैं। वे खुद विधा के प्रति संजीदा नहीं है। दूसरा मंचीय गजलकार हैं। जिनकी चिन्तायें श्रोताओं से तालियाँ बजवाना या आर्थिक है। इस ओर आप सर्तक रहेंगे ऐसा तो विश्वास है ही।

अगर आप सिर्फ गजल केन्द्रित अंक निकालें तो कैसा रहे? मैं गजल पर एक लेख लिखना चाहूँगा। यदि आप आदेश देंगे। यदि विषय भी दें तो उस पर भी लिखने की कोशिश करुँगा। गजल पर मैं एक अरसे से लेख लिखता चला आ रहा हूँ। मैं चाहता हूँ और लोग भी गजल पर बातचीत करें। लेकिन

बात बहुत ज्यादा बन नहीं पायी। महेश अश्क अच्छी समझ रखते हैं। लिखते भी अच्छा हैं।

गीतकारों के विषय में मैं अधिक जानकारी नहीं रखता। अश्क, विनोद तिवारी, कैलाश गौतम, यश मालवीय, विजय किशोर मानव आदि हैं। डॉ. राजेन्द्र प्रसाद सिंह बुजुर्ग गीतकार मौजूद है। गजलकारों की एक लिस्ट भेज रहा हूँ। मालूम नहीं आपकी लिस्ट से कितना मेल खाती है। अच्छे गजलकार भी होंगे। सापेक्ष का गजल विशेषांक भी आ रहा है। उसमें बहुत सारा कचरा भी होगा।

सानन्द होंगे। सादर

आपका

ज्ञानप्रकाश विवेक

(5)

18-12-95

आदरणीय विश्वनाथ जी,

गीत गजल अंक निकालकर आपने वसीह-दिल का परिचय दिया है। आग्रह-दुराग्रह से परे, एक सम्पादकीय विवेक और सोच आपके दस्तावेज के हर अंक में मौजूद रहती है। इस अंक में भी है। कमजोरियाँ और कम्पलैक्स हम गजलकारों के हैं। गीत हो या गजल हमेशा एक करख्त लहजा रहा है सम्पादकों का। आपने हम सबको हौसला दिया है। दस्तावेज जैसी आलोचना पत्रिका अगर गीत गजल पर अंक निकालती है तो इसके कुछ तो मायने हैं। इस अंक को बहुत लोगों ने पढ़ा है। बहुत लोगों ने तारीफ की है। मुझे चिट्ठियाँ और फोन मिले हैं। आपके शहर के एक गजलकार महोदय की नाराजगी भरी चिट्ठी भी मिली है कि उनका नाम मैंने अपने लेख में दर्ज नहीं किया।

बहरहाल, आपने गजलों को महत्व दिया है। इन सभी गजलकारों को आपका यह अंक अच्छा लगा होगा। कमियाँ ढूँढ़ने वालों की इस जहान में कमी नहीं। सानन्द होंगे। सादर

आपका

ज्ञानप्रकाश विवेक

❑❑